여러분의 합격을 위한 (barcode sticker) 는

해커스소방 특별 혜택!

KB084352

FREE 소방학개론 **특강**

해커스소방(fire.Hackers.com) 접속 후 로그인 ▶ 상단의 [무료강좌 → 소방 무료강의] 클릭하여 이용

해커스소방 온라인 단과강의 **20% 할인쿠폰**

E4F4D5E857DBF88F

해커스소방(fire.Hackers.com) 접속 후 로그인 ▶ 상단의 [내강의실] 클릭 ▶
좌측의 [인강 → 결제관리 → 쿠폰 확인] 클릭 ▶ 위 쿠폰번호 입력 후 이용

* 등록 후 7일간 사용 가능(ID당 1회에 한해 등록 가능)

해커스소방 무제한 수강상품[패스] **5만원 할인쿠폰**

9939878372AEFCPU

해커스소방(fire.Hackers.com) 접속 후 로그인 ▶ 상단의 [내강의실] 클릭 ▶
좌측의 [인강 → 결제관리 → 쿠폰 확인] 클릭 ▶ 위 쿠폰번호 입력 후 이용

* 등록 후 7일간 사용 가능(ID당 1회에 한해 등록 가능)
* 특별 할인상품 적용 불가

쿠폰 이용 관련 문의 **1588-4055**

단기 합격을 위한 해커스소방 커리큘럼

입문

탄탄한 기본기와 핵심 개념 완성!

누구나 이해하기 쉬운 개념 설명과 풍부한 예시로 부담없이 쌩기초 다지기

TIP 베이스가 있다면 **기본 단계**부터!

▼

기본+심화

필수 개념 학습으로 이론 완성!

반드시 알아야 할 기본 개념과 문제풀이 전략을 학습하고
심화 개념 학습으로 고득점을 위한 응용력 다지기

▼

기출+예상 문제풀이

문제풀이로 집중 학습하고 실력 업그레이드!

기출문제의 유형과 출제 의도를 이해하고 최신 출제 경향을 반영한
예상문제를 풀어보며 본인의 취약영역을 파악 및 보완하기

▼

동형문제풀이

동형모의고사로 실전력 강화!

실제 시험과 같은 형태의 실전모의고사를 풀어보며 실전감각 극대화

▼

최종 마무리

시험 직전 실전 시뮬레이션!

각 과목별 시험에 출제되는 내용들을 최종 점검하며 실전 완성

PASS

* 커리큘럼 및 세부 일정은 상이할 수 있으며,
자세한 사항은 해커스소방 사이트에서 확인하세요.

해커스소방
김정희 소방학개론

기본서 | 1권

해커스소방

서문

“포기하지 않으면 반드시 꿈은 이루어집니다.”

반갑습니다. 수험생 여러분!!!
해커스소방에서 소방학개론과 소방관계법규 과목을 강의하는 김정희입니다.

1. 소방학개론 · 소방관계법규는 하나의 과목입니다.

소방학개론과 소방관계법규는 서로 밀접한 관계를 가지고 있습니다. 소방학개론의 소방시설, 위험물, 소화론 및 재난관리 등이 법규를 기본으로 한 분야라는 점을 예시로 들 수 있겠네요. 이렇듯 소방용어와 개념이 서로가 유기적인 관계를 갖고 있으므로 이를 극대화할 수 있는 학습전략이 중요합니다.

2. 시험장에서는 ‘INPUT’이 아니라 ‘OUTPUT’의 과정인 것을 기억하여야 합니다.

결국 시험의 승패는 시험장에서 결정됩니다. 시험을 위한 준비과정에서 중요한 포인트 중의 하나는 입력하는 행위(INPUT)라기보다 학습한 내용을 출력해 내는 행위(OUTPUT)라 할 수 있습니다. 학습은 전략적 ‘INPUT’을 통한 순조로운 ‘OUTPUT’이 될 수 있도록 하는 것이 가장 중요합니다. ‘OUTPUT’을 고려하지 않고 입력하는 데만 집중하면 시험장에서 무용지물이 될 내용들만을 힘들게 학습하게 됩니다. 따라서 본 교재는 학습효율을 높이기 위하여 ‘OUTPUT’이 용이한 콘텐츠로 본 교재를 구성하였습니다. 간결한 표와 [정희’s 톡talk]의 개념은 수험생 여러분을 처음에는 분명히 놀랍게 할 것이고, 시험을 보고난 후에는 감탄하게 될 것임을 자신합니다.

3. 소방공무험 시험에선 기본서의 선택이 가장 중요합니다.

전쟁에서 어떤 무기를 가지고 전쟁터에 가는 것만큼, 소방공무원 시험에서 어떤 교재를 가지고 준비하느냐는 합격이 성패를 좌우하는 가장 중요한 요소 중의 하나입니다. 이제는 소방학개론과 소방관계법규 과목에서, 핵심정리와 단편적인 필기노트, 기출문제의 학습만으로는 결코 좋은 점수와 합격을 기대하기 어렵다는 것을 우리는 실제 시험에서 경험했습니다. 이에 대비하여 꾸준히 기본서의 중요성을 강조하고 충분한 컨텐츠와 완성도 높은 기본서를 집필하고자 최선을 다하였습니다. 전공과목의 중요성이 증대되고 있는 상황에서 어떤 책의 기본서를 가지고 시작하느냐는 합격을 위한 가장 중요한 선택이 될 것이 분명합니다.

어떻게 학습해야 할까요?

소방학개론의 학습범위는 소방관계법규와 같이 명확하지 않습니다. 또한 기출문제는 출제범위를 벗어나 출제되는 경우도 있어 학습에 어려움이 많습니다. 게다가 최근에는 난도가 높은 계산문제까지 출제되어 수험생의 학습 부담감이 극도로 높아지고 있는 추세입니다. 이러한 어려움을 조금이나마 덜어줄 수 있도록 이 교재의 활용법을 공개합니다!

1. [스토리텔링]을 통한 교재의 구성

소방학개론 과목은 예비 소방공무원이 알아야 할 기본지식을 구성한 내용입니다.
화재를 진압하기 위한 소화는 화재의 정확한 이해에서부터 시작됩니다. 일반적으로 화재는 물로 소화합니다. 하지만 연소론 · 화재론을 학습하면 물로 소화할 수 없는 위험한 화재가 있음을 알게 됩니다. 보다 정확한 소화를 위해서는 화재와 연소의 선행학습이 필요한 것이지요. 본 책의 구성은 자연스럽게 연소론(폭발론), 화재론, 소화론의 순으로 구성되어 있습니다. 총 9개의 PART가 자연스럽게 구성되어 있어 소방학 전체를 여러분이 쉽게 따라갈 수 있고, 한편의 영화를 보듯 자연스럽게 소방학에 입문하게 됩니다.

2. 개념 이해가 쏙쏙 들어오는 표와 그림

내용의 전개가 잘 되어 있다 하더라도 연소론, 폭발론, 화재론 및 소화론 분야의 개념은 쉽게 여러분에게 다가오지 않습니다. 이를 위해 표와 그림과 같은 다양한 콘텐츠가 시각화되어 구성되어 있습니다. 아무리 학습하여도 소방시설과 위험물 PART는 막연하고 어려운 분야입니다. 소방시설의 작동원리와 구성에 대한 이해, 위험물 분야의 각론 등 다양한 콘텐츠가 여러분을 고득점으로 안내할 것입니다.

3. 밑줄 쫙! 강의에서 강조한 내용을 담은 [정희's 톡talk]

시험에 잘 나오는 내용 및 함정, 이해하기 어려운 내용들은 [정희's 톡talk]으로 정리하였습니다. 강의에서 설명하던 내용을 직접 교재에 담았으니, 강의 내용을 떠올리며 다시 한번 복습한다면 머릿속에 오래오래 남을 거예요!

소방학개론은 방대하고 이해하여야 하는 내용들이 많지만 한번 그 틀을 잘 잡아둔다면 나중에 여러분에게 높은 점수를 가져다줄 효자 과목이 되어 있을 것이므로 우리 함께 소방학개론을 정복해봅시다! 화이팅!!

저자 김정희

목차

1권

2권

이 책의 구성

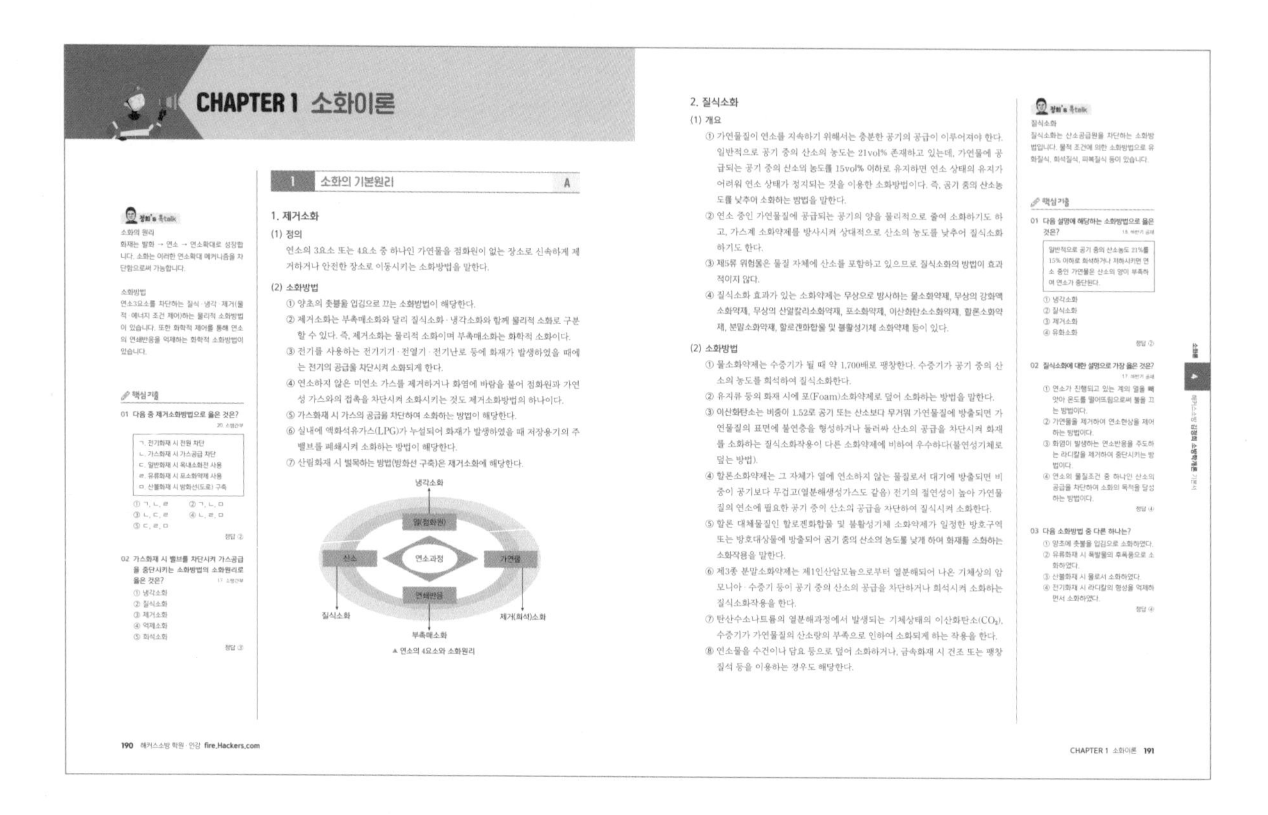

CHAPTER 1 소화이론

1 소화의 기본원리 A

정희's 톡talk

소화의 원리

화재는 발화 → 연소 → 연소확대로 성장합니다. 소화는 이러한 연소확대 메커니즘을 차단함으로써 가능합니다.

소화방법

연소3요소를 차단하는 질식·냉각·제거(물적·에너지 조건 제어)하는 물리적 소화방법이 있습니다. 또한 화학적 제어를 통해 연소의 연쇄반응을 억제하는 화학적 소화방법이 있습니다.

1. 제거소화

(1) 정의

연소의 3요소 또는 4요소 중 하나인 가연물을 점화원이 없는 장소로 신속하게 제거하거나 안전한 장소로 이동시키는 소화방법을 말한다.

(2) 소화방법

① 양초의 촛불을 입김으로 끄는 소화방법이 해당한다.

② 제거소화는 부촉매소화와 달리 질식소화·냉각소화와 함께 물리적 소화로 구분할 수 있다. 즉, 제거소화는 물리적 소화이며 부촉매소화는 화학적 소화이다.

③ 전기를 사용하는 전기기기·전열기·전기난로 등에 화재가 발생하였을 때에는 전기의 공급을 차단시켜 소화되게 한다.

④ 연소하지 않은 미연소 가스를 제거하거나 화염에 바람을 불어 점화원과 가연성 가스와의 접촉을 차단시켜 소화시키는 것도 제거소화방법의 하나이다.

⑤ 가스화재 시 가스의 공급을 차단하여 소화하는 방법이 해당한다.

⑥ 실내에 액화석유가스(LPG)가 누설되어 화재가 발생하였을 때 저장용기의 주 밸브를 폐쇄시켜 소화하는 방법이 해당한다.

⑦ 산림화재 시 벌목하는 방법(방화선 구축)은 제거소화에 해당한다.

▲ 연소의 4요소와 소화원리

핵심기출

01 다음 중 제거소화방법으로 옳은 것은? 20. 소방간부

ㄱ. 전기화재 시 전원 차단
ㄴ. 가스화재 시 가스공급 차단
ㄷ. 일반화재 시 옥내소화전 사용
ㄹ. 유류화재 시 포소화약제 사용
ㅁ. 산불화재 시 방화선(도로) 구축

① ㄱ, ㄴ, ㄹ ② ㄱ, ㄴ, ㅁ
③ ㄴ, ㄷ, ㄹ ④ ㄴ, ㄹ, ㅁ
⑤ ㄷ, ㄹ, ㅁ

정답 ②

02 가스화재 시 밸브를 차단시켜 가스공급을 중단시키는 소화방법의 소화원리로 옳은 것은? 17. 소방간부

① 냉각소화
② 질식소화
③ 제거소화
④ 억제소화
⑤ 희석소화

정답 ③

190 해커스소방 학원·인강 fire.Hackers.com

2. 질식소화

(1) 개요

① 가연물질이 연소를 지속하기 위해서는 충분한 공기의 공급이 이루어져야 한다. 일반적으로 공기 중의 산소의 농도는 21vol% 존재하고 있는데, 가연물에 공급되는 공기 중의 산소의 농도를 15vol% 이하로 유지하면 연소 상태의 유지가 어려워 연소 상태가 정지되는 것을 이용한 소화방법이다. 즉, 공기 중의 산소농도를 낮추어 소화하는 방법을 말한다.

② 연소 중인 가연물질에 공급되는 공기의 양을 물리적으로 줄여 소화하기도 하고, 가스계 소화약제를 방사시켜 상대적으로 산소의 농도를 낮추어 질식소화하기도 한다.

③ 제5류 위험물은 물질 자체에 산소를 포함하고 있으므로 질식소화의 방법이 효과적이지 않다.

④ 질식소화 효과가 있는 소화약제는 무상으로 방사하는 물소화약제, 무상의 강화액소화약제, 무상의 산알칼리소화약제, 포소화약제, 이산화탄소소화약제, 할론소화약제, 분말소화약제, 할로겐화합물 및 불활성기체 소화약제 등이 있다.

(2) 소화방법

① 물소화약제는 수증기가 될 때 약 1,700배로 팽창한다. 수증기가 공기 중의 산소의 농도를 희석하여 질식소화한다.

② 유지류 등의 화재 시에 포(Foam)소화약제로 덮어 소화하는 방법을 말한다.

③ 이산화탄소는 비중이 1.52로 공기 또는 산소보다 무거워 가연물질에 방출되면 가연물질의 표면에 불연층을 형성하거나 둘러싸 산소의 공급을 차단시켜 화재를 소화하는 질식소화작용이 다른 소화약제에 비하여 우수하다(불연성기체로 덮는 방법).

④ 할론소화약제는 그 자체가 열에 연소하지 않는 물질로서 대기에 방출되면 비중이 공기보다 무겁고(열분해생성가스도 같음) 전기의 절연성이 높아 가연물질의 연소에 필요한 공기 중의 산소의 공급을 차단하여 질식시켜 소화한다.

⑤ 할론 대체물질인 할로겐화합물 및 불활성기체 소화약제가 일정한 방호구역 또는 방호대상물에 방출되어 공기 중의 산소의 농도를 낮게 하여 화재를 소화하는 소화작용을 말한다.

⑥ 제3종 분말소화약제는 제1인산암모늄으로부터 열분해되어 나온 기체상의 암모니아·수증기 등이 공기 중의 산소의 공급을 차단하거나 희석시켜 소화하는 질식소화작용을 한다.

⑦ 탄산수소나트륨의 열분해과정에서 발생되는 기체상태의 이산화탄소(CO_2), 수증기가 가연물질의 산소량의 부족으로 인하여 소화되게 하는 작용을 한다.

⑧ 연소물을 수건이나 담요 등으로 덮어 소화하거나, 금속화재 시 건조 또는 팽창질석 등을 이용하는 경우도 해당한다.

정희's 톡talk

질식소화

질식소화는 산소공급원을 차단하는 소화방법입니다. 물적 조건에 의한 소화방법으로 유화질식, 희석질식, 피복질식 등이 있습니다.

핵심기출

01 다음 설명에 해당하는 소화방법으로 옳은 것은? 18. 하반기 공채

일반적으로 공기 중의 산소농도 21%를 15% 이하로 희석하거나 저하시키면 연소 중인 가연물은 산소의 양이 부족하여 연소가 중단된다.

① 냉각소화
② 질식소화
③ 제거소화
④ 유화소화

정답 ②

02 질식소화에 대한 설명으로 가장 옳은 것은? 17. 하반기 공채

① 연소가 진행되고 있는 계의 열을 빼앗아 온도를 떨어뜨림으로써 불을 끄는 방법이다.
② 가연물을 제거하여 연소현상을 제어하는 방법이다.
③ 화염이 발생하는 연소반응을 주도하는 라디칼을 제거하여 중단시키는 방법이다.
④ 연소의 물질조건 중 하나인 산소의 공급을 차단하여 소화의 목적을 달성하는 방법이다.

정답 ④

03 다음 소화방법 중 다른 하나는?

① 양초에 촛불을 입김으로 소화하였다.
② 유류화재 시 폭발물의 후폭풍으로 소화하였다.
③ 산불화재 시 물로서 소화하였다.
④ 전기화재 시 라디칼의 형성을 억제하면서 소화하였다.

정답 ④

소화론 4 해커스소방 김정희 소방학개론 기본서

CHAPTER 1 소화이론 191

1 이론의 세부적인 내용을 정확하게 이해하기

방대한 소방학개론의 이론을 체계적·효율적으로 학습할 수 있도록 내용을 구성하였습니다.

1. 효과적인 소방학개론 학습을 위한 체계적 구성

기본서를 회독하는 과정에서 기본 개념부터 심화 이론까지 자연스럽게 이해할 수 있도록 최신 출제경향을 반영한 소방학개론의 이론을 체계적으로 구성하였습니다. 이를 통해 시험에 나오는 이론을 중심으로 효과적인 학습이 가능합니다.

2. 최신 출제경향 및 개정법령 반영

최신 소방공무원 시험의 출제경향을 철저히 분석하여 자주 출제되거나 출제가 예상되는 내용 등을 엄선하여 수록하였습니다. 또한, 최근 개정된 법령을 전면 반영하였습니다.

3. 소방학개론의 주요 법령을 확인할 수 있는 MINI 법령집

교재 말미의 'MINI 법령집'에 「긴급구조대응활동 및 현장지휘에 관한 규칙」, 「소방공무원법」, 「소방공무원임용령」, 「의용소방대 설치 및 운영에 관한 법률」 및 그 시행규칙, 「화재조사 및 보고규정」, 「119구조·구급에 관한 법률」 및 그 시행령과 시행규칙의 원문을 수록하였습니다. 'MINI 법령집'을 학습함으로써 소방학개론의 주요 법령의 내용을 빠르게 확인할 수 있습니다.

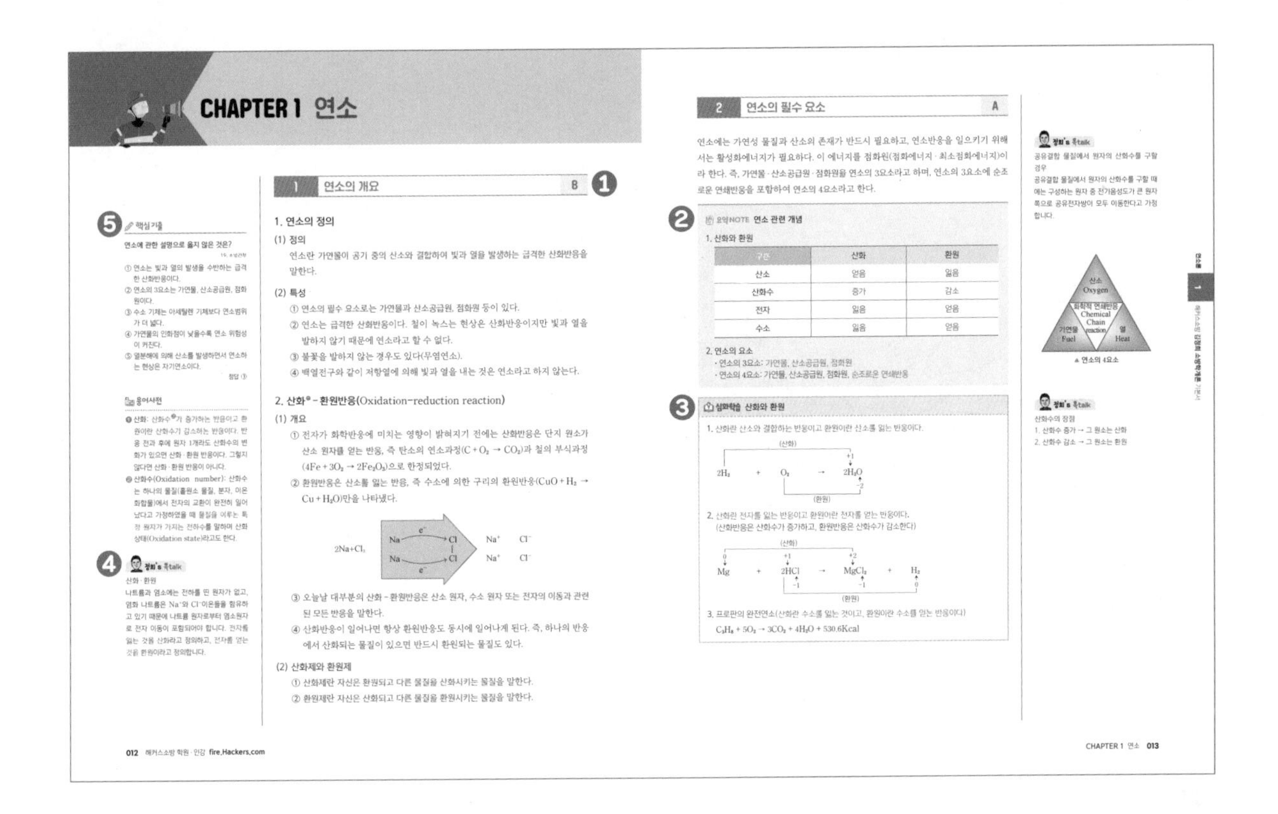

CHAPTER 1 연소

1 연소의 개요 B ❶

1. 연소의 정의

(1) 정의

연소란 가연물이 공기 중의 산소와 결합하여 빛과 열을 발생하는 급격한 산화반응을 말한다.

(2) 특성

① 연소의 필수 요소로는 가연물과 산소공급원, 점화원 등이 있다.
② 연소는 급격한 산화반응이다. 철이 녹스는 현상은 산화반응이지만 빛과 열을 발하지 않기 때문에 연소라고 할 수 없다.
③ 불꽃을 발하지 않는 경우도 있다(무염연소).
④ 백열전구와 같이 저항열에 의해 빛과 열을 내는 것은 연소라고 하지 않는다.

2. 산화[1] - 환원반응(Oxidation-reduction reaction)

(1) 개요

① 전자가 화학반응에 미치는 영향이 밝혀지기 전에는 산화반응은 단지 원소가 산소 원자를 얻는 반응, 즉 탄소의 연소과정($C + O_2 \rightarrow CO_2$)과 철의 부식과정($4Fe + 3O_2 \rightarrow 2Fe_2O_3$)으로 한정되었다.
② 환원반응은 산소를 잃는 반응, 즉 수소에 의한 구리의 환원반응($CuO + H_2 \rightarrow Cu + H_2O$)만을 나타냈다.

③ 오늘날 대부분의 산화 - 환원반응은 산소 원자, 수소 원자 또는 전자의 이동과 관련된 모든 반응을 말한다.
④ 산화반응이 일어나면 항상 환원반응도 동시에 일어나게 된다. 즉, 하나의 반응에서 산화되는 물질이 있으면 반드시 환원되는 물질도 있다.

(2) 산화제와 환원제

① 산화제란 자신은 환원되고 다른 물질을 산화시키는 물질을 말한다.
② 환원제란 자신은 산화되고 다른 물질을 환원시키는 물질을 말한다.

❺ 핵심기출

연소에 관한 설명으로 옳지 않은 것은?

① 연소는 빛과 열의 발생을 수반하는 급격한 산화반응이다.
② 연소의 3요소는 가연물, 산소공급원, 점화원이다.
③ 수소 기체는 아세틸렌 기체보다 연소범위가 더 넓다.
④ 가연물의 인화점이 낮을수록 연소 위험성이 커진다.
⑤ 열분해에 의해 산소를 발생하면서 연소하는 현상은 자기연소이다.

정답 ③

용어사전

❶ 산화: 산화수[2]가 증가하는 반응이고 환원이란 산화수가 감소하는 반응이다. 반응 전과 후에 원자 1개라도 산화수의 변화가 있으면 산화·환원 반응이다. 그렇지 않다면 산화·환원 반응이 아니다.
❷ 산화수(Oxidation number): 산화수는 하나의 물질(홑원소 물질, 분자, 이온 화합물)에서 전자의 교환이 완전히 일어났다고 가정하였을 때 물질을 이루는 특정 원자가 가지는 전하수를 말하며 산화상태(Oxidation state)라고도 한다.

❹ 정희's 톡talk

산화·환원

나트륨과 염소에는 전하를 띤 원자가 없고, 염화 나트륨은 Na^+와 Cl^-이온들을 함유하고 있기 때문에 나트륨 원자로부터 염소원자로 전자 이동이 포함되어야 합니다. 전자를 잃는 것을 산화라고 정의하고, 전자를 얻는 것을 환원이라고 정의합니다.

012 해커스소방 학원·인강 fire.Hackers.com

2 연소의 필수 요소 A

연소에는 가연성 물질과 산소의 존재가 반드시 필요하고, 연소반응을 일으키기 위해서는 활성화에너지가 필요하다. 이 에너지를 점화원(점화에너지·최소점화에너지)이라 한다. 즉, 가연물·산소공급원·점화원을 연소의 3요소라고 하며, 연소의 3요소에 순조로운 연쇄반응을 포함하여 연소의 4요소라고 한다.

❷ 요약NOTE 연소 관련 개념

1. 산화와 환원

구분	산화	환원
산소	얻음	잃음
산화수	증가	감소
전자	잃음	얻음
수소	잃음	얻음

2. 연소의 요소
- 연소의 3요소: 가연물, 산소공급원, 점화원
- 연소의 4요소: 가연물, 산소공급원, 점화원, 순조로운 연쇄반응

❸ 심화학습 산화와 환원

1. 산화란 산소와 결합하는 반응이고 환원이란 산소를 잃는 반응이다.

$2H_2 + O_2 \rightarrow 2H_2O$

2. 산화란 전자를 잃는 반응이고 환원이란 전자를 얻는 반응이다.
(산화반응은 산화수가 증가하고, 환원반응은 산화수가 감소한다)

$Mg + 2HCl \rightarrow MgCl_2 + H_2$

3. 프로판의 완전연소(산화란 수소를 잃는 것이고, 환원이란 수소를 얻는 반응이다)

$C_3H_8 + 5O_2 \rightarrow 3CO_2 + 4H_2O + 530.6Kcal$

정희's 톡talk

공유결합 물질에서 원자의 산화수를 구할 경우

공유결합 물질에서 원자의 산화수를 구할 때에는 구성하는 원자 중 전기음성도가 큰 원자 쪽으로 공유전자쌍이 모두 이동한다고 가정합니다.

▲ 연소의 4요소

정희's 톡talk

산화수의 장점

1. 산화수 증가 → 그 원소는 산화
2. 산화수 감소 → 그 원소는 환원

CHAPTER 1 연소 013

2 다양한 학습장치를 통해 중요 이론 반복·정리하기

다양한 학습장치를 활용하여 이론을 완성할 수 있도록 다음과 같이 구성하였습니다.

❶ **중요도 표시:** 소단원 제목에 중요도(A~D)를 4단계로 제시함으로써 학습 단계에 맞춰 중요 내용을 선별적으로 학습할 수 있습니다.

❷ **요약NOTE:** 출제가능성이 높은 핵심 이론을 코너에 정리·수록하여 소방학개론 과목의 중요 이론 내용을 보다 빠르게 파악하고 전략적으로 학습할 수 있습니다.

❸ **심화학습:** 본문 내용 중 고득점을 위하여 더 알아두면 학습에 도움이 되는 내용을 '심화학습'에 담아 제시하였습니다. 이를 통해 이론을 보충하고 심화 내용까지 학습할 수 있습니다.

❹ **정희's 톡talk:** 기본서 학습 시 중요한 내용, 주의해야 할 사항 등을 선생님이 강의하듯 수록하여 강의의 내용을 떠올리며 어려운 내용도 쉽게 이해하며 학습할 수 있습니다.

❺ **핵심 기출:** 주요 기출문제를 관련 이론 옆에 수록하여 학습한 내용을 한번 더 점검하고 복습할 수 있습니다.

해커스소방 **김정희 소방학개론** 기본서

PART 1

연소론

CHAPTER 1 연소

1 연소의 개요 B

1. 연소의 정의

(1) 정의

연소란 가연물이 공기 중의 산소와 결합하여 빛과 열을 발생하는 급격한 산화반응을 말한다.

(2) 특성

① 연소의 필수 요소로는 가연물과 산소공급원, 점화원 등이 있다.

② 연소는 급격한 산화반응이다. 철이 녹스는 현상은 산화반응이지만 빛과 열을 발하지 않기 때문에 연소라고 할 수 없다.

③ 불꽃을 발하지 않는 경우도 있다(무염연소).

④ 백열전구와 같이 저항열에 의해 빛과 열을 내는 것은 연소라고 하지 않는다.

2. 산화[1] - 환원반응(Oxidation-reduction reaction)

(1) 개요

① 전자가 화학반응에 미치는 영향이 밝혀지기 전에는 산화반응은 단지 원소가 산소 원자를 얻는 반응, 즉 탄소의 연소과정($C + O_2 \rightarrow CO_2$)과 철의 부식과정($4Fe + 3O_2 \rightarrow 2Fe_2O_3$)으로 한정되었다.

② 환원반응은 산소를 잃는 반응, 즉 수소에 의한 구리의 환원반응($CuO + H_2 \rightarrow Cu + H_2O$)만을 나타냈다.

③ 오늘날 대부분의 산화-환원반응은 산소 원자, 수소 원자 또는 전자의 이동과 관련된 모든 반응을 말한다.

④ 산화반응이 일어나면 항상 환원반응도 동시에 일어나게 된다. 즉, 하나의 반응에서 산화되는 물질이 있으면 반드시 환원되는 물질도 있다.

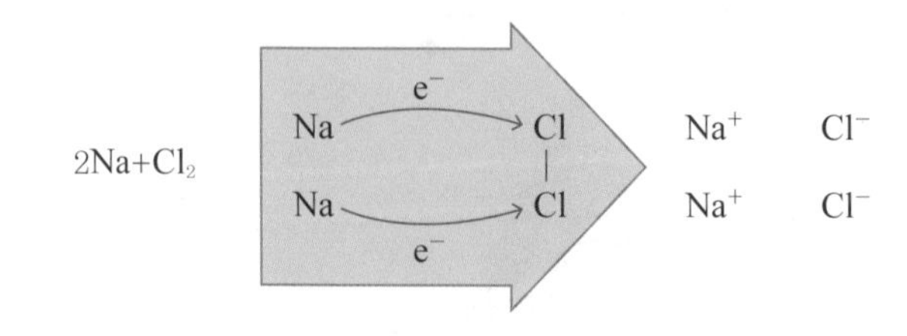

(2) 산화제와 환원제

① 산화제란 자신은 환원되고 다른 물질을 산화시키는 물질을 말한다.

② 환원제란 자신은 산화되고 다른 물질을 환원시키는 물질을 말한다.

핵심기출

연소에 관한 설명으로 옳지 않은 것은?

19. 소방간부

① 연소는 빛과 열의 발생을 수반하는 급격한 산화반응이다.
② 연소의 3요소는 가연물, 산소공급원, 점화원이다.
③ 수소 기체는 아세틸렌 기체보다 연소범위가 더 넓다.
④ 가연물의 인화점이 낮을수록 연소 위험성이 커진다.
⑤ 열분해에 의해 산소를 발생하면서 연소하는 현상은 자기연소이다.

정답 ③

용어사전

❶ 산화: 산화란 산화수[2]가 증가하는 반응이고 환원이란 산화수가 감소하는 반응이다. 반응 전과 후에 원자 1개라도 산화수의 변화가 있으면 산화·환원 반응이다. 그렇지 않다면 산화·환원 반응이 아니다.

❷ 산화수(Oxidation number): 산화수는 하나의 물질(홑원소 물질, 분자, 이온화합물)에서 전자의 교환이 완전히 일어났다고 가정하였을 때 물질을 이루는 특정 원자가 가지는 전하수를 말하며 산화상태(Oxidation state)라고도 한다.

정희's 톡talk

산화·환원

나트륨과 염소에는 전하를 띤 원자가 없고, 염화 나트륨은 Na^+와 Cl^-이온들을 함유하고 있기 때문에 나트륨 원자로부터 염소원자로 전자 이동이 포함되어야 합니다. 전자를 잃는 것을 산화라고 정의하고, 전자를 얻는 것을 환원이라고 정의합니다.

2 연소의 필수 요소 A

연소에는 가연성 물질과 산소의 존재가 반드시 필요하고, 연소반응을 일으키기 위해서는 활성화에너지가 필요하다. 이 에너지를 점화원(점화에너지 · 최소점화에너지)이라 한다. 즉, **가연물 · 산소공급원 · 점화원을 연소의 3요소**라고 하며, 연소의 3요소에 **순조로운 연쇄반응을 포함하여 연소의 4요소**라고 한다.

요약NOTE 연소 관련 개념

1. 산화와 환원

구분	산화	환원
산소	얻음	잃음
산화수	증가	감소
전자	잃음	얻음
수소	잃음	얻음

2. 연소의 요소
- 연소의 3요소: 가연물, 산소공급원, 점화원
- 연소의 4요소: 가연물, 산소공급원, 점화원, 순조로운 연쇄반응

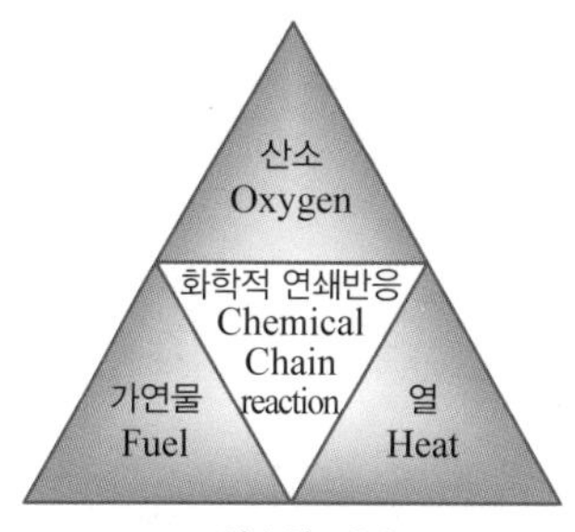

▲ 연소의 4요소

심화학습 산화와 환원

1. 산화란 산소와 결합하는 반응이고 환원이란 산소를 잃는 반응이다.

(산화): $2H_2 \to 2H_2O$ (+1)

$$2H_2 + O_2 \rightarrow 2H_2O$$

(환원): $O_2 \to 2H_2O$ (−2)

2. 산화란 전자를 잃는 반응이고 환원이란 전자를 얻는 반응이다.
(산화반응은 산화수가 증가하고, 환원반응은 산화수가 감소한다)

(산화): Mg (0) → $MgCl_2$ (+2); 2HCl의 H (+1)

$$Mg + 2HCl \rightarrow MgCl_2 + H_2$$

(환원): 2HCl의 Cl (−1) → $MgCl_2$ (−1); H_2 (0)

3. 프로판의 완전연소(산화란 수소를 잃는 것이고, 환원이란 수소를 얻는 반응이다)
$C_3H_8 + 5O_2 \rightarrow 3CO_2 + 4H_2O + 530.6Kcal$

정희's 톡talk

산화수의 장점
1. 산화수 증가 → 그 원소는 산화
2. 산화수 감소 → 그 원소는 환원

공유결합 물질에서 원자의 산화수를 구할 경우
공유결합 물질에서 원자의 산화수를 구할 때에는 구성하는 원자 중 전기음성도가 큰 원자 쪽으로 공유전자쌍이 모두 이동한다고 가정합니다.

핵심 기출

가연성물질이 되기 쉬운 조건에 해당하지 않는 것은? 23. 소방간부

① 열전도도 값이 작아야 한다.
② 연쇄반응을 일으킬 수 있어야 한다.
③ 활성화에너지가 크고 발열량이 작아야 한다.
④ 조연성 가스인 산소와의 결합력이 커야 한다.
⑤ 산소와 접촉할 수 있는 표면적이 커야 한다.

정답 ③

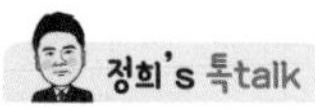

가연물의 구비조건

구분	특성
열전도율	작을수록
활성화에너지	작을수록
화학적 활성도	높을수록
비표면적	클수록
한계산소농도	낮을수록

가연성 · 불연성 · 조연성

구분	성질
가연성	물질 자체가 불에 타는 성질
불연성	물질 자체가 불에 타지 않는 성질
조연성	자신은 불에 타지 않으면서 다른 물질이 타는 것을 돕는 성질

1. 가연물(Combustible)

(1) 정의

① 가연물이란 불에 탈 수 있거나 잘 타는 성질의 인화점이 낮고 연소하기 쉬운 물질을 말한다. 즉, **가연성 물질**이란 적당한 조건하에서 산화할 수 있는 성분을 가진 물질로서 주로 탄소, 수소, 황 등으로 구성되어 있는 물질이다.

② 이와 반대되는 개념으로 **불연성 물질**은 재료가 연소하지 않는 성질을 가진 물질을 말한다. 이러한 성질을 가지는 물질은 콘크리트, 벽돌, 기와, 철강, 모르타르, 회반죽 등이 있다.

(2) 가연물질의 구비조건(가연물이 되기 쉬운 조건)

① 탄소(C) · 수소(H) · 산소(O) 등으로 구성된 유기화합물이 많다.
② 일반적으로 산화되기 쉬운 물질로서 산소와 결합할 때 발열량이 커야 한다.
③ 열의 축적이 용이하도록 **열전도율**이 작아야 한다. 일반적으로 열전도율은 기체 → 액체 → 고체 순서로 커진다.
④ 연속적으로 연쇄반응을 일으키는 물질이어야 한다.
⑤ 산소와 접촉할 수 있는 **비표면적이 큰 물질**이어야 한다.
⑥ 조연성 가스인 산소 · 염소(Cl_2)와의 결합력이 강한 물질이어야 한다.
⑦ **활성화에너지(최소발화에너지)**의 값이 적어야 한다.
⑧ **한계산소농도(LOI)**가 낮을수록 낮은 농도의 산소 조건에서도 연소가 가능하므로 가연물이 되기 쉽다.
⑨ 건조도가 높아야 한다.
⑩ **화학적 활성도**가 높아야 한다.
⑪ 주위온도가 높을수록 가연물이 되기 쉽다.

요약NOTE 가연물 관련 용어

1. **열전도율**: 열을 전도의 방식으로 전달하는 능력을 말한다. 가연물의 열전도율이 낮으면 열의 전달이 잘 발생하지 않으므로 열을 축적하기 쉽게 된다.
2. **비표면적**: 단위질량당 표면적을 말하는 것으로 가연물질의 질량이 일정할 때 당연히 표면적이 커지면 비표면적도 커진다.
3. **활성화에너지(최소발화에너지, Minimum Ignition Energy)**
   · 혼합가스에 착화원으로 점화 시 발화에 필요한 최소에너지를 말한다.
   · 물질의 종류, 혼합기의 온도 · 압력 · 농도 등에 따라 변한다.
4. **한계산소농도(한계산소지수, Limited Oxygen Index)**
   · 연소를 지속하기 위한 최소한의 산소 체적분율(%)을 말한다.
   · 연소를 계속 유지할 수 있는 최저산소농도를 말한다.
   · LOI는 난연성 측정을 위해 많이 사용한다.

(3) 가연물이 될 수 없는 물질

① **완전산화물질**: 이미 산소와 결합하여 더 이상 화학반응을 일으킬 수 없는 물질로는 **이산화탄소(CO_2)**, 오산화인(P_2O_5), 삼산화크롬(CrO_3), 산화알루미늄(Al_2O_3), 규조토(SiO_2), 물(H_2O) 등이 있다.

㉠ 이산화탄소(CO_2)는 탄소 원자 하나에 산소 원자 둘이 결합한 화합물로, 기체 상태일 때는 무색, 무취, 무미로 지구의 대기에 상당량 존재한다. **이산화탄소는 화석연료와 같은 탄소를 포함한 물질을 완전연소시킬 경우 생성된다.** 또한 온실기체로 작용하여 지구온난화의 원인으로 작용한다.

㉡ 오산화인(P_2O_5)은 인이 연소할 때 생기는 백색의 가루로 건조제 및 탈수제로 쓰인다.

$$P_4 + 5O_2 \rightarrow P_2O_5\text{(오산화인)}$$
$$P_2O_5 + H_2O \rightarrow 2HPO_3\text{(메타인산)}$$
$$P_2O_5 + H_2O \rightarrow H_3PO_4\text{(인산)}$$

㉢ **일산화탄소(CO)는 산소와 반응하기 때문에 가연물이 될 수 있다.**

$$CO + \frac{1}{2}O_2 \rightarrow CO_2 + Qkcal$$

② **산화흡열반응물질**: 물질이 산소와 결합하는 산화반응을 하지만 그 반응이 발열반응이 아닌 흡열반응이라면 그 물질은 가연물이 아니다. **질소와 산소**는 화학적으로 안정되어 있어 쉽게 화학반응을 일으키지 않고, 고온·고압 상태에서 비로소 화학반응이 일어나게 된다. 산소와 화합하여 산화물을 생성하나 발열반응을 하지 않고 흡열반응하는 물질은 가연물이 될 수 없는 조건에 해당한다.

$$N_2 + O_2 \rightarrow 2NO - Qkcal$$
$$N_2 + \frac{1}{2}O_2 \rightarrow N_2O - Qkcal$$

③ **주기율표 18족(0족, 8A족)의 비활성기체**

㉠ 주기율표의 18족에 속하는 물질은 비활성기체로서 산소와 반응하지 않는다.

㉡ **헬륨(He), 네온(Ne), 아르곤(Ar), 크립톤(Kr), 크세논(Xe), 라돈(Rn)** 등이 있다.

④ **자체가 연소하지 아니하는 물질**: 흙·돌(石)과 같이 물질 그 자체가 연소하지 않는 것도 불연성 물질로 취급한다.

정희's 톡talk

가연물이 될 수 없는 물질

구분	물질
완전산화물질	이산화탄소
산화흡열반응물질	질소
비활성기체	헬륨·아르곤
불연성물질	흙·돌

핵심적중

01 다음 중 불연성 물질에 해당하지 않는 것은? 22. 소방간부

① He(헬륨)
② CO_2(이산화탄소)
③ P_2O_5(오산화인)
④ HCN(시안화수소)
⑤ SO_3(삼산화황)

정답 ④

02 연소반응에서 가연물로 사용할 수 있는 것은?

① 산화알루미늄
② 이산화탄소
③ 일산화탄소
④ 오산화인

정답 ③

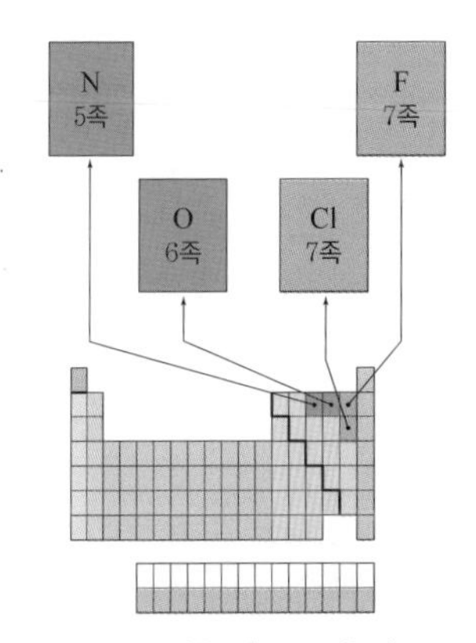

▲ 주기율표(p.075 참고)

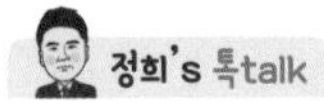

산소공급원

구분	비고
공기(산소)	21%
제1류 위험물	산화성 고체
제5류 위험물	자기반응성 물질
제6류 위험물	산화성 액체
조연성 가스	O_2, NO_2, NO, F_2, O_3, Cl_2

위험물 유별 성질

유별	성질
제1류	산화성 고체
제2류	가연성 고체
제3류	자연발화성 및 금수성 물질
제4류	인화성 액체
제5류	자기반응성 물질
제6류	산화성 액체

용어사전

❶ 산화성 고체: 고체로서 산화력의 잠재적인 위험성 또는 충격에 대한 민감성을 판단하기 위하여 소방청장이 정하여 고시하는 시험에서 고시로 정하는 성질과 상태를 나타내는 것을 말한다.

❷ 산화성 액체: 액체로서 산화력의 잠재적인 위험성을 판단하기 위하여 소방청장이 정하여 고시하는 시험에서 고시로 정하는 성질과 상태를 나타내는 것을 말한다.

핵심 적중

다음 중 연소의 필수요소인 산소공급원에 해당하는 것을 모두 고른 것은?

ㄱ. 제1류 위험물(산화제)
ㄴ. 자기반응성 물질
ㄷ. 제2류 위험물(환원제)
ㄹ. 지연성 가스(불소 및 염소)
ㅁ. 질소 및 아르곤

① ㄴ, ㅁ ② ㄱ, ㄷ, ㅁ
③ ㄱ, ㄴ, ㅁ ④ ㄱ, ㄴ, ㄹ

정답 ④

2. 산소공급원

산소공급원은 일반적으로 공기 중의 산소를 말한다. 가연물이 연소하려면 산소와 혼합되어 불이 붙을 수 있는 농도조건이 형성되어야 하는데, 이를 **연소범위**라고 한다. **공기 중에는 약 21%의 산소**가 포함되어 있어서 공기는 산소공급원 역할을 할 수 있다. 일반적으로 산소의 농도가 높을수록 연소는 잘 일어나고 일반 가연물인 경우 산소농도 15vol% **이하**에서는 연소가 어렵다.

(1) 공기 중의 산소

지구를 둘러싼 대기의 하층부를 구성하는 공기의 조성은 장소와 고도 및 기타의 조건에 따라 다르다. 일반적으로 공기는 질소 78.03%, 산소 20.99%, 아르곤 0.95%, 이산화탄소 0.03%, 그 외에 헬륨 등이 포함되어 있다. 즉, 공기 중에는 질소와 산소가 대부분을 차지하고 있다.

구분	N_2	O_2	Ar	CO_2
부피 백분율(vol%)	78.03	20.99	0.95	0.03
무게 백분율(wt%)	75.51	23.15	1.30	0.04

(2) 산화성 물질

「위험물안전관리법」상 제1류 및 제6류 위험물을 말한다. 물질의 산화반응은 큰 발열반응을 수반하며, 이러한 산화반응이 강렬하게 촉진되어 폭발적 현상이 발생하는 물질을 산화성 물질이라 한다.

① **제1류 위험물(산화성 고체❶)**: 산소를 포함하는 불연성 고체 물질이다.
② **제6류 위험물(산화성 액체❷)**: 산소를 포함하는 불연성 액체 물질이다.

(3) 자기반응성 물질

① 자기반응성 물질은 분자 내에 가연물과 산소를 충분히 함유하고 있는 물질로서 연소 속도가 빠르고 폭발을 일으킬 수 있는 물질이다.
② **제5류 위험물**로는 니트로글리세린(NG), 셀룰로이드, 트리니트로톨루엔(TNT) 등이 있다.

(4) 조연성 가스(지연성 가스)

① 조연성 가스는 **자기 자신은 타지 않고 연소를 도와주는 역할을 하는 가스**이다.
② **조연성 가스는 산소(O_2), 이산화질소(NO_2), 산화질소(NO), 불소(F_2), 오존(O_3), 염소(Cl_2)** 등이 있다.

▲ 불꽃연소(장작)

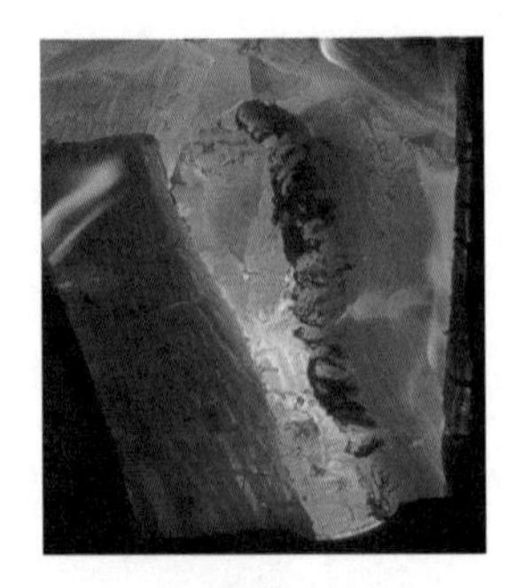
▲ 무염연소(숯)

3. 점화원(활성화에너지, 최소점화에너지, 최소발화에너지)

(1) 개요

① 가연물과 산소공급원이 연소범위를 만들었을 때 연소반응이 일어나기 위해서는 활성화 상태까지 이르게 하는 에너지가 필요한데 이를 활성화에너지라고 한다. 이러한 활성화에너지의 에너지원을 점화원이라 한다.

② 공급된 에너지원이 화학반응을 유도하기 위해서는 반응물이 가지고 있는 화학 결합을 끊어야 한다. 반응물은 종류에 따라 다양한 화학 결합을 가지고 있고 그 화학 결합의 종류에 따라 다른 결합 에너지를 가진다.

③ 점화원은 열적 점화원, 기계적 점화원, 화학적 점화원, 전기적 점화원 및 원자력 점화원 등으로 구분할 수 있다. 기화(잠)열, 융해열, 단열팽창, 절연저항의 증가 등은 점화원에 해당하지 않는다.

④ 가연물의 최소발화에너지가 작을수록 더 위험하다.

(2) 점화원의 종류

열적 점화원	가열(고온)표면, 화염, 고온가스, 열방사, 적외선, 복사열 등
기계적 점화원	타격, 단열압축, 충격, 마찰스파크 등
화학적 점화원	자연발화, 용해열, 연소열, 분해열 등
전기적 점화원	정전기, 전기저항열, 전기불꽃, 유도열, 유전열, 아크, 코로나 등

심화학습 최소발화에너지(Minimun Ignition Energy) 영향 인자

점화원에 의해 가연성 혼합기가 발화하기 위해서는 점화원이 일정 크기 이상의 에너지를 가할 수 있어야 한다. 이러한 착화에 필요한 최소에너지를 최소발화에너지(MIE)라 한다. 최소발화에너지는 물질의 종류, 혼합기의 온도, 압력, 농도(혼합비) 등에 따라 변화한다. 또한 공기 중의 산소가 많은 경우 또는 가압하에서는 일반적으로 작은 값이 된다.

1. 압력이 높을수록 분자 간의 거리가 가까워져 MIE가 작아진다.
2. 온도가 높을수록 분자 운동이 활발해져 MIE가 작아진다.
3. 가연성 혼합기의 농도가 양론농도 부근일 때 MIE가 작아진다. 일반적으로 이것보다 상한계나 하한계로 향함에 따라 MIE는 증가한다.
4. 열전도율이 낮으면 MIE가 작아진다.
5. 일반적으로 연소속도가 클수록 MIE값은 작아진다.
6. 매우 압력이 낮아서 어느 정도 착화원에 의해 점화하여도 점화할 수 없는 한계가 있는데 이를 최소착화압력이라 한다.

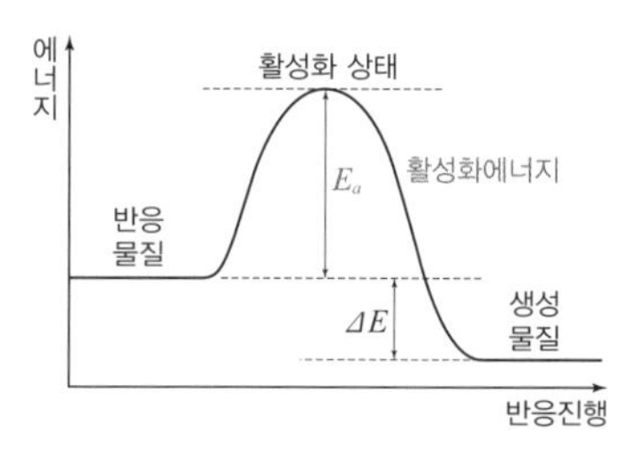

▲ 활성화에너지(최소점화에너지)

정희's 톡talk

현열과 잠열

1. 현열: 열의 출입이 상태변화에 사용되지 않고 온도변화 현상으로 나타나는 열입니다.
2. 잠열: 열의 출입이 온도변화에 나타나지 않고 상태변화로 흡수·방출되는 열입니다.
3. 물의 잠열
   - 물의 기화열: 539kcal/kg
   - 얼음의 융해열: 80kcal/kg

핵심기출

01 자연발화를 일으키는 열원으로 옳지 않은 것은? 17. 상반기 공채

① 흡착열 ② 융해열
③ 분해열 ④ 중합열

정답 ②

02 다음 중 점화원이 될 수 없는 것은?

① 유전열 ② 용해열
③ 마찰 ④ 단열팽창

정답 ④

용어사전

❶ 전하: 전하란 물체가 띠고 있는 정전기의 양으로 모든 전기현상의 근원이 되는 실체이다. 양전하와 음전하가 있고 전하가 이동하는 것이 전류이다.

❷ 방전(Discharge): 대전체가 전하를 잃는 과정으로 대전체에서 전기가 방출되는 현상을 말하며, 충전의 반대 과정이다. 일반적으로는 충전되어 있는 전지(電池)로부터 전류가 흘러 기전력(起電力)이 감소하는 현상을 말한다. 쉽게 말해 일상생활에서 전지가 닳는 것을 말한다.

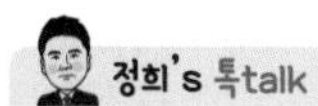

전하의 양

전하의 양은 전하량 또는 전기량이라고 부르며, 단위는 C(쿨롱)입니다. 도선에 1A의 전류가 흐를 때 1초 동안 전선을 통과하는 전하량을 1C으로 정합니다.

핵심 기출

정전기 예방대책으로 옳은 것만을 <보기>에서 있는 대로 고른 것은? 22. 소방간부

<보기>

ㄱ. 공기를 이온화한다.
ㄴ. 전기전도성이 큰 물체를 사용한다.
ㄷ. 접촉하는 전기의 전위차를 크게 한다.

① ㄱ ② ㄷ
③ ㄱ, ㄴ ④ ㄴ, ㄷ
⑤ ㄱ, ㄴ, ㄷ

정답 ③

(3) 정전기(Static electricity flame) - 전기적 점화원

① 개념

㉠ **어떤 물질이 다른 물질과 마찰 또는 접촉하면서 각 물질 표면에 양(+)전하❶와 음(-)전하가 축적되는데 이 축적된 전기를 정전기(마찰전기)라고 한다.**

㉡ 축적된 정전기가 방전❷될 경우 점화원(전기적 점화원)의 역할을 할 수 있다.

㉢ 마찰전기의 발화과정은 **전하의 발생, 전하의 축적, 방전, 발화의 순**이다.

㉣ 정전기의 발생량은 두 마찰물질의 대전서열이 멀수록, 마찰의 정도가 심할수록 증가한다.

② 정전기의 발생원인

㉠ **비전도성 부유물질**이 많을 때 발생한다.

㉡ 휘발유, 경유 등의 비전도성 유류의 유속이 빠를 때 발생한다.

㉢ 좁은 공간 · 필터 등을 통과할 때 쉽게 발생한다.

㉣ 낙차가 크거나 와류가 생성될 때 발생하기도 한다.

③ 정전기의 예방대책

㉠ 공기를 이온화한다.

㉡ **전기전도성**이 큰 물체를 사용하여 전하의 발생을 방지한다.

㉢ 접지시설을 한다.

㉣ 상대습도를 70% 이상으로 한다.

㉤ **전기의 전위차를 작게 하여 정전기 발생을 억제한다.**

참고 증기비중

· 증기비중 $= \dfrac{\text{기체 분자량}}{\text{공기의 평균분자량}}$

· 공기의 평균분자량 $\fallingdotseq N_2 \times 78(\%) + O_2 \times 21(\%) + Ar \times 1(\%)$
$\fallingdotseq (14\times2)\times0.78 + (16\times2)\times0.21 + 40\times0.01$
$\fallingdotseq 28.96 \fallingdotseq 29$

구분	CO	CO_2
분자량	28	44
증기비중	$\dfrac{28}{29}=0.97$	$\dfrac{44}{29}=1.52$
특성	공기보다 가벼움	공기보다 무거움

참고 전위차

전기장 안에서 단위 전하에 대한 전기적 위치에너지를 전위라 한다. 전위차란, 두 지점 사이의 전위의 차이를 의미하는 것으로 기준점에 대한 상대적인 차이로 나타낸다. 전압, 즉 전위차는 전하당 에너지로 표현한다. 볼트(volt)는 1쿨롱당 1줄(Joule)과 같다(1V=1J/C). 기호는 ΔV이지만 V라고 쓴다.

심화학습 정전기대전의 종류

구분	발생원인
마찰대전 롤러 필름·종이·천	두 물체의 마찰이나 마찰에 의해 접촉위치 이동으로 전하의 분리 및 재배열이 일어나 발생
박리대전	서로 밀착되어 있던 물체가 떨어질 때 전하의 분리가 일어나 발생
충돌대전	스프레이건을 이용한 벽체 도장 시 발생
분출대전	분체·액체·기체류가 단면적이 작은 분출구를 통해 공기 중으로 배출될 때 발생
유동대전 파이프·호스·덕트 석유, 유기용제, 플라스틱 분체	파이프로 액체류가 이송될 때 액체와 파이프의 마찰로 전기이중층이 형성되면서 발생(이때 발생된 전하가 액체와 함께 유동함으로써 발생하는 정전기 예 주유소 저장탱크와 탱크로리)
파괴대전	고체나 분체류 등이 파괴될 때 전하가 분리되면서 발생
교반대전 모터 원료 교반기 믹싱장치	탱크로리나 탱크 내의 액체가 서로 교반될 때 발생
유도대전 대전 물체 절연된 도체 유도 대전	전력선의 정전유도 현상으로 근처에 도체가 대전되는 현상

01 최소발화에너지(MIE)에 대한 설명으로 옳지 않은 것은? 17. 하반기 공채

① 온도가 높아지면 분자 간 운동이 활발해지므로 최소발화에너지(MIE)가 감소한다.
② 압력이 높아지면 분자 간 거리가 가까워지므로 최소발화에너지(MIE)가 감소한다.
③ 가연성 가스의 조성이 화학양론적 농도 부근일 경우 최소발화에너지(MIE)가 최저가 된다.
④ 열전도율이 높으면 최소발화에너지(MIE)가 감소한다.

정답 ④

02 가연성 혼합기의 최소발화(점화)에너지(MIE; Minimum Ignition Energy)에 영향을 주는 요인에 관한 설명으로 옳지 않은 것은? 23. 공채

① 온도가 상승하면 최소발화에너지는 작아진다.
② 압력이 상승하면 최소발화에너지는 작아진다.
③ 열전도율이 낮아지면 최소발화에너지는 커진다.
④ 화학양론비 부근에서 최소발화에너지는 최저가 된다.

정답 ③

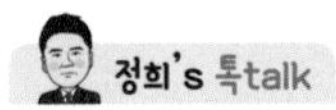

중합반응

가볍게 보고 참고하세요!

1. 고분자화학에서 중합은 단량체 분자들이 화학적 반응에 의해 고분자 사슬을 만들거나 삼차원 망상구조가 생성되는 것을 말합니다. 즉, 중합반응은 저분자 물질(단위체)에서 고분자 물질로 바뀌는 화학반응입니다.
2. 이러한 중합은 크게 세 가지 반응에 의하여 이루어지는데, 축합중합(condensation polymerization), 부가중합(addition polymerization), 개환중합(ring-openning polymerization)으로 나눌 수 있습니다.

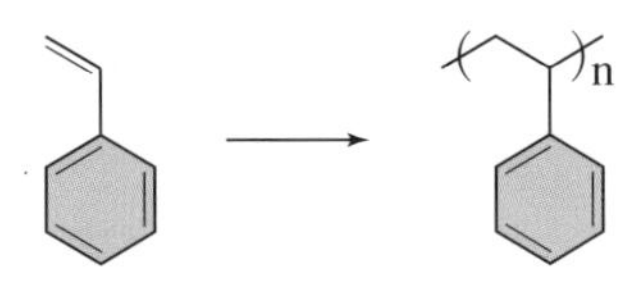

▲ 스타이렌 중합의 예

3. 단량체는 고분자를 형성하는 단위분자이고, 중합체는 단량체가 반복되어 연결되거나 화학적 합성에 의한 고분자를 말합니다.
4. 고분자 형성과정

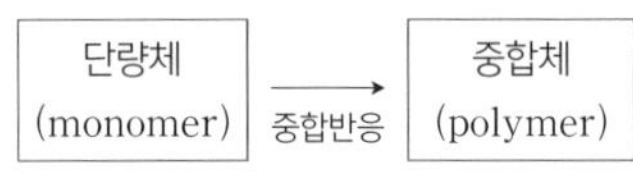

핵심기출

01 자연발화가 되기 쉬운 가연물의 조건으로 옳은 것은? 18. 공채

① 발열량이 작다.
② 표면적이 작다.
③ 열전도율이 낮다.
④ 주위 온도가 낮다.

정답 ③

02 자연발화에 대한 설명으로 옳지 않은 것은? 21. 소방간부

① 열축적이 용이할수록 자연발화가 쉽다.
② 열전도율이 높을수록 자연발화가 쉽다.
③ 발열량이 큰 물질일수록 자연발화가 쉽다.
④ 주위 온도가 높을수록 자연발화가 쉽다.
⑤ 표면적이 넓을수록 자연발화가 쉽다.

정답 ②

(4) 자연발화(Spontaneous ignition) - 화학적 점화원

① 개념

㉠ 외부로부터의 점화원이 없이도 장시간 일정한 장소에서 저장하면 열이 발생되며, **발생된 열을 축적함으로써 발화점까지 온도가 상승되어 불이 붙는 현상**을 자연발화라고 한다.

㉡ 자연발화성이 큰 대표적 물질로는 황린(발화점 30℃)이 있다. 황린은 공기 중에서 산화가 진행되면 저절로 발화하여 불꽃을 내며 연소하기도 한다.

② 자연발화를 일으키는 열원

㉠ **산화열**: 산화하는 과정에서 발생하는 열을 축적함으로써 자연발화가 일어난다. 종류로는 **황린, 기름걸레, 석탄**, 원면, 고무분말, 금속분, 건성유 등이 있다.

㉡ **분해열**: 물질이 분해할 때 발생하는 열을 축적함으로써 자연발화가 일어난다. 종류로는 **제5류 위험물, 아세틸렌(C_2H_2), 산화에틸렌(C_2H_4O)** 등이 있다.

㉢ **미생물열(발효열)**: 물질이 발효되는 과정에서 발생하는 열을 축적함으로써 발생한다. 종류로는 **거름, 퇴비, 먼지, 곡물, 비료** 등이 있다.

㉣ **흡착열**: 물질이 흡착할 때 발생하는 열을 축적함으로써 자연발화가 일어난다. 종류로는 **활성탄, 목탄(숯), 유연탄** 등이 있다.

㉤ **중합열**: 물질이 중합반응하는 과정에서 발생하는 열을 축적함으로써 발생한다. 종류로는 **액화시안화수소(HCN), 산화에틸렌** 등이 있다.

요약NOTE 열원에 따른 자연발화물질

구분	자연발화물질
산화열	황린, 기름걸레, 석탄, 원면, 고무분말, 금속분, 건성유
분해열	제5류 위험물, 아세틸렌(C_2H_2), 산화에틸렌(C_2H_4O)
미생물열(발효열)	거름, 퇴비, 먼지, 곡물, 비료
흡착열	활성탄, 목탄(숯), 유연탄
중합열	액화시안화수소(HCN), 산화에틸렌(C_2H_4O)

③ 자연발화에 영향을 주는 요인

㉠ **열전도율**: 열전도율이 작을수록 열축적이 용이하다. 산화·분해 반응 시 반응열이 크고 그 열이 축적되기 쉬운 상태일 때 자연발화가 발생하기 쉽다.

㉡ **공기의 이동**: 통풍이 잘되는 공간에서는 열의 축적이 비교적 어렵기 때문에 자연발화가 발생하기 어렵다.

㉢ **온도**: 주변온도에 비해 높으면 반응속도가 빠르기 때문에 열의 발생속도는 증가한다.

㉣ **퇴적방법**: 열의 축적이 용이하게 퇴적될수록 자연발화가 쉽다.

㉤ **수분(습도)**: 적당한 수분은 촉매 역할을 하기 때문에 반응속도를 빠르게 하여 자연발화가 쉽다.

㉥ **발열량**: 열 발생량이 클수록 축적되는 열의 양이 많아져 자연발화가 쉽다.

㉦ **촉매**: 발열반응에 **정촉매 작용**을 하는 물질은 반응을 빠르게 한다.

④ 자연발화 방지 방법

㉠ 환기(통풍) · 저장방법 등 공기유통을 원활하게 하여 열의 축적을 방지한다.

㉡ 저장실 및 주위온도를 낮게 유지한다.

㉢ **수분(습기)에 의한 자연발화를 하는 물질의 경우에는 수분(습도)이 높은 곳을 피하여 저장한다.**

㉣ 표면적을 작게하여 적재하는 것이 가능하다면 공기와의 접촉면을 적게 한다.

㉤ 퇴적 시 열축적이 용이하지 않도록 한다.

⑤ 자연발화를 일으키는 물질

㉠ **유지류(동식물유류)는 요오드가[1]가 클수록 자연발화가 되기 쉽다. 불포화도[2]가 크고 요오드가가 클수록 산화되기 쉽고 자연발화의 위험성이 크다.**

㉡ 일반적으로 금속분은 금속의 분말형태를 말한다. 금속의 분말형태로 존재할 때 산소와의 접촉면적이 커져서 단위면적당 반응속도가 커지기 때문에 자연발화가 용이해진다.

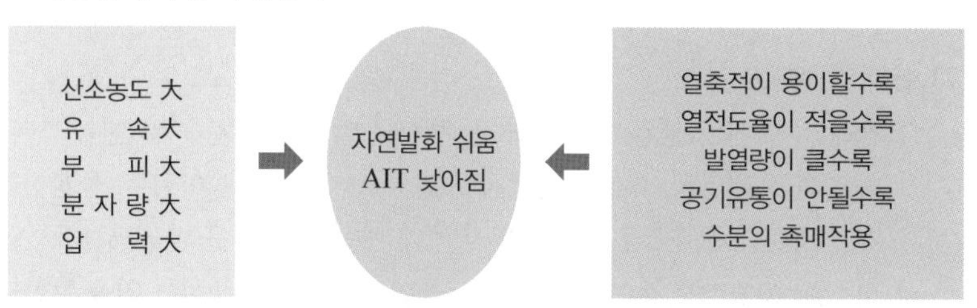

▲ 자연발화 영향요소 및 발생인자

심화학습 자연발화와 인화에 의한 발화

구분	자연발화	인화에 의한 발화(열면발화)
에너지계	밀폐계로 열원이 혼합기체를 둘러싸고 있는 형태	개방계로 열원이 한쪽에서 가해지고 반대쪽은 방열되는 형태
열의 축적	발열은 적어도 외부로의 열전달이 더 적어 열의 축적이 계의 중심에서 발생하고 온도도 중심부가 최대가 됨	점화원에 의한 입열이 주변으로 전달되어 열의 축적이 계의 외측에서 발생하고 온도도 외측부가 최대가 됨
방지대책	열의 축적을 방지할 축열방지대책이 필요함	입열을 방지할 점화원대책이 필요함
가열조건	열원, 혼합기	열면, 방열면, 열원 국부적, 방열
온도분포차이	온도, 외측, 중심, 외측	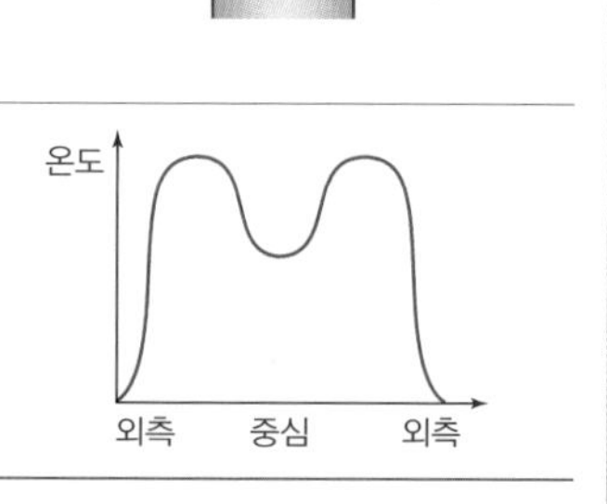 온도, 외측, 중심, 외측

용어사전

[1] 요오드가(요오드값, Iodine Value): 유지를 구성하고 있는 지방산에 함유된 이중결합의 수를 나타내는 수치이다. 유지 100g에 흡수되는 요오드의 g수를 말한다.

[2] 불포화도: 불포화 탄화수소가 추가로 결합 가능한 수소의 양을 말한다.

유지의 종류
1. 불건성유: 요오드가 100 이하
2. 반건성유: 요오드가 100~130 미만
3. 건성유: 요오드가 130 이상

발화의 개요
1. 화재가 발생하면 발화 → 연소 → 연소확대의 경로로 성장하게 됩니다.
2. 발화가 화재성장의 시작점입니다.

자연발화와 인화에 의한 발화
1. **자연발화:** 발열과 방열의 관점에서 볼 때 발열은 적지만 방열이 더 적은 경우
2. **인화에 의한 발화:** 발열과 방열의 관점에서 볼 때 발열이 큰 경우로 점화원의 입열 과정을 통해 발생

(5) 열적점화원

① **고온표면(고온물질)**: 가연물 주위에 발화점 이상의 고온물질이 있으면 가연물은 쉽게 점화될 수 있다.

② **복사열**: 물체에서 방출하는 전자기파를 직접 물체가 흡수하여 열로 변했을 때의 에너지를 말한다. 전자기파에 의하여 열이 매질을 통하지 않고 고온의 물체에서 저온의 물체로 직접 전달되는 현상이다.

③ **나화**: 항상 화염을 가지고 있는 것을 말한다. 보일러, 담뱃불, 난로 등이 있다.

(6) 기계적 점화원

① **충격 및 마찰스파크**: 두 개 이상의 물체가 서로 충격·마찰을 일으키면서 작은 불꽃을 일으키는데, 이러한 마찰불꽃에 의하여 가연성 가스에 착화가 일어날 수 있다.

② **단열압축**: 내부와 외부와의 열의 출입을 차단하여 압축하는 형태로서 기체를 높은 압력으로 압축하면 온도가 상승하는데 디젤엔진[1]이 대표적이다.

(7) 화학적 점화원

① **용해열**: 어떠한 물질이 액체에 용해될 때 발생하는 열을 말한다. 그러나 모든 물질의 용해열이 화재를 발생시킬 만큼 위험한 것은 아니다. 농황산(진한 황산)과 같은 강산의 경우 물로 희석할 때 매우 많은 열을 발생시킨다.

② **연소열**: 어떠한 물질이 완전히 연소되는 과정에서 발생하는 열을 말한다.

(8) 전기적 점화원

① **저항(가)열**: 백열전구의 발열로서 전기에너지가 열에너지로 변할 때 생성된다.

② **유전(가)열**: 유전체는 절연체를 의미하며 전선 피복과 같은 절연체가 절연능력을 갖추지 못해 발생하는 열이다. 즉, 누설전류를 말한다.

③ **유도(가)열**: 도체 주위에 변화하는 자기장이 있을 때 전위차가 발생하고 이로 인해 전류흐름이 일어난다. 이 전류를 유도전류라고 하며, 이 유도전류에 의하여 발생되는 열이 유도열이다.

④ **전기불꽃**: 전기불꽃은 전기설비의 회로 또는 전기기기·기구 등을 사용하는 장소에서 발생되는 불꽃현상으로서 폭발성 혼합가스 등에 점화하여 화재를 발생시키는 경우가 많다.

$$E = \frac{1}{2}CV^2 = \frac{1}{2}QV$$

E: 전기불꽃에너지
C: 전기용량
Q: 전기량
V: 전압

용어사전

[1] **디젤엔진**: 내연기관의 연소실에서 가연성 혼합가스를 주입하여 점화하는 방법으로 불꽃점화방식과 압축점화방식이 있다. 가솔린 엔진기관에서는 불꽃점화방식을 사용하고, 디젤엔진기관에서는 압축점화방식을 사용한다.

핵심기출

열에너지원의 종류에서 화학열로 옳은 것만을 〈보기〉에서 있는 대로 고른 것은?

23. 소방간부

〈보기〉

ㄱ. 분해열　ㄴ. 연소열
ㄷ. 압축열　ㄹ. 산화열

① ㄹ　② ㄱ, ㄴ
③ ㄷ, ㄹ　④ ㄱ, ㄴ, ㄹ
⑤ ㄱ, ㄴ, ㄷ, ㄹ

정답 ④

심화학습 연소의 메커니즘

1. 연소는 메탄·에탄·프로판의 완전연소반응처럼 원인계에서 생성계로의 화학적 변화이다. 연소는 에너지가 높은 원인계에서 에너지가 낮은 생성계로 바로 변화하는 것이 아니라 원인계에 일정한 활성화에너지가 주어지면 활성상태에 도달하고 안정한 에너지 상태를 유지하기 위하여 에너지를 방출하면서 생성계로 변하게 된다.
2. 물질이 에너지가 높은 원인계에서 에너지가 낮은 생성계로 변하여 안정된 상태로 되려고 하나 중간에 활성화에너지에 도달하여야 한다. 따라서 추가 에너지를 공급해 주어야 하는데 이를 최소발화에너지라 한다.
3. 최소발화에너지를 E, 연소열을 Q, 활성계가 생성계로 이동할 때의 방출에너지를 W라 하면 시간에 따른 에너지 변화는 다음과 같다.

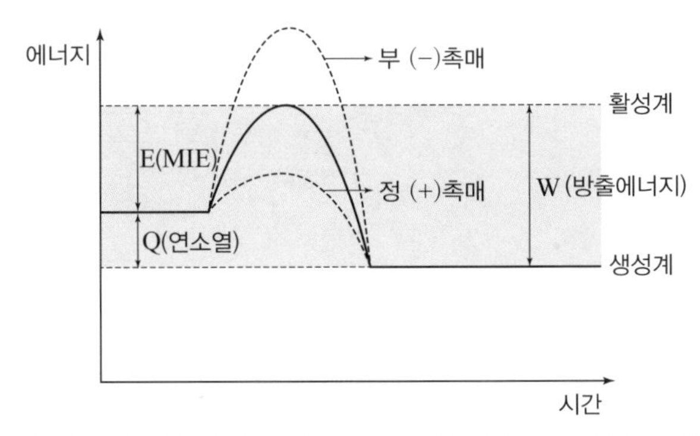

4. 연소열은 미반응부분의 활성화 및 열전달인 전도·대류·복사 등의 열로 소모하게 된다.
5. 화재를 소화하기 위해서는 반응속도를 느리게 하기 위해 활성화에너지를 높이는 부촉매를 사용한다.

요약NOTE 점화원의 종류

구분	종류	주요 발생원인
화학적 점화원	연소열	산화되는 과정에 발생
	분해열	물질이 분해될 때 발생
	용해열	물질이 액체에 용해될 때 발생(농황산, 묽은황산)
	자연발화	외부로부터 어떤 열의 공급을 받지 아니하고 온도가 상승하는 현상
전기적 점화원	정전기	정전기가 방전할 때 발생
	아크열	스위치의 On/Off 아크 때문에 발생
	유도열	도체 주위에 자장이 존재할 때 전류가 흘러 발생
	유전열	누전 등에 의한 전기절연의 불량에 의해 발생
	저항열	도체에 전류가 흐를 때 전기저항 때문에 발생
기계적 점화원	마찰스파크	고체와 금속을 마찰시킬 때 불꽃이 발생
	압축열	기체를 급하게 압축할 때 발생
	마찰열	고체를 마찰시킬 때 발생

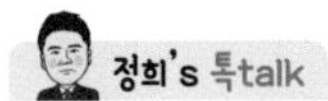

연소열
1. 어떤 물질 1몰 또는 1g이 완전 연소했을 때 방출되는 열량 또는 발열량입니다.
2. 표준연소열은 25℃, 1기압에서 1mol의 물질을 작은 양의 산소와 함께 연소할 때 방출되는 열량입니다.
3. 어떤 반응의 반응열은 이미 측정되어 있는 표준생성열이나 표준연소열로부터 헤스의 법칙(Hess's law of heat summation)에 따라 계산합니다.

핵심기출

발화점 및 최소발화에너지(MIE, Minimum Ignition Energy)에 관한 설명으로 옳지 않은 것은? 24. 소방간부

① 발화점은 발화 지연시간, 압력, 산소농도, 촉매물질 등의 영향을 받는다.
② 파라핀계 탄화수소는 분자량이 클수록 발화온도가 높아진다.
③ 최소발화에너지는 가연성 혼합기를 발화시키는데 필요한 최저에너지를 말한다.
④ 압력이 상승하면 최소발화에너지는 작아진다.
⑤ 발화점이 낮을수록 발화의 위험성은 커진다.

정답 ②

심화학습 자연발화

1. 개념
- 발화는 자연발화와 인화에 의한 발화로 구분한다.
- 자연발화는 고온발화와 저온발화로 구분된다. 인화에 의한 발화는 여러 가지 점화원에 의해 발생한다.
- 자연발화는 가연물, 산소가 확보된 상태에서 외부의 점화원 없이 가연물의 내부에서 발생된 열의 축적에 의해 AIT 이상으로 가열되어 발화하는 현상이다.

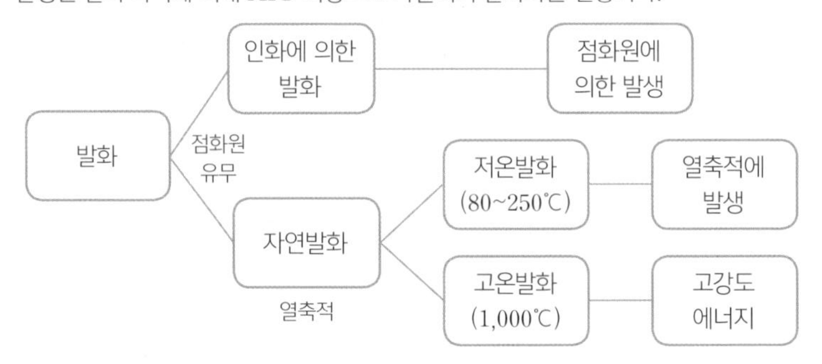

2. 자연발화의 구분
- **저온발화(80~250℃)**: 방열이 불량한 상태의 자연발화이므로 상온보다 약간 높은 온도(80~250℃)에서 발화한다. 저온출화되는 열원으로 산화열, 분해열, 흡착열, 발효열, 중합열 등이 있다.
- **고온발화(1,000℃)**: 방열이 큰 조건에서의 자연발화이므로 발열온도가 높아야 자연발화가 발생한다.

구분	저온발화	고온발화
방열온도	80~250℃	1,000℃
계 내부의 온도분포	가열시간이 지남에 따라 가연물 중심의 열축적에 의해 중심부의 온도가 크게 증가된다.	가열시간이 지남에 따라 최고 온도 지점이 중심에서 외측으로 벗어난다.
개념도	시간경과 / 온도 / 외측 / 중심 / 외측	시간경과 / 온도 / 외측 / 중심 / 외측

3. 자연발화의 메커니즘(발열 > 방열)

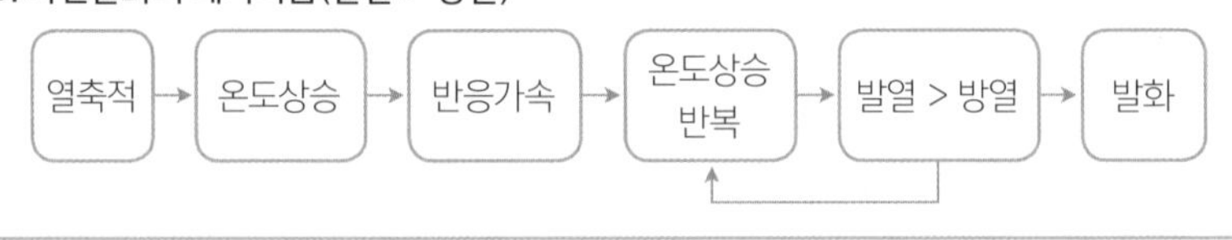

심화학습 단열압축(참고)

1. 개념

- 단열이란 열이 서로 통하지 않도록 함으로써 흡열이나 방열과 같은 열교환이 없는 상태를 말한다. 이러한 상태에서 기체를 높은 압력으로 압축하면 온도가 상승하여 발화될 수 있다. 단열압축은 기계적 점화원으로 분류한다.
- 단열상태이므로 $\Delta H = 0$이다. 일과 내부에너지는 부호가 반대이다. 압축인 경우 내부에너지는 증가하므로 온도가 상승한다.

2. 특성

- 기체 자연발화 원인 중에 하나이다.
- 밸브의 급격한 개방, 탱크 내 위험물의 갑작스런 투입 등으로 압축될 경우 열이 발생되어 발화될 수 있다.
- 압력 상승에 의해 온도가 상승하므로 유효한 냉각 시설이 없으면 압축으로 인하여 윤활유가 열분해되어 폭발 위험이 있다.
- 폭굉에서 중요한 화염 전파의 원인이다.

3. 계산식

- 이상기체의 단열온도 상승의 단열압축식

$$\frac{T_2}{T_1} = \left(\frac{P_2}{P_1}\right)^{\frac{r-1}{r}}$$

T_1: 초기절대온도
T_2: 최종절대온도
P_1: 초기절대압력
P_2: 최종절대압력
r: 정압비열과 정적(정용)비열의 비(C_P/C_V)
C_P(정압비열): 압력이 일정한 상태에서 비열
C_V(정적비열 또는 정용비열): 체적이 일정한 상태에서의 비열

- 단열압축에 의해 T_2가 AIT 또는 인화점 이상이 되면 발화될 수 있다.

4. 순조로운 연쇄반응

(1) 개요

① 가연물질의 연소과정에서 생성된 에너지가 연소반응을 계속 유발시키는 것을 연쇄반응이라고 한다. 화학반응 중 라디칼❶이 생성되는데 이 라디칼이 새로운 라디칼을 생성하여 화학반응을 지속적으로 유지시켜 주는 역할을 한다.

② 불꽃연소에서 지속적인 연소가 일어나기 위해서는 연소하고 있는 부분이 미연소 부분에서의 가연성 가스를 지속적으로 생성시킬 수 있고 이를 재점화시킬 수 있는 크기 이상으로 공급되어야 한다.

③ 불꽃연소는 가연성 분자와 산소 분자가 직접 결합하여 반응이 완결되는 것이 아니다. 산소나 가연성 분자의 분해이온들이 결합하여 생성된 라디칼(OH^-, H^+, O^{2-}) 등에 의한 연쇄반응이 지속된다.

④ 억제소화는 불꽃화재에는 효과적이나, 연쇄반응이 없는 작열연소 또는 심부화재에는 효과적이지 않다.

심화학습 연쇄반응의 원리

1. **개시반응:** 가연성 분자(RH)가 열에너지(e)에 의해 분해되어 이온이 생성된다.

$$RH + e \rightarrow R^- + H^+$$

2. **전파반응:** 가연성 분자에서 생성된 수소이온과 산소가 반응하여 이온이 생성된다.

$$H^+ + O_2 \rightarrow OH^- + O^{2-}$$

3. **억제반응:** 가연성 분자가 전파반응에서 생성된 산소이온과 반응하여 수산화이온을 추가적으로 생성한다.

$$RH + O^{2-} \rightarrow OH^- + R^-$$

4. **종결반응:** 가연성 분자가 억제반응에서 생성된 수산화이온과 반응하여 수증기를 생성한다.

$$RH + OH^- \rightarrow H_2O + R^-$$

(2) 억제소화의 원리

① 할론 1301이나 분말소화약제는 불꽃연소의 억제소화가 가능하다.

② **할론 1301의 억제소화 원리**

㉠ **열분해:** $CF_3Br + e \rightarrow CF_3^+ + Br^-$

㉡ **수소이온과 브롬이온의 반응:** $H^+ + Br^- \rightarrow HBr$

㉢ **브롬이온의 생성:** $HBr + OH^- \rightarrow H_2O + Br^-$

③ 브롬이온이 생성된 라디칼과 결합하여 불꽃연소를 하는 순조로운 연쇄반응을 억제시킨다.

용어사전

❶ **라디칼:** 라디칼(radical) 또는 자유라디칼(free radical)은 홀전자(unpaired electron)를 가진 원자 또는 분자이다. 원자 간의 공유결합은 공유 전자쌍으로 이루어져 있으며, 이 결합이 균일 분해 과정을 거치면 각각의 원자는 홀전자를 갖게 되는데, 이 원자는 라디칼이 된다. 예를 들어 탄소 간의 공유결합이 균일 분해가 되면 탄소 라디칼이 형성된다. 일반적으로 원자 간 공유결합에서 불균일 분해가 유발되며, 이 경우에는 한 원자가 결합에 관여한 모든 전자를 가져가게 된다.

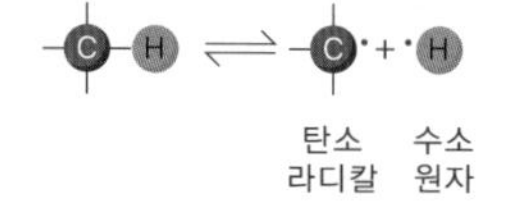

▲ 균일분해

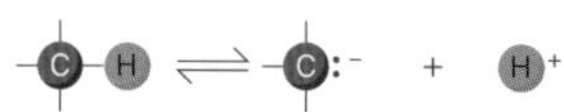

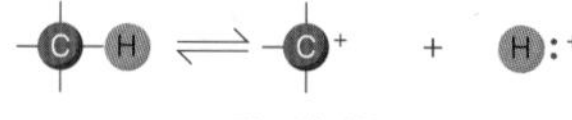

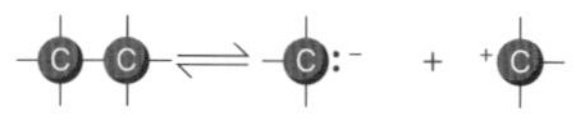

▲ 불균일분해

정희's 톡talk

불꽃연소(Flaming Combustion)
가연성 기체와 공기가 혼합기체를 형성하며 연소하는 일반적인 연소형태로 기체상태의 연소이므로 불꽃을 발하면서 연소합니다. 표면연소에 비하여 연소속도가 빠르고 발열량이 큽니다.

표면연소(Surface Combustion)
가연물의 표면에서 직접 공기와의 산화반응을 통해 연소하는 형태로 기체의 연소가 아니므로 불꽃이 없고 발열량이 불꽃연소에 비하여 크지 않습니다.

3 연소의 조건 A

1. 연소범위

가연성 가스가 공기와 혼합하여 연소반응을 일으킬 수 있는 적정한 농도범위를 연소범위라고 한다. 연소범위에서 농도가 낮은 쪽은 연소범위의 하한계라고 하고, 농도가 높은 쪽을 연소범위의 상한계라고 한다. 연소범위는 가연물의 특성으로 가연성 가스의 종류마다 다르다.

(1) 개요

① 가연성 가스는 연소범위 내에서만 연소반응이 일어나고 연소범위를 벗어나면 연소반응이 일어나지 않는다.

② 연소의 범위는 일반적으로 부피 백분율(vol%)로 나타낸다.

③ **연소범위가 넓을수록 위험성은 증가한다.**

④ 연소범위의 하한계가 낮을수록, 연소범위의 상한계가 높을수록 가연성 가스의 위험성은 증가한다.

(2) 가연성 가스의 연소범위

① 가연성 가스인 수소기체의 연소범위는 4 ~ 75(vol%)이다. 즉, 연소의 하한계는 4(vol%)이고 연소의 상한계는 75(vol%)이다. 수소는 공기 중에서 이 범위를 벗어나게 되면 연소반응이 일어나지 않는다.

② 연소범위의 크기는 아세틸렌, 산화에틸렌, 수소, 일산화탄소, 에테르, 이황화탄소의 순이다.

③ 메탄의 연소범위는 5 ~ 15(vol%), 에탄의 연소범위는 3 ~ 12.5(vol%), 프로판의 연소범위는 2.1 ~ 9.5(vol%)이다.

참고 주요 가연성 가스의 공기 중 연소범위

물질명	연소범위(vol%)	물질명	연소범위(vol%)
아세틸렌(기체)	2.5 ~ 81(100)	등유(액체)	1.1 ~ 6
산화에틸렌(기체)	3 ~ 80(100)	경유(액체)	1 ~ 6
수소(기체)	4 ~ 75	벤젠(액체)	1.3 ~ 7.1
일산화탄소(기체)	12.5 ~ 74	메틸알코올(액체)	7.3 ~ 36.5
암모니아(기체)	15 ~ 28	에틸알코올(액체)	4.3 ~ 19
톨루엔(액체)	1.3 ~ 6.8	가솔린(액체)	1.4 ~ 7.6
이황화탄소(액체)	1.2 ~ 44	아세톤(액체)	2.6 ~ 12.8
에틸렌(기체)	2.7 ~ 36	메탄(기체)	5 ~ 15
(디에틸)에테르(액체)	1.9 ~ 48	에탄(기체)	3 ~ 12.5
시안화수소(기체)	6 ~ 41	프로판(기체)	2.1 ~ 9.5
아세트알데히드(액체)	4.1 ~ 57	부탄(기체)	1.8 ~ 8.4

정희's 톡talk

연소범위

1. 연소범위는 연소가 일어나는 데 필요한 가연성 가스나 증기의 농도범위를 의미합니다. 연소범위는 자력으로 화염을 전파하는 공간이라고도 합니다.
2. 연소범위란 1기압, 25℃에서 점화원에 의해 연소가 진행될 수 있는 가연성 가스와 공기의 혼합가스 중 가연성 가스의 체적 %입니다.

핵심기출

01 가연성 가스 중 위험도가 가장 큰 물질은? (단, 연소범위는 메탄 5 ~ 15%, 에탄 3% ~ 12.4%, 프로판 2.1 ~ 9.5%, 부탄 1.8 ~ 8.4%이다) 20. 공채

① 메탄
② 에탄
③ 프로판
④ 부탄

정답 ④

02 〈보기〉에서 공기 중 연소범위가 가장 넓은 것(ㄱ)과 위험도가 가장 낮은 것(ㄴ)을 순서대로 나열한 것은? 22. 소방간부

〈보기〉
수소, 아세틸렌, 메탄, 프로판

	ㄱ	ㄴ
①	수소	메탄
②	수소	아세틸렌
③	아세틸렌	메탄
④	아세틸렌	프로판
⑤	아세틸렌	아세틸렌

정답 ③

핵심기출

01 연소범위에 대한 설명으로 옳지 않은 것은? 20. 소방간부

① 산소농도가 높아지면 연소범위가 넓어진다.
② 불활성 가스의 농도가 높아지면 연소범위가 좁아진다.
③ 가연성 가스의 온도가 높아지면 연소범위는 넓어진다.
④ 가연성 가스의 압력이 높아지면 연소범위는 좁아진다.
⑤ 일산화탄소(CO)는 압력이 높아지면 연소범위가 좁아진다.

정답 ④

02 다음 조건에 따라 계산한 혼합기체의 연소하한계는? 22. 소방간부

- 르샤틀리에 공식을 이용한다.
- 혼합기체의 부피비율은 A기체 60%, B기체 30%, C기체 10%이다.
- 연소하한계는 A기체 3.0%, B기체 1.5%, C기체 1.0%이다.

① 1.0% ② 1.5%
③ 2.0% ④ 2.5%
⑤ 3.0%

정답 ③

정희's 톡talk

몰분율
두 성분 이상의 물질계에서 한 성분의 농도를 나타내는 방법의 하나로, 전체 성분에 대한 어떤 성분의 몰수비를 말합니다.

$$X_A = \frac{n_A}{n_T}$$

X_A: A기체의 몰분율
n_A: A기체의 몰수
n_T: 전체 기체의 몰수

혼합가스의 폭발하한계 계산방법
두 종류 이상의 가연성 가스 또는 증기 혼합물이 있을 때 폭발범위 하한계를 계산에 의하여 구하는 경우, 르 샤틀리에(Le Chateilier)의 법칙을 사용합니다.

$$L = \frac{100}{\frac{V_1}{L_1} + \frac{V_2}{L_2} + \frac{V_3}{L_3} \cdots}$$

L: 혼합가스의 폭발하한계(vol%)
V_1: 각 단독성분의 혼합가스 중의 농도(vol%)
L_1: 혼합가스를 형성하는 각 단독성분의 폭발하한계(vol%)

(3) 연소범위에 영향을 주는 요인

가연성 가스의 농도가 너무 희박하거나 너무 농후해도 연소는 잘 일어나지 않는다. 연소범위는 연소 발생 시 **온도, 압력, 산소농도 및 비활성 가스의 주입** 등에 따라 달라진다.

① **온도**: 온도가 올라가면 분자의 운동이 활발해지므로 분자 간 유효충돌 가능성이 커지며, 연소범위가 넓어져 위험성은 증가된다.

② **압력**

㉠ 압력이 높아지면 분자 간의 평균거리가 축소되어 유효충돌이 증가되며 화염의 전달이 용이하여 연소한계는 넓어진다.

㉡ 연소하한계 값은 크게 변하지 않으나 연소상한계가 높아져 전체적으로 범위가 넓어진다.

㉢ 예외적으로 **수소(H_2)와 일산화탄소(CO)**는 압력이 높아질 때 일시적으로 연소범위가 좁아진다.

③ **산소농도**: 산소농도가 증가하면 연소하한계의 변화는 거의 없고, 연소상한계가 넓어져 연소범위가 넓어진다.

④ **비활성 가스**: 가연성 가스의 혼합가스에 **비활성 가스**를 투입하면 공기 중 산소농도가 저하된다. 따라서 연소범위는 연소상한계는 크게 낮아지고 하한계는 작게 높아져 **전체적으로 연소범위가 좁아진다.**

심화학습 연소범위 관련 수식

1. 존스(Jones) 수식: 단일가스 성분의 연소범위

$$LFL=0.55C_{st},\quad UFL=3.5C_{st}$$

$$\text{화학양론농도}(C_{st}) = \frac{\text{연료몰수}}{\text{연료몰수}+\text{공기몰수}} \times 100$$

- 화학양론농도는 물질의 반응 시 반응이 가장 잘 일어나는 완전연소의 혼합비율을 말한다(NTP 상태에서 가연성 가스, 공기계에서 완전연소에 필요한 농도비율이다).
- 연료와 공기의 최적합의 조성 비율이다.

2. 르샤틀리에 수식: 혼합가스 성분의 연소범위

$$\frac{100}{L} = \frac{V_1}{L_1} + \frac{V_2}{L_2} + \frac{V_3}{L_3} + \cdots,\quad \frac{100}{U} = \frac{V_1}{U_1} + \frac{V_2}{U_2} + \frac{V_3}{U_3} + \cdots$$

L: 혼합가스 연소범위 하한계
U: 혼합가스 연소범위 상한계
V_1, V_2, V_3: 각 성분의 체적(vol%)
L_1, L_2, L_3: 각 성분의 연소범위 하한계(vol%)
U_1, U_2, U_3: 각 성분의 연소범위 상한계(vol%)

- 조건1: $V_1 + V_2 = 100$
- 조건2: 가연성 가스+불연성 가스일 경우 가연성 가스만 백분율하여 계산한다.

심화학습 연소범위의 영향요소

1. 온도

- 온도가 높아지면 기체분자의 운동이 증가하므로 반응성이 활발해진다. 일반적으로 화학 반응은 온도가 상승하면 반응속도가 2배로 증가되고 폭발범위도 온도상승에 따라 확대되는 경향이 있다. 이는 아레니우스(Arrhenius) 수식을 따른다.

$$V = Ce^{-\frac{E}{RT}} = \frac{C}{e^{\frac{E}{RT}}}$$

V: 반응속도, C: 빈도계수, E: 활성화에너지(cal/mol)
R: 기체상수(cal/mol·k), T: 절대온도(K)

- 연소범위에 대한 온도의 영향

온도 변화	발열속도	연소범위
온도가 높을 때	열의 발열속도 > 방열속도	넓어짐
온도가 낮을 때	열의 발열속도 < 방열속도	좁아지거나 없어짐

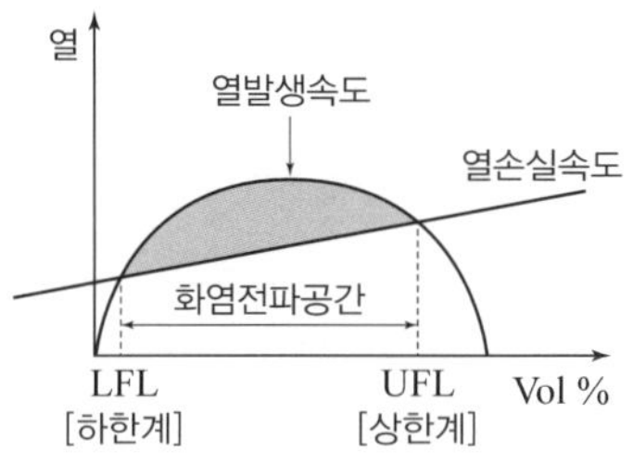

▲ 연소범위에 대한 온도의 영향 개념도

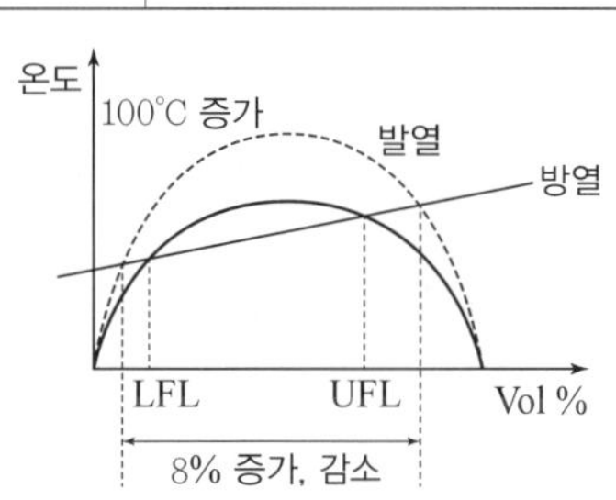

▲ 연소범위에 대한 온도의 영향 (실험식 100℃)

2. 압력

- 압력 상승 시 연소범위가 넓어진다(단, 일산화탄소는 좁아진다).
- 하한계보다는 상한계의 영향이 크다.
- 폭발은 온도, 압력, 조성의 관계에서 일어나며 발화온도는 압력에 영향을 준다.

3. 산소농도: 산소농도가 증가하면 연소범위는 넓어진다.

4. 불활성기체: 불활성기체가 첨가되면 연소범위가 좁아진다.

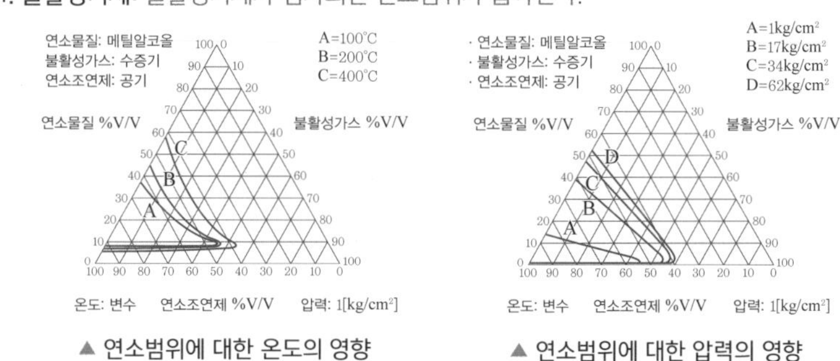

▲ 연소범위에 대한 온도의 영향　▲ 연소범위에 대한 압력의 영향

핵심기출

연소범위에 관한 설명으로 옳은 것만을 〈보기〉에서 있는 대로 고른 것은? 22. 소방간부

〈보기〉
ㄱ. 연소범위는 물질이 연소하기 위한 물적 조건과 관련이 크다.
ㄴ. 온도가 높아지면 연소범위는 넓어진다.
ㄷ. 일산화탄소는 압력이 증가하면 연소범위가 넓어진다.
ㄹ. 불활성기체가 첨가되면 연소범위가 좁아진다.

① ㄱ, ㄹ　② ㄱ, ㄴ, ㄷ
③ ㄱ, ㄴ, ㄹ　④ ㄴ, ㄷ, ㄹ
⑤ ㄱ, ㄴ, ㄷ, ㄹ

정답 ③

정희's 톡talk

온도에 따른 연소범위 계산식

1. 온도가 상승하면 분자운동이 활발해지고 그에 따라 유효충돌횟수가 증가되어 연소범위가 넓어집니다.
2. LFL

$$LFL_t = L_{25} \times \left[1 - 0.75\frac{(t-25)}{H_C}\right]$$

LFL_t: t[℃]에서 연소하한계
UFL_t: t[℃]에서 연소상한계

3. UFL

$$UFL_t = U_{25} \times \left[1 + 0.75\frac{(t-25)}{\Delta H_C}\right]$$

ΔH_C: 가연성혼합기의 유효연소열
L_{25}·U_{25}: 25℃에서 하한계·상한계

핵심 기출

그림에서 'A'에 대한 설명으로 옳지 않은 것은?

22. 공채

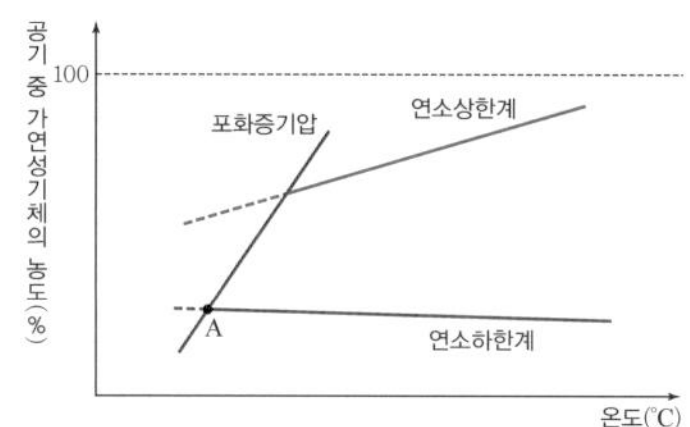

① 외부에너지에 의해 발화하기 시작하는 최저연소온도이다.
② 물질적 조건과 에너지 조건이 만나는 최저연소온도이다.
③ 화학양론비(stoichiometric ratio)에서의 최저연소온도이다.
④ 가연성 혼합기를 형성하는 최저연소온도이다.

정답 ③

정희's 톡talk

연소한계곡선

물질이 발화·연소하는 데는 가연물·산소공급원·점화원·연쇄반응의 4요소가 필요합니다. 이때 물적 조건과 에너지 조건을 만족하여야 하는데 연소범위는 물적 조건, 발화온도·발화에너지·충격감도는 에너지 조건이라 할 수 있습니다.

포화증기압선

1. 포화증기압선의 좌측은 액체 상태로 연소범위를 판단할 필요가 없고, 우측 부분이 기체 상태로 연소범위를 판단하는 부분입니다.
2. 포화증기압이란 액체가 기체 상태로 변할 수 없는 포화상태의 수증기 압력입니다.

자연발화온도 & 자동발화온도

1. 자연발화온도(Spontaneous Ignition Point): 고체, 액체, 기체
2. 자동발화온도(Auto Ignition Temperature): 기체의 실험적 데이터

(4) 연소범위의 개념

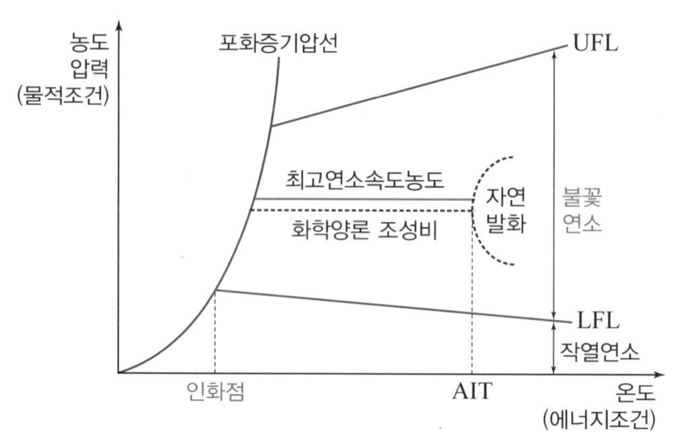

▲ 가연성 증기의 연소(상부인화점 및 하부인화점)

① **연소하한계**(LFL; Low Flammable Limit)
   ㉠ 연소범위의 희박한 측의 한계를 말한다. 일반적으로 온도 증가에 따라 약간 감소하는 특성이 있다.
   ㉡ 연소하한계의 농도 이하에서는 점화원과 접촉될 때 화염의 전파가 발생하지 않는 공기 중의 증기 또는 가스의 최소농도를 말한다.

② **연소상한계**(UFL; Upper Flammable Limit)
   ㉠ 연소범위의 농후한 측의 한계를 말한다. 온도 증가에 따라 비교적 크게 증가한다.
   ㉡ 연소상한계의 농도 이상에서는 점화원과 접촉될 때 화염의 전파가 발생되지 않는 공기 중의 증기 또는 가스의 최고농도를 말한다.

③ **연소범위**: 연소하한계와 연소상한계 사이의 가연성 가스의 농도범위를 말한다.

④ **자연발화온도**(AIT): 일정 온도 이상 범위에서는 점화원 없이도 발화되는 자연발화의 영역이 있는데, 이때 자연발화를 일으키는 가장 낮은 온도가 발화점이다.

(5) 위험도

① 위험도는 **가연성 가스의 위험성을 나타내는 기준**으로 사용한다.

② 위험도는 연소범위를 연소범위 하한계 값으로 나눈 값을 말한다.

$$\text{위험도} = \frac{\text{연소의 상한계 값} - \text{연소의 하한계 값}}{\text{연소의 하한계 값}}$$

③ 아세틸렌의 연소범위는 2.5 ~ 81%로 이황화탄소의 연소범위인 1.2 ~ 44%보다 크다. 하지만 위험도를 계산하면 이황화탄소의 위험도가 35.7로 아세틸렌의 31.4보다 크다. 따라서 **아세틸렌보다 이황화탄소가 더 위험하다고 할 수 있다.**

참고 가연성 가스의 연소범위와 위험도

가연물	연소범위	위험도	가연물	연소범위	위험도
이황화탄소	1.2 ~ 44	35.7	부탄	1.8 ~ 8.4	3.7
아세틸렌	2.5 ~ 81	31.4	프로판	2.1 ~ 9.5	3.5
가솔린	1.4 ~ 7.6	4.4	에탄	3 ~ 12.4	3.1
벤젠	1.4 ~ 7.1	4.07	메탄	5 ~ 15	2
수소	4 ~ 75	17.6	암모니아	15 ~ 28	0.87

예제

표준 상태에서 공기 중 가연물의 위험도가 높은 순으로 나열하시오.

가연물	ㄱ	ㄴ	ㄷ	ㄹ
연소범위(%)	4 ~ 12	3 ~ 30	1 ~ 12	6 ~ 42

풀이식

$$위험도 = \frac{연소의\ 상한계\ 값 - 연소의\ 하한계\ 값}{연소의\ 하한계\ 값}$$

- ㄱ의 위험도 = $\frac{12-4}{4} = 2$
- ㄴ의 위험도 = $\frac{30-3}{3} = 9$
- ㄷ의 위험도 = $\frac{12-1}{1} = 11$
- ㄹ의 위험도 = $\frac{42-6}{6} = 6$

따라서 위험도가 높은 순은 ㄷ > ㄴ > ㄹ > ㄱ이다.

정답 ㄷ, ㄴ, ㄹ, ㄱ

핵심 기출

01 공기 중 가연성 가스의 연소범위에 관한 내용이다. 다음 중 위험도가 가장 높은 가연성 가스는? (단, 위험도는 가연성 가스의 위험한 정도를 나타내는 척도이다) 24. 소방간부

가연성 가스	연소범위(vol%)
A	3 ~ 12.5
B	4 ~ 75
C	5 ~ 15
D	1.2 ~ 44
E	2.5 ~ 81

① A ② B
③ C ④ D
⑤ E

정답 ④

02 다음의 가연성 가스(A, B, C) 중 위험도가 낮은 것에서 높은 순서로 옳게 나열한 것은? 24. 공채·경채

- A: 연소하한계 = 2vol%, 연소상한계 = 22vol%
- B: 연소하한계 = 4vol%, 연소상한계 = 75vol%
- C: 연소하한계 = 1vol%, 연소상한계 = 44vol%

① A, B, C ② A, C, B
③ B, A, C ④ C, B, A

정답 ①

03 다음 중 위험도(H) 값이 가장 큰 것은? (단, 1기압, 25℃ 공기 중의 연소범위를 기준으로 한다) 23. 소방간부

① 수소 ② 메탄
③ 아세틸렌 ④ 이황화탄소
⑤ 산화에틸렌

정답 ④

핵심기출

01 연소에 대한 설명으로 옳지 않은 것은? 20. 공채

① 액체가연물의 인화점은 액면에서 증발된 증기의 농도가 연소하한계에 도달하여 점화되는 최저온도이다.
② 연소하한계가 낮고 연소범위가 넓을수록 가연성 가스의 연소위험성이 증가한다.
③ 액체가연물의 연소점은 점화된 이후 점화원을 제거하여도 자발적으로 연소가 지속되는 최저온도이다.
④ 파라핀계 탄화수소화합물의 경우 탄소수가 적을수록 발화점이 낮아진다.

정답 ④

02 가연성 액체의 인화점에 대한 설명으로 옳은 것은? 19. 공채

① 증기가 연소범위의 하한계에 이르러 점화되는 최저온도
② 증가가 발생하기 시작하는 최저온도
③ 물질이 자체의 열만으로 착화하는 최저온도
④ 발생한 화염이 지속적으로 연소하는 최저온도

정답 ①

정희's 톡talk

인화점(Flash point)

1. 포화증기압과 연소의 하한계가 만나는 최저온도입니다.
2. 가연성 혼합기를 형성하는 최저온도입니다.
3. 소방 - 점화원 관리 예방대책으로 연소점보다 낮은 인화점을 이용하여 소화합니다.

핵심기출

㉠ ~ ㉤의 물질을 인화점이 낮은 것부터 높은 순으로 옳게 나열한 것은? 23. 소방간부

㉠ 아세톤	㉡ 글리세린
㉢ 이황화탄소	㉣ 메틸알코올
㉤ 디에틸에테르	

① ㉠ - ㉤ - ㉢ - ㉡ - ㉣
② ㉢ - ㉠ - ㉤ - ㉡ - ㉣
③ ㉢ - ㉤ - ㉠ - ㉣ - ㉡
④ ㉤ - ㉠ - ㉢ - ㉣ - ㉡
⑤ ㉤ - ㉢ - ㉠ - ㉣ - ㉡

정답 ⑤

2. 인화점 · 발화점 · 연소점

(1) 인화점(Flash point, 유도발화점)

① 가연물에 점화원을 가하였을 때 불이 붙을 수 있는 최저온도를 말한다.

② 기체 또는 휘발성 액체에서 발생하는 증기가 공기와 섞여서 가연성(폭발성) 혼합기체를 형성하고, 여기에 불꽃을 가까이 댔을 때 순간적으로 섬광을 내면서 연소하는 최저온도를 말한다.

③ 인화점은 인화성 액체의 위험성을 나타내는 기준으로 사용되기도 한다. 액체 가연물에 있어서 가연성 증기를 연소범위 하한계의 증기농도로 만들 수 있는 최저온도를 의미한다. 이때의 최저온도를 하부인화점이라 한다.

참고 가연성 액체의 인화점

가연물	인화점(℃)	가연물	인화점(℃)
디에틸에테르	-45	메틸알코올	11
산화프로필렌	-37	에틸알코올	13
이황화탄소	-30	프로필 알코올	15
가솔린	-43 ~ -20	등유	30 ~ 60
아세톤	-18	경유	50 ~ 70
벤젠	-11	벙커C유	72
톨루엔	4	클레오소트유	74

심화학습 인화점과 발화점

인화점	발화점
가연성 증기에 점화원을 가하였을 때 연소 시작되는 최저온도	가연물을 가열할 때 점화원 없이 물질 자체가 스스로 연소 시작되는 최저온도
점화원 / 증기 / 물질	증기 / 물질 / 가열

(2) 발화점(Ignition point, 착화점)

① 직접적인 점화원의 접촉 없이 가열된 열의 축적에 의하여 발화가 되고 연소가 되는 최저의 온도를 의미한다.

② 즉, 공기 중에서 가연물을 가열했을 때 여기에 화염 등을 근접시키지 않아도 발화하는 최저온도를 발화점이라고 한다.

③ 화재 진압 후 잔화정리를 할 때 계속 물을 뿌려 가연물을 냉각시키는 것은 가연물의 온도가 발화점 이상으로 상승하여 재착화되는 것을 방지하기 위한 것이다.

④ 일반적으로 발화점은 인화점보다 상당히 높다.

⑤ 발화점은 인화점과 무관하지만 일반적으로 인화점보다 훨씬 높게 나타난다.

⑥ 발화점에 영향을 주는 요인
- ㉠ 가연성 가스와 공기의 조성비
- ㉡ 발화 공간의 형태와 크기
- ㉢ 발화원의 종류와 가열방식
- ㉣ 발화원의 재질 및 용기의 표면 상태
- ㉤ 가열속도와 가열시간

⑦ 발화점이 낮아질 수 있는 조건
- ㉠ 분자구조가 복잡할 때
- ㉡ 압력과 화학적 활성도가 클수록
- ㉢ 발열량 · 농도가 클수록
- ㉣ 산소와 친화력이 클수록
- ㉤ 접촉금속의 열전도율이 작을수록
- ㉥ 최소점화에너지(활성화에너지)가 작을수록
- ㉦ 증기압이 낮을수록
- ㉧ 탄화수소의 분자량이 클수록

참고 가연물의 발화점

가연물	발화점(℃)	가연물	발화점(℃)
황린	34	가솔린	300
이황화탄소	100	석탄	350
황화린	100	목재	410 ~ 470
셀룰로이드	180	산화에틸렌	430
디에틸에테르	180	산화프로필렌	450
등유	200	톨루엔	480
경유	210	아세톤	538
적린	260	벤젠	562

$CxHy$ 수의 증가[파라핀계]
1. 인화점이 높아집니다.
2. 발열량이 증가합니다.
3. 발화점이 낮아집니다.
4. 분자구조가 복잡해집니다.
5. 휘발성(증기압)이 감소하고 비점은 상승합니다.
6. 연소범위가 좁아지고 하한계는 낮아집니다.

발화점
1. 발화점이 낮을수록 발화의 위험성이 큽니다.
2. 황린의 발화점은 34℃이고 CS_2(이황화탄소)의 발화점은 100℃입니다.

발화점 예시
발화점이 가장 낮은 성냥골에 가장 먼저 불이 붙고, 그 다음에 종이에 불이 붙어요!

핵심 기출

가연성 액체의 연소현상에 관한 설명으로 옳지 않은 것은? 23. 공채

① 가연성 액체의 연소와 관련된 온도는 발화점, 연소점, 인화점 순으로 높다.
② 인화점과 발화점이 가까운 액체일수록 재점화가 어렵고 냉각에 의한 소화활동이 용이하다.
③ 인화점과 연소점의 차이는 외부 점화원을 제거했을 경우 화염 전파의 지속성 여부에 따라 구분된다.
④ 연소반응은 열생성률(heat production rate)이 외부로의 열손실률(heat loss rate)보다 큰 조건에서 지속된다.

정답 ②

핵심기출

가연물의 발화온도와 발화에너지에 관한 설명으로 옳은 것은? 24. 공채·경채

① 점화원에 의해서 가연물이 발화하기 시작하는 최저 온도를 발화점(ignition point)이라고 한다.
② 점화원을 제거해도 자력으로 연소를 지속할 수 있는 최저온도를 연소점(fire point)이라고 한다.
③ 가연물의 최소발화에너지가 클수록 더 위험하다.
④ 가연물의 연소점은 발화점보다 높다.

정답 ②

(3) 연소점(Fire point, 화재점)

① 연소 상태가 계속될 수 있는 온도를 말한다. **일반적으로 인화점보다 5 ~ 10℃ 정도 높다.**

② 가연성 증기의 발생속도가 연소속도보다 빠를 때 이루어진다.

③ 일반적으로 **연소점은 점화원을 제거한 상태에서도 계속적으로 연소를 일으킬 수 있는 최저온도**를 말한다. 즉, 연소열에 의해 연쇄반응이 지속적으로 발생되는 최저온도를 의미한다.

④ 일반적인 온도 관계는 **인화점 < 연소점 < 발화점**이다.

⑤ 발화 후 연소점 이하가 되면 가연성 증기 발생률이 너무 낮아 화염이 유지되지 못하고 꺼진다.

참고 가연물의 인화점과 연소점

가연물	인화점(℃)	연소점(℃)
가솔린	-43 ~ -20	-10 이하
아세톤	-18	-8
메틸알코올	11	21
에틸알코올	13	23
등유	30 ~ 60	40 이상

참고 인화점 · 발화점 · 연소점 비교

연료	휘발유(℃)	경유(℃)	등유(℃)
인화점	-43 ~ -20	50 ~ 70	30 ~ 60
발화점	300	200	210
연소점	-10 이하	-	40 이상

심화학습 인화점, 연소점, 발화점

1. **인화점:** 인화점 측정 방법은 태그밀폐식 시험, 신속평형법 시험, 클리브랜드 개방식 시험 등이 있다.

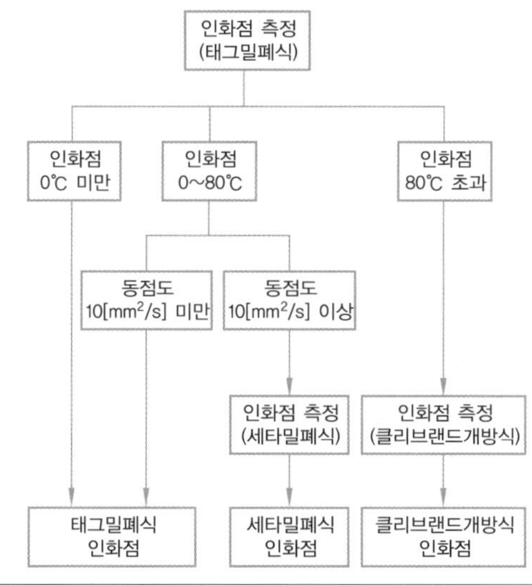

구분	고인화점 액체	저인화점 액체
화염전파	· **초기:** 액상 지배형 화염전파 · **이후:** 전면 연소	**초기:** 전면 연소하는 기상 지배형 화염전파(상온에서도 인화점 이상이므로)
연소형태	표면온도가 인화점 이상이 될 때까지 기다렸다가 연소가 확대된다.	Cst까지는 액체온도 상승에 따라 연소속도는 증가하다가 점차 일정해진다.
소화방법	액온을 인화점 미만으로 만드는 조치	기상부를 단열 화염온도 한계 이하로 만드는 조치(인화점이 낮아 액온을 인화점 미만으로 만들기 어려우므로)

2. 연소점 – 발화 이후 연소상황

연소점 이하	가연성 증기 발생률이 너무 낮아 표면으로 열손실에 의해 화염이 유지되지 못한다.
연소점 이상	· 화염이 안정되고 연료 표면을 충분히 가열함으로써 가연성 증기 발생률이 증가한다. · 확산화염으로 성장하여 액체의 표면온도가 비점 가까이 상승하여 연소가 지속한다.

3. **발화점 측정방법:** 어떤 물질이 저절로 불이 붙는 온도를 발화점이라고 한다. 화학적으로는 열의 발생속도와 확산속도가 평형을 나타내는 온도로 정의한다. 발화온도는 물질의 형태, 측정조건, 물질의 양, 가열방법 등에 따라 다르므로, 발화온도를 적용 시 정확한 파라미터를 고려해야 한다.

기체	충격파 법, 예열법
액체	도가니 법, ASTM 법, 예열법
고체	승온 시험관 법, Groun 법

심화학습 발화조건 및 발화시간

1. 발화조건
 · 고체의 발화조건
  - 발화시간: 표면온도가 발화점에 도달하는 시점
  - 발화시간 영향인자

구분		내용
가열방법		가열의 세기
물질의 특성		열관성, 열용량, 화학적 성분 등
물질의 두께	얇은 고체	에너지 저장 능력인 열용량(밀도, 비열, 고체의 두께) 등
	두꺼운 고체	방열 특성인 열관성(열전도도, 밀도, 비열)에 영향

 · 액체의 발화조건
  - 액체는 증발에 의해 발생된 가연성 증기와 산소의 혼합기체에서 발화한다.
  - 액체 발화를 결정하는 주요 인자는 표면온도이다.
  - 표면부근의 온도가 인화점 또는 발화점에 도달하면 발화하게 된다.

2. 발화시간
 · 고체의 발화시간
  - 고체의 점화에 의한 발화온도는 일반적으로 250~300℃이다.
  - 고체의 자연발화 온도는 일반적으로 약 500℃ 정도이다.
  - 고체나 액체의 발화에 있어서 가장 중요한 요소는 표면온도이다. 표면온도가 발화온도에 언제 도달하는지가 발화시간을 결정하게 된다.
  - 발화시간

구분	얇은 고체	두꺼운 고체
두께	2mm 미만	2mm 이상
중요인자	밀도, 비열, 고체의 두께	열전도도, 밀도, 비열
물질	커튼, 쿠션 등	석고보드, 목재 파티클
비고		· 열관성은 고체 물질의 방열을 나타내는 특성치이다. · 열관성 = $k\rho c$(열전도도, 밀도, 비열)

 · 기체의 발화지연시간
  - 가연성혼합기가 발화하기 위해서는 활성기 농도가 일정농도 이상이 되어야 한다.
  - 가연성혼합기를 활성화하는데 필요한 시간을 말한다.
  - 발화온도와 발화지연시간과의 관계식

$$\log t = \frac{A}{T} + B$$

logt: 발화지연시간
T: 자연발화온도(K)
A, B: 상수

4 연소의 이상현상 A

1. 정상연소와 비정상연소

(1) 정상연소

① **열의 발생속도와 방출속도**가 서로 균형을 이루고 있는 연소를 말한다.

② 일반적으로 연소 시 충분한 공기의 공급이 이루어지는 경우 정상적인 연소가 이루어진다.

③ 정상연소가 이루어지는 경우 화염의 위치나 그 모양은 변하지 않는다.

④ 열의 발생속도와 연소 확산속도가 서로 균형을 이룬다.

(2) 비정상연소

① 연소 시간이 경과하면서 화염의 위치나 모양이 변한다.

② 가연물질의 연소 시 공급되는 공기의 양이 불충분한 경우에 정상연소가 되지 않고 발생되는 이상현상이다.

③ 열의 발생속도와 연소 확산속도가 서로 균형을 이루지 못하는 경우이다.

④ 열의 발생속도가 연소 확산속도를 초과하는 현상으로 격렬한 연소 상태를 말한다. 일반적으로 폭발과 같은 상황이다.

⑤ **비정상연소로는 역화, 선화, 블로우 오프 등이 있다.**

(3) 역화(Back fire, Flash back)

① 가연성 가스의 연소 시 노즐에서 혼합가스의 분출속도가 연소속도보다 느릴 때 역화현상이 발생한다(**분출속도 < 연소속도**).

② **역화현상의 원인**

㉠ 가연성 가스의 양이 너무 적을 때

㉡ 혼합가스량이 적을 때

㉢ **혼합가스의 분출속도가 연소속도보다 느릴 때**

㉣ 버너가 과열되었을 때

㉤ 노즐구멍의 확대 또는 노즐이 부식되었을 때

㉥ 용기 밖의 압력이 높을 때

(4) 선화(Lifting)

① 역화현상과 반대현상으로 버너의 불꽃이 버너에서 부상하는 상태이다. 선화현상은 혼합가스의 분출속도가 연소속도가 빠른 경우에 버너의 노즐에서 떨어지는 현상을 말한다(**연소속도 < 분출속도**).

② 선화현상의 발생원인은 역화현상의 반대의 경우이다.

(5) 블로우 오프(Blow off)

혼합가스의 분출속도가 연소속도보다 빠른 선화현상 상태를 유지하다가 공기의 유동이 강하거나 혼합가스의 분출속도가 더욱 증가하여 **불꽃이 노즐에 정착하지 않고 꺼지는 현상**을 말한다.

황염(Yellow tip)
염공에서 연료가스의 연소 시 공기량의 조절이 적정하지 못하여 완전연소가 이루어지지 않을 때에 발생합니다.

역화(Back fire)
1. 연료가 연소 시 연료의 분출속도가 연소속도보다 느릴 때 불꽃이 염공 속으로 빨려 들어가 혼합관 속에서 연소하는 현상을 의미합니다.
2. 여기서 '염공'이란 가스버너에서 연료가스 또는 연료가스와 공기의 혼합가스를 분출시키기 위한 가스 분사구를 의미합니다.

핵심기출

01 연소 시 발생되는 현상으로 역화(Back fire)의 원인으로 옳지 않은 것은? 18. 상반기 공채

① 혼합기의 연소속도보다 가스 분출속도가 클 때
② 가스의 공급량이 감소된 경우
③ 버너가 과열될 때
④ 분출구가 커진 경우

정답 ①

02 가연성 기체의 분출속도가 연소속도보다 빨라서 불꽃이 버너에 정착하지 못하고 떨어지면서 꺼지는 현상을 무엇이라 하는가? 17. 상반기 공채

① 불완전연소 ② 블로우 오프
③ 선화 ④ 역화

정답 ②

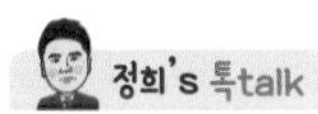

선화의 발생원인
1. 가스의 분출압력이 높을 때
2. 가스의 분출속도가 빠를 때
3. 1차 공기량이 많을 때

핵심 기출

01 가스 연소 시 발생되는 이상현상에 대한 설명으로 옳지 않은 것은? 20. 소방간부

① 불완전연소란 공기의 공급량이 부족할 때 일산화탄소, 그을음 등이 발생하는 현상이다.
② 연소소음이란 가연성 혼합가스의 연소속도나 분출속도가 대단히 클 때 연소음 및 폭발음 등이 발생하는 현상이다.
③ 선화란 연료가스의 분출속도가 연소속도보다 빠를 때 불꽃이 노즐에 정착되지 않고 떨어져서 연소하는 현상이다.
④ 역화란 기체 연료를 연소시킬 때 혼합가스의 압력이 비정상적으로 높거나 혼합가스의 양이 너무 많을 때 발생되는 이상연소현상이다.
⑤ 블로우 오프란 선화상태에서 연료가스의 분출속도가 증가하거나 공기의 유동이 강하여 불꽃이 노즐에서 정착되지 않고 떨어져서 꺼져버리는 현상이다.

정답 ④

02 불완전연소에 관한 설명으로 옳지 않은 것은? 24. 공채·경채

① 산소 과잉 상태에서 발생한다.
② 불꽃이 저온 물체와 접촉하여 온도가 내려갈 때 발생한다.
③ 일산화탄소, 그을음과 같은 연소생성물이 발생한다.
④ 연소실 내 배기가스의 배출이 불량할 때 발생한다.

정답 ①

정희's 톡talk

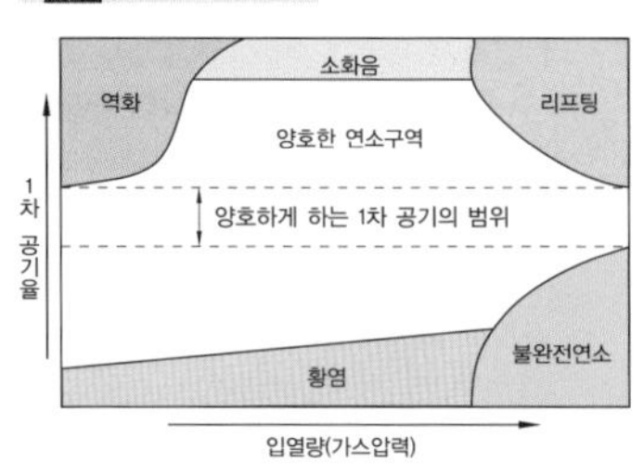

2. 완전연소와 불완전연소

(1) 완전연소

① 산소가 충분히 공급되어 연소반응이 완전히 진행되어 생성되는 물질에 가연성 물질이 남아 있지 않게 되는 현상을 말한다.

② 가연물질이 완전연소할 때의 대표적인 생성물은 이산화탄소(CO_2), 수증기(H_2O) 등이 있다.

③ 상온에서 기체 상태로 존재하는 기체 가연물질은 대부분 완전연소한다.

④ 가연물이 완전연소하기 위해서는 이론적인 공기량보다 많은 실제 공기량이 요구되고 있다. 고체 가연물의 완전연소에 필요한 산소량은 액체·기체 가연물에 비하여 많다.

(2) 불완전연소

① 산소가 충분히 공급되지 않아 불완전한 연소가 진행되면, 가연물질로부터 열분해가 되어 발생되는 생성물에 가연성 물질이 남아 있는 것을 말한다.

② 불완전연소할 때의 대표적인 생성물은 일산화탄소(CO), 그을음, 유리탄소 등이 있다.

③ 불완전연소의 원인

㉠ 연소가스의 배출 불량 등으로 유입공기가 부족할 때
㉡ 공급되는 가연물의 양이 많을 때
㉢ 가스량과 공기량의 균형이 맞지 않을 때
㉣ 불꽃이 낮은 온도의 물질과 접촉할 때(불꽃이 저온 물체와 접촉하여 온도가 내려갈 때)
㉤ 연소 초기에 공급되는 공기의 양이 부족할 때
㉥ 연소생성물의 배기가 충분하지 않을 때

참고 이산화탄소와 일산화탄소

구분	이산화탄소	일산화탄소
화학식(분자량)	CO_2(44)	CO(28)
연소형태	완전연소	불완전연소
독성가스 허용농도 (TLV-TWA)	5,000ppm	50ppm
특징	· 무색, 무미 · 불연성 가스	· 무색, 무미 · 가연성 가스 · 유입공기가 부족할 때 발생 · 염소와 반응하여 포스겐($COCl_2$) 생성

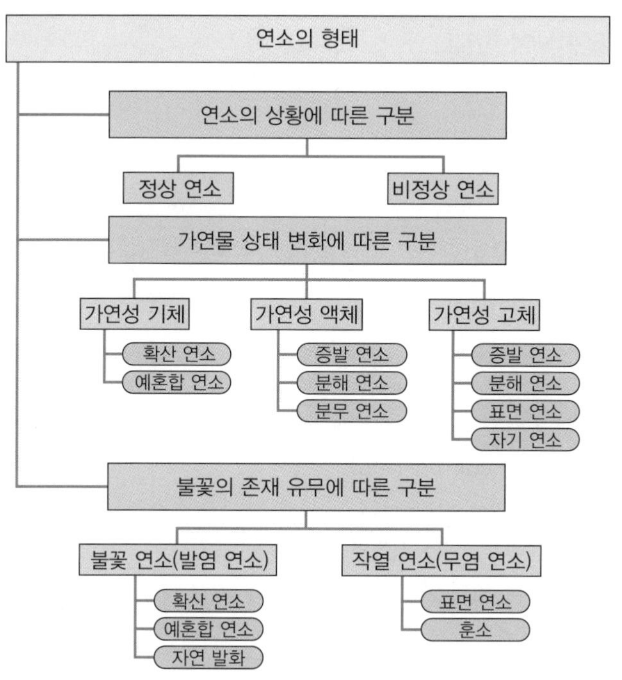

▲ 연소의 형태 개념도

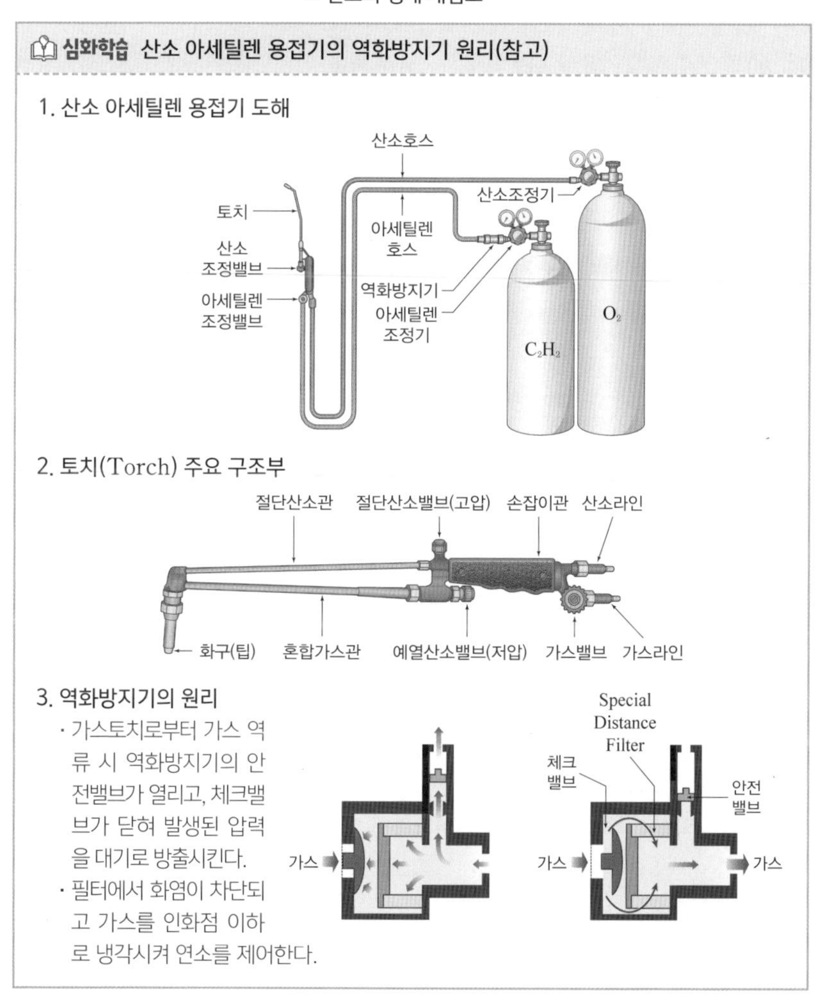

심화학습 산소 아세틸렌 용접기의 역화방지기 원리(참고)

1. 산소 아세틸렌 용접기 도해

2. 토치(Torch) 주요 구조부

3. 역화방지기의 원리
   - 가스토치로부터 가스 역류 시 역화방지기의 안전밸브가 열리고, 체크밸브가 닫혀 발생된 압력을 대기로 방출시킨다.
   - 필터에서 화염이 차단되고 가스를 인화점 이하로 냉각시켜 연소를 제어한다.

5 연소의 형태 A

가연물 상태 변화에 따라 구분하면 다음과 같다.

가연물의 상태	종류
고체연료(가연성 고체)	표면연소, 분해연소, 자기연소, 증발연소
액체연료(가연성 액체)	증발연소, 분해연소, 분무연소
기체연료(가연성 기체)	확산연소, 예혼합연소

1. 고체연료의 연소

(1) 표면연소(Surface combustion)

① 가연성 가스가 발생하지 않고 그 물질 자체가 연소하는 현상으로 **불꽃이 없는** 것이 특징이다. **무염연소(직접연소)**라고도 한다.

② **숯, 목탄, 금속분, 코크스**[1] 등이 표면연소를 하며, 나무와 같은 가연물의 연소 말기(숯)에도 표면연소가 이루어진다.

③ 고체 가연물이 열분해나 증발하지 않고 표면에서 산소와 급격히 산화반응하여 그 물질 자체가 연소하는 현상을 의미한다.

④ 표면화재[2]와 달리 **심부화재**[3]는 순조로운 연쇄반응이 아닌 가연물·점화원·산소공급원의 요소만으로 가연물이 연소하는 것이다. 연소속도가 느리고 불꽃 없이 연소하는 표면연소의 형태를 보인다. 일명 작열연소라고도 한다.

⑤ **표면연소는 부촉매소화(억제소화·화학소화) 효과가 없다.**

참고 표면화재와 심부화재

구분	불꽃연소	무염연소
화재형태	표면화재	심부화재
물질	고체·액체·기체	고체
순조로운 연쇄반응	○	×
소화	부촉매소화 가능	부촉매소화 불가능

(2) 자기연소(Self combustion)

① 외부에서 열을 가하면 **가연물 자체 내에서 가연성 기체와 산소가 발생하면서 연소하는 것을 자기연소**라 한다.

② 자기연소(내부연소)의 경우에는 산소를 필요로 하지 않고 그 자체의 산소에 의해 연소된다.

③ **이산화탄소소화약제에 의한 질식소화의 효과를 기대하기 어렵다.**

④ 자기연소의 형태를 가지는 것은 **제5류 위험물**이다. 제5류 위험물은 질산에스테르류, 셀룰로이드류, 니트로화합물류, 히드리진 유도체, 히드록실아민 등이 있다.

정희's 톡talk

고체연료

연소형태	물질
표면연소	숯, 목탄, 금속분, 코크스
분해연소	목재, 종이, 석탄, 플라스틱
자기연소	셀룰로이드, TNT
증발연소	유황, 나프탈렌, 파라핀(양초)

용어사전

[1] 코크스: 석탄을 가공해 만드는 연료로써, 불순물을 거의 포함하지 않은 고순도 탄소로 구성된 코크스는 주로 역청탄을 분해 증류하여 얻을 수 있다. 단단한 다공성의 물질로 회색을 띤다. 코크스는 자연적으로 형성되기도 하지만, 일반적으로 합성된 것들이 대부분 쓰인다.

[2] 표면화재: 가연성 물질의 표면에서 연소하는 화재를 말한다. 연소특성은 가연물 자체로부터 발생된 증기나 가스가 공기 중의 산소와 혼합기를 형성하여 연소한다. 연소속도가 매우 빠르고 불꽃과 열을 내며 연소하므로 일명 불꽃연소라고 하며 순조로운 연쇄반응이 필요하다.

[3] 심부화재: 목재 또는 섬유류와 같은 고체 가연물에서 발생하는 화재형태로서 가연물 내부에서 연소하는 화재를 말한다. 표면화재와 달리 순조로운 연쇄반응이 아닌 연소의 3요소인 가연물·전화원·산소공급원의 요소만 가지고 연소하는 것이다. 불꽃 없이 연소하며 가연물과 공기의 중간지대에서 국부적으로 연소되는 표면연소의 형태를 보인다.

핵심 기출

01 〈보기〉에서 표면연소에 해당하는 것을 옳게 고른 것은? 18. 하반기 공채

〈보기〉
ㄱ. 숯 ㄴ. 목탄
ㄷ. 코크스 ㄹ. 플라스틱

① ㄱ, ㄴ, ㄷ ② ㄱ, ㄴ, ㄹ
③ ㄱ, ㄷ, ㄹ ④ ㄴ, ㄷ, ㄹ

정답 ①

02 고체 가연물의 연소 중 연소형태가 다른 것은? 24. 소방간부

① 목재 ② 종이
③ 석탄 ④ 파라핀
⑤ 합성수지

정답 ④

(3) 분해연소(Decomposing combustion)

① 고체 가연물질을 가열하면 복잡한 경로를 거쳐 열분해한 다음 열분해되어 나온 분해가스 등이 연소하는 분해연소의 형태를 가진다.

② 석탄 · 목재 · 종이 · 섬유 · 플라스틱 · 고무류 등은 분해연소를 한다.

③ 분해생성물은 유기물질로서 일산화탄소(CO), 이산화탄소(CO_2), 수소(H_2), 메탄(CH_4), 메틸알코올(CH_3OH) 등이 있다.

④ 분해연소 시 분해생성물이 가연성 기체일 경우에는 열분해 생성물에 착화되어 불꽃을 발생하면서 연소한다.

⑤ 분해연소 시 열분해 생성물이 불연성 기체이거나 발화에 충분한 에너지가 공급되지 못하면 연소하지 않게 된다.

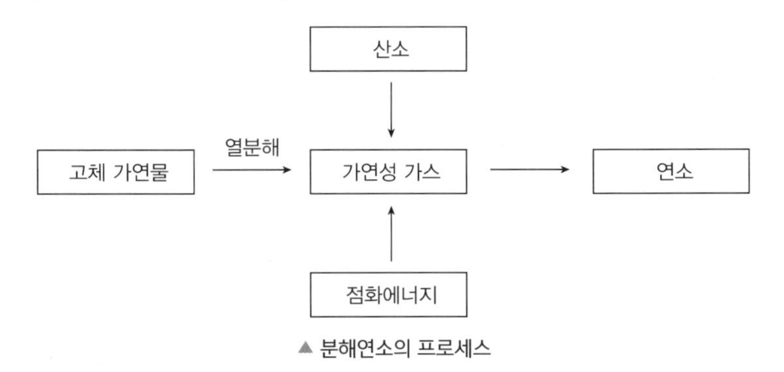

▲ 분해연소의 프로세스

(4) 증발연소(Evaporating combustion)

① 증발연소는 고체 가연물이 분해연소와 같이 열분해를 일으키지 않고 증발하여 연소하는 것을 말한다.

② 고체 가연물이 열분해를 하지 않고 먼저 융해된 액체가 기화하여 증기가 된 다음 연소하는 현상도 증발연소라 한다.

③ 승화성 고체의 형태를 보이는 가연물은 유황, 나프탈렌($C_{10}H_8$), 승홍($HgCl_2$), 요오드, 장뇌 등이 있다. 양초(파라핀)는 열에 녹아 액체상태를 거쳐 증발연소하는 융해성 고체에 해당한다.

> **참고** 연소의 일반적인 양상
>
> 1. **흡열:** 열을 흡수
> 2. **분해:** 고체(열분해), 액체(증발), 기체
> 3. **혼합:** 가연성 기체 + 공기 → 가연성 혼합기 형성
> 4. **연소:** 점화원 또는 발화온도 이상 시 연소 시작
> 5. **배출:** 흡열 - 분해 - 혼합 - 연소 - 배출을 통한 연소생성물과 흡열 - 분해 - 배출을 통한 분해생성물이 있다.
>
> 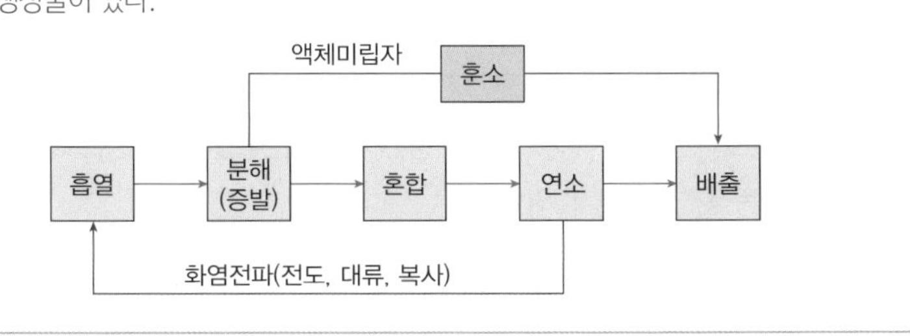
>

핵심기출

01 고체 상태의 연소형태에 대한 설명으로 옳지 않은 것은? 18. 소방간부

① 셀룰로이드, 트리니트로톨루엔은 분자 내에 산소를 가지고 있어 가열 시 열분해에 의해 가연성 증기와 함께 산소를 발생하여 자신의 분자 속에 포함되어 있는 산소에 의해 연소한다.
② 목재, 석탄, 종이, 플라스틱은 가열하면 열분해 반응을 일으키면서 생성된 가연성 증기와 공기가 혼합하여 연소한다.
③ 유황, 나프탈렌은 가열하면 열분해를 일으키지 않고 증발하면서 증기와 공기가 혼합하여 연소한다.
④ 숯, 코크스, 목탄, 금속분은 열분해 반응에 의한 휘발성분이 표면에서 산소와 반응하여 연소한다.
⑤ 파라핀, 유지는 가열하면 융해되어 액체로 변하게 되고 지속적인 가열로 기화되면서 증기가 되어 공기와 혼합하여 연소한다.

정답 ④

02 상온에서 고체 상태로 존재하는 가연물의 연소 형태에 해당하는 것만을 <보기>에서 고른 것은? 24. 소방간부

<보기>
ㄱ. 표면연소 ㄴ. 분무연소
ㄷ. 폭발연소 ㄹ. 자기연소
ㅁ. 예혼합연소

① ㄱ, ㄴ ② ㄱ, ㄹ
③ ㄴ, ㄷ ④ ㄴ, ㄹ
⑤ ㄹ, ㅁ

정답 ②

03 연소에 관한 설명으로 옳은 것은? 24. 공채 · 경채

① 작열연소: 화염이 없는 표면연소이다.
② 분해연소: 유황이나 나프탈렌이 열분해되면서 일어나는 연소이다.
③ 증발연소: 액체에서만 발생하는 연소 형태로서 액면에서 비등하는 기체에서 발생한다.
④ 자기연소: 제3류 위험물과 같이 물질 자체 내의 산소를 소모하는 연소로서 연소속도가 빠르다.

정답 ①

2. 액체연료의 연소

액체 가연물질의 연소는 액체 자체가 연소하는 것이 아니다. **증발이라는 과정을 거쳐 발생된 가연성 기체**가 일정한 공간에서 연소 가능한 농도를 조성하였을 때 점화원에 의해 연소한다.

(1) 등심연소(Wick combustion)

연료를 모세관 현상에 의해 등심선단으로 빨아 올려 등심의 표면에서 증발시켜 확산연소를 행하는 것으로서, 심지 상하식 버너와 석유램프가 있다.

(2) 증발연소(Evaporating combustion)

① 액체연소의 가장 일반적인 연소 형태이다. 액체가연물은 액체상태의 연소가 아닌 액체로부터 발생된 기체가 연소하는 것이다.

② **액체 가연물질은 액체 자체가 연소하기보다는 액체 표면에서 증발된 증기가 연소하는 것이다.**

③ 액체의 온도가 인화점 이상이 되면 액체표면으로부터 많은 양의 증기가 증발되어 연소가 활발해진다. 이러한 증발연소를 액면연소라고도 한다.

④ 증발연소하는 액체 가연물질의 종류로는 **휘발유, 등유, 경유, 알코올류, 에테르, 이황화탄소** 등이 있다.

⑤ 증발연소의 원리는 화염에서 복사나 대류로 액체표면에 열이 전달되어 증발이 일어난다. 액면의 상부에서 발생된 가연성 증기와 공기가 혼합하여 연소범위를 이루면서 연소되는 반복적 현상이다.

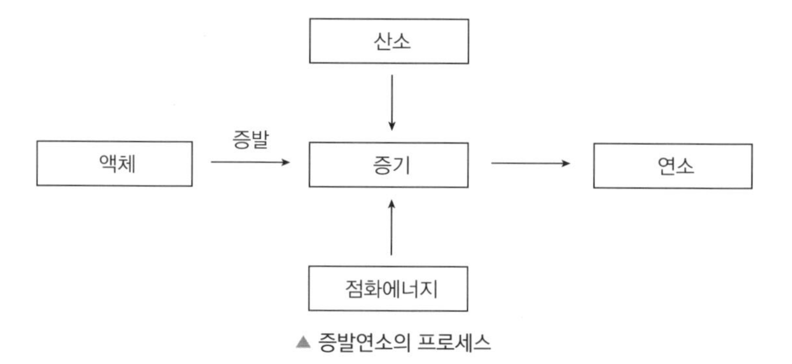

▲ 증발연소의 프로세스

(3) 분해연소(Decomposing combustion)

① 점도가 높고 비휘발성이거나 비중이 큰 액체 가연물질은 쉽게 연소 가능한 농도를 발생시키기 어렵다. 즉, 비점이 높아 쉽게 증발이 어려운 액체가연물에 계속 열을 가하면 복잡한 경로로의 열분해 과정을 거쳐 탄소수가 적은 저급 탄화수소가 되어 연소하는 연소형태이다.

② **중유와 같은 중질유**는 열분해하여 가솔린 · 등유 등으로 변하여 가연성 증기의 발생을 증가시켜 연소가 잘 이루어지게 하는 연소의 형태이다.

③ **분해연소**하는 물질의 종류로는 **중유, 글리세린, 벙커C유 등으로 제3석유류, 제4석유류, 동식물유류** 등이 있다.

핵심기출

가연성 물질의 연소 형태로 옳은 것은?

20. 소방간부

ㄱ. 분해연소: 목재, 종이
ㄴ. 확산연소: 나프탈렌, 황
ㄷ. 표면연소: 코크스, 금속분
ㄹ. 증발연소: 가솔린엔진, 분젠버너
ㅁ. 자기연소: 질산에스테르류, 니트로화합물류

① ㄱ, ㄴ, ㄹ　② ㄱ, ㄷ, ㄹ
③ ㄱ, ㄷ, ㅁ　④ ㄴ, ㄹ, ㅁ
⑤ ㄷ, ㄹ, ㅁ

정답 ③

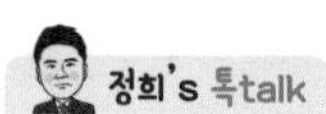

증발연소와 분해연소

액체표면에서 발생된 증기가 연소하는 증발연소와, 액체가 비휘발성인 경우에 열분해하여 발생된 분해가스가 공기와 혼합하여 연소하는 분해연소가 있습니다.

액체연료

연소형태	물질
증발연소	휘발유, 등유, 경유
분해연소	중유, 아스팔트유

(4) 분무연소(Spray burning)

① 공업적으로 가장 많이 사용하는 것으로 액체연료를 수 ㎛에서 수백 ㎛의 무수한 액적으로 하여 증발 표면적을 증가시켜 연소(액적연소[1])하는 것이다.

② 분무연소의 경우에는 **인화점 이하**에서도 연소가 가능하다.

심화학습 불꽃연소와 표면연소

구분	불꽃연소	표면연소(작열연소)
연소특성	고체(열분해), 액체(증발), 기체의 확산 등 매우 복잡	고비점 액체생성물과 타르가 응축되어 공기 중에서 무상의 연기 형성
불꽃여부	연료표면 불꽃 발생	불꽃 발생하지 않고 작열연소
화재형태	표면화재	심부화재
연소속도	비교적 빠름	비교적 느림
연쇄반응	발생	발생하지 않음
연소가스	CO_2↑, CO↓	CO_2↓, CO↑
연소물질	· 열가소성 합성수지류(PVC, 폴리에틸렌수지) · 인화성 액체 · 가연성 가스(메탄, 프로판, 아세틸렌)	· 열경화성 합성수지류(페놀, 요소, 멜라민 수지) · 숯, 목탄, 금속분(Al, Mg, Na), 코크스
소화방법	냉각 · 질식 · 제거 및 부촉매소화	냉각 · 질식 · 제거소화
소화개념	제거, 질식(차단, 희석, 유화), 억제, 냉각 / 가연물, 산소 공급원, 연쇄반응, 점화원	제거, 질식, 억제, 냉각 / 가연물, 산소 공급원, 연쇄반응, 점화원 (부촉매소화효과 없음)
연소범위 영역	농도 압력(물적조건), 온도(에너지조건), 포화증기압선, UFL, LFL, 최고연소속도농도, 화학양론 조성비, 자연 발화, 불꽃 연소, 작열연소, 인화점, AIT	

용어사전

[1] 액적연소(분무연소): 점도가 높고 비휘발성인 액체의 점도를 낮추어 버너를 이용하여 액체의 입자를 안개 상태로 분출한다. 그로인해 표면적을 넓게 함으로써 공기와의 접촉면을 많게 하여 연소시키는 형태를 말한다.

정희's 톡talk

작열연소의 형태

1. 흡열을 통해 열분해 생성물을 방출하지 않고 진동에너지에 의해 고상 결합이 결렬되면서 일어나는 연소형태를 말합니다(숯의 연소 형태).
2. 낮은 휘발분의 경우 증기압이 낮아 거의 대류를 일으키지 못하고 표면에서 산소와 반응하면서 일어나는 연소형태입니다(솜뭉치의 연소 형태).

기체연료의 연소(확산연소)

1. 연소 시 가연성 가스와 산소가 높은 농도의 장소에서 낮은 농도의 지점으로 이동한다는 Fick's Law에 따라 가연성 가스와 산소가 연소반응에 의하여 농도가 0이 되는 화염 쪽으로 이동되는 확산에 의해 연소되는 것입니다.
2. 확산연소에서는 반응속도 > 확산속도이므로, 반응대의 두께는 0에 가깝습니다.
3. 화염 면에 가까워질수록 온도는 점점 상승하여 화염 면에서 최고온도가 됩니다. 연료 및 산소농도는 감소되어 화염 면에서는 거의 0이 됩니다. 반면에 연소생성물의 양은 화염 면에서 최대 농도가 됩니다.

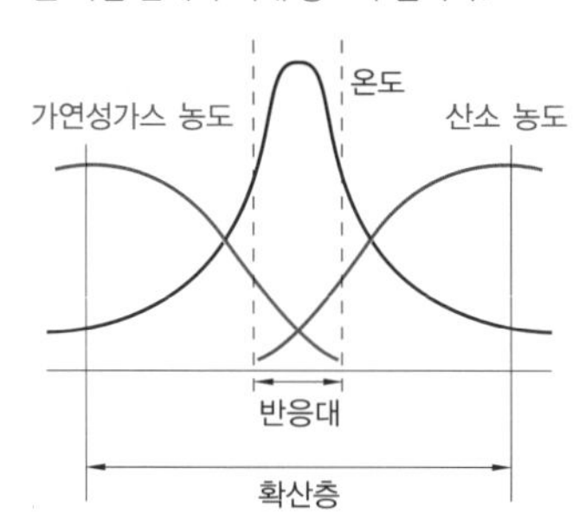

핵심 적중

확산연소와 예혼합연소에 대한 설명으로 옳지 않은 것은?

① 모두 기체연소이다.
② 예혼합연소의 화염은 청색이나 백색이다.
③ 예혼합연소는 기세연소에서 가장 많이 일어나는 연소이다.
④ 확산연소의 온도보다 예혼합연소의 화염 온도가 더 높다.

정답 ③

3. 기체연료의 연소

기체연소는 확산연소, 예혼합연소, 폭발연소로 나눌 수 있다. 기체의 가연물은 고체와 액체에 비하여 연소가 잘 일어나며, 빠른 시간 내에 가연물과 공기가 혼합되어 폭발범위 이내로 된다. 가연성 기체는 공기와 적당한 부피비율로 섞여 연소범위에 들어가면 연소가 일어나는데, 기체의 연소가 액체 또는 고체 가연물의 연소에 비하여 연소 시의 이상현상인 폭발이 비교적 쉽게 발생한다는 점이 가장 큰 특징이다.

(1) 확산연소(Diffusive burning)

① 연소버너 주변에 가연성 가스를 확산시켜 산소와 접촉하게 함으로써 연소범위의 혼합가스를 생성하여 연소하는 현상으로 기체의 일반적 연소 형태이다.
② 가연성 기체가 공기와 혼합되는 과정이 필요하기 때문에 연소속도는 예혼합연소보다 느리다.
③ **화염의 온도는 예혼합연소에 비해 낮다.**
④ 불꽃은 황색이나 적색을 나타낸다.
⑤ 가연성 기체와 공기가 혼합하면서 연소하는 형태이므로 충분한 연료의 공급이 있다고 하더라도 공급되는 산소가 들어온 만큼만 연소가 이루어진다.

(2) 예혼합연소(Premixed burning)

① **가연성 기체와 공기가 미리 혼합가스를 형성하고 있는 상태에서의 연소를 말한다.**
② 동일한 농도의 혼합 상태가 유지되는 상태에서 균일하게 연소되므로 균질연소를 한다.
③ 확산연소에 비하여 화염(불꽃)의 전파속도와 연소속도가 빠르다.
④ 화염(불꽃)은 청색이나 백색을 나타내고, 화염의 온도 또한 확산연소에 비하여 높다.
⑤ **비정상연소인 역화의 발생 우려가 있다.**
⑥ 불꽃점화식의 **내연기관 연소실 내에서의 연소와 분젠버너의 연소는 예혼합연소**를 한다.

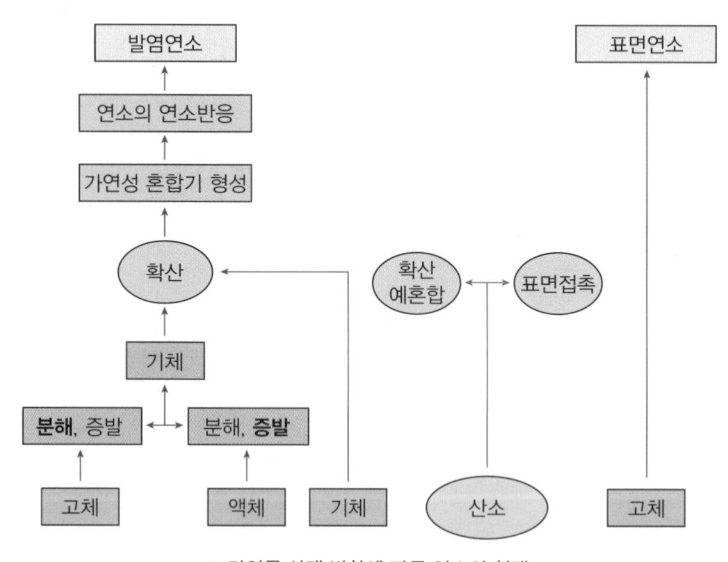

▲ 가연물 상태 변화에 따른 연소의 형태

(3) 층류 확산화염과 난류 확산화염

① 층류 확산화염

㉠ 곡선형태의 매끄러운 형태의 화염이고, 확산속도가 증가될수록 화염의 길이가 길어진다.

㉡ 화염의 길이가 분출속도에 비례한다.

② 난류 확산화염

㉠ 화염의 높이가 약 30cm 이상이 되면 일반적으로 난류확산화염이 된다.

㉡ 화염의 높이가 높아지면 불안정한 기류 때문에 난류가 발생한다.

㉢ 난류 확산화염은 일정한 길이를 가지고 주름진 형태의 교란영역이 존재한다.

㉣ 분출속도 증가 → 난류정도 증가 → 화염길이 일정

심화학습 레이놀즈(Reynolds) 수와 확산화염의 길이

1. Reynolds Number

$$Re = \frac{\rho v D}{\mu}$$

ρ: 분출연료밀도
v: 분출속도
D: 분출되는 배관의 구경
μ: 분출연료의 점성계수

2. Re 수에 따른 층류·난류의 구분

- 층류 영역(Re < 2,300)
  - 교란영역이 없는 확산화염의 형태가 된다.
  - Re 수의 증가에 따라 화염의 길이가 증가된다. 이유는 반응속도에 비해 분출속도가 낮기 때문이다.
- 전이 영역(2,300 < Re < 4,000): Re 수의 증가에 따라 화염의 길이는 감소되고 교란영역은 증대된다.
- 난류 영역(4,000 < Re)
  - 화염의 길이와 교란영역의 크기가 Re 수에 무관하게 일정하다.
  - 분출속도가 부력에 의한 화염속도보다 훨씬 큰 경우에 시작된다.
  - 화염으로의 공기인입 및 연료의 분출이 양론혼합비가 되는 지점이다.

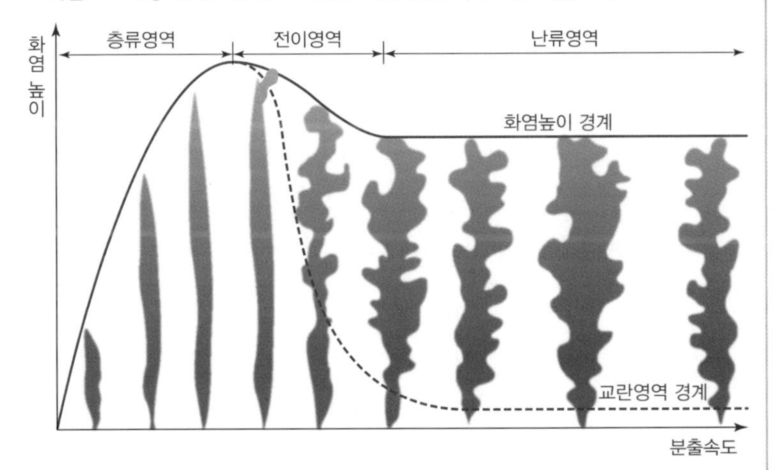

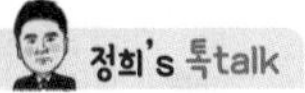
정희's 톡talk

기체연료의 연소(예혼합연소)

1. 불꽃연소는 예열대의 존재유무에 따라 예열대가 존재하지 않는 확산연소와 예열대가 존재하여 화염을 자력으로 수반하는 예혼합연소가 있습니다.
2. 화염대가 온도곡선의 변곡점을 경계로 하여 예열대와 반응대로 구분합니다.
3. 예열대는 반응대에 유입 직전의 영역으로 화학반응은 일어나지 않고 온도만 상승합니다. 반면 반응대에서 연소반응이 발생합니다.

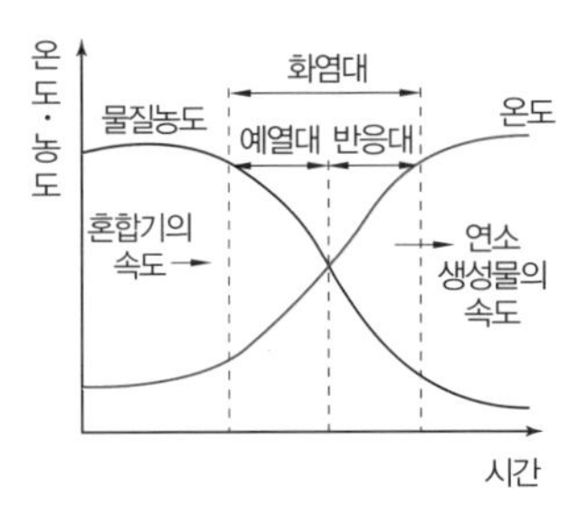

▲ 예혼합연소 개념도

정희's 톡talk

레이놀즈(Reynolds) 수

1. 관성력과 점성력 간의 관계를 무차원으로 표현한 수로, 층류와 난류 구분에 이용됩니다.
2. 레이놀즈 수는 점성력에 대한 관성력의 비로 정의됩니다.

$$Re = \frac{관성력}{점성력} = \frac{\rho v D}{\mu}$$

3. 레이놀즈 수가 큰 유동은 난류이며, 관성력에 비하여 점성력이 큰 유동은 층류의 특성을 갖습니다.

CHAPTER 2 연소생성물

1 연소생성물 개요 C

1. 개요

연소는 발열반응을 통해 연소생성물을 생성하고 가연물의 고온화를 통해 연소를 지속시킨다. 연소생성물에는 열, 연기, 빛, 화염(불꽃), 연소가스 등이 있다.

2. 연소생성물

(1) 연소생성물에는 열, 연기, 빛, 화염(불꽃), 연소가스 등이 있다.

(2) 연소생성물은 인체에 열적 손상과 비열적 손상으로 피해를 준다.
① 열적 손상에는 대류와 복사열을 통한 화상과 열응력이 있다.
② 비열적 손상에는 마취성 · 자극성 · 독성 가스의 연소가스와 연기 등이 있다.

(3) 유해가스 흡입 시 판단능력, 방향감각 상실 및 패닉현상에 의해 피난이 늦어지고, 많은 유독가스를 흡입하여 인명피해가 발생할 수 있다.

심화학습 가연성 가스와 독성 가스(「고압가스안전관리법 시행규칙」)

1. 가연성 가스
- 아크릴로니트릴 · 아크릴알데히드 · 아세트알데히드 · 아세틸렌 · 암모니아 · 수소 · 황화수소 · 시안화수소 · 일산화탄소 · 이황화탄소 · 메탄 · 염화메탄 · 브롬화메탄 · 에탄 · 염화에탄 · 염화비닐 · 에틸렌 · 산화에틸렌 · 프로판 · 시클로프로판 · 프로필렌 · 산화프로필렌 · 부탄 · 부타디엔 · 부틸렌 · 메틸에테르 · 모노메틸아민 · 디메틸아민 · 트리메틸아민 · 에틸아민 · 벤젠 · 에틸벤젠
- 그 밖에 공기 중에서 연소하는 가스로서 폭발한계의 하한이 10퍼센트 이하인 것과 폭발한계의 상한과 하한의 차가 20퍼센트 이상인 것을 말한다.

2. 독성 가스
- 아크릴로니트릴 · 아크릴알데히드 · 아황산가스 · 암모니아 · 일산화탄소 · 이황화탄소 · 불소 · 염소 · 브롬화메탄 · 염화메탄 · 염화프렌 · 산화에틸렌 · 시안화수소 · 황화수소 · 모노메틸아민 · 디메틸아민 · 트리메틸아민 · 벤젠 · 포스겐 · 요오드화수소 · 브롬화수소 · 염화수소 · 불화수소 · 겨자가스 · 알진 · 모노실란 · 디실란 · 디보레인 · 세렌화수소 · 포스핀 · 모노게르만
- 그 밖에 공기 중에 일정량 이상 존재하는 경우 인체에 유해한 독성을 가진 가스로서 허용농도(해당 가스를 성숙한 흰 쥐 집단에게 대기 중에서 1시간 동안 계속하여 노출시킨 경우 14일 이내에 그 흰 쥐의 2분의 1 이상이 죽게 되는 가스의 농도를 말한다)가 100만분의 5,000 이하인 것을 말한다.

정희's 톡talk

국내 주요 위험물질 분류
1. 위험물: 「위험물안전관리법」, 3,000여종
2. 유독물질 및 사고대비물질: 「화학물질관리법」, 740여종
3. 유해 · 위험물질: 「산업안전보건법」, 700여종
4. 독성 · 위험물질: 「고압가스 안전관리법」, 50여종

2 독성 가스 A

1. 일산화탄소(Carbon monoxide, CO)

(1) 개요

① 탄화수소·셀룰로오스로 구성된 가연물질인 석유류, 나무, 고무류, 종이, 석탄 등이 **불완전연소**할 때 발생되는 유독성 가스이다.

② **독성의 허용농도** TLV-TWA(이하 독성의 허용농도라 한다)는 **50ppm**(g/m^3)이고 무취·무미의 환원성이 강한 가스로서 **상온에서 염소와 작용하여 유독성 가스인 포스겐($COCl_2$)을 생성한다.**

③ **혈액 중 헤모글로빈과의 결합력이 산소보다 210배에 이르고 흡입하면 산소결핍상태가 된다.**

④ 증기 밀도는 0.97로 공기보다 다소 가볍다.

⑤ 일산화탄소의 공기 중의 농도가 0.64%인 상태에서는 두통·현기증이 심하게 일어나고 15~30분 내에 사망할 수 있다. 또한 약 1.28%의 상태에서는 1~3분 내에 사망할 수 있다.

참고 일산화탄소의 공기 중의 농도에 따른 중독증상

공기 중의 농도		경과시간(분)	중독증상
%	ppm		
0.02	200	120~180	가벼운 두통 증상
0.04	400	60~120	통증·구토증세가 나타남
0.08	800	40	구토·현기증·경련이 일어나고 24시간이면 실신
0.16	1,600	20	구토·현기증·경련이 일어나고 2시간이면 사망
0.32	3,200	5~10	두통·현기증이 일어나고 30분이면 사망
0.64	6,400	1~2	두통·현기증이 심하게 일어나고 15~30분이면 사망
1.28	12,800	1~3	1~3분이면 사망

(2) 위험성

① **가연성 가스로 열·스파크·불꽃에 의하여 발화할 수 있다.**

② 연소반응으로 이산화탄소가 생성되므로 질식 상태가 일어날 수 있다.

③ 공기와 섞여 폭발성 혼합물을 형성할 수 있다.

④ **염소와 반응하여 포스겐을 생성한다.**

정희's 톡talk

CAS(Chemical Abstracts Service) 등록번호

1. 미국화학회에서 새로운 화학물질이 생성될 때마다 번호를 부여합니다.
2. 국제적으로 화학물질의 인지 및 확인을 위해 사용되며 최대 10자리의 숫자로 하이픈을 통해 세부분으로 나누어집니다.

일산화탄소

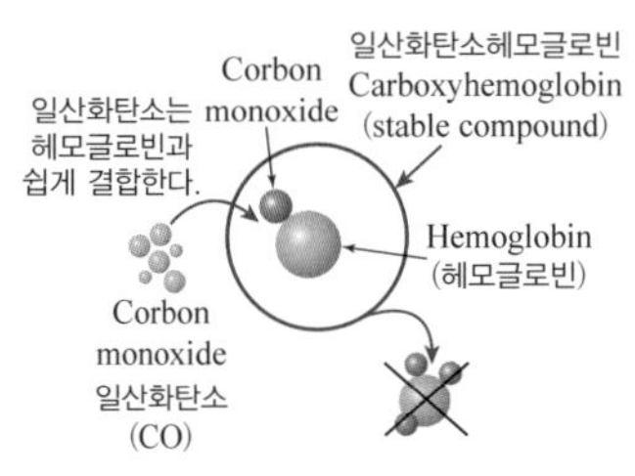

일산화탄소	CAS No 630-08-0
분자식	CO
색상·냄새	무색·무취
물리적 상태	압축가스
증기 밀도	0.97(공기=1)
용해도	2.3g/100mL(20℃)
LC50	3,760ppm/1hr Rat
소화제	분말, CO_2, 분무·무상주수, 내알코올포

핵심기출

연소생성물에 대한 설명으로 가장 옳지 않은 것은? 17. 상반기 공채

① 포스겐의 독성허용농도는 0.1ppm으로 맹독성 가스이다.
② 염화수소는 금속에 대한 강한 부식성이 있다.
③ 일산화탄소는 가연물의 완전연소 시 발생하며 비가연성 가스이다.
④ 시안화수소는 질소를 함유한 가연물의 불완전연소 시 발생하며 청산가스라고 한다.

정답 ③

(3) 화재진압요령

① 누출을 멈추게 할 수 없고, 누출 중인 가스에 불이 붙은 경우라면 화재진압을 시도하지 않는다.

② 최대한 먼 곳에서 화재를 진압하거나 무인호스지지대 또는 방수포를 사용하고 용기내부로 물이 들어가지 않도록 하여야 한다.

(4) 방재요령

① 모든 점화원을 제거하고 장비는 반드시 접지한다.

② 증기를 줄이거나 이동을 돌리기 위해 물분무를 사용하고 누출원에 직접 주수하지 않는다.

③ 가스가 분산되기 전에 그 지역을 격리시킨다.

참고 이산화탄소(CO_2)

1. 개요
   - 탄화수소·셀룰로오스로 구성된 가연물질인 종이·나무·석탄·석유류·고무류 등이 완전연소할 때 발생하는 연소생성물로서 독성의 허용농도는 5,000ppm이다.
   - 이산화탄소는 무색·무미의 기체로서 비중이 공기보다 무거우며, 불연성이고 지연성(조연성)도 없다.
   - 연소가스 중 가장 많은 양을 차지하나 CO_2 자체는 유독성 가스가 아니다.
2. 위험성
   - 이산화탄소 자체는 독성이 거의 없으나 다량이 존재할 때 사람의 호흡속도를 증가시키고 혼합된 유해가스의 흡입을 증가시켜 위험을 가중시킨다.
   - 이산화탄소 농도가 5%일 경우 호흡이 과중해지고 심한 고통을 느끼며, 9% 정도일 경우는 10분 내에 의식을 잃게 된다.
3. 이산화탄소의 주요 영향

농도범위	이산화탄소의 주요 영향
3%	호흡곤란, 두통, 현기증, 구토, 혈압·맥박의 증가
4%	30분 후 두통 발생
5%	30분 후 피로 징후, 두통, 현기증 발생
8%	현기증, 혼수, 인사불성 상태
9%	명료한 호흡곤란, 혈압상실, 혈압발진, 의식불명
10%	이상 시력장애, 경련, 과호흡, 혈압발진, 의식불명

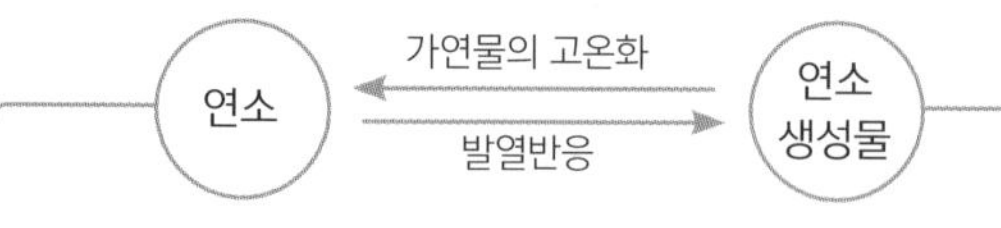

① 3요소 - 가연물, 산소공급원, 점화원
② 4요소 - 3요소 + 연쇄반응
③ 연소조건 - 물적조건(연소범위의 농도, 압력)
　　　　　- 에너지조건(충격감도, 발화온도, 발화에너지)
④ 연소생성물 - 열, 연기, 빛, 화염, 연소가스

▲ 연소의 일반적인 개념도

핵심 적중

01 화재 시 연소생성물에 관한 설명으로 옳지 않은 것은? 23. 공채

① 황화수소는 썩은 달걀과 비슷한 냄새가 난다.
② 연기로 인한 빛의 감소를 나타내는 감광계수는 가시거리와 반비례한다.
③ 일산화탄소는 산소와 헤모글로빈의 결합을 방해하여 질식에 이르게 할 수 있다.
④ TLV(Threshold Limit Value)로 측정한 독성가스의 허용농도는 불화수소, 시안화수소, 암모니아, 포스겐 순으로 높다.

정답 ④

02 독성은 거의 없으나 호흡속도를 증가시켜 유해가스의 흡입을 증가시키는 것은?

① 일산화탄소
② 이산화탄소
③ 시안화수소
④ 암모니아

정답 ②

정희's 톡talk

일산화탄소와 이산화탄소
일산화탄소는 마취 및 독성 가스로 화재중독사의 가장 주된 유해가스입니다. 반면에 이산화탄소는 연소가스 중에 가장 많은 양을 차지하나 그 자체는 유독성 가스가 아닙니다.

TLV - TWA & LC50

1. TLV-TWA(Threshold Limit Value－Time Weighed Average): 평균적인 성인 남자가 매일 8시간 또는 주 40시간을 연속하여 이 농도의 가스(증기)를 함유하고 있는 공기 중에서 작업하더라도 작업자의 건강에는 영향이 없다고 생각되는 한계농도(허용농도)는 200ppm 이하입니다.
2. LC50(Lethal Concentration): 반수치사농도로 이 농도의 가스를 동물에 한 시간 흡입시켰을 때, 실험동물의 반수가 일정기간(14일) 이내에 사망하게 되는 공기 중의 가스(증기) 농도는 5,000ppm 이하입니다.

2. 포스겐($COCl_2$)

(1) 개요

① 열가소성 수지인 폴리염화비닐(PVC), 수지류 등이 연소할 때 발생되는 연소생성물로서 발생량은 많지 않다.

② 독성이 큰 맹독성 가스로서 독성의 허용농도는 0.1ppm이다.

(2) 위험성

① 물과 접촉 시 분해되어 독성·부식성 가스를 생성한다.

② 질식성 독가스, 강한 자극제로서 폐수종을 유발할 수 있고 질식에 이르게 할 수 있다.

③ 증기상의 물질은 공기보다 무거워 공기와 교체되어 질식을 유발할 수 있으며, 액체 접촉 시 동상을 일으킬 수 있다.

(3) 화재진압요령

① 위험 없이 할 수 있다면 화재지역으로부터 용기를 옮긴다.

② 화재진압에 사용된 물은 추후 처리를 위해 제방을 쌓아 가두어 누출물질이 흩어지지 않도록 한다.

③ 용기 내부로 물이 들어가지 않도록 한다.

④ 불이 꺼진 후에도 다량의 물로 용기를 냉각시킨다.

(4) 방재요령

① 적절한 보호복을 착용하지 않았다면 손상된 용기 또는 유출물과 접촉하지 않도록 한다.

② 마른 흙, 모래 또는 기타 불연성 물질로 덮어 흡수시킨 후 용기로 옮긴다.

(5) 응급조치

① 신선한 공기를 호흡할 수 있도록 환자를 옮긴다.

② 호흡이 곤란한 경우 호흡보조장치를 통해 산소를 공급하여야 하고, 따뜻하게 하고 안정을 유지한다.

③ 오염된 의복 및 신발을 제거하는 동안 다량의 물과 비누를 사용하여 최소 15분 정도 세척한다.

④ 눈꺼풀을 위아래로 들어 올리면서 다량의 물로 최소 15분 동안 세척한다.

포스겐

포스겐	CAS No 75-44-5
분자식	$COCl_2$
색상·냄새	무색·특징적인 냄새
물리적 상태	기체
증기 밀도	3.4(공기=1)
용해도	물과 반응함
LC50	5ppm/1hr Rat
소화제	CO_2, 분말, 분무주수 또는 일반포말

정희's 톡talk

시안화수소

시안화수소	CAS No 74-90-8
분자식	HCN
색상 · 냄새	무색 · 아몬드 비슷한 냄새
물리적 상태	액체 또는 기체
증기 밀도	0.94(공기=1)
용해도	혼합됨
LC50	144ppm/1hr Rat
소화제	분말, CO_2, 분무 · 무상 주수 또는 포말

핵심 기출

다음 설명에 해당하는 연소가스는? 19. 공채

> 청산가스라고도 하며, 인체에 대량 흡입되면 헤모글로빈과 결합되지 않고도 질식을 유발할 수 있다.

① 암모니아(NH_3)
② 시안화수소(HCN)
③ 이산화황(SO_2)
④ 일산화탄소(CO)

정답 ②

3. 시안화수소(Hydrogen cyanide, HCN)

(1) 개요

① 청산가스라고도 불리는 시안화수소는 질소성분을 가지고 있는 합성수지, 동물의 털, 인조견, 모직물 등의 섬유가 **불완전연소**할 때 발생하는 무색의 맹독성 가스이다.

② **일산화탄소와 달리 헤모글로빈과 결합하지 않고도 호흡의 저해를 통한 질식을 유발한다.**

③ 시안화수소의 독성의 **허용농도는** 10ppm(g/m^3)으로서 0.3% 이상의 농도에서는 즉시 사망한다.

④ 수분이 2% 이상 포함되어 있거나 알칼리 등이 포함되면 폭발할 우려가 크다.

(2) 위험성

① **가연성 가스**로 공기와 섞여 폭발성 혼합물을 형성한다.

② 연소 시 질소산화물류를 포함한 독성 및 부식성 가스를 생성한다.

③ 수용액은 약산성을 띠며 아세트알데히드와 격렬하게 반응한다.

④ 호흡기에 자극성을 띠며 흡입을 통해 체내로 흡수될 수 있다.

(3) 화재진압요령

① 누출을 멈추게 할 수 없고, 누출 중인 가스에 불이 붙은 경우라면 화재진압을 시도하지 않는다.

② 누출원 또는 안전장치에는 직접주수를 하지 않고 진화가 된 후에도 물분무기로 용기를 냉각시킨다.

③ 용기 내부로 물이 들어가지 않도록 한다.

(4) 방재요령

① 모든 점화원을 제거하고 장비는 반드시 접지한다.

② 증기를 줄이거나 이동을 돌리기 위해 물분무를 사용하고 누출원에 직접 주수하지 않는다.

4. 아크로레인(CH_2CHCHO)

(1) 개요

석유제품 · 유지류 등이 연소할 때 발생되는 연소생성물로서 자극적인 냄새가 나는 무색의 액체(또는 기체)성 물질이고 산화하기 쉬우며 공기와 접촉하면 아크릴산이 된다.

(2) 위험성

인체에 대한 **허용농도는** 0.1ppm이고, 10ppm 이상의 농도에서는 거의 즉사할 수 있다.

5. 암모니아(Ammonia, NH_3)

(1) 개요

① **질소함유물이 연소할 때 발생**하는 연소생성물로서 유독성이 있으며, 상온·상압에서 **강한 자극성을 가진 무색의 기체이다. 물에 잘 용해된다.**

② 용해도는 54g/100ml(20℃)이다.

③ **비료공장·냉매공업** 분야에 많이 사용되고 있으므로 이러한 공장에서는 암모니아를 흡입하지 않도록 주의하여야 한다(**허용농도** 25ppm).

④ 물리적 상태는 압축액화가스 상태이고, 증기밀도는 공기보다 가볍다.

(2) 위험성

① **가연성 가스**로 불에 탈 수는 있으나 쉽게 점화되지 않는다.

② 강한 염기성 물질로 산화제 및 산성 물질과 격렬히 반응한다.

③ **증기상 물질은 극도로 자극성이며 부식성이 있다.**

④ 고농도에 노출되면 폐부종이 발생할 수 있다.

⑤ 농축된 암모니아는 액화 괴사와 깊은 침투 화상을 일으킬 수 있다.

⑥ 액체 접촉 시 동상·화상을 일으킬 수 있으며, 눈에 자극을 줄 수 있다.

(3) 화재진압요령

① 누출을 멈추게 할 수 없고, 누출 중인 가스에 불이 붙은 경우라면 화재진압을 시도하지 않는다.

② 위험하지 않다면 용기를 화재지역으로부터 이동시킨다.

③ 누출원 또는 안전장치에는 직접주수를 하지 않는다.

④ 진화가 된 후에도 물분무기로 용기를 냉각시킨다.

⑤ 용기 내부로 물이 들어가지 않도록 한다.

(4) 방재요령

① 모든 점화원을 제거하고, 장비는 반드시 접지한다.

② 증기를 줄이거나 이동을 돌리기 위해 물분무를 사용하고, 누출원에 직접 주수하지 않는다.

③ 약산으로 중화시키거나 모래주머니로 제방을 쌓아 오염된 바닥을 고립시킨다.

④ 가스가 분산되기 전에 그 지역을 격리시킨다.

⑤ 사람들의 접근을 막고 환기를 시킨다.

⑥ 응급기관에 신고하여 위치와 위험성을 알린다.

(5) 응급조치

① 신선한 공기를 호흡할 수 있도록 환자를 옮긴다.

② 호흡이 곤란한 경우 호흡보조장치를 통해 산소를 공급하여야 하고, 따뜻하게 하며 안정을 유지한다.

③ 오염된 의복 및 신발을 제거하는 동안 다량의 물과 비누를 사용하여 최소 15분 정도 세척한다.

④ 눈꺼풀을 위아래로 들어 올리면서 다량의 물로 최소 15분 동안 세척한다.

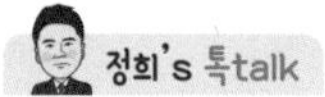

암모니아

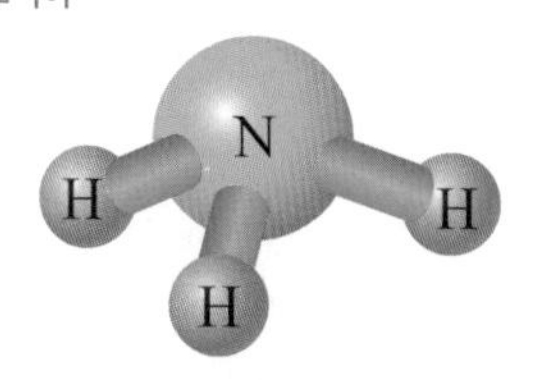

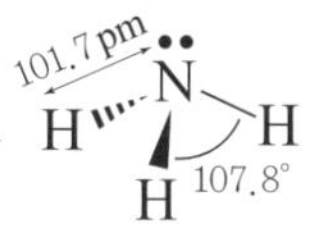

암모니아	CAS No 7664-41-7
분자식	NH_3
색상·냄새	무색·자극적인 냄새
물리적 상태	압축액화가스
증기 밀도	0.59(공기=1)
용해도	54g/100mL(20℃)
LC50	7,338ppm/1hr Rat
소화제	분말, CO_2, 분무·무상 주수 또는 포말

핵심기출

다음과 관계있는 연소생성가스로 옳은 것은?

18. 하반기 공채

> 질소 함유물인 열경화성 수지 또는 나일론 등의 연소 시 발생하고, 냉동시설의 냉매로 많이 쓰이고 있으므로 냉동창고 화재 시 누출가능성이 크며, 허용농도는 25ppm이다.

① 포스겐($COCl_2$)
② 암모니아(NH_3)
③ 일산화탄소(CO)
④ 시안화수소(HCN)

정답 ②

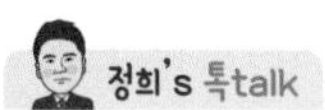

황화수소(H_2S)와 암모니아(NH_3)는 가연성 가스이면서 독성가스인 물질입니다.

일산화질소

일산화질소	CAS No 10102-43-9
분자식	NO
색상 · 냄새	무색 · 달콤한 냄새
물리적 상태	압축가스
증기 밀도	1.04(공기=1)
용해도	7.4g/100mL(0℃)
LC50	115ppm/1hr Rat
소화제	물만 사용

이산화질소(NO_2)

1. 플라스틱 등 질소함유물의 고온 연소 시 발생합니다.
2. 흡입 시 인후통을 유발하며, 흡입량이 많을 경우 5~10시간 후 폐수종이 초래됩니다.

6. 일산화질소(NO)

(1) 개요

① 질소성분이 함유되어 있는 폴리우레탄 · 질산셀룰로오스(셀룰로이드) 등이 완전(불완전)연소할 때 발생되며, 유독성이 강하여 적은 양의 기체를 흡입하여도 인체에 치명적이다.

② 일산화질소는 질산암모늄 · 질산염류 등의 화재 시 또는 질산을 가열하여도 발생되므로 흡입하지 않도록 주의하여야 한다.

(2) 위험성

① 일산화질소는 강산화제로 불에 타지는 않지만 연소를 도울 수 있다.

② 증기는 공기보다 무겁기 때문에 지면을 따라 분포 · 확산되고, 공기와 접촉 시 일산화질소를 생성한다.

③ 흡입 시 기침, 두통, 졸음, 메스꺼움, 현기증, 호흡곤란이 발생할 수 있다.

④ 피부 · 입술이나 손톱이 푸른색이 될 수 있고, 액체 접촉 시 냉동화상 · 동상을 유발한다.

(3) 화재진압요령

① 위험하지 않다면 용기를 화재지역으로부터 이동시킨다.

② 방호 조치된 곳 또는 안전거리가 확보된 거리에서 물을 뿌리고 유출물을 가연성 물질과 가까이 두지 않는다.

③ 물질 자체 또는 연소생성물의 흡입을 피한다.

④ 바람을 안고 있도록 하고 저지대로 대피한다.

(4) 방재요령

① 가연성 물질을 누출된 물질로부터 멀리한다.

② 증기를 줄이거나 이동을 돌리기 위해 물분무를 사용하고, 누출원에 직접 주수하지 않는다.

③ 유출물이 수로, 배수구 또는 밀폐된 장소로 들어가는 것을 방지한다.

(5) 응급조치

① 신선한 공기를 호흡할 수 있도록 환자를 옮긴다.

② 호흡이 곤란한 경우 호흡보조장치를 통해 산소를 공급하고, 따뜻한 곳에서 안정을 유지한다.

③ 오염된 의복 및 신발을 다량의 물과 비누를 사용하여 최소 15분 정도 세척한다.

④ 눈꺼풀을 위아래로 들어 올리면서 다량의 물로 최소 15분 동안 세척한다.

7. 아황산가스(Sulfur dioxide, SO_2)

(1) 개요

① **유황**이 함유되어 있는 물질인 **중질유, 동물의 털, 고무 등이 연소할 때 발생되는** 연소생성물로서 무색의 유독성이 있어 **눈 및 호흡기 등에 점막**을 상하게 하고 질식사할 우려가 있다.

② 0.05% 농도에 단시간 노출되어도 위험하므로 유황을 저장 또는 취급하는 공장에서는 호흡을 방지하고 화재에 유의하여야 한다.

③ 이산화황이라고도 한다(**허용농도** 5ppm).

(2) 위험성

① **불연성 가스**로 공기보다 무거워 지면을 타고 확산된다.

② 암모니아, 아세틸렌, 알칼리금속 등과 격렬히 반응한다.

③ 흡입 시 화상, 구토, 흉통, 호흡곤란이 될 수 있다.

④ **호흡기 및 눈에 심한 자극을 줄 수 있다.**

(3) 화재진압요령

① 위험하지 않다면 용기를 화재지역으로부터 이동시킨다.

② 다량의 안개형물분무를 사용하고 직사주수는 하지 않는다.

③ 화재진압에 사용된 물은 추후 처리를 위하여 제방을 쌓아 가둔다.

④ 용기 내부로 물이 들어가지 않도록 한다.

⑤ 진화가 된 후에도 물분무기로 용기를 냉각시킨다.

(4) 방재요령

① 위험하지 않다면 누출을 멈추게 한다.

② 증기를 줄이거나 증기구름의 이동을 돌리기 위하여 물분무를 사용하고, 누출원에 직접주수하지 않는다.

③ 유출물이 수로, 배수구 또는 밀폐된 장소로 들어가는 것을 방지한다.

(5) 응급조치

① 신선한 공기를 호흡할 수 있도록 환자를 옮긴다.

② 호흡이 곤란한 경우 호흡보조장치를 통해 산소를 공급한다.

③ 오염된 의복 및 신발을 제거하는 동안 다량의 물과 비누를 사용하여 최소 15분 정도 세척한다.

④ 눈꺼풀을 위아래로 들어 올리면서 다량의 물로 최소 15분 동안 세척한다.

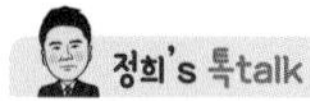

아황산가스

아황산가스	CAS No 7446-09-5
분자식	SO_2
색상·냄새	무색·자극적인 냄새
물리적 상태	기체
증기 밀도	2.25(공기=1)
용해도	8.5g/100mL(20℃)
LC50	2,520ppm/1hr Rat
소화제	분말, CO_2, 분무·무상주수 또는 일반포말

핵심기출

화재 시 발생하는 유독가스에 대한 설명으로 옳은 것은? 20. 소방간부

① 황화수소(H_2S): 질소 성분을 가지고 있는 합성수지, 동물의 털, 인조견 등의 섬유가 불완전연소할 때 발생하는 맹독성 가스로, 0.3%의 농도에서 즉시 사망할 수 있다.

② 암모니아(NH_3): 질소 함유물이 연소할 때 발생하고, 냉동시설의 냉매로 많이 쓰이고 있으므로 냉동창고 화재 시 누출 가능성이 크며, 독성의 허용농도는 25ppm이다.

③ 염화수소(HCl): 열가소성 수지인 폴리염화비닐(PVC), 수지류 등이 연소할 때 발생되는 연소생성물로서 발생량은 적지만 유독성이 큰 맹독성 가스이며, 독성의 허용농도는 10ppm이다.

④ 포스겐($COCl_2$): 폴리염화비닐(PVC)과 같이 염소가 함유된 수지류가 탈 때 주로 생성되는데 독성의 허용 농도는 5ppm이며 향료, 염료, 의약, 농약 등의 제조에 이용되고 있고, 자극성이 아주 강해 눈과 호흡기에 영향을 준다.

⑤ 시안화수소(HCN): 황을 포함하고 있는 유기화합물이 불완전연소하면 발생하는데 계란 썩은 냄새가 나며, 0.2% 이상 농도에서 냄새 감각이 마비되고, 0.4~0.7%에서 1시간 이상 노출되면 현기증, 장기혼란의 증상과 호흡기의 통증이 일어난다.

정답 ②

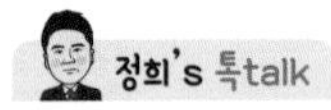

황화수소

황화수소	CAS No 231-977-3
분자식	H_2S
색상 · 냄새	무색 · 자극적인 냄새
물리적 상태	압축액화가스
증기 밀도	1.19(공기=1)
용해도	26g/100mL(20℃)
LC50	712ppm/1hr Rat
소화제	분말, CO_2, 분무 · 무상 주수 또는 일반포말

8. 황화수소(Hydrogen sulfide, H_2S)

(1) 개요

① 고무, 동물의 털, 가죽 등 유황이 함유되어 있는 물질이 불완전연소할 때 발생한다(허용농도 10ppm).

② 계란 썩는 듯한 냄새가 후각을 마비시켜 유해가스의 흡입을 증가시킨다.

③ 0.02% 이상 농도에서 냄새 감각이 마비되고 0.04% 농도에서 30분 이상 호흡 시 위험하다. 0.08%를 넘어서면 독성이 강해져 신경 계통에 영향을 미치고 호흡기가 무력해진다.

(2) 위험성

① 인화성 물질, 열 · 스파크 또는 화염에 의하여 쉽게 점화된다.

② 공기와 섞여 폭발성 혼합물을 형성할 수 있다.

③ 흡입 시 두통, 현기증, 기침, 메스꺼움, 불안정한 호흡을 유발할 수 있다.

④ 눈, 피부, 호흡기 자극을 주어 위험성을 증대시킨다.

(3) 화재진압요령

① 누출을 멈추게 할 수 없고, 누출 중인 가스에 불이 붙은 경우라면 화재진압을 시도하지 않는다.

② 위험하지 않다면 용기를 화재지역으로부터 이동시킨다.

③ 다량의 물로 용기를 냉각시키고, 진화된 후에는 물분무기로 용기를 냉각시킨다.

(4) 방재요령

① 모든 점화원을 제거하고 모든 장비는 반드시 접지한다.

② 증기를 줄이거나 이동을 돌리기 위해 물분무를 사용하여야 하고, 누출원에 직접주수를 금지한다.

③ 가능하면 액체보다는 가스 상태로 누출될 수 있도록 용기의 밸브를 열어 주어야 한다.

④ 유출물이 수로, 배수구 또는 밀폐된 장소로 들어가는 것을 방지하여야 한다.

(5) 응급조치

① 신선한 공기를 호흡할 수 있도록 환자를 옮긴다.

② 호흡이 곤란한 경우 호흡보조장치를 통해 산소를 공급하여야 한다.

③ 오염된 의복 및 신발을 제거하는 동안 다량의 물과 비누를 사용하여 최소 15분 정도 세척한다.

④ 눈꺼풀을 위아래로 들어 올리면서 다량의 물로 최소 15분 동안 세척한다.

9. 취화수소(브롬화수소)

(1) 개요

① 방염수지류 등이 연소할 때 발생되는 연소생성물로서 유독성이 있어 독성 가스로 취급되며 독성의 허용농도는 5ppm이다.

② 상온 · 상압에서 무색의 자극성 기체로 물에 잘 용해된다.

(2) 위험성

① 불연성 가스로, 공기보다 무거워 지면을 타고 확산한다.

② 금속과 반응하여 화재와 폭발 위험성이 있는 수소가스를 생성한다.

③ 수용액은 강산이며, 염기성 물질과 빠르게 발열반응한다.

④ 흡입 시 타는 듯한 느낌의 통증, 기침, 호흡곤란을 일으키고 액체 접촉 시 동상의 우려가 있다.

(3) 화재진압요령

① 일반적으로 소화를 하여야 한다면 물분무주수를 이용한다.

② 방호 조치된 곳 또는 안전거리가 확보된 거리에서 물을 뿌리고 용기 내부로 물이 들어가지 않도록 한다.

③ 진화가 된 후에도 물분무기로 용기를 냉각시킨다.

④ 물질 자체 또는 연소생성물의 흡입을 피한다.

(4) 방재요령

① 증기를 줄이거나 증기구름의 이동을 돌리기 위하여 물분무를 사용한다.

② 누출원에 직접 주수하지 않는다.

③ 가스가 분산되기 전에 그 지역을 격리시킨다.

(5) 응급조치

① 신선한 공기를 호흡할 수 있도록 환자를 옮긴다.

② 호흡이 곤란한 경우 호흡보조장치를 통해 산소를 공급하여야 하고, 따뜻하게 하고 안정을 유지한다.

③ 오염된 의복 및 신발을 제거하는 동안 다량의 물과 비누를 사용하여 최소 15분 정도 세척한다.

④ 눈꺼풀을 위아래로 들어 올리면서 다량의 물로 최소 15분 동안 세척한다.

10. 염화수소(Hydrogen chloride, HCl)

(1) 개요

① 염소성분이 함유되어 있는 염화비닐수지(PVC), 건축물에 설치된 전선의 피복이 연소할 때 발생하며, 유독성이 있어 독성 가스로 취급하고 있다.

② 염화수소는 물에 녹아 염산이 되는 것으로 독성의 허용농도는 5ppm이고, 향료 · 염료 · 의약 · 농약 등의 제조에 이용된다.

(2) 위험성

부식성이 강하여 철근콘크리트 내의 철근을 녹슬게 한다.

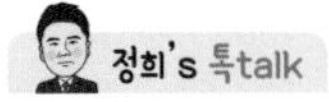

취화수소(브롬화수소)

취화수소	CAS No 10035-10-6
분자식	HBr
색상 · 냄새	무색 · 톡 쏘는 냄새
물리적 상태	압축액화가스
증기 밀도	2.8(공기=1)
용해도	193g/100mL(20℃)
LC50	2,860ppm/1hr Rat
소화제	분말, CO_2, 분무주수, 무상주수 또는 일반포말

핵심기출

01 가연물이 연소할 때 발생하는 독성가스에 대한 설명으로 옳지 않은 것은?

21. 소방간부

① 일산화탄소(CO)는 인체 내의 헤모글로빈과 결합하여 산소의 운반기능을 약화시켜 질식하게 한다.
② 시안화수소(HCN)는 질소성분을 가지고 있는 섬유류가 불완전연소할 때 발생하는 무색의 맹독성 가스로서 청산가스라고도 불린다.
③ 염화수소(HCl)는 염소성분이 함유되어 있는 염화비닐수지, 전선 피복 등이 연소할 때 발생하며, 물에 녹아 염산이 된다.
④ 브롬화수소(HBr)는 방염수지류 등이 연소할 때 발생하며, 상온·상압에서 물에 잘 용해되지 않는다.
⑤ 아크로레인(CH_2CHCHO)은 석유제품·유지류 등이 연소할 때 발생하며, 공기와 접촉하면 아크릴산이 된다.

정답 ④

02 연소가스에 대한 설명 중 옳지 않은 것은?

18. 상반기 공채

① 포스겐은 PVC 등 염소를 함유한 가연물의 연소 시 발생하는 미량의 가스이다.
② 이산화질소는 질산셀룰로오스 등의 불완전연소 시 또는 질산염계통 연소 시 발생하는 적갈색을 띤 유독가스이다.
③ 황화수소는 털, 고무를 함유한 가연물의 불완전연소 시 발생하며 무색의 가스이다.
④ 염화수소는 석유제품, 유지류 등이 탈 때 발생되는 가스이다.

정답 ④

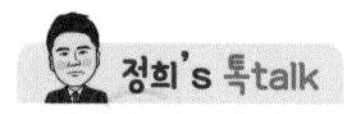

불화수소

불화수소	CAS No 7664-39-3
분자식	HF
색상 · 냄새	무색 · 자극적인 냄새
물리적 상태	기체 또는 발연 액체
증기 밀도	0.7(공기=1)
용해도	수용성
LC50	1,307ppm/1hr Rat
소화제	분말, CO_2, 마른 모래, 내알코올포, 분말주수

11. 불화수소(Hydrogen fluoride, HF)

(1) 개요

① 합성수지인 불소수지가 연소할 때 발생하며 무색의 자극성 기체로 유독성이 강하다.

② **물에 잘 녹고 부식성이 있으며, 인화성 폭발성 가스를 발생시킨다.**

③ **불연성 물질**로 타지는 않지만 열에 의해 분해되어 부식성 및 독성 증기를 생성할 수 있다.

④ **독성의 허용농도는** 3ppm이다.

⑤ **모래나 유리를 부식시키는 성질**이 있다.

(2) 위험성

① 강산으로 염기류와 격렬히 반응하고, 금속과 접촉 시 인화성 수소가스가 생성될 수 있다.

② 흡입 시 기침, 현기증, 두통, 호흡곤란 등을 일으킬 수 있다.

③ 피부에 접촉 시 화학적 화상을 일으킬 수 있고, 액체 접촉 시 동상을 일으킬 수 있다.

(3) 화재진압요령

① 위험하지 않다면 용기를 화재지역으로부터 이동시킨다.

② 다량의 안개형물분무를 사용하고, 직사주수는 금지한다.

③ 화재진압에 사용된 물은 추후 처리를 위하여 제방을 쌓아 가둔다.

④ 용기 내부로 물이 들어가지 않도록 한다.

⑤ 진화가 된 후에도 물분무기로 용기를 냉각시킨다.

(4) 방재요령

① 위험하지 않다면 누출을 멈추게 한다.

② 증기를 줄이거나 증기구름의 이동을 억제하기 위하여 분무주수하거나 증기포말을 사용할 수 있다.

③ 소량 유출 시 마른 흙, 마른 모래 또는 기타 불연성 물질로 덮은 후 확산 및 빗물과의 접촉을 최소화하기 위하여 플라스틱 시트로 덮는다.

(5) 응급조치

① 신선한 공기를 호흡할 수 있도록 환자를 옮긴다.

② 호흡이 곤란한 경우 호흡보조장치를 통해 산소를 공급하고, 따뜻하게 하고 안정을 유지한다.

③ 오염된 의복 및 신발을 제거하는 동안 다량의 물과 비누를 사용하여 최소 15분 정도 세척한다.

④ 눈꺼풀을 위아래로 들어 올리면서 다량의 물로 최소 15분 동안 세척한다.

요약NOTE 독성 가스의 위험 특성

종류	위험 특성	TLV-TWA(ppm)	LC50(ppm)
일산화탄소 (CO)	· 폐에 흡입된 CO가 헤모글로빈(Hb)와 결합하여 혈중산도농도를 저하하여 질식사 · 석유류, 나무, 고무류의 불완전연소 시 발생 · 마취 및 독성가스로 화재중독사의 주된 유해가스 · 상온에서 염소와 작용하여 포스겐($COCl_2$)을 생성	50	3,670
이산화탄소 (CO_2)	· 연소가스 중 가장 많은 양을 차지하나 CO_2 자체는 독성 가스가 아님 · 불연성 가스 · 완전연소 시 발생	5,000	-
포스겐 ($COCl_2$)	· PVC등 염소함유물이 고온 연소 시, 사염화탄소(CCl_4) 사용 시 발생 · 프레온 가스와 불꽃의 접촉 발생	0.1	5
시안화수소 (HCN)	· 청산가스 · 불완전연소, 질소함유물의 연소 시 발생 · 무색의 자극성 가스로 호흡곤란(헤모글로빈과 결합하지 않고도 호흡저해 유발)	10	144
암모니아 (NH_3)	· 질소함유물인 수지류 나무 등이 탈 때 발생 · 냉동시설의 냉매로 사용 · 강자극성 가스로 눈 · 코 · 목에 자극	25	7,388
일산화질소(NO) 이산화질소(NO_2)	· 플라스틱 등 질소함유물의 고온 연소 시 발생 · 흡입 시 인후통, 흡입량이 많을 경우 5 ~ 10시간 후 폐수종 초래	-	115
아황산가스(SO_2)/ 이산화황	· 고무 동물의 털, 가죽, 이황화탄소 등 유황함유물의 완전 연소 시 발생 · 자극성 가스로 눈, 호흡기 등의 점막을 자극	5	2,520
황화수소(H_2S)	· 달걀 썩은 냄새가 남 · 고무, 동물의 털과 가죽 등 유황함유물의 불완전 연소 시 발생	10	712
취화수소(HBr)	· 방염수지류의 연소 시 발생 · 자극성 기체로 물에 용해	5	2,860
염화수소(HCl)	· 플라스틱, PVC의 연소 시 발생 · 건축물에 설치된 전선의 피복 연소 시 발생	5	293
불화수소(HF)	· 합성수지인 불소수지 연소 시 발생 · 모래나 유리를 부식	3	1,307
아크로레인 (CH_2CHCHO)	석유제품, 유지류의 연소 시 발생	0.1	-

3 연기(Smoke) A

1. 연기의 개념

(1) 개요

연기란 가연물이 연소할 때 생성되는 물질로서 **고체상의 탄소미립자**이며, **무상의 증기 및 기체상의 분자가 공기 중에서 응축되어 부유 확산하는 복합혼합물을 포함하는 것**으로 연기의 입자는 보통 0.01 ~ 10μm 정도로 아주 작다.

(2) 특징

① 화재에서 발생되는 연기입자 중 그을음의 존재는 입자에 의한 투과광의 강도를 감소시키기 때문에 가시도에 직접적인 영향을 미친다.

② 연기의 유동속도

㉠ **수평 방향**: 0.5 ~ 1m/s

㉡ **수직 방향**: 2 ~ 3m/s

㉢ **계단실 내**: 3 ~ 5m/s

③ 화재 시 연기는 처음에는 백색연기, 나중에는 흑색연기로 변한다.

④ 수소가 많으면 백색연기, 탄소수가 많으면 흑색연기로 변한다.

⑤ 화재초기 발연량은 화재성숙기의 발연량보다 많다고 할 수 있다.

⑥ 일반화재는 백색, 유류는 흑색을 나타낸다.

⑦ 예외적으로 메탄올은 휘발성의 무색투명한 액체로 연한 청색 화염을 내거나 화염이 눈에 보이지 않는 경우도 있다.

(3) 연기의 발생

① 연기의 조성 영향인자

㉠ 가연물의 종류

㉡ 산소의 농도

㉢ 주위온도

㉣ 연소속도

㉤ 가연성 가스의 농도

② 발연량이 증가되는 경우

㉠ 탄소의 함량이 많을수록

㉡ 화재 초기와 같이 연소속도가 느릴수록

㉢ 공기의 공급량이 적을수록

㉣ 표면적이 적을수록

㉤ 주위온도가 낮을수록

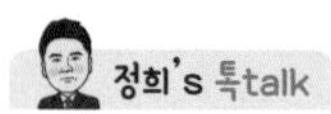

입자의 크기
1. 분진폭발을 일으키는 분진입자의 크기는 200mesh(76μm) 이하입니다.
2. 안개 입자는 약 10 ~ 50μm입니다.
3. 분말소화약제 입자는 20 ~ 25μm 정도가 최적의 소화효과를 나타냅니다.

정희's 톡talk

연기입자의 크기는 일반적으로 무염연소는 0.3μm 이상, 불꽃연소는 0.3μm 이하 정도입니다.

핵심기출

01 연기에 대한 설명으로 옳은 것은? 18. 상반기 공채

① 화재 시 실내·외의 온도차는 굴뚝효과에 영향이 없다.
② 연기에는 수증기, 연소가스 등과 같은 기체, 액체 성분은 있지만 고체와 같은 성분은 포함하지 않는다.
③ 연기는 수평이동속도보다 수직이동속도가 빠르다.
④ 연기의 농도가 증가할수록 감광계수가 커지고 가시거리도 증가한다.

정답 ③

02 화재 시 발생하는 연기에 대한 설명으로 옳지 않은 것은? 16. 소방간부

① 연기는 다량의 유독가스를 함유하며, 화재로 인한 연기는 고열이며 유동 확산이 빠르다.
② 연료 중에 수소가 많으면 흑색연기, 탄소수가 많으면 백색연기로 변한다.
③ 일반적으로 연기의 유동속도는 수평방향으로 0.5 ~ 1(m/s), 수직방향으로 2 ~ 3(m/s), 계단실 내에서는 3 ~ 5(m/s)이다.
④ 화재 시 연기는 처음에는 백색이며 시간이 흐를수록 흑색으로 변한다.
⑤ 연기의 조성은 연료의 성질과 연소조건에 의해 각기 다르며 액체의 입자는 수증기 외에 알데히드, 알코올 등의 탄화수소의 응고로 인한 타르분의 것, 기체의 성분은 CO, CO_2, HCl, HCN, $COCl_2$, SO_2 등이다.

정답 ②

2. 연기별 특징

(1) 고체미립자 연기

① 연소의 결과로 발생하는 흑색의 탄소 응집체이다.

② 산소가 많은 연료에서는 흑연이 발생되며, 독성이 비교적 적다.

(2) 액체미립자 연기

① 훈소나 무염 연소 등에서 발생한다.

② 입자의 지름, 크기와 성분에 따라 다양한 색상을 띤다.

③ 연료의 종료에 따라 냄새, 독성 등의 특성이 달라진다.

3. 연기의 단층(Stratification) 현상

(1) 개념

화재 시 상승하는 연기의 온도보다 천장부근의 공기층 온도가 높은 경우 천장에 설치된 감지기 또는 스프링클러 헤드 등의 작동지연이 발생될 수 있다.

(2) 발생원인

① 천장에 고온의 공기층 존재

② 천장이 높아 연기층의 온도가 저하된다.

③ 대공간에서의 연기 희석

④ 소규모화재로 인한 열방출율 저하로 연기의 부력 약화

(3) 연기 단층현상의 대책

① 천장 부착형 감지기 이외에 광전식 분리형 감지기 또는 불꽃감지기로 신뢰성을 높인다.

② 천장의 따뜻한 공기를 배출할 수 있는 배연설비를 설치한다.

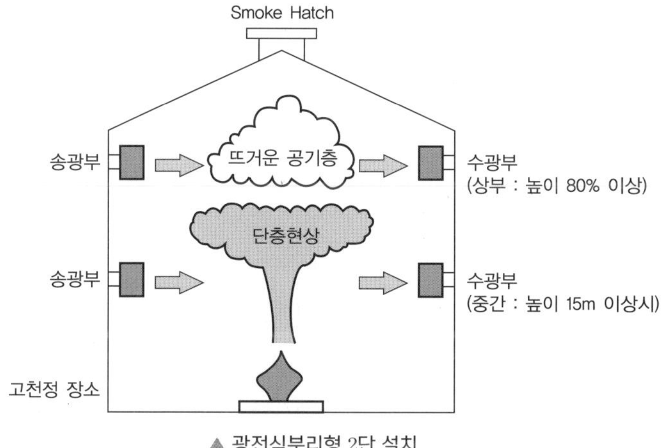

▲ 광전식분리형 2단 설치

4. 연기농도 측정법

중량농도 측정법[mg/m^3]	연기 입자의 무게를 측정하는 방법
입자농도 측정법[개/m^3]	연기 입자의 개수를 측정하는 방법
감광계수법[m^{-1}]	연기 속을 투과하는 빛의 양을 측정하는 방법
투과율법	연기의 광학밀도를 측정하는 방법

참고 연기의 농도 측정방법

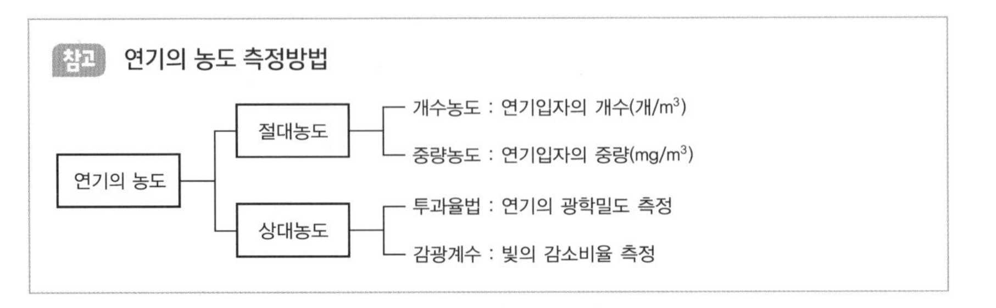

참고 감광계수(Cs, m^{-1})

1. 연기 속을 빛이 투과하는 데 저하되는 빛의 비율을 측정하여 계수로 나타낸 것을 말한다.

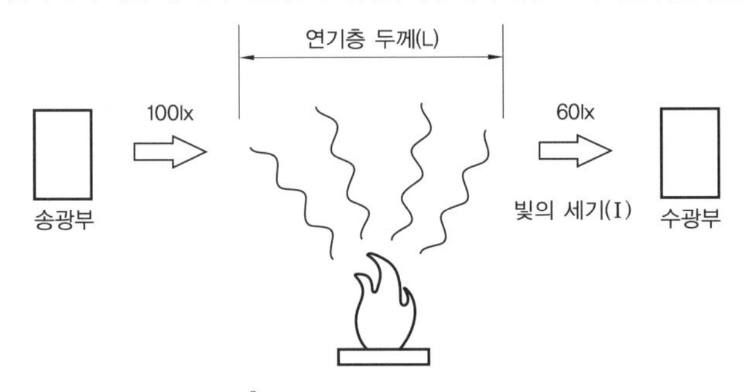

2. 감광계수(Cs)의 단위는 $m^{-1} = \frac{m^2}{m^3}$ 이다. 즉, 단위체적당의 연기에 의한 빛의 흡수 단면적을 말한다.
3. 연기의 농도가 진해지면 연기입자에 의하여 빛이 차단되므로 가시거리는 짧아진다. 따라서 감광계수로 표시한 연기의 농도와 가시거리의 상관관계는 반비례관계이다.

감광계수	가시거리(m)	현상
0.1	20 ~ 30	연기감지기가 작동할 때의 정도
0.3	5	건물 내부에 익숙한 사람이 피난에 지장을 느낄 정도
0.5	3	어두침침한 것을 느낄 정도
1	1 ~ 2	거의 앞이 보이지 않을 정도
10	0.2 ~ 0.5	화재최성기 때의 정도
30	-	출화실에서 연기가 분출될 때의 연기 농도

5. 연기의 이동

(1) 개요

① 연기는 기본적으로 **공기의 흐름**에 따라 이동하게 된다.

② 연기의 이동은 굴뚝효과, 부력, 팽창, 바람, HVAC 시스템 그리고 엘리베이터의 피스톤 효과 등에 영향을 받는다.

③ 화재가 발생한 건축물의 많은 개구부와 누설경로를 통하여 이동하게 된다.

(2) 연기를 이동시키는 요인

① **굴뚝(연돌)효과(Stack effect)**

㉠ 고층건축물에서 건물 내부와 외부의 밀도와 온도차에 의한 **압력의 차이**로 인해 **건물 내부의 더운 공기는 상승하고 외부의 차가운 공기는 아래로 내려 오는 현상**이다.

㉡ **굴뚝효과에 영향을 주는 인자**

ⓐ 건물의 높이

ⓑ 외벽의 기밀도

ⓒ 건물 내부와 외부의 온도차

ⓓ 건물의 층간 공기누설

㉢ **역굴뚝효과**: 실외의 공기가 실내보다 따뜻할 때에는 공기가 아래로 내려 오게 되는 현상을 말한다.

② **바람의 영향**: 바람에 의한 풍압은 건축물 내부의 공기 누출과 공기이동을 일으키게 된다. 개구부(틈새)가 많은 경우 바람의 영향을 많이 받는다.

③ **온도에 의한 팽창**: 화재로부터 방출되는 열에너지는 연소가스를 팽창시키므로 연기를 빠르게 이동시킬 수 있는 원동력이 될 수 있다.

④ **건물 내 강제적인 공기이동(공기조화설비, HVAC시스템)**: 화재발생 시 공기조화설비는 화재확산을 가속하고 화재진화 시 멀리 연기를 보내거나, 화재발생 구역으로 신선한 공기를 제공하여 연소를 돕게 된다.

⑤ **건물 내·외 온도차**: 내화건물에서의 연기유동은 건물에 형성된 중성대의 위치에 따라 달라진다.

⑥ **부력(Buoyancy force)**

㉠ 화재에서 고온의 연기는 자체의 감소된 밀도에 의해 부력을 가진다.

㉡ 화재구획실과 그 주변 사이의 압력차에 의한 부력으로 인해 연기가 상층으로 이동하게 된다.

⑦ **엘리베이터 피스톤 효과**

㉠ 화재발생 시 엘리베이터를 화재로부터 보호하고 피난 및 소방활동 등에 사용이 가능하게 할 수 있다면 매우 유용하게 활용될 수 있을 것이다. 따라서 비상시에 엘리베이터의 운전도 연기의 흐름에 영향을 미치게 된다.

㉡ 엘리베이터가 샤프트 내에서 이동할 때, 흡입압력(피스톤 효과)이 발생한다. 이 흡입압력은 엘리베이터 연기제어에 영향을 미친다.

핵심 적중

01 고층건축물에서 연기유동을 일으키는 요인을 모두 고른 것은? 20. 공채

ㄱ. 부력효과
ㄴ. 바람에 의한 압력차
ㄷ. 굴뚝효과
ㄹ. 공기조화설비의 영향

① ㄱ, ㄴ
② ㄱ, ㄷ
③ ㄴ, ㄷ, ㄹ
④ ㄱ, ㄴ, ㄷ, ㄹ

정답 ④

02 굴뚝효과에 영향을 주는 요인으로 가장 관계가 없는 것은?

① 외벽의 기밀도
② 층의 면적
③ 건물 안팎의 온도차
④ 건축물의 층간 공기누설

정답 ②

핵심 기출

화재 시 발생하는 연기(smoke)에 대한 설명으로 옳지 않은 것은? 21. 공채

① 연기의 수직 이동속도는 수평 이동속도보다 빠르다.
② 연기의 감광계수가 증가할수록 가시거리는 짧아진다.
③ 중성대는 실내 화재 시 실내와 실외의 온도가 같은 면을 의미한다.
④ 굴뚝효과는 건축물의 내부와 외부의 온도차에 의해 내부의 더운 공기가 상승하는 현상이다.

정답 ③

6. 중성대(NPL; Neutral Pressure Level)

(1) 개념

① 건물 내부의 압력이 외부의 압력과 일치하는 위치가 생기는데 이 위치를 건물의 중성대라고 한다.

② 건물에 화재가 발생했을 때 연소가스와 연기 등은 **밀도의 감소로 부력이 증가하므로 위쪽으로 상승**하게 된다. 아래쪽에서는 신선한 공기가 건물의 안쪽으로 들어오게 되고 상승한 연소가스, 연기 등은 위쪽에서 나가게 되며 이때 **압력차가** 0이 되는 곳이 형성되는데 이를 중성대라고 한다.

(2) 특징

① 실내와 실외의 정압이 같아지는 경계면을 중성대라고 한다. 중성대의 위쪽은 실내 정압이 실외보다 높아 실내에서 기체가 외부로 유출되고 중성대 아래쪽에는 실외에서 기체가 유입된다. 그에 따라 중성대의 상층부는 열과 연기로 차게 되고, 중성대의 하층부는 신선한 공기가 존재하게 된다.

② 중성대의 개구부에서는 공기의 유동이 발생하지 않으므로 천장 가까이 형성되는 것이 환기 효과가 크다. 상층 개구부를 개방한다면 연소는 확대되지만 발생한 연기는 빠른 속도로 상승하여 외부로 배출되므로 중성대의 경계선은 위로 올라가고 중성대 하층의 면적이 커진다. 따라서 소방대원과 대피자들의 활동공간과 시야가 확보되어 신속히 대피할 수 있다.

③ **중성대의 아래쪽으로 계속해서 공기가 유입되면 중성대의 위치는 낮아지게 된다.**

④ 화재현장에서 소방관은 중성대의 형성 위치를 파악하여 배연 등의 소방활동에 적용하는 요령이 있어야 하는데, **배연을 할 경우에는 중성대 위쪽에서 배연을 하여야 효과적이다.** 이때 새로운 공기의 유입 증가현상을 촉발하여 화세가 확대될 수 있다는 것에 유의하여야 한다.

⑤ **불연속선은 실내 천장 쪽의 고온가스와 바닥 쪽의 찬공기의 경계선**을 의미한다.

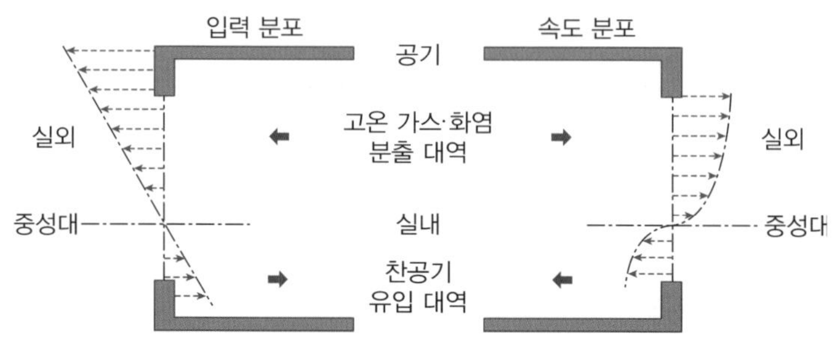

▲ 급배기와 중성대

> ✎ **핵심 기출**
>
> **건축물 화재 시 나타나는 중성대에 관한 설명으로 옳지 않은 것은?** 20. 소방간부
>
> ① 건물 내부의 압력이 외부의 압력과 일치하는 수직적인 위치가 생기는데, 이 위치를 중성대라 한다.
> ② 중성대 상부는 기체가 실내에서 외부로 유출되고 중성대 하부는 외부에서 실내로 기체가 유입된다.
> ③ 중성대 상부는 열과 연기로부터 생존이 어려운 지역이고 중성대 하부는 신선한 공기로 인해 생존 가능성이 높은 지역이다.
> ④ 중성대 하부 개구부를 개방하면 공기가 유입되면서 연기가 외부로 배출되어 중성대가 위로 상승하고 중성대 하부 면적이 커져 소화활동이 용이하게 된다.
> ⑤ 현장 도착 시 하부 출입문으로 짙은 연기가 배출된다면 상부 개구부 개방을 강구하고, 하부 개구부에서 연기가 배출되고 있지 않다면 상부 개구부가 개방되어 있다고 판단한다.
>
> 정답 ④

심화학습 화학물질 및 물리적 인자의 노출기준 제2조(정의)

1. **노출기준**: 근로자가 유해인자에 노출되는 경우 노출기준 이하 수준에서는 거의 모든 근로자에게 건강상 나쁜 영향을 미치지 아니하는 기준을 말하며, 1일 작업시간 동안의 시간가중평균노출기준(TWA; Time Weighted Average), 단시간노출기준(STEL; Short Term Exposure Limit) 또는 최고노출기준(C; Ceiling)으로 표시한다.
2. **시간가중평균노출기준(TWA)**: 1일 8시간 작업을 기준으로 하여 유해인자의 측정치에 발생시간을 곱하여 8시간으로 나눈 값을 말하며, 다음 식에 따라 산출한다.

$$\text{TWA환산값} = \frac{C_1T_1 + C_2T_2 + \cdots + C_nT_n}{8}$$

C: 유해인자의 측정치(단위: ppm, mg/m^3 또는 $개/cm^2$)
T: 유해인자의 발생시간(단위: 시간)

3. **단시간노출기준(STEL)**: 15분간의 시간가중평균노출값으로서 노출농도가 시간가중평균노출기준(TWA)을 초과하고 단시간노출기준(STEL) 이하인 경우에는 1회 노출 지속시간이 15분 미만이어야 하고, 이러한 상태가 1일 4회 이하로 발생하여야 하며, 각 노출의 간격은 60분 이상이어야 한다.
4. **최고노출기준(C)**: 근로자가 1일 작업시간 동안 잠시라도 노출되어서는 아니 되는 기준을 말하며, 노출기준 앞에 'C'를 붙여 표시한다.

사람(매질)을 통해 전달

공(열)을

[전도]

[대류]

사람(매질) 필요없이 던져서 전달

[복사]

▲ 열전달방식의 구분

핵심기출

01 다음은 열의 전달 형태에 대한 설명이다. (　) 안에 들어갈 내용으로 옳은 것은? 18. 하반기 공채

> 가. 일반적으로 화재의 초기단계에서 열의 전달은 (㉠)에 기인한다.
> 나. 화재 시 연기가 위로 향하는 것이나 화로(火爐)에 의해 실내의 공기가 따뜻해지는 것은 (㉡)에 의한 현상이다.

	㉠	㉡
①	전도	대류
②	복사	전도
③	전도	비화
④	대류	전도

정답 ①

02 복사열전달 현상에 관한 설명으로 옳은 것은? 22. 소방간부

① 열에너지가 전자기파의 형태로 전달되는 현상이다.
② 푸리에의 법칙을 따른다.
③ 열전달이 고체 또는 정지상태의 유체 내에서 매질을 통해 이루어진다.
④ 유체입자의 유동에 의해 열에너지가 전달되는 현상이다.
⑤ 진공상태에서는 복사열은 전달되지 않는다.

정답 ①

4 열의 이동 B

1. 열전달 방식

(1) 개념

가연물이 연소할 때 발생하는 열은 다양한 형태로 이동하면서 연소가 확대된다. **열전달 방식은 전도, 대류, 복사** 등이 있다. **연소(화재)확대 요인으로는 비화, 접염, 복사 등이 있다.** 일상에서 열전달현상은 어느 한 가지 모드에 의해서만 일어나는 것이라기보다는 두 가지 이상의 복합적인 모드에 의하여 열전달이 이루어는 것이 대부분이다. 따라서 다양한 형태의 열전달 가운데 어떠한 열전달 모드가 물리적 현상을 지배하고 있는지를 파악하는 것이 보다 현실적인 접근방법이 되는 경우가 많다.

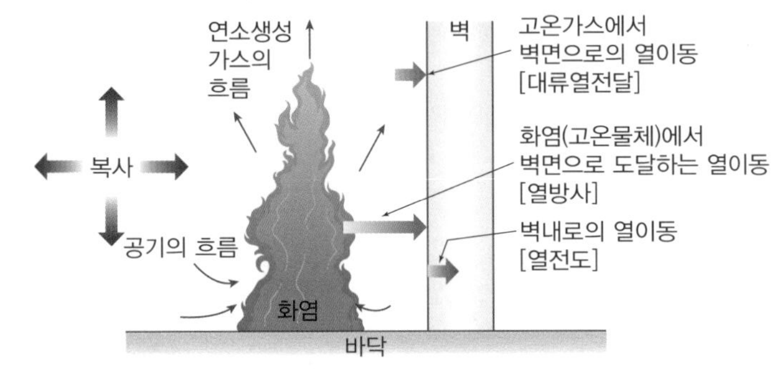

▲ 화재에 의한 열에너지의 이동

(2) 구분

① **전도**

㉠ 열이 물체를 통하여 전달되는 현상으로 **직접 접촉**에 의해 **다른 물체 또는 같은 물질 내에서 전달되는 것**을 말한다.

㉡ 전도 열전달은 고체 또는 정지상태의 유체(액체 · 기체) 내에서 이루어진다.

② **대류**

㉠ 대류열전달은 **고체 표면과 움직이는 유체 사이에서 분자의 불규칙한 운동과 거시적인 유체의 유동**에 의하여 이루어진다.

㉡ 액체나 기체와 같은 **매개체 내에서의 순환**을 통해 열에너지가 전달되는 방식이다.

㉢ 유체의 유동은 연소확대의 원인이 된다.

③ **복사**

㉠ 물체가 가열되면 열에너지를 방출하게 되는데, 이때 발생되는 **전자기파에 의하여 열이 이동하는 것**을 말한다.

㉡ 전도와 대류는 물질을 매개체로 열에너지가 전달되지만 복사의 경우 서로 떨어져 있는 두 물체 사이에 열에너지가 전자파 형태로 물체에 복사되고 이것이 다른 물체에 전파되어 흡수되면 열로 변하는 현상이다.

2. 전도(Conduction)

(1) 개념

① 물질의 이동 없이 고온의 물체와 저온의 물체를 직접 접촉시킬 때 고온의 물체에서 활발하게 일어나는 분자운동에 의하여 에너지가 전달된다. 이때 접촉면에서의 충돌에 따른 **자유전자의 이동**이나 **분자의 진동운동**에 의하여 저온 물체의 분자운동이 활발하게 된다.

② 물질들의 분자가 정지한 상태에서 위치의 변동 없이 **분자의 진동**에 의하여 열을 전달하는 것을 말한다.

③ 주로 고체 물질을 통한 열전달이며, 유체에 의한 열전도도 있기는 하나 고체에 비하여 매우 적다.

(2) 열전도의 특징

① 금속이 비금속에 비해 열전도율이 큰 이유는 자유전자의 이동성 때문이다.

② 열전도도는 **고체 → 액체 → 기체** 순서이다(고체는 기체보다 열전도율이 좋다).

③ 콘크리트가 철근보다 열전도율이 작다.

④ 완전진공상태에서는 전도에 의한 열전달은 되지 않는다.

⑤ **푸리에(Fourier)의 열전도 법칙을 따른다.**

(3) 푸리에의 법칙

$$\dot{Q} = kA\frac{(T_1 - T_2)}{\ell}$$

$\dot{Q}$: 열전달율(W), k: 열전도도
A: 열전달 부분의 면적(m^2), $(T_1 - T_2)$: 온도 차
T_1: 고온 측 표면온도(K), T_2: 저온 측 표면온도(K), ℓ: 물체의 두께(m)

심화학습 푸리에의 열전도법칙(Fourier's Law of Conduction)

1. 어떤 고체 내부에서 온도변화가 있으면, 온도차에 의해 열이 전달(전도)된다. 이때 열전달률(단위시간당 전달되는 열에너지)은 푸리에의 열전도법칙으로 표시된다.
2. 푸리에의 열전도법칙에 의하면 열은 온도가 낮아지는 방향으로 전달되고, 열전달률은 열전도도(Thermal conductivity), 온도구배(단위길이당 온도변화)와 열이 전달되는 넓이에 비례하고, 열이 전달되는 부분의 두께에 반비례한다.
3. 단열재는 열전도도가 낮고 금속은 열전도도가 높아서, 온도구배와 열이 전달되는 면적이 같을 경우 금속이 열을 훨씬 많이 전달한다.

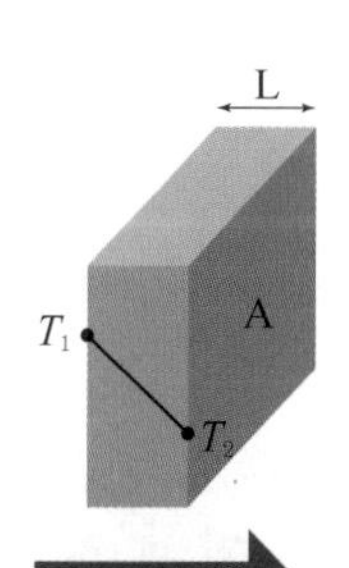

Q: Thermal energy (J)

The rate of thermal energy transfer

$$\dot{Q} = \frac{dQ}{dt}\ (W)$$

Fourier's Law of Conduction(푸리에의 전도 법칙)

$$\dot{Q} = -kA\frac{\Delta T}{\Delta x}$$

k: Thermal conductivity

1-d, steady state: $Q = -kA\frac{T_2 - T_1}{L}$

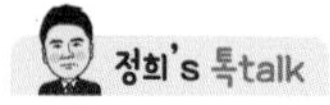

열전도도

1. 물체가 열을 전달하는 능력의 척도를 말하며, 열전도성이라고도 부릅니다.
2. 단위: [W/m℃][J/(m℃)·S]

물질	열전도도 계수(W/mK)
공기	0.025
나무	0.04 ~ 0.4
콘크리트	1.7
얼음	2.2
물(액체)	0.6
구리	400

열전도율

1. 구체적인 크기와 모양을 가진 물체가 실제로 열을 전달하는 정도를 의미합니다.
2. 열전도도가 K인 어떤 물체의 길이가 ℓ이고, 단면적이 A일 때, 이 물체의 열전도율(C)는 다음과 같습니다.

$$C = k\frac{A}{\ell}$$

3. 단위: [W/℃][J/℃·S]

와트[W]

와트 단위의 정의는 [W]=[J/S]이므로, 1W는 1초당 1J의 에너지를 전달하는 것을 뜻합니다.

열전달률

$$\dot{Q}_{cond} = -kA\frac{dT}{dx}[w]$$

열이 전달되면 거리(dx)에 따라 온도분포(dT)가 달라집니다. 열전도도(k)와 단면적(A)이 클수록 열이 잘 전달되어서 온도차(dT)가 작게 나타납니다.

열관류율

특정 두께를 가진 재료의 열전도 특성으로서 단위는 [W/m^2K]를 사용합니다.

λ(열전도도)
= 열관류율(W/m^2K) × 두께(m)

3. 대류(Convection)

(1) 개요

① 기체나 액체 상태에 있는 분자는 열을 받아서 온도가 높아지면 그 운동이 활발해지기 때문에 분자들 사이의 평균 간격이 넓어진다.

② 온도가 높은 분자의 물질은 밀도가 작아져서 위로 올라가고 온도가 낮은 물질은 밀도가 커져서 아래로 내려오게 되어 **밀도차에 의한 분자들의 집단 흐름**이 생긴다. 이러한 **대류는 순환적인 흐름에 의해 열이 전파되는 현상**을 말한다.

(2) 열대류의 특징

① 대류는 **온도차 → 밀도차 → 부력의 발생**으로 발생된다.

② 한정된 공간 내에서의 화재전파는 대류의 영향을 많이 받는다. 특히 화재의 이동경로, 연소확대, 화재의 형태나 특성에 가장 큰 영향을 미친다.

③ **유체의 흐름은 층류❶일 때보다는 난류❷일 때 열전달이 잘 이루어진다.**

④ 화재현장의 연기가 위로 향하는 것이나 화로에 의하여 방안의 공기가 더워지는 것이 대류에 의한 현상이다.

⑤ **대류는 Newton의 냉각법칙**을 따른다. 유체에서 온도차에 의해 밀도차가 발생하고 유체가 운동하면서 열전달이 이루어지는 현상을 설명하는 법칙이다.

$$\dot{Q} = hA(T_s - T_\infty)$$

$\dot{Q}$: 열전달율(W), h: 대류 열전달계수[W/m²K]
A: 표면적
T_s: 고체 표면의 온도,
T_∞: 유체의 온도

(3) 자연대류(Natural convection)와 강제대류(Forced convection)

유체의 실질적인 흐름에 의하여 열이 전달되는 현상으로 밀도차에 의한 자연대류, 압력차에 의한 강제대류 등이 있다.

① **자연대류**는 기계적 도움 없이 물질의 **밀도차**에 의하여 발생되는 열전달이다. 즉, **온도차나 압력차에 의하여 생긴 부력에 의한 대류현상**이다.

② **강제대류**는 건물의 공기조화설비 등과 같이 **기계적으로** 대류를 발생시키는 것을 말한다. 즉, **인위적인 유동에 의하여 형성되는 대류현상**이다.

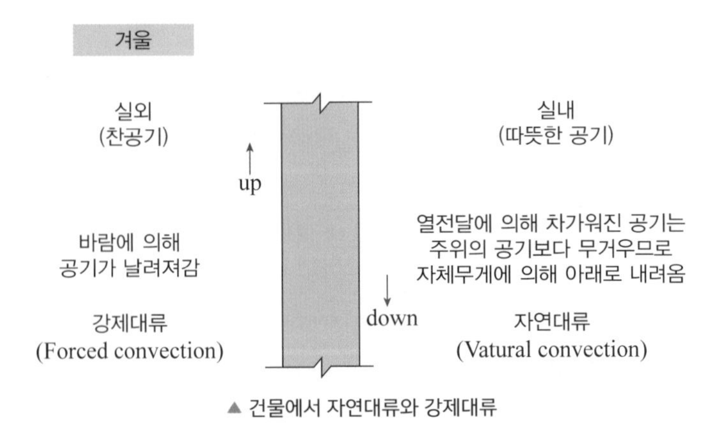

▲ 건물에서 자연대류와 강제대류

용어사전

❶ 층류: 유체입자가 층상을 이루면서 흐트러지지 않고 일정하게 흐르는 흐름을 말한다.

❷ 난류: 유체의 각 부분이 시간적으로나 공간적으로 불규칙한 운동을 하면서 흐르는 흐름을 말한다.

핵심기출

01 대류(Convection)에 의한 열전달에 관한 일반적인 설명으로 옳은 것은?
18. 소방간부

① 고체 또는 정지 상태의 유체 내에서 매질을 통한 열전달을 말한다.
② 전도현상에 비해 가연성 고체에서의 발화, 화염확산, 화재저항과 관련성이 크다.
③ 원격 발화의 열전달로 작용하고 특히 플래시오버를 일으키는 조건을 형성한다.
④ 열복사 수준이 낮은 화재초기 상태에서 중요한 현상으로 부력의 영향을 받는다.
⑤ 전달 열량은 온도차, 열전도도에 비례하고 물질의 두께에는 반비례한다.

정답 ④

02 다음 중 밀도와 관련이 깊고 액체와 기체의 온도가 다를 때 물질의 흐름에 따라 열이 이동하는 것은?

① 전도 ② 대류
③ 복사 ④ 비화

정답 ②

4. 복사

(1) 개요

① 복사는 **열에너지가 전자파의 형태로 공간을 이동하는 열전달**이다. 복사열 전달은 중간 매개체가 없이 물질에 의하여 방사되는 에너지이며, 절대온도 0K(켈빈, Kelvin)보다 높은 온도를 가진 모든 물체는 복사에너지를 방사한다.

② 일반적으로 **플래시오버에서 가장 많은 영향을 미치는 열전달 방식**이다.

(2) 특징

① 태양이 지구를 따뜻하게 해 주는 현상이다.

② 절대진공 상태에서도 열전달이 가능하다. 진공상태에서는 손실이 없으며, 공기 중에서도 거의 손실이 없다.

③ **화재 초기단계를 지난 이후에는 대부분 복사열에 의하여 열전달이 이루어진다.**

④ 열복사는 파동적인 특성을 가지는 전자기파인 동시에 입자의 성질을 가지는 양자의 특성을 모두 가지고 있기 때문에 파장에 따른 영향을 받게 된다.

⑤ **연기는 복사열의 차단물로 작용하므로 풍상측에서 더 잘 일어난다.**

⑥ **복사열은 일직선으로 이동한다.**

⑦ **복사는 스테판 볼츠만의 법칙(Stefan-Boltzmann's law)**에 따른다.

$$\dot{Q} = \varepsilon\sigma T_s^4$$

$\dot{Q}$: 복사열전달율(W)
ε: 방사율(흑체의 경우 1)
σ: 스테판-볼츠만 상수
T_S: 고체의 표면온도

⑧ **복사열은 절대온도 4제곱에 비례하고, 열전달 면적에 비례한다.**

요약NOTE 열전달 방식의 비교

구분	전도	대류	복사
원리	· 분자 간 충돌 · 자유전자의 이동	액체 · 고체상 온도차에 의한 유체운동	전자기파의 이동
특징	고체 > 액체 > 기체	유체를 통한 열전달	플래시오버 현상
단계	연소 초기	성장기 초기	최성기 직전

(3) 화염직경의 두 배 이상 떨어진 목표물에 대한 복사열 계산

$$Q = \frac{X r \dot{Q}}{4\pi r^2}$$

$\dot{Q}$: 화재의 연소에너지 방출(kw)
Xr: 총 방출에너지 중 복사된 에너지 분율($0.^{15}$~$0.^{6}$)
r: 화재중심과 목표물의 거리(m)
$4\pi r^2$: 구의 표면적

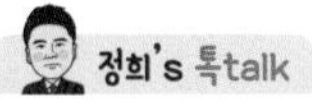

복사열
진공상태에서는 손실이 없으며, 공기 중에서도 거의 손실이 없습니다. 복사열은 일직선으로 이동합니다.

핵심 적중

01 다음 중 스테판-볼츠만법칙과 가장 관련이 깊은 것은?
① 전도 ② 대류
③ 복사 ④ 역화
정답 ③

02 물체의 표면온도가 0℃에서 273℃로 상승하면 열복사량(복사에너지)은 몇 배 상승하는가?
① 4배 ② 16배
③ 32배 ④ 64배
정답 ②

03 화염의 직경이 0.1m인 화원의 중심으로부터 1m 떨어진 물체에 전달되는 복사열유속[kW/m^2]은? (단, 화염의 열방출률은 120kW, 총 열방출에너지 중 복사된 열에너지 분율은 0.5, 원주율은 3으로 계산한다) 24. 공채 · 경채
① 3.5 ② 4.0
③ 4.5 ④ 5.0
정답 ④

심화학습 전도·대류·복사

구분	전도	대류	복사
계산식	$\dot{Q}_{cond} = -kA = \frac{dT}{dx}$[W] 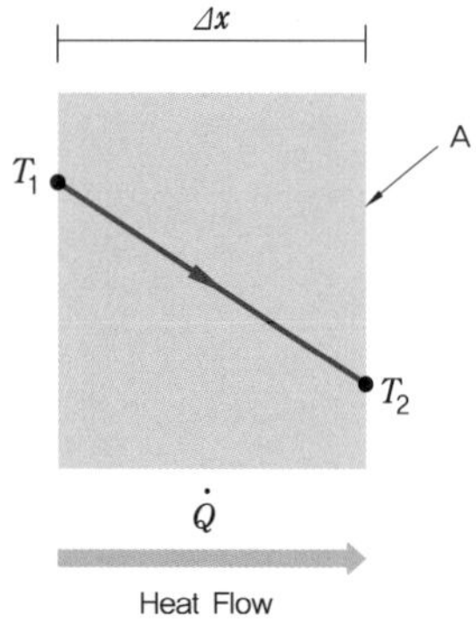 Δx A T_1 T_2 $\dot{Q}$ Heat Flow k: 열전도율 A: 면적 dT: $[T_1 - T_2]$ dx: 두께	$\dot{Q}_{convection} = hA(T_s - T_F)$[W] 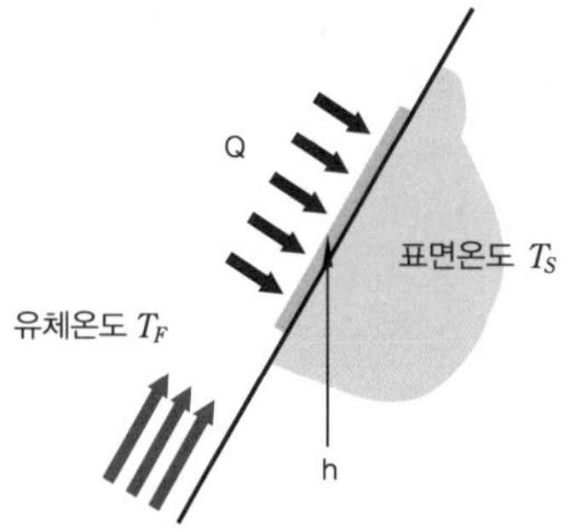 Q 표면온도 T_S 유체온도 T_F h h: 대류 열전달계수 A: 고체 표면 면적 T_S: 고체 표면온도 T_F: 표면의 영향을 받지 않는 유체온도	$\dot{Q}_{rad} = \varepsilon\sigma A(T_s^4 - T_a^4)$[W] 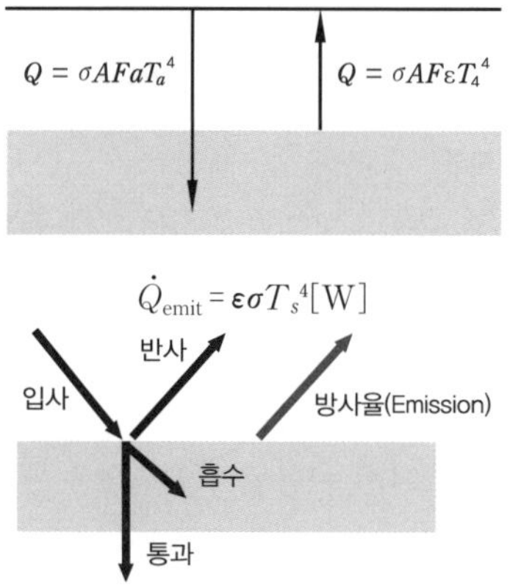 $Q = \sigma AFaT_a^4$ $Q = \sigma AF\varepsilon T_4^4$ $\dot{Q}_{emit} = \varepsilon\sigma T_s^4$[W] 반사 입사 방사율(Emission) 흡수 통과 ε: 방사율($0 \leq \varepsilon \leq 1$) σ: 스테판 - 볼츠만 상수 T_s: 고체 표면온도 T_a: 주변 공기온도
이론	푸리에의 전도법칙	뉴턴의 냉각법칙	스테판·볼츠만의 법칙

5 불꽃(화염) 등 B

1. 점화(Ignition)

(1) 개념

화재에서의 점화는 크게 인화[파일럿 점화(Pilot ignition)]와 발화[자연 점화(Spontaneous ignition)]의 두 가지 형태로 구분된다.

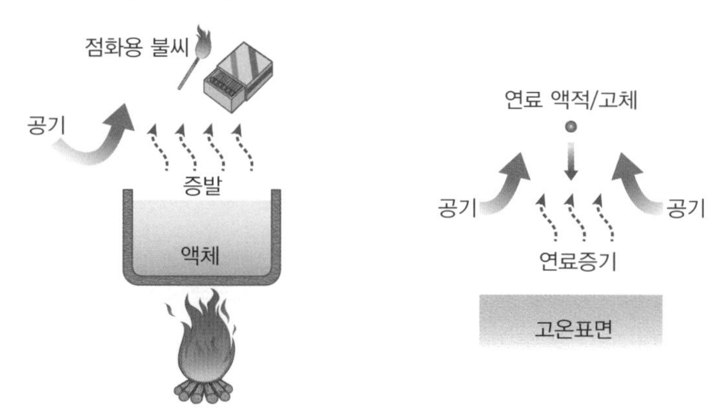

▲ 파일럿 점화와 자연 점화

(2) 파일럿 점화(인화)와 자연 점화(발화)

① 파일럿 점화는 가연성 연료와 공기의 혼합기(Mixture gas)에 스파크나 작은 화염과 같은 순간적인 외부 에너지원이 공급되어 화염을 초기화하는 과정을 말한다.

② 자연 점화는 특정 연료농도와 온도 상태에서 스파크나 외부의 부가적인 화염 없이 자연적으로 화염을 형성하는 과정을 의미한다.

③ 두 점화과정 모두 증발이나 열해리 등에 의하여 연소 가능한 농도 이상의 혼합기를 형성하여야 하고, 연소반응이 이루어지기 위해서는 손실열 이상의 에너지가 외부로부터 지속적으로 공급되어야 한다.

요약NOTE 인화와 발화

구분	인화(Pilot ignition)	발화(Spontaneous ignition)
착화원 유무	有	無
물리적 조건	물질농도에 관한 조건만으로 연소	물질농도 + 에너지의 2가지 조건 필요
현상적 조건	국소적인 열원에 의한 발화현상이기 때문에 개방계	가연성 혼합계를 외부에서 가열하기 때문에 밀폐계

화재 성장의 3요소

화재 성장의 3요소는 점화, 화염확산, 연소속도입니다. 점화는 화재 성장이 시작되는 때이고, 화염 확산은 화재경계의 확장으로 정의할 수 있습니다. 또한 연소 속도를 통해 화재경계 내에서 연료 소모 정도를 알 수 있습니다.

발화

발화는 발열과 방열의 관점에서 볼 때 발열이 크거나 발열이 적더라도 방열이 더 적으면 발생할 수 있습니다. 즉, 발화는 발열이 방열보다 클 때 발생합니다.

2. 연소속도

연소한 가스와 미연소 가스의 경계면에는 복잡한 화학반응이 일어나 고온의 강한 빛을 발생하는데 이를 화염이라고 한다. **발화원에서 발생한 화염이 혼합가스를 이동하는 현상을 화염전파**라고 한다.

(1) 연소속도의 개념

① **질량연소속도**(Burning Rate): 화재영역 안에서 가연물(고체 · 액체 · 기체)의 열분해 또는 증발되는 속도를 말한다.

② **화염의 연소속도**(Burning Velocity): 화염이 미연소가스와 화학반응을 일으키면서 퍼져 나가는 속도를 말한다. 화염 면에 수직한 방향으로 미연혼합기 쪽으로 전파하여 들어오는 속도이다.

정희's 톡talk

화재성장의 3요소
1. 화염확산(Flame spread)
2. 연소속도(Burning rate)
3. 발화(Ignition)

질량연소속도

$$\dot{m}'' = \frac{\dot{g}''}{L_V}[kg/s \cdot m^2]$$

$\dot{m}''$: 단위면적당 연소속도(kg/m²·s)
$\dot{g}''$: 연료면으로의 순열류(KW/m²)
L_V: 기화열(KJ/kg)

(2) 질량연소속도 영향인자

① **연료자체의 화학적 특성(기화열, 비열, 비점 등)**: **연소속도는 기화열(L_V)에 반비례한다.** 기화열이 크면 휘발분이 생성이 늦어져서 연소속도가 느려진다.

② **연료의 기하학적 형상**: 비표면적이 클수록 연소속도가 빨라진다.

③ **연료의 밀도**: 다공성의 밀도가 낮은 연료일수록 연소속도는 빠르다.

④ **공기공급**: 개구율이 클수록 연소속도가 빠르다.

(3) 화염(전파)속도

① 화염은 이동하고 있는 미연소 가스 속을 전파하여 가게 된다. 화염이 혼합가스를 이동하는 현상을 화염전파라 하고, 이 경우 **화염이 전파해 가는 속도를 화염(전파)속도**라 한다.

② 화염속도에는 **미연소 가스의 이동속도가 가산되어 있다.**

화염속도 = 미연소 가스의 이동속도 + 연소속도

③ 화염이 전파되는 속도는 실제로 화염이 확산되는 속도로서, 화염속도가 가속되면 폭굉이 일어날 수 있다.

④ 화염속도는 미연소 가스의 유속에 따라 달라지며 **물질의 고유한 값이 아니다.**

(4) 화염의 연소속도의 영향인자

① **가연물의 온도**: 온도가 높아지면 반응이 활발해지고 기체의 분자운동이 증가하여 연소속도가 증가한다.

② 산소의 농도에 따라 가연물질과 접촉하는 속도

③ **연료조성비(당량비)**: 연소속도는 화학양론적 혼합조성에서 최고가 된다. 혼합물이 연소한계에 가까워질수록 연소속도는 낮아진다.

④ **난류**: **난류에 의해 주름잡힌 화염은 큰 표면적과 에너지를 가지게 되어 연소속도를 증가시킨다.**

⑤ **압력**: 압력이 높아지면 분자 간의 간격이 좁아져 유효 충돌이 증가되고 연소한계가 커지며 연소속도는 증가한다.

⑥ **촉매**: 촉매는 반응속도를 변화시키는 물질로서 **반응속도를 빠르게 하는 정촉매와 반응속도를 느리게 하는 부촉매가 있다.**

3. 화재플럼(Fire plume)

(1) 개념

① 부력이란 무거운 유체 속에 가벼운 유체(물체)가 잠겨 있는 경우 밀도 차에 의하여 가벼운 유체가 중력의 반대방향으로 상승하려는 힘을 말한다.

② 주변보다 가벼워진 고온기체는 상대적으로 차가운 주변기체와의 밀도 차에 의하여 수직으로 상승하는 고온연소가스 유동을 형성하게 되는데 이를 화재플럼(Fire plume)이라고 한다.

③ 부력에 의하여 연소가스와 유입되는 공기가 상승하면서 화염이 섞인 기둥형태를 나타내는 현상이다.

(2) 화재플럼의 형성

① 밀도 차에 의해 화원주변에서 형성되는 상승 열기류를 화재플럼(Fire plume) 혹은 부력플럼(Buoyant lume)이라고 한다.

② 화재플럼은 상승하며 주위공기를 유입하고 차가운 공기와의 혼합을 통해 내부 온도는 하강하며 동시에 부력이 약화되어 상승력을 상실하게 된다.

심화학습 난류 확산 화염의 구조

1. 대부분의 화재플럼은 화원에서 발생된 열과 유입된 주변공기에 의하여 매우 불안정한 형태의 난류유동(Turbulent flow)을 형성하게 되며 이는 화염면 근처에서의 와류(eddy)와 관련된다.
2. 화재플럼 내에 고온의 가스가 상승함에 따라 주변의 공기는 상승유동에 이끌려 화재플럼으로 들어오게 되는데 이를 공기유입(air entrainment)라 한다.

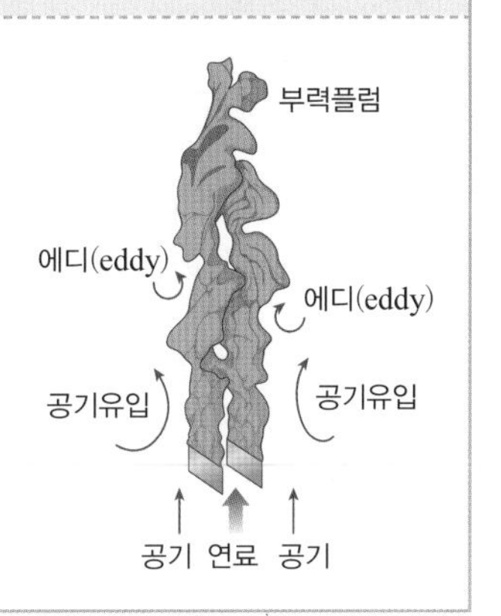

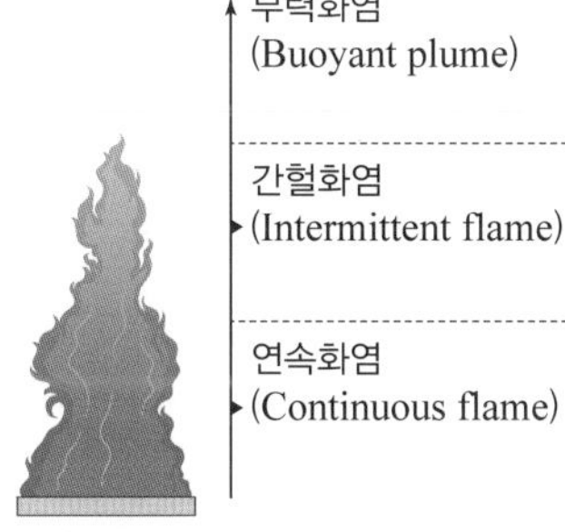

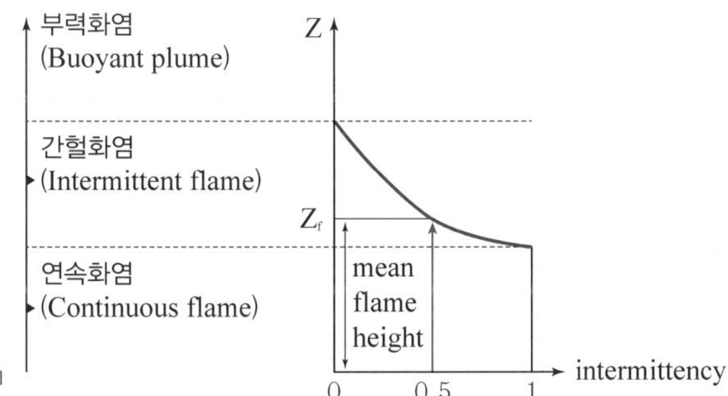

▲ 맥카프리(McCaffrey) 화재플럼의 3가지 영역

핵심기출

01 연소속도에 영향을 미치는 요인을 모두 고른 것은? 21. 공채

ㄱ. 가연성 물질의 종류
ㄴ. 촉매의 존재 유무와 농도
ㄷ. 공기 중 산소량
ㄹ. 가연성 물질과 산화제의 당량비

① ㄱ, ㄴ ② ㄱ, ㄴ, ㄷ
③ ㄴ, ㄷ, ㄹ ④ ㄱ, ㄴ, ㄷ, ㄹ

정답 ④

02 가연성 가스를 공기 중에서 연소시키고자 할 때 공기 중의 산소농도가 증가하면 발생되는 현상으로 맞는 것만을 모두 고른 것은? 19. 공채

ㄱ. 연소속도가 빨라진다.
ㄴ. 발화점이 높아진다.
ㄷ. 화염의 온도가 높아진다.
ㄹ. 폭발범위가 좁아진다.
ㅁ. 점화에너지가 작아진다.

① ㄱ, ㄴ, ㄹ ② ㄱ, ㄷ, ㄹ
③ ㄱ, ㄷ, ㅁ ④ ㄴ, ㄷ, ㅁ

정답 ③

03 천장제트흐름(Ceiling jet flow)에 대한 설명으로 가장 옳지 않은 것은? 17. 하반기 공채

① 화재 플럼의 부력에 의하여 발생되며 천장면을 따라 빠르게 흐르는 기류이다.
② 화원의 크기와 위치 그리고 화원에서 선장까지의 높이에 영향을 받는다.
③ 스프링클러헤드와 화재감지기는 이 현상의 영향범위를 피하여 부착한다.
④ 흐름의 두께는 천장에서 화염까지 높이의 5 ~ 12% 내외 정도 범위이다.

정답 ③

4. 천장제트흐름(Ceiling jet flow)

(1) 개념

① **화재플럼이 천장과 충돌하면 고온의 플럼가스는 충돌점(Stagnation point)을 중심으로 축대칭으로 퍼져나가게 되는데 이를 천장제트(Ceiling jet)라 한다.** 또는 고온의 연소생성물이 부력에 의해 힘을 받아 천장 아래에 엷은 층을 형성하는 빠른 가스흐름이라고 정의할 수 있다.

② 천장제트는 연기선단(Smoke front)의 수평적 이동과 관련되어 공간 내부의 연기확산을 이해하는 데 매우 중요한 인자이다.

③ 대부분의 화재감지장치나 소화설비가 천장 아래 설치되어 있기 때문에 이들 장치의 작동 및 반응시간을 해석하는 데 있어서 천장제트의 열유동 특성을 파악하는 것은 중요하다.

(2) 특징

① 천장제트의 초기 두께는 플럼에 직경에 비해 상대적으로 작지만 상승플럼으로 유입되는 공기는 주변 공기유동을 플럼 쪽으로 향하게 하고 천장제트에 유동을 공급하는 역할을 하기 때문에 **화재가 진행됨에 따라 천장제트의 두께는 증가한다.**

② 천장열류보다 온도가 낮은 천장재와 유입 공기 쪽에서 일어나는 열손실에 의하여 천장열류의 온도는 감소한다.

③ **흐름의 두께는 천장에서 화염까지 높이의 5 ~ 12% 내외의 범위이다.**

④ **스프링클러헤드와 화재감지기는 유효범위 내에 설치한다.**

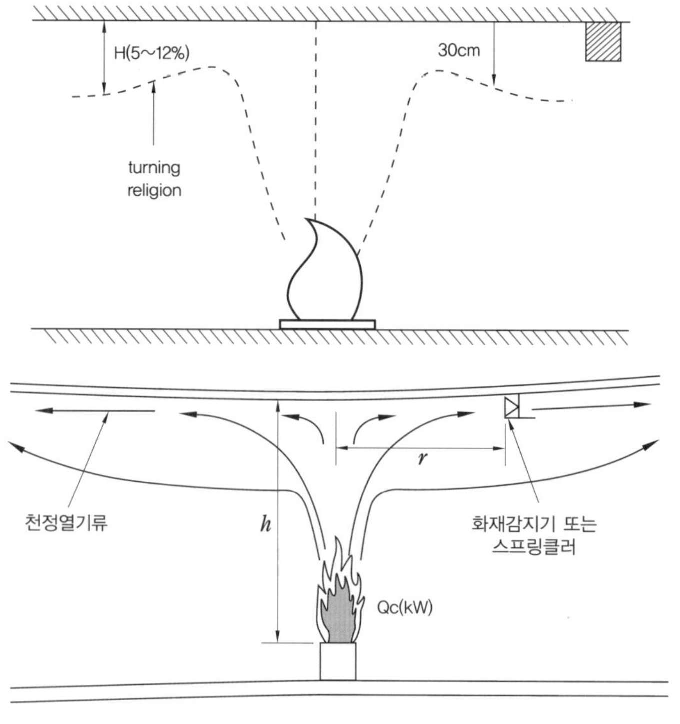

▲ 천장제트흐름

5. 연소반응 시 불꽃의 색상

(1) 개념

① 가연물질이 연소할 때에는 공기 중의 산소의 공급량에 따라 완전연소와 불완전연소를 하게 된다.

② 가연물질의 완전연소 시에는 공기의 공급량이 충분하기 때문에 연소불꽃도 휘백색(1,500℃)을 나타낸다.

③ 공기 중의 산소의 공급량이 부족하게 되면 불완전연소하며, 이때의 연소불꽃의 온도는 담암적색(520℃)에 가까운 색상을 나타낸다.

(2) 연소불꽃의 색상과 온도와의 관계

연소불꽃의 색상	연소온도(℃)	연소불꽃의 색상	연소온도(℃)
담암적색	520	황적색	1,100
암적색	700	백적색	1,300
적색	850	휘백색	1,500
휘적색	950		

CHAPTER 3 소방화학

1 화학기초 D

1. 원자(Atom)

(1) 원자의 정의

① 물질을 구성하는 기본입자를 원자라 한다.

② 원자핵의 양성자수에 따라 다르며, 자연에 존재하는 원소들은 대부분 원자 상태로 존재하지 않는다.

(2) 원자의 구조

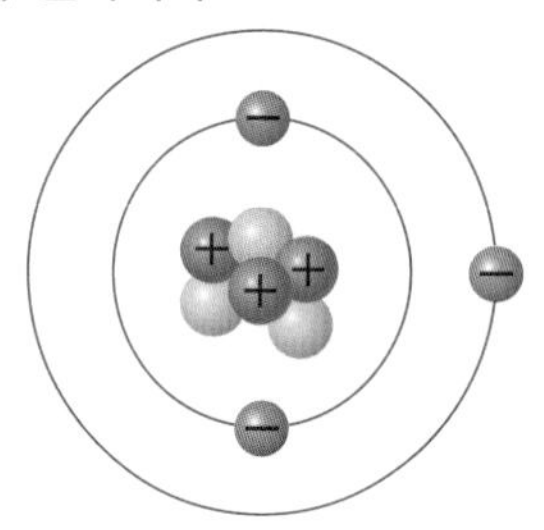
▲ 원자의 구조

① 원자의 중심에는 (+)전하를 띠는 원자핵이 있고, 그 주변에는 (-)전하를 띠는 전자가 분포하고 있다.

② 원자핵은 (+)전하를 띠는 양성자와 전기적으로 중성을 띠는 중성자로 구성되어 있다.

③ 원자는 양성자와 전자의 수가 같아 전기적으로 중성이다.

(3) 원자번호와 질량수

질량수(양성자수 + 중성자수) → 12
원자번호(양성자 또는 전자의 수) → 6

$^{12}_{6}C$

(4) 원소(Element)의 정의

① 원소란 화학반응에 의하여 더 이상 간단한 물질로 분해되지 않는 물질을 말한다.

② 각 원소에는 다른 원소들과 구별되는 고유한 특성이 있다. 원소기호는 스웨덴의 화학자 베르셀리우스(Berzelius)가 처음 제안하였으며, 일반적으로는 영문명의 첫 번째 글자나 두 번째 글자까지 나타내기도 한다.

③ 알려진 원자는 원소 고유의 성질을 보유하고 있는 원소의 최소입자이다.

참고 용어의 정의

구분	정의
원소	물질을 이루는 기본 성분 - 종류의 개념
원자	물질을 이루는 기본 입자(알갱이) - 개수의 개념
분자	물질의 성질을 가지는 가장 작은 입자

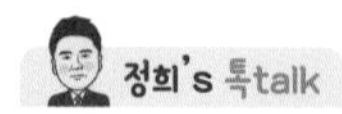

물 분자

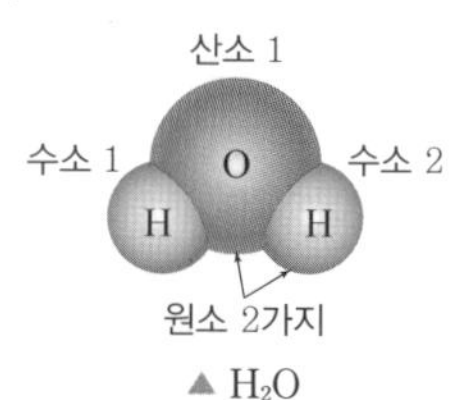

▲ H_2O

물 분자 1개는 수소 원자 2개와 산소 원자 1개로 이루어지며, 물 분자는 수소와 산소의 2가지 원소로 이루어집니다.

원자량 등

구분	원소기호	원자량
탄소	C	12
수소	H	1
산소	O	16
질소	N	14

1. 원자량이란 질량수가 12인 탄소의 원자량을 12로 정해 놓고 이를 기준으로 한 원자들의 상대적 질량을 말합니다.
2. 1몰의 질량이란 원자량에 g을 붙인 값을 말합니다. 따라서 탄소 1몰의 질량은 12g입니다.
3. 1몰의 개수(아보가드로 수)란 1몰의 질량 안에 들어 있는 입자수를 말합니다. 1몰의 입자수는 6.02×10^{23}개입니다.

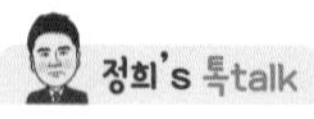

동위원소

원자의 종류는 양성자 수가 결정하는데, 양성자 수는 같아도 중성자 수가 다른 동위원소가 존재하기 때문입니다. 탄소는 질량수가 12인 탄소 이외에도 질량수가 13인 탄소가 존재하는데, 원자의 종류가 같음에도 불구하고 각각 다른 질량수를 가진 탄소가 존재합니다.

2. 분자(Molecular)

(1) 정의

① 서로 결합된 원자들의 집합체인 분자는 **화합물 고유의 화학적 성질**을 지닌 최소 단위이다.

② 분자에는 단원자분자와 다원자분자가 있고, 다원자분자인 경우 구성 원자들은 화학결합에 의하여 서로 묶여 있다.

(2) 분자식의 의미

$2CO_2$

① **원자의 종류:** 탄소(C)와 산소(O)

② **탄소 원자의 수:** 2개

③ **산소 원자의 수:** 4개

④ **원자의 총 개수:** 6개

⑤ **분자의 수:** 2개

(3) 화학식의 표현

① **분자식**(Molecular formula): 한 분자를 이루는 **원자의 종류**와 **수**를 나타낸 식이다.

② **실험식**(Empirical formula): 물질을 구성하는 원자나 이온의 종류와 수를 **가장 간단한 정수비**로 나타낸 식이다.

③ **시성식**(Rational formula): 분자의 특성을 알 수 있도록 **작용기**를 사용하여 나타낸 식이다.

④ **구조식**(Structural formula): 화합물을 이루는 원자 사이의 결합이나 배열 상태를 **결합선**을 사용하여 나타낸 식이다.

```
      에틸렌                           에테인
                                      H   H
   H       H                          |   |
    \     /                       H — C — C — H
     C = C      +   H2   ──→          |   |
    /     \                           H   H
   H       H
      불포화                           포화
```

▲ 에틸렌과 에테인의 구조식

참고 분자의 구분

구분	정의
단원자 분자	1개의 원자로 이루어진 분자(He, Ne, Ar 등)
이원자 분자	2개의 원자로 이루어진 분자(H_2, O_2, F_2, Cl_2 등)
삼원자 분자	3개의 원자로 이루어진 분자(H_2O, CO_2, O_3 등)
고분자	많은 수의 원자로 이루어진 분자(합성수지, 녹말 등)

3. 화학결합

대부분의 원자는 원자 자체로는 불안정하다. 때문에 안정된 상태가 되기 위해 원자들 간에 결합을 하게 되는데 이것을 화학결합이라고 한다.

(1) 이온결합

① **금속양이온과 비금속음이온이 만나 이루어지는 결합**이다. 나트륨원자(Na)는 염소에 전자 1개를 주고 이온(Ion)이라 부르는 전하를 띤 두 개의 입자를 형성한다.

② 나트륨은 전자 1개를 잃기 때문에 1개의 음전하를 잃고 Na^+이온이 되며 이러한 양전하를 띤 이온을 양이온(Cation)이라 부른다. 반대로 염소는 전자 1개를 얻고 Cl^-이온이 되며 이러한 음전하를 띤 이온을 음이온(Anion)이라 부른다.

③ 공유결합과 달리, 정상적인 조건에서는 개별적이고 독립된 Na^+, Cl^- 분자가 존재할 수 없다.

(2) 금속결합

① **금속양이온과 자유전자가 만나 이루어지는 결합**이다. 금속원소들이 전자를 내어 놓고 금속양이온이 되며 전자가 금속양이온 주위를 자유롭게 돌아다니는 자유전자가 되는데, 금속양이온들과 자유전자들과의 결합을 금속결합이라고 한다.

② 철(Fe), 금(Au), 나트륨(Na) 등 수많은 금속들이 금속결합을 통한 금속결합물질이다.

(3) 공유결합

① **비금속원소와 비금속원소**가 만나 비금속원소들이 서로 전자를 내어 놓아 전자를 공유하는 형태로, 원자들의 결합이 이루어지는 결합을 공유결합이라고 한다.

② 공유결합을 통하여 만들어진 물질은 공유결합물질과 분자가 존재하게 된다.

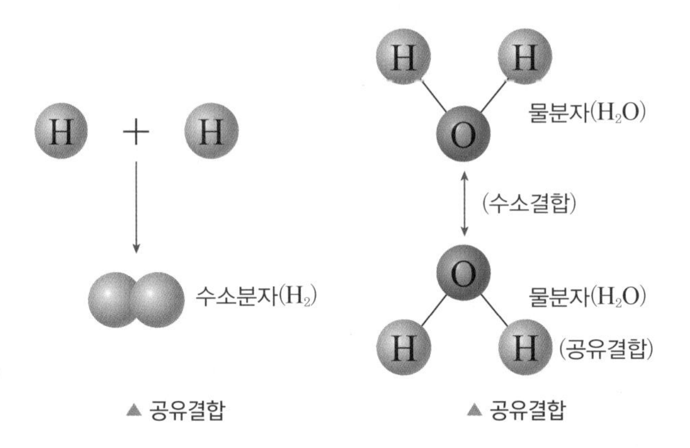

▲ 공유결합　　▲ 공유결합

정희's 톡talk

자유전자

1. 원자 내 전자들이 핵과의 인력에 의해 고정되어 있는 데 반해 일정 영역 내에서 움직임이 자유로운 전자이며, 주로 금속 내에 있습니다.
2. 금속이 비금속에 비해 열전도율이 큰 것은 자유전자흐름 때문입니다.

금속결합

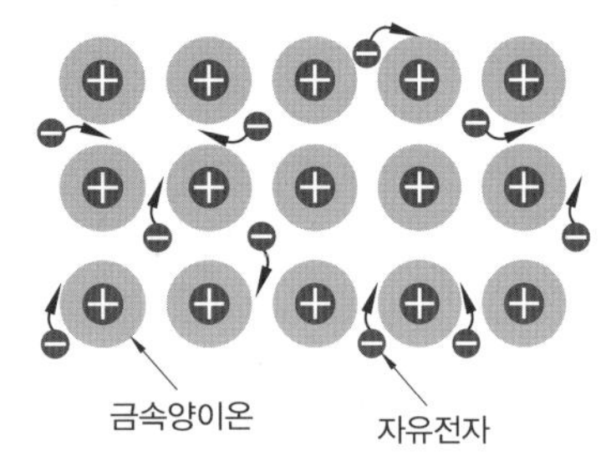

분자간 결합

1. 수소결합: 전기음성도가 큰 F, O, N와 다른 분자 H와의 결합입니다. 분자간 결합 중 가장 큽니다.
2. 이중극자간결합: 극성분자들 간에 작용하는 전기적 결합력으로, 이 값이 클수록 비열과 잠열이 높아집니다.
3. 분산력: 무극성 분자들 사이에 작용하는 힘으로, 분자량이 커질수록 분산력이 커집니다.

4. 주기율표(Periodic table)

원 소 주 기 율 표

➡ / ⬇	1A 알카리 금속	2A 알카리토 금속	3B	4B	5B	6B	7B	8B 철 족			1B 구리족	2B 아연족	3A 붕소족	4A 탄소족	5A 질소족	6A 산소족	7A 할로겐족	8A(0족) 불활성 가스
1	1 H 수소 1,009																	2 He 헬륨 4,00260
2	3 Li 리듐 6,941	4 Be 베릴륨 9,01218											5 B 붕소 10,81	6 C 탄소 12,011	7 N 질소 14,0067	8 O 산소 15,9994	9 F 불소 18,998	10 Ne 네온 20,179
3	11 Na 나트륨 22,98977	12 Mg 마그네슘 24,305											13 Al 알루미늄 26,98154	14 Si 규소 28,086	15 P 인 30,9737	16 S 황 32,06	17 Cl 염소 35,453	18 Ar 아르곤 39,948
4	19 K 칼륨 39,098	20 Ca 칼슘 40,08	21 Sc 스칸듐 44,9559	22 Ti 티탄 47,90	23 V 바나듐 50,9414	24 Cr 크롬 51,996	25 Mn 망간 54,9380	26 Fe 철 55,847	27 Co 코발트 58,9332	28 Ni 니켈 58,71	29 Cu 구리 63,546	30 Zn 아연 65,38	31 Ga 갈륨 69,72	32 Ge 게르마늄 72,59	33 As 비소 74,9216	34 Se 셀레늄 78,96	35 Br 브롬 79,904	36 Kr 크립톤 83,80
5	37 Rb 루비듐 85,4678	38 Sr 스트론튬 87,62	39 Y 이트륨 88,9059	40 Zr 지르코늄 91,22	41 Nb 니오브 92,9064	42 Mo 몰리브덴 95,94	43 Tc 테크네튬 98,9062	44 Ru 루테늄 101,07	45 Rh 로듐 102,9055	46 Pd 팔라듐 106,4	47 Ag 은 107,868	48 Cd 카드뮴 112,40	49 In 인듐 114,82	50 Sn 주석 118,69	51 Sb 안티몬 121,75	52 Te 텔레륨 127,60	53 I 요오드 126,904	54 Xe 크세논 131,30
6	55 Cs 세슘 132,9054	56 Ba 바륨 137,34	57~71 ☆ 란탄계열	72 Hf 하프늄 178,49	73 Ta 탄탈 180,9479	74 W 텅스텐 183,85	75 Re 레늄 186,2	76 Os 오스뮴 190,2	77 Ir 이리듐 192,22	78 Pt 백금 195,09	79 Au 금 196,9665	80 Hg 수은 200,59	81 Tl 탈륨 204,37	82 Pb 납 207,2	83 Bi 비스무트 208,980	84 Po 폴로늄 (210)[a]	85 At 아스타틴 (210)[a]	86 Rn 라돈 (222)[a]
7	87 Fr 프란슘 (223)[a]	88 Ra 라듐 226,025[b]	89~103 ★ 악티늄계열	104 Rf 러더포듐 (260)[a]	105 Db 더브늄 (261)[a]	106 Sg 시보귬 (263)[a]	107 Bh 보륨 (262)[a]	108 Hs 하슘 (265)[a]	109 Mt 마이트너륨 (266)[a]									

A : 전형 원소
B : 전이 원소
1A, 2A : 활성 금속
▒ : 양쪽성 물질
➡ : 족(group)
⬇ : 주기(period)

원자번호 → 6, 기호 → C, 원자가 ← 2 ±4, 원소명 ← 탄소, 원자량 ← 12,011

금속 ⟷ 비금속

( )[a] : mass number of most stable or best known isotope.
( )[b] : mass of most commonly available long - lived isotope.

Organize Name
105 : Unp
106 : Unh
107 : Uns
108 : Uno
109 : Une

Inner transition elements

☆	57 La 란탄 138,9055	58 Ce 세륨 140,12	59 Pr 프라세오디뮴 140,9077	60 Nd 네오디뮴 144,24	61 Pm 프로메튬 (145)[a]	62 Sm 사마륨 150,4	63 Eu 유로퓸 151,96	64 Gd 가돌리늄 157,25	65 Tb 테르븀 158,9254	66 Dy 디스프로슘 162,50	67 Ho 홀뮴 164,9304	68 Er 에르븀 167,26	69 Tm 툴륨 168,9342	70 Yb 이테르븀 173,04	71 Lu 루테튬 174,97
★	89 Ac 악티늄 (227)[a]	90 Th 토륨 232,088[b]	91 Pa 프로트악티늄 231,035[b]	92 U 우라늄 238,029	93 Np 넵투늄 237,048[b]	94 Pu 플루토늄 (242)[a]	95 Am 아메리슘 (243)[a]	96 Cm 퀴륨 (247)[a]	97 Bk 버클륨 (249)[a]	98 Cf 칼리포르늄 (251)[a]	99 Es 아인시타이늄 (254)[a]	100 Fm 페르뮴 (253)[a]	101 Md 멘델레븀 (256)[a]	102 No 노벨륨 (254)[a]	103 Lr 로렌슘 (257)[a]

(1) 개념

① 원소들의 각 가로줄은 **하나의 주기(Period)**를 구성하는데, 주기들의 길이가 다르다는 것에 유의하여야 한다.

② 2개의 원소만이 들어 있는 하나의 최단주기, 각 8개의 원소가 들어 있는 2개의 단주기 및 각각 18개의 원소가 들어 있는 2개의 장주기가 차례로 있다. 다음 주기에는 32개의 원소가 들어 있고 마지막 주기는 미완성이다.

③ **세로줄은 족(Group)을 구성한다.** 8개의 원소가 들어있는 2개의 단주기원소들과 같은 세로줄에 있는 원소들을 주족(Main group)원소라 하고, 다른 족의 원소들을 전이(Transition) 또는 내부전이(Innertransition)원소라 한다.

④ 편의상 주족원소들은 로마숫자와 문자 A로 표시하고 전이족원소들은 로마숫자와 문자 B로 표시한다. 주기율표에서 계단모양의 굵은 선은 원소들을 금속과 비금속으로 나눈다.

(2) ⅠA족 알칼리금속(Alkali metal)

① **수소를 제외한 ⅠA족의 원소들은 알칼리금속족**을 구성한다.

② 반응성이 매우 큰 금속이고, 특히 **물과의 반응으로 가연성 가스인 수소(H_2)를 발생**하여 화재위험이 높은 원소도 있다.

③ 모든 알칼리금속족의 이온은 +1의 전하를 가지며, 이들의 모든 화합물은 이온성이다.

(3) ⅧA족(Inert gas, 비활성 기체)

① ⅧA에 속하는 **헬륨, 네온, 아르곤, 크세논 및 라돈**은 모두 기체이다.

② 크립톤과 크세논은 다른 원소와 반응한다는 것이 알려졌지만, ⅧA족 원소들은 **대부분 다른 원소들과 잘 반응하지 않으므로 비활성 기체**라고 부른다.

(4) ⅣA족(탄소족)

① ⅣA족 원소는 원자가 4개의 다른 원자와 결합하는 화합물을 생성한다.

② 이 경우에 화합물은 이온으로 구성되어 있지 않다.

(5) ⅤA족(질소족)

ⅤA족은 -3전하를 가진 이온이 들어 있는 질소화물, 인화물, 비소화물과 같은 화합물을 생성한다.

(6) ⅥA족(산소족)

① ⅥA족의 원소들은 폴로늄을 제외하고 대표적인 비금속들이다.

② 금속과 2성분화합물을 만들 때 이들 원소는 -2전하를 가진 이온으로 존재한다.

(7) ⅦA족(할로겐족)

① ⅦA족의 원소들은 모두 반응성이 가장 큰 비금속으로서, 실제로 모든 금속 및 대부분의 비금속들과 서로 반응한다.

② 금속과 2성분화합물을 만들 때, 이들은 -1전하를 가진 이온으로 존재한다.

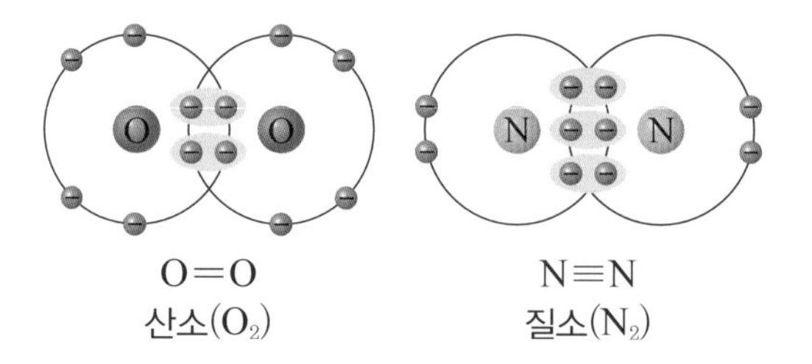

▲ 산소 분자와 질소 분자

심화학습 공유결합

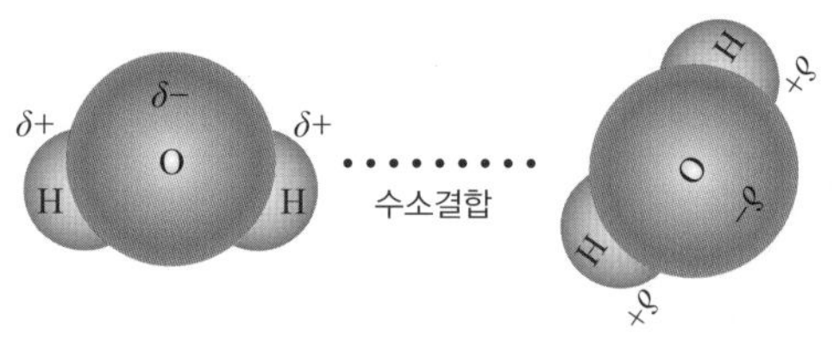

1. 극성 분자끼리와 무극성 분자끼리는 녹기 쉽다. 반면, 극성분자와 무극성 분자는 잘 녹지 않는다.
2. 전기 음성도가 큰 산소(O) 원자가 수소(H) 원자를 중개로 하여 만드는 결합을 수소결합이라고 한다.

구분	공유결합	분자
H_2O	극성공유결합	극성 분자
CO_2	극성공유결합	무극성 분자
CH_4	극성공유결합	무극성 분자
NH_3	극성공유결합	극성 분자
H_2	공유결합	무극성 분자

5. 물분자의 화학적 특성

(1) 전기음성도

① 전기음성도란 원자와 원자가 공유 전자쌍을 끌어당기는 강도를 말한다. 그 세기에 차이가 있으면 분자 전체로는 전기적으로 중성인 분자 중에서 약간의 플러스 부분과 마이너스 부분이 발생하며 분자 중에 전하의 치우침이 발생한다.

② 극성공유결합이란 전기음성도가 다른 두 원자가 공유결합을 할 때, 전기음성도가 큰 원자 쪽으로 공유 전자쌍이 끌려 부분 전하를 띠는 결합을 말한다. 물은 산소와 수소원자가 극성공유결합을 하고 있다.

(2) 무극성분자와 극성분자

① 이산화탄소(CO_2) 분자는 탄소(C)와 산소(O)의 전기 음성도에 차이가 있기 때문에 결합의 극성이 있다. 그러나 원자가 일직선으로 늘어서기 때문에 결합의 극성이 서로 떨어져 분자 전체로는 무극성 분자가 된다.

② 물(H_2O) 분자는 3개의 원자가 접힌 선형으로 결합하므로 결합의 극성이 지워지지 않고 극성 분자가 된다.

③ 극성 분자의 물질과 무극성 분자의 물질은 서로 녹지 않는 경우가 많고, 무극성 분자끼리는 서로 녹는 경우가 많다.

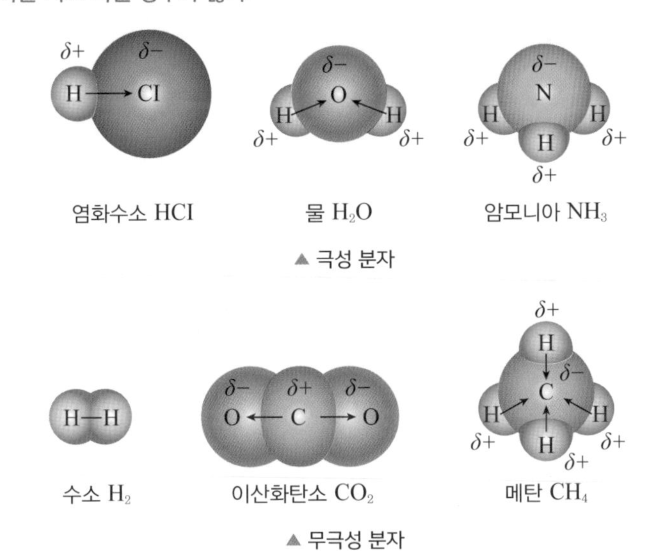

▲ 극성 분자

▲ 무극성 분자

(3) 물분자의 수소결합

① 전기 음성도가 큰 산소(O) 원자가 수소(H) 원자를 중개로 하여 만드는 결합을 수소결합이라고 한다.

② 산소(O)와 수소(H)의 전기 음성도의 차이가 크기 때문에 물분자끼리 서로 δ+와 δ−의 부분으로 끌어당긴다. 산소의 전기음성도는 다른 16족 원소보다 큰 값이다.

③ 비슷한 구조의 다른 분자(수소와 16족 원소의 화합물)에 비해 물(H_2O)의 끓는점은 매우 높다.

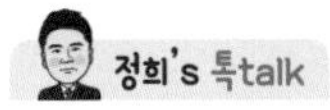

염소와 수소의 전기음성도

H· + ·H → H:H

:Cl· + ·Cl: → :Cl:Cl:

H· + ·Cl: → H:Cl:

염소의 전기음성도는 수소보다 큽니다. 공유하는 전자쌍은 염소쪽에 끌리게 되어 염소는 −δ의 부분 전하를 나타내고, 수소는 +δ의 부분 전하를 나타냅니다.

$\delta^{+} + \delta^{-} \rightarrow$ H−Cl

2 화학반응 C

1. 물리적 변화와 화학적 변화

(1) 물리적 변화

물질의 성질이 변하지 않는 모양의 변화나 물질의 상태 변화 등을 물리적 변화라고 한다.

(2) 화학적 변화(화학반응)

물질의 성질이 변하는 것을 화학적 변화(화학반응)라고 한다. 예를 들어 종이가 불에 타서 재만 남는 경우 성질이 같다면 재는 다시 불에 타야 할 것이나 재는 불에 타지 않는다. 이처럼 새로운 성질의 물질로 변화하는 것을 화학적 변화(화학반응)라고 한다.

2. 화학반응식

(1) 화학반응식의 표현

화학반응은 출발물질(반응물)을 왼쪽에, 생성물을 오른쪽에, 그리고 둘 사이의 변환을 의미하기 위하여 화살표로 나타낸다.

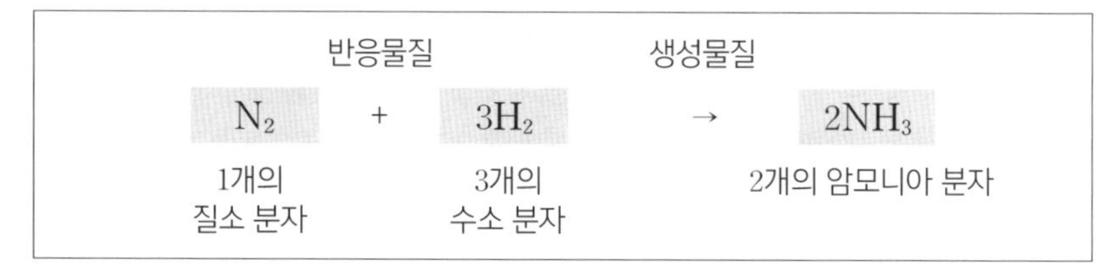

(2) 화학반응식의 의미

① **질량보존의 법칙(라부아지에):** 물질의 화학반응에 있어서 반응물질들의 질량의 합과 생성물질들의 질량의 합은 같다.

② **일정성분비의 법칙(프로스트): 순수한 화합물에서 성분 원소 간의 질량비는 항상 일정하다.**

③ **배수비례의 법칙(돌턴):** 두 원소가 결합하여 두 가지 이상의 화합물을 만들 때 한 원소의 일정량과 결합하는 다른 원소의 질량 사이에는 간단한 질량비가 성립한다. 이것은 원자가 쪼개지지 않은 채로 항상 정수의 개수비로 화학결합을 하기 때문이다.

④ **기체 반응의 법칙(게이뤼삭):** 일정한 온도와 압력하에 **화학반응을 할 때에는 반응하는 기체와 생성되는 기체의 부피 사이에 간단한 정수비**가 성립하는데 이를 기체 반응의 법칙이라고 한다.

⑤ **아보가드로의 법칙: 모든 기체는 같은 온도와 압력에서 같은 부피 속에는 같은 수의 기체 입자(분자)가 들어 있다.**

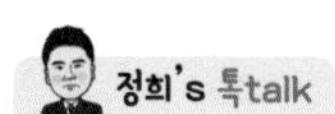

일정성분비의 법칙
순수한 물의 질량은 89%를 산소가, 11%를 수소가 차지하고 있습니다.

3. 화학반응과 에너지

화학반응에 따르는 열의 출입량인 반응열을 표시한 반응식으로, 물질의 상태에 따라 같은 물질이라도 보유한 에너지가 다르므로 물질의 상태를 함께 표시한다. 반응식에는 온도 · 압력을 표시하며, 이러한 조건이 주어지지 않을 때에는 25℃ 1기압 상태에서의 반응을 의미한다.

(1) 열화학반응식(Thermochemical equation)

① **발열반응의 경우에는 열이 방출되므로 오른쪽에 양(+)의 부호를 나타내고, 흡열반응의 경우에는 열을 흡수하므로 음(-)의 부호를 사용한다.**

② 반응물이나 생성물 상태에 따라 열적 상태가 달라지므로, 기체는 g(gas), 액체는 l(liquid), 고체는 s(solid), 수용액은 aq(aqueous)라는 약자를 사용하여 괄호 안에 표시한다.

(2) 발열반응과 흡열반응

① 발열반응

$$CH_4(g) + 2O_2(g) \rightarrow CO_2(g) + 2H_2O(l) + 212kcal$$

㉠ 화학반응이 일어날 때 열을 방출하는 반응이다.

㉡ 반응물질 에너지가 생성물질 에너지보다 더 클 때 나타난다.

㉢ 반응물질 → 생성물질 + Q − ΔH(Q: 열량, ΔH: **엔탈피 변화**)

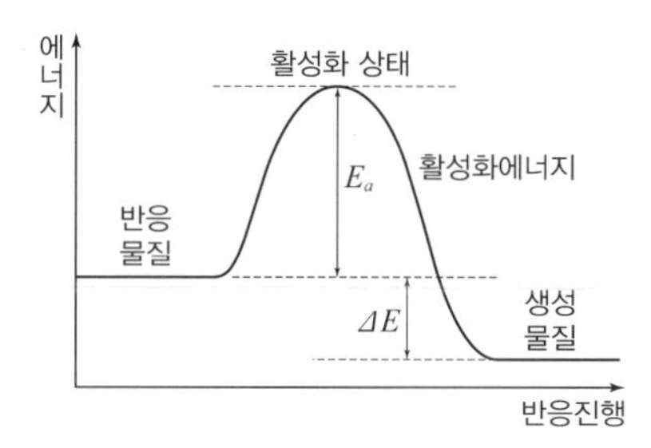

▲ 발열반응

② 흡열반응

$$2HgO(s) \rightarrow 2Hg(l) + O_2(g) - 43.4kcal$$

㉠ 화학반응이 일어날 때 열을 흡수하는 반응이다.

㉡ 반응물질 에너지보다 생성물질 에너지가 더 클 때 나타난다.

㉢ 반응물질 → 생성물질 − Q + ΔH(Q: 열량, ΔH: 엔탈피 변화)

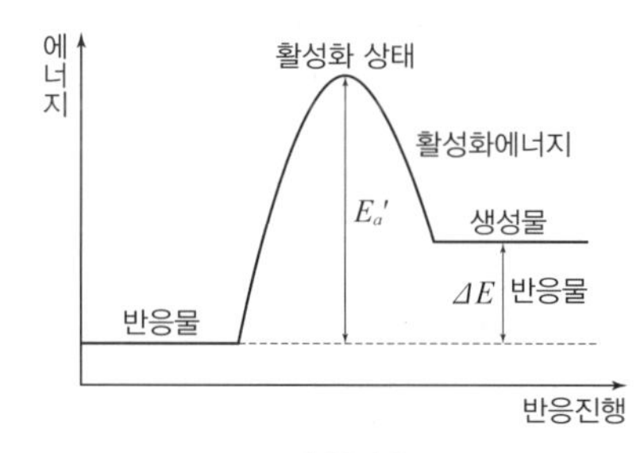

▲ 흡열반응

(3) 반응속도에 영향을 미치는 요인

① 반응물의 성질

㉠ 반응속도는 함께 혼합된 물질들의 화학적 성질과 물리적 상태에 의존하고 있다.

㉡ 큰 덩어리의 금속들은 연소되지 않으나, 금속분말은 표면적이 크므로 결과적으로 많은 원자들이 공기 중의 산소에 노출되어 연소되기 쉽다.

② 농도

㉠ 반응속도는 반응하는 각 물질의 농도의 곱에 비례한다.

㉡ 농도가 증가함에 따라 단위부피 속의 입자가 증가하고, 입자수가 증가하면 입자 간의 충돌횟수가 증가하여 반응속도가 빨라진다.

③ 온도

㉠ 온도가 상승하면 반응속도도 증가한다.

㉡ 일반적으로 아레니우스(S. Arrhenius)의 반응속도론에 의하면 온도가 10℃ 상승할 때 반응속도는 약 2배 증가한다.

④ 촉매

㉠ 촉매는 보통 반응에 첨가되어 반응속도를 증가시키지만, 때로는 반응속도를 감소시키는 물질이 된다.

㉡ 촉매는 활성화에너지가 변화하고 반응속도에 영향을 미친다.

4. 물질의 상변화

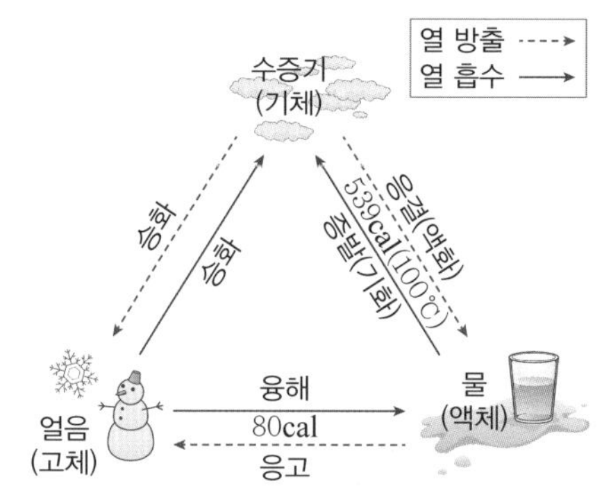

▲ 물의 상태 변화 개념도

(1) 융해

고체가 액체로 변하는 현상을 융해라고 한다.

(2) 응고

액체가 고체로 변하는 현상을 응고라고 한다.

(3) 기화

액체가 기체로 변하는 현상을 기화라고 한다.

(4) 액화

기체가 액체로 변하는 현상을 액화라고 한다.

(5) 승화

고체가 기체로 변하거나 기체가 고체로 변하는 현상을 승화라고 한다.

5. 열(Heat)

(1) 비열

① 어떤 물체의 단위질량 1[g(kg)]을 1[℃(℉)] 올리는 데 필요한 열량[cal(kcal)]을 의미한다.

② 비열이 작을수록 온도가 잘 올라가고 비열이 클수록 온도가 잘 올라가지 않는다.

③ 물은 비열[1.0kcal/kg·℃]이 다른 물질에 비해 크다. 따라서 입자가 많은 열량을 흡수하여 냉각효과가 뛰어나다.

(2) 열량

① 온도가 다른 두 물체를 접촉시키면 열이 고온에서 저온의 물체로 이동하여 두 물체의 온도가 같아져 열평형 상태에 도달하게 된다.

② 이때 이동한 열의 양을 열량이라고 하며 단위는 cal 또는 kcal를 사용한다.

열량 = 비열 × 질량 × 온도차($Q = C \cdot m \cdot \Delta t$)

③ 1Kcal: 표준대기압하에서 순수한 물 1kg을 1℃(14.5~15.5℃)만큼 높이는 데 필요한 열량이다.

④ 1BTU: 표준대기압하에서 순수한 물 1lb를 1℉(60~61℉)만큼 높이는 데 필요한 열량이다.

(3) 열용량

① 물체의 온도를 1℃ 또는 1K 올리는 데 필요한 열량을 의미한다.

② 단위는 kcal/K를 사용한다.

열용량 = 비열 × 질량($H = C \cdot m$)

(4) 현열(감열, Sensible Heat)

열의 출입이 상(태)변화에 사용되지 않고 온도변화 현상으로 나타나는 열을 말한다.

Q(현열: kcal) = C(비열: kcal/kg·℃) × m(질량: kg) × Δt(온도차: ℃)

(5) 잠열(숨은열, Latent Heat)

열의 출입이 온도변화 현상으로 나타나지 않고 상(태)변화로 흡수·방출되는 열을 말한다.

① 물의 기화열(증발잠열: 액체 → 기체): 539kcal/kg

② 얼음의 융해열(융융잠열: 고체 → 액체): 80kcal/kg

Q(잠열: kcal) = m(질량: kg) × ç(잠열: kcal/kg)

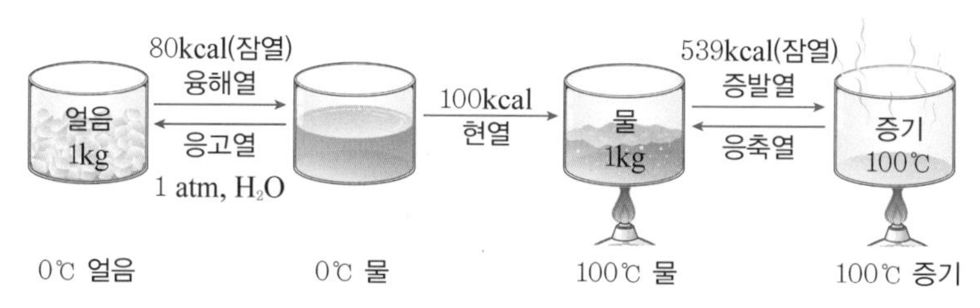

▲ 물의 상태 변화

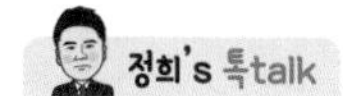

비열의 단위
1. Kcal/kg·℃
2. cal/g·℃
3. BTU/lb·℉

핵심 적중

다음 중 숨은열이라고 할 수 없는 것은?
① 융해열
② 승화열
③ 기화열
④ 현열

정답 ④

정희's 톡talk

열역학법칙

1. 제0법칙: 온도평형법칙
2. 제1법칙: 에너지보존법칙, 일은 열로 상호 변환되는 가역적 법칙
3. 제2법칙: 에너지 손실, 열이 일로 변환할 때 손실이 발생하는 비가역적 법칙
4. 제3법칙: 절대온도 0K에 도달 불가

6. 열역학법칙

(1) 열역학 0법칙(열평형, 온도평형의 법칙)

고온의 물체와 저온의 물체를 접촉시키면 고온에서 저온으로 열이 전달되어 일정시간 경과 후 상호 열적평형에 도달하게 된다.

(2) 열역학 1법칙

① 열과 일은 에너지의 일종으로 상호 변환이 가능하다.

② 에너지변환의 양적 관계를 명시한 것으로 가역적인 법칙이다.

(3) 열역학 2법칙(에너지흐름의 법칙)

① 실제적으로 일은 열로 변환이 쉽게 일어나는 자연현상이지만, 열이 일로 변환하는 데에는 제한이 따른다. 열역학 2법칙은 에너지흐름의 법칙으로 비가역적인 현상을 말한다.

② 일은 열로의 전환이 가능하나 열은 일로 전부 전환시킬 수 없다.

③ 열은 스스로 저온에서 고온으로 이동할 수 없다.

(4) 열역학 3법칙

① 어떠한 방법으로든 절대영도(-273.15℃)에는 도달할 수 없다.

② 즉, 절대영도에 있어서 모든 순수한 고체 또는 액체의 엔트로피와 정압비열의 증가량은 0이다.

참고 그리스 문자

그리스 문자	영어	한글
Αα	alpha	알파
Ββ	beta	베타
Γγ	gamma	감마
Δδ	delta	델타
Εε	epsilon	엡실론
Ζζ	zeta	제타
Κκ	kappa	카파
Λλ	lambda	람다
Μμ	mu	뮤
Νν	nu	뉴

예제

1. 다음의 그래프를 참고하여, 15℃ 물 10kg이 150℃ 증기로 변할 때 흡수되는 열량을 구하시오.

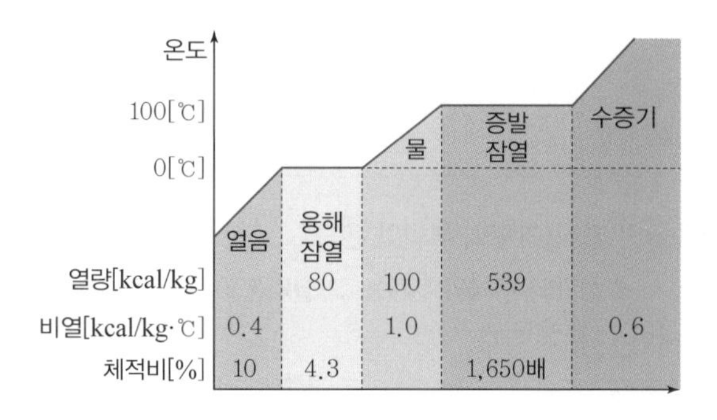

풀이식

· 물이 수증기로 변할 때 필요한 열량

Q = 물의 현열 + 물의 증발잠열 + 수증기의 현열

· $Q = C \cdot m \cdot \Delta t + m \cdot \gamma + C \cdot m \cdot \Delta t$

$= 1 \times 10 \times (100 - 15) + 10 \times 539 + 0.6 \times 10 \times (150 - 100)$

$= 6{,}540(kcal)$

정답 6,540kcal

2. 다음 그래프는 1기압하에서 -20℃의 얼음 1g이 가열되는 동안의 온도변화를 나타낸 것이다. 그래프에 대한 설명으로 옳지 않은 것은?

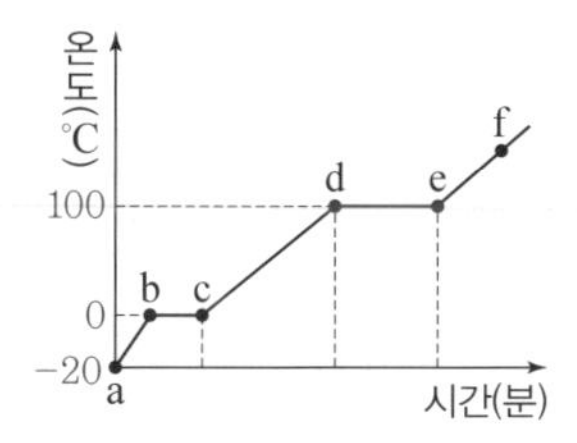

① 구간 b ~ c, 구간 d ~ e에서 잠열을 흡수한다.
② 구간 a ~ b, 구간 c ~ d, 구간 e ~ f에서 현열을 흡수한다.
③ 구간 b ~ c에서 흡수하는 열량은 약 80cal이다.
④ 구간 c ~ d에서 흡수하는 열량은 약 100cal이다.
⑤ 구간 b ~ e에서 소요되는 열량은 약 619cal이다.

풀이

① 구간 b ~ c에서 융해잠열, 구간 d ~ e에서 기화잠열을 흡수한다.
② 구간 a ~ b, 구간 c ~ d, 구간 e ~ f에서는 물질의 상변화 없이 온도변화를 위한 열을 흡수한다.
③ 구간 b ~ c에서 필요한 열량은 물의 융해잠열이 필요하다. 따라서 이 구간에서 흡수하는 열량은 80cal(1g×80cal/g) 이다.
④ 구간 c ~ d에서 흡수하는 열량은 물의 현열이 필요하다. 따라서 이 구간에서 흡수하는 열량은 약 100cal[(1cal/g·℃)×1g×(100 - 0)℃]이다.
⑤ 구간 b ~ e에서 소요되는 열량은 물의 융해잠열 + 물의 현열 + 물의 기화잠열이 필요하다. 따라서 이 구간에서 물 1g일 경우 소요되는 열량은 719cal(80cal + 100cal + 539cal)이다.

정답 ⑤

정희's 톡talk

이상기체와 실제기체 차이

구분	이상기체	실제기체
부피	없음	있음
인력·반발력	없음	있음
절대영도부피	○	부피 있음
이상기체 상태 방정식 적용	가능	적용 어려움

이상기체 상태방정식
분자의 부피는 없고 질량만 가지며, 평균운동 에너지는 분자량과 무관하고 절대온도에만 비례합니다.

7. 기체에 관한 법칙

(1) 보일(Boyle)의 법칙(기체의 부피와 압력)

일정한 온도에서 기체의 질량을 고정하였을 때 기체의 부피는 기체의 압력에 반비례한다.

$$PV = k(\text{일정온도})$$

$$P_1V_1 = P_2V_2$$

P: 압력, V: 부피, k: 상수

(2) 샤를(Charles)의 법칙(기체의 부피와 온도)

일정한 압력에서 일정량의 기체의 부피는 그 절대온도 T에 정비례한다. 이 법칙을 수식으로 나타내면 다음과 같다.

$$V = kT(\text{일정 압력})$$

$$\frac{V_1}{T_1} = k = \frac{V_2}{T_2}\text{(처음 상태와 나중 상태의 부피와 온도 관계)}$$

V: 부피, k: 상수, T: 절대온도

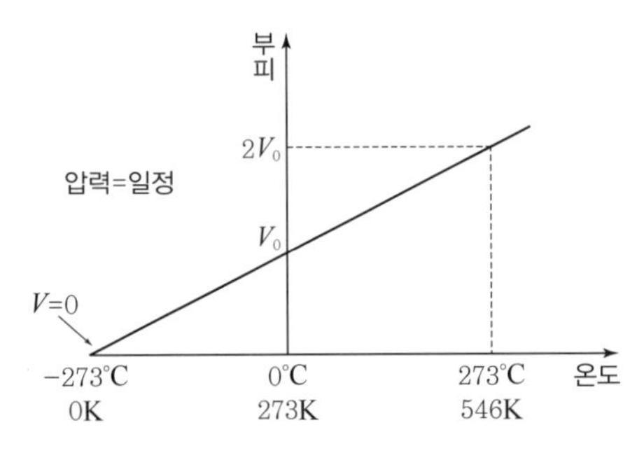

▲ 샤를의 법칙(온도와 부피의 관계)

(3) 보일(Boyle) - 샤를(Charles)의 법칙

① 일정량의 기체의 체적은 압력에 반비례하고, 절대온도에 비례한다.

② 보일과 샤를의 법칙을 합치면 부피와 압력과의 반비례 관계와 부피와 절대온도와의 정비례 관계를 다음과 같이 동시에 나타낼 수 있다.

$$\frac{P_1V_1}{T_1} = \frac{P_2V_2}{T_2} = k(\text{상수})$$

V: 부피, T: 절대온도, k: 상수

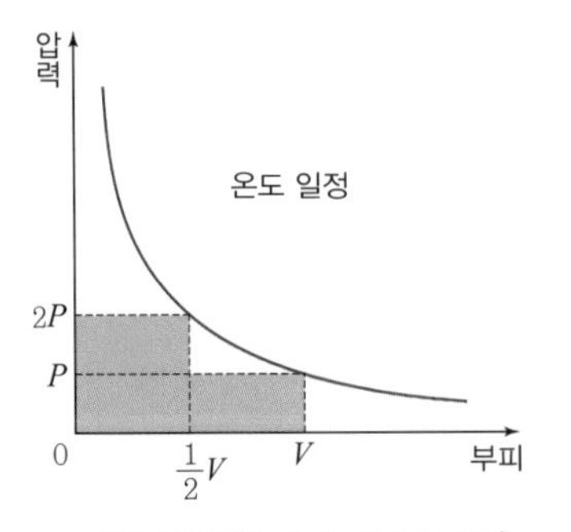

▲ 보일의 법칙(압력과 부피의 관계)

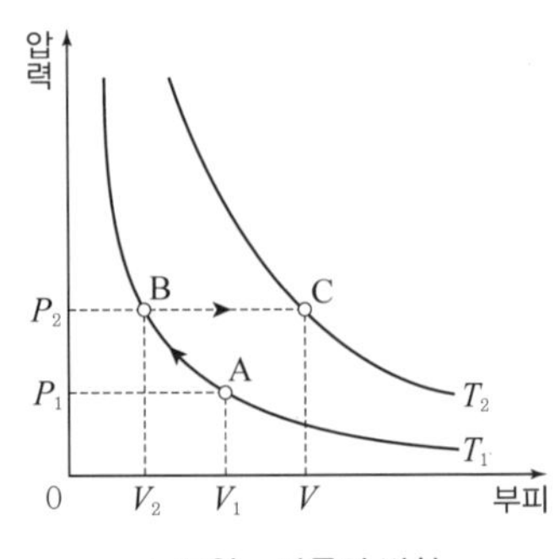

▲ 보일 - 샤를의 법칙

(4) 이상기체의 법칙

① 이상기체 법칙은 기체분자운동론의 기본을 이룬다.

② 기체의 압력을 P, 부피를 V, 몰수를 n, 절대온도를 T라고 할 때, 'PV=nRT'의 식으로 나타낸다.

③ 일정한 온도에서 'PV=일정', 일정한 압력에서 'V/T=일정', '일정 온도와 압력에서 기체의 부피는 몰수에 비례한다($n \propto V$).'는 아보가드로의 법칙 등을 포함한다.

④ 기체의 몰수는 질량을 분자량으로 나누어 구할 수 있으므로 이상기체 법칙의 식으로 기체의 분자량을 구할 수 있다.

$$PV = nRT,\ PV = \frac{w}{M}RT$$

P: 압력(atm), V: 부피(m^3), n: 몰수(K · mol), R: 기체상수($atm \cdot m^3/K\text{-}mol \cdot K$)
T: 절대온도(K), M: 분자량(kg/Kmol), W: 질량(kg)

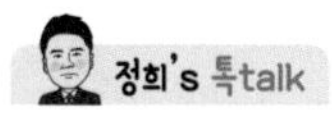

아보가드로의 법칙
표준상태(0℃, 1atm)에서 모든 기체 1k-mol(mol)이 차지하는 부피는 $22.4m^3$(L)이며, 그 속에는 6.023×10^{23}개의 분자가 존재합니다. 즉, 기체는 온도와 압력이 같다면 같은 체적 속에는 같은 수의 분자 수를 갖습니다[$V \propto n$].

요약NOTE 용어의 정의

구분	정의
보일의 법칙 $\left[V \propto \frac{1}{P}\right]$	일정한 온도에서 일정량의 기체의 부피는 압력에 반비례한다. $PV = k,\ P_1V_1 = P_2V_2$
샤를의 법칙 $[V \propto T]$	일정한 압력에서 일정량의 기체의 부피는 절대온도에 비례한다. $V = kT,\ \frac{V_1}{T_1} = k' = \frac{V_2}{T_2}$ (T[K] = t[℃] + 273)
보일 - 샤를의 법칙 $\left[V \propto \frac{T}{P}\right]$	일정량의 기체는 압력에 반비례하고 절대온도에 비례한다. $\frac{P_1V_1}{T_1} = \frac{P_2V_2}{T_2} = k$
이상기체 상태방정식 $\left[PV = \frac{w}{M}RT\right]$ $\left[\rho = \frac{w}{V} = \frac{P \times M}{R \times T}\right]$	· 분자의 부피는 없고 질량만 가지고, 평균운동에너지는 분자량과 무관하고 절대온도에만 비례한다. · 보일 - 샤를의 법칙과 아보가드로의 법칙으로 유도한다. $PV = nRT = \frac{w}{M}RT$ P: 압력, V: 부피, n: 분자수(몰수), R: 기체상수, T: 절대온도, w: 질량, M: 분자량 $R = \frac{PV}{nT} = \frac{1atm \times 22.4L}{1mol \times (0℃ + 273)K}$ $= 0.082 atm \cdot L/mol \cdot K[atm \cdot m^3/Kmol \cdot K]$ · $R = \frac{1atm \times 22.4m^3}{1K\text{-}mol \times 273K} = 0.082 atm \cdot m^3/K\text{-}mol \cdot K$ · $R = \frac{1.0332kgf/cm^3 \times 22.4m^3}{1K\text{-}mol \times 273K}$ $= 0.084774 kgf \cdot cm^2 \cdot m^3/K\text{-}mol \cdot K$

핵심기출

800℃, 1기압에서 황(S) 1kg이 공기 중에서 완전연소할 때 발생되는 이산화황의 발생량(m^3)은? [단, 황(S)의 원자량은 32, 산소(O)의 원자량은 16이며, 이상기체로 가정한다]

22. 공채

① 2.00　② 2.35
③ 2.50　④ 2.75

정답 ④

(5) 그레이엄(Graham)의 확산법칙

① 기체의 확산속도는 기체 분자량(밀도)의 제곱근에 반비례한다.

$$\frac{v_2}{v_1} = \sqrt{\frac{M_1}{M_2}} = \sqrt{\frac{\rho_1}{\rho_2}}$$

v: 확산속도
M: 분자량
ρ: 밀도

② 가벼운 가스일수록 더 멀리까지 이동한다.

③ 수소와 산소의 확산속도 비교하면, $\frac{v_{H_2}}{v_{O_2}} = \sqrt{\frac{32}{2}} = 4$,

따라서, 수소의 확산속도가 산소보다 4배 빠르다.

(6) 게이뤼삭의 법칙(Gay-Lussac's Law)

① **1법칙:** 일정한 압력에서 기체의 부피는 온도의 $\frac{1}{273}$배 비례한다.

$$V_2 = V_1\left(1+\frac{\Delta T}{273}\right)$$

V_1: 초기부피
V_2: 변화된 부피
ΔT: 온도변화

② **2법칙:** 기체 사이의 화학반응에서 같은 온도 같은 압력에서 그 부피를 측정했을 때 **반응하는 기체와 생성하는 기체 사이에는 간단한 정수비가 성립한다.**

(7) 헨리의 법칙(Henry's Law) 등

① **헨리의 법칙(Henry's Law):** 액체에 용해되는 기체의 양은 압력에 비례한다.

② **달톤의 법칙(Dalton's Law):** 기체 혼합물에 가해진 총 압력은 각 성분의 부분 압력의 합과 같다.

③ 압력비 = 몰비 = 부피비 = 분자수비

8. 온도의 종류

(1) 정의

① **섭씨온도(Celsius)**: 1기압에서 순수한 물의 어는점을 0℃, 끓는점(비점)을 100℃로 하여 그 사이를 100등분한 것이 섭씨(Celsius)온도이다.

② **화씨온도(Fahrenheit)**: 1기압에서 순수한 물의 어는점을 32°F, 끓는점(비점)을 212°F로 하여 그 사이를 180등분한 것이 화씨(Fahrenheit)온도이다.

③ **절대온도(Kelvin)**: 물의 어는점이나 끓는점을 사용하지 않고 에너지에 비례하도록 온도를 정의한 것으로, 열역학적으로 생각할 수 있는 최저온도로서 기체 평균 운동에너지가 0으로 측정된 -273℃를 절대온도 0K로 정한 온도이다.

④ **랭킨온도(Rankine)**: 화씨절대온도. 화씨온도 -459.69°F를 기점으로 하여 측정한 온도이다.

(2) 각 온도와의 관계

구분	단위환산
섭씨온도(℃)	$℃ = \frac{5}{9}(℉ - 32)$
화씨온도(℉)	$℉ = \frac{9}{5}℃ + 32$
절대온도(K)	K = ℃ + 273
랭킨온도(R)	R = ℉ + 460

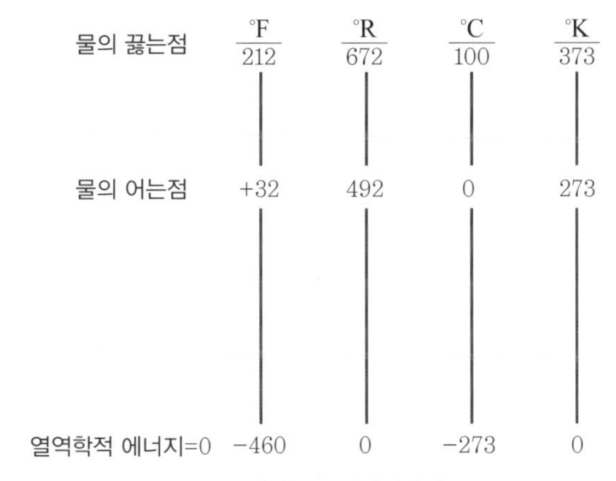

▲ 4가지 온도의 상관관계

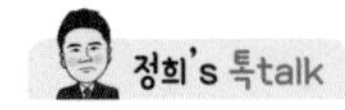

온도 관련 학자

1. 섭씨온도는 스위스의 천문학자 셀시우스(Celsius)가 고안한 온도입니다.
2. 화씨온도는 독일의 물리학자 파렌하이트(Fahrenheit)가 고안한 온도입니다.
3. 절대온도는 스코틀랜드의 물리학자 켈빈(Kelvin)이 고안한 온도입니다.

3 연소반응식 A

1. 개요

탄소(C)와 수소(H)로 구성된 탄화수소계 가연성 가스가 **완전연소**하면 **이산화탄소(CO_2)**와 **수증기(H_2O)**가 생성된다. 반면, 공기의 양이 부족하여 **불완전연소**하면 **일산화탄소(CO)**가 발생한다.

$$C_mH_n + \left(m + \frac{n}{4}\right)O_2 = mCO_2 + \frac{n}{2}H_2O$$

2. 탄화수소계 가연성 가스의 완전연소반응식

(1) 완전연소 반응식

① **메탄**[1]**(CH_4)**: $CH_4 + 2O_2 \rightarrow CO_2 + 2H_2O$

② **에탄(C_2H_6)**: $C_2H_6 + \frac{7}{2}O_2 \rightarrow 2CO_2 + 3H_2O$

③ **프로판(C_3H_8)**: $C_3H_8 + 5O_2 \rightarrow 3CO_2 + 4H_2O$

④ **부탄(C_4H_{10})**: $C_4H_{10} + \frac{13}{2}O_2 \rightarrow 4CO_2 + 5H_2O$

(2) 개념

① 1몰의 메탄이 완전연소할 때에는 2몰의 산소가 필요하며, 1몰의 프로판은 5몰의 산소가 필요하다. 즉, 프로판이 완전연소하려면 메탄보다 2.5배의 산소가 더 필요한 것을 알 수 있다.

② 이론공기량

$$이론산소량 = 이론공기량 \times \frac{21}{100}$$

$$이론공기량 = \frac{이론산소량}{0.21}$$

심화학습 몰과 질량, 입자 수, 기체의 부피 관계

물질의 양(mol) × 몰 질량(g/mol)

부피(L) / 22.4L/mol

질량(g) / 몰 질량(g/mol)

물질의 양 (mol)

물질의 양(mol) × 22.4L/mol

물질의 양(mol) × 6.02×10²³/mol

입자 수 / 6.02×10²³/mol

용어사전

[1] 메탄(메테인): 가장 친숙한 탄소 화합물 중 하나는 천연 가스의 주성분인 메탄(CH_4)이다. 사면체 구조인 메탄 분자는 하나의 탄소 원자에 네 개의 수소 원자가 결합되어 있다.

핵심기출

01 1기압, 20℃인 조건에서 메탄(CH_4) $2m^3$가 완전연소하는 데 필요한 산소 부피는 몇 m^3인가? 21. 공채

① 2 ② 3
③ 4 ④ 5

정답 ③

02 20℃, 1기압의 프로판(C_3H_8) $1m^3$를 완전연소하는데 필요한 20℃, 1기압의 산소 부피는 얼마인가? 19. 공채

① $1m^3$ ② $3m^3$
③ $5m^3$ ④ $7m^3$

정답 ③

예제

1. 부탄(Butane)이 완전연소할 때의 연소 반응식이다. a+b+c의 값은? 21. 소방간부

$$2C_4H_{10} + (a)O_2 \rightarrow (b)CO_2 + (c)H_2O$$

해설
부탄의 연소반응식: $C_4H_{10} + \frac{13}{2}O_2 \rightarrow 4CO_2 + 5H_2O$
부탄 2몰의 연소반응식: $2C_4H_{10} + 13O_2 \rightarrow 8CO_2 + 10H_2O$
따라서 a+b+c의 값은 31이다.

정답 31

2. 마그네슘(Mg) 24g을 완전연소하기 위해 필요한 이론 산소량은 얼마인가? [단, 마그네슘(Mg)의 원자량은 24, 산소(O)의 원자량은 16이다] 18. 상반기 공채

해설
마그네슘 원자량이 24이므로, 마그네슘 24g은 1몰이다.
마그네슘의 연소반응식: $Mg + \frac{1}{2}O_2 \rightarrow MgO$(산화마그네슘)
Mg 1몰을 연소하기 위해서 O_2가 $\frac{1}{2}$몰 필요하다.
1몰의 산소분자량은 32g이다. 따라서 완전연소를 위한 O_2의 $\frac{1}{2}$몰의 질량은 16g이다.

정답 16g

3. 메탄(CH_4) $2m^3$를 완전연소시키는 데 필요한 산소 부피는 얼마인가? (단, 온도가 21℃, 기압이 1기압인 상태이다)

해설
메탄의 완전연소반응식: $CH_4 + 2O_2 \rightarrow CO_2 + 2H_2O$이다.
메탄 1몰과 반응하는 산소는 2몰이다.
따라서 메탄이 $2m^3$ 부피가 있으므로 산소는 $4m^3$가 필요하다.

정답 $4m^3$

4. 메탄(CH_4) $1m^3$를 완전연소시키는 데 필요한 공기 부피는 얼마인가? (단, 온도가 21℃, 기압이 1기압인 상태이고, 산소는 공기 중 21%를 차지한다)

해설
메탄의 완전연소반응식: $CH_4 + 2O_2 \rightarrow CO_2 + 2H_2O$
메탄 $1m^3$와 반응하는 산소는 $2m^3$이다.
공기 중 산소의 부피비율이 21%라는 조건을 고려하면
100 : 21 = 공기의 부피(x) : 2
따라서 산소 $2m^3$를 포함하는 공기의 부피(x)는 $9.52m^3$이다.

정답 $9.52m^3$

5. 메탄(CH_4)을 완전연소시키는 데 공기 부피가 $200m^3$가 사용되었다면 메탄을 완전연소하는 데 필요한 이론적 산소의 부피는 얼마이고 이때 사용된 메탄의 부피는 얼마인가?

해설
100 : 21 = 200 : x
산소의 부피: $42m^3$, 메탄의 완전연소반응식: $CH_4 + 2O_2 \rightarrow CO_2 + 2H_2O$
따라서 메탄과 산소의 부피비는 1 : 2이다.
산소의 부피가 $42m^3$이므로 메탄의 부피는 $21m^3$가 된다.

정답 $21m^3$

핵심기출

01 메틸알코올(CH_3OH)의 최소산소농도(MOC: Minimum Oxygen Concentration, %)로 옳은 것은? (단, CH_3OH의 연소상한계는 37%, 연소범위의 상·하한 폭은 30%이다) 22. 공채

① 5.0　② 8.5
③ 10.5　④ 14.0

정답 ③

02 0℃, 1기압인 조건에서 프로페인(C_3H_8)의 완전연소 조성식으로부터 얻을 수 있는 내용으로 옳지 않은 것은? [단, 공기의 조성비는 질소(N_2) 79vol%, 산소(O_2) 21vol%이다] 24. 소방간부

① 프로페인 1mol이 완전연소하면 약 72g의 물이 생성된다.
② 프로페인 0.5mol이 완전연소하는 데 약 2.5mol의 산소가 필요하다.
③ 프로페인 44g이 완전연소하면 약 132g의 이산화탄소가 생성된다.
④ 프로페인 1mol이 완전연소하는 데 약 23.8mol의 공기가 필요하다.
⑤ 프로페인 0.5mol이 완전연소하는 데 필요한 공기 중 질소의 양은 약 18.8mol이다.

정답 ⑤

3. 유기화합물(Organic compound)

(1) 개념

① 1806년 스웨덴의 베르셀리우스(J. J. Berzelius)에 의하여 최초로 유기화합물이라는 말이 사용되었다.

② 당시 천연동식물계에서 생성성분 · 배출물 · 발효생성물 등으로 얻어지는 화합물은 광물계로부터 얻어지는 무기화합물과 본질적으로 다르며, 생물의 생명력에 의하여 그 기관에서 만들어진다고 생각하여 유기(Organic)라는 명칭이 붙었다.

③ 유기화합물은 생명력에 의하여 생성되므로 실험실에서 무기화합물로는 만들 수 없다고 생각되었으나, 1828년 독일의 뵐러(F. Wöhler)가 무기화합물로 알려진 시안산암모늄을 가열하여 유기화합물인 요소를 합성함으로써 유기화합물과 무기화합물의 본질적 차이는 없어졌다.

④ 유기화합물의 기본은 탄화수소이며, 탄소와 탄소, 탄소와 수소의 공유결합으로 구성된다. 탄소끼리는 공유결합에 의하여 여러 개가 결합되어 사슬모양이나 고리모양의 골격을 형성하기도 하며, 탄소 - 탄소 결합에는 단일결합 외에 2중결합이나 3중결합도 가능하므로 탄화수소만으로도 여러 개가 존재한다.

(2) 특성

유기화합물은 탄소를 주축으로 하여 이루어진 공유결합물질로서, 현재는 탄화수소화합물이라고 정의한다.

① 성분원소는 주로 C, H, O이다. 또한 P, S, N, Cl 등의 비금속원소도 포함한다.

② 반응속도는 분자가 안정하여 반응성이 작고 속도가 느리다.

③ 융점 · 비점은 대부분 무극성 분자로 분자 사이의 인력이 작아 융점과 비점이 낮다(분자량이 증가하면 높아진다).

④ 화학결합은 원자 사이의 공유결합으로 안정하다.

⑤ 대부분 연소하여 연소생성물인 이산화탄소(CO_2)와 물(H_2O)을 생성한다.

⑥ 대부분 물에 용해되기 어렵고, 유기용매에 용해된다.

⑦ 대부분 비전해질이며 전기전도성이 거의 없다.

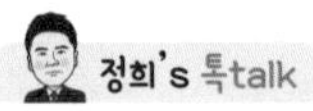

지방족 탄화수소의 분류

1. 메탄계 탄화수소(파라핀계, AlKane족): 단일결합, 반응성이 작아 안정된 화합물
2. 에틸렌계 탄화수소(올레핀계, AlKene족): 이중결합, 메탄계보다 반응성이 큼
3. 아세틸렌계 탄화수소(AlKyne족): 3중결합, 반응성이 매우 큼
4. 알킬기의 일반식: C_nH_{2n+1}

(3) 탄화수소 화합물의 결합형식에 따른 분류

분류	분자구조	명칭	결합형식	일반식	화합물의 예
포화 탄화수소	사슬모양	알칸	단일 결합	C_nH_{2n+2}	메탄, 에탄
	고리모양	시클로알칸	단일 결합	C_nH_{2n}	시클로헥산
불포화 탄화수소	사슬모양	알켄	2중 결합	C_nH_{2n}	에텐(에틸렌)
		알킨	3중 결합	C_nH_{2n-2}	아세틸렌
	고리모양	시클로알켄	(2중 결합)×n	-	시클로헥센
방향족 탄화수소	고리모양	아렌	비편재화된 2중 결합	-	벤젠, 톨루엔

알칸(alkane) / 알켄(alkene) / 알킨(alkyne)

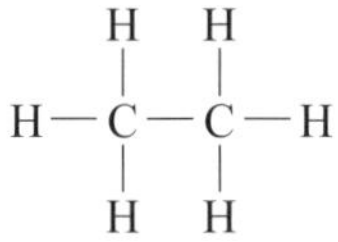

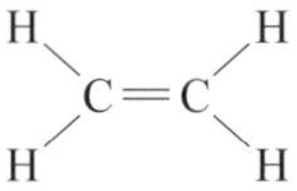

C_2H_6(에탄) / C_2H_4(에텐) / C_2H_2(아세틸렌)

시클로알칸(cycloalkane) / 시클로알칸(cycloalkane) / 아렌(arene)

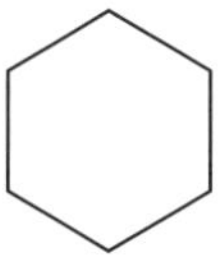

C_6H_{12}(시클로헥산) / C_6H_8(시클로헥사-1,4-디엔) / C_6H_6(벤젠)

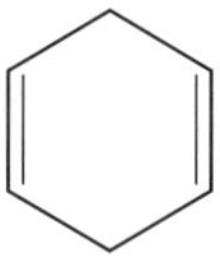

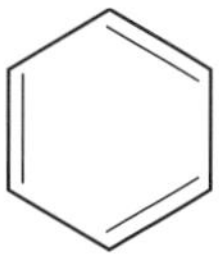

▲ 탄화수소 화합물의 사슬모양과 고리모양

(4) 포화 탄화수소와 불포화 탄화수소

① **포화 탄화수소**: 탄소-탄소 단일결합만으로 구성되는 포화 탄화수소는 사슬모양과 고리모양으로 분류할 수 있고, 이들은 각각 알칸류, 시클로알칸류라고 부른다.

② **불포화 탄화수소**: 탄소-탄소 2중 결합을 가진 탄화수소를 알켄류, 3중 결합을 가진 탄화수소를 알킨류라고 한다.

③ **알칸계 탄화수소(메탄계 · 파라핀계) 성질**

㉠ **일반식**: C_nH_{2n+2}(n: **탄소원자의 수**)

㉡ 사슬모양(Chain형)의 분자구조이다.

㉢ 단일결합과 안정한 결합각으로 인해 반응성이 작은 안정된 화합물이다.

㉣ **탄소수(사슬길이)가 증가할수록 증기비중 · 융점 · 비점이 높아진다.**

㉤ **무극성 분자로 물에 불용성**이며, 액상은 밀도가 낮아 물 위에 뜬다.

㉥ 같은 분자량을 가진 다른 유기화합물보다 비점이 낮다(분자 간의 인력이 약한 특성으로 분자들이 분리하여 액체가 기체로 되는 데 적은 에너지가 소요된다).

㉦ 일반적으로 **탄소수가 4개 이하인 것은 기체**이다.

참고 **파라핀계 탄화수소의 끓는 점**

분자식(C_nH_{2n+2})	명명법	끓는 점(℃)	녹는 점(℃)	상태
CH_4	methane	-162	-183	기체
C_2H_6	ethane	-89	-172	기체
C_3H_8	propane	-42	-187	기체
C_4H_{10}	butane	-0.6	-139	기체
C_5H_{14}	pentane	36	-130	액체
C_6H_{14}	hexane	69	-95	액체
$C_{16}H_{34}$	hexadecane	288	20	고체
$C_{20}H_{42}$	eicosane	345	37	고체

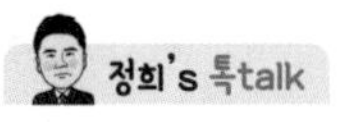

작용기

종류	작용기	작용기 이름
알코올	R-OH	하드록시기
에테르	R-O-R′	에테르기
케톤	R-CO-R′	카보닐기
에스터	R-COO-R′	에스터기
카복실산	R-COOH	카르복시기
알데히드	R-CHO	포르말기 (알데히드기)

④ 알칸계 탄화수소($C_1 - C_{10}$)의 구조식

명칭	탄소수	분자식	구조식
메탄(methane)	1	CH_4	CH_4
에탄(ethane)	2	C_2H_6	CH_3CH_3
프로판(propane)	3	C_3H_8	$CH_3CH_2CH_3$
부탄(butane)	4	C_4H_{10}	$CH_3CH_2CH_2CH_3$
펜탄(pentane)	5	C_5H_{12}	$CH_3(CH_2)_3CH_3$
헥산(hexane)	6	C_6H_{14}	$CH_3(CH_2)_4CH_3$
헵탄(heptane)	7	C_7H_{16}	$CH_3(CH_2)_5CH_3$
옥탄(octane)	8	C_8H_{18}	$CH_3(CH_2)_6CH_3$
노난(nonane)	9	C_9H_{20}	$CH_3(CH_2)_7CH_3$
데칸(decane)	10	$C_{10}H_{22}$	$CH_3(CH_2)_8CH_3$

⑤ 알칸계 탄화수소의 물리적 성질

명칭	분자량	녹는점(℃)	끓는점(℃)	밀도(g/ml)
메탄(methane)	16.04	-183	-162	-
에탄(ethane)	30.07	-172	-89	-
프로판(propane)	44.10	-187	-42	-
부탄(butane)	58.10	-135	-0.6	-
펜탄(pentane)	72.15	-130	36	0.626
헥산(hexane)	86.18	-95	69	0.659
헵탄(heptane)	100.20	-91	98	0.684
옥탄(octane)	114.23	-57	126	0.703
노난(nonane)	128.26	-53	151	0.718
데칸(decane)	142.28	-30	174	0.73

⑥ 지방족 탄화수소 분류

탄소수	AlKene족 (C_nH_{2n})	AlKyne족 (C_nH_{2n-2})	AlKyl족 (C_nH_{2n+1})
1			CH_3(methyl)
2	C_2H_4(ethene)	C_2H_2(ethyne)	C_2H_5(ethyl)
3	C_3H_6(propene)	C_3H_4(propyne)	C_3H_7(propyl)
4	C_4H_8(butene)	C_4H_6(butyne)	C_4H_9(butyl)
5	C_5H_{10}(pentene)	C_5H_8(penyne)	C_5H_{11}(pentyl)

4 최소산소농도 등 A

1. 최소산소농도(MOC; Minimum Oxygen Concentration)

(1) 개요

① 최소산소농도는 **화염전파를 위한 최소한의 산소농도**를 말한다.

② 산소농도를 최소산소농도보다 낮게 하면 연료의 농도에 관계없이 더 이상 연소가 진행되지 못한다.

③ 최소산소농도는 한계산소량이라고도 한다. 일반적으로 공기에 이산화탄소, 질소 등 불활성 물질을 첨가하여 산소농도를 낮추어 연소 및 폭발방지가 가능하다.

(2) 최소산소농도의 추정

① 계산식

$$MOC = LFL(\%) \times \frac{O_2\,mol}{Fuel\,mol}$$

② 프로판의 MOC

㉠ $C_3H_8 + 5O_2 \rightarrow 3CO_2 + 4H_2O$

㉡ 프로판의 연소범위: 2.1 ~ 9.5

㉢ 최소산소농도의 추정

$$MOC = LFL(\%) \times \frac{O_2\,mol}{Fuel\,mol} = 2.1\% \times \frac{5mol}{1mol} = 10.5\%$$

요약NOTE MOC · LOI · OB 비교

구분	MOC	LOI	OB
개념	예혼합연소에서 화염전파에 필요한 최소한의 산소농도	확산연소에서 화염확산에 필요한 최소한의 산소농도	폭발성 물질 100g 완전연소 시 산소의 과부족량
관계식	MOC $= LEL \times \frac{O_2mol}{연료mol}$	LOI $= \frac{O_2}{O_2 + N_2} \times 100$	$OB = \frac{O_2}{M} \times 100$
적용	가연성 가스	섬유 등	폭발성 물질
목적	불활성화를 위한 농도	고분자 물질의 난연성 여부	물질별 폭발위력 판단
위험성 판단	작을수록 위험하다	작을수록 위험하다	작을수록 위험하다

핵심 기출

01 최소산소농도(MOC; Minimum Oxygen Concentration)에 대한 설명으로 옳지 않은 것은? 21. 공채

① 연소상한계에 의해 최소산소농도가 결정된다.
② 연소할 때 화염이 전파되는 데 필요한 임계산소농도를 말한다.
③ 완전연소반응식의 산소 몰수에 의해 최소산소농도가 결정된다.
④ 프로판(C_3H_8) 1몰(mol)이 완전 연소하는 데 필요한 최소산소농도는 10.5%이다.

정답 ①

02 에틸알코올(C_2H_5OH)의 최소산소농도(MOC)는? (단, 에틸알코올의 연소범위는 4.3~19vol%이며, 완전연소 생성물은 CO_2와 H_2O이다) 23. 소방간부

① 8.6
② 10.8
③ 12.9
④ 15.1
⑤ 17.2

정답 ③

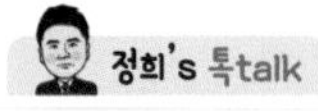

불활성화(Inerting)

1. 가연성 혼합기체에 불활성 물질을 첨가하여 산소의 농도를 낮추어 연소를 멈추게 하는 것입니다.
2. 불활성화에 의한 퍼지방법
   - 진공 퍼지(Vacuum purging)
   - 압력 퍼지(Pressure purging)
   - 스위프 퍼지(Sweep through purging)
   - 사이폰 퍼지(Siphon purging)

2. 한계산소지수(LOI; Limited Oxygen Index)

(1) 개념

① 한계산소지수는 섬유류가 착화 후에 열원이 제거된 이후에도 연소를 지속할 수 있는가를 측정하기 위하여 도입된 개념을 말한다.

② 건축 실내마감재 또는 섬유류는 **급격한 연소의 확대를 방지하기** 위하여 **한계산소지수가 큰 물질을 사용하는 것이 바람직하다.**

(2) 계산식

$$한계산소지수(LOI)(\%) = \frac{O_2}{O_2 + N_2} \times 100$$

O_2: 산소유량[1pm]
N_2: 질소유량[1pm]

(3) 특징

① 섬유류 중 면은 일반적으로 한계산소지수가 17%이다. 이는 공기 중의 산소농도가 17% 이하가 되면 점화원이 제거된 후에는 연소를 지속할 수 없다는 것을 의미한다.

② **한계산소지수가 클수록 안전도가 높다고** 할 수 있다.

③ 불연성 또는 난연성 섬유류의 특징은 발화점이 비교적 높으며, 한계산소지수가 크다는 특징을 가지고 있다.

(4) 최소산소농도(MOC)와 한계산소지수(LOI)의 비교

구분	최소산소농도(MOC)	한계산소지수(LOI)
대상	가연성 가스	섬유 등의 고분자 물질
목적	불활성화를 위한 농도 확인	불연성 또는 난연성 어부
위험성	작을수록 위험	작을수록 위험

심화학습 한계산소지수(LOI)의 의미

1. 시료가 발화되어 열원을 제거하였을 때 3분간 꺼지지 않고 연소하는 데 필요한 공기 중의 최소산소부피(%)를 말한다. 즉, 시료가 연소를 지속하는데 필요한 최소한의 산소체적분율(%)을 말한다.

2. LOI가 나타내는 의미
   - 어떤 물질을 연소시킬 때 산소소모량이 작다는 것은 해당 물질이 가연성이 높은 재료임을 의미한다.
   - 어떤 물질을 연소시킬 때 산소소모량이 많다는 것은 해당 물질이 난연성이 높은 재료임을 의미한다.
   - 일반적으로 공기 중의 산소의 농도가 21%이므로 LOI 값이 21 미만인 섬유는 공기 중에서 잘 탈 수 있으며, LOI 값이 21 이상으로 커질수록 타기 어려운 섬유를 의미한다.

정희's 톡talk

OB(Oxygen Balance)

1. 개념
   - OB는 폭발성 물질로부터 완전연소하는 데 필요한 산소의 과·부족량을 나타낸 지수입니다.
   - 어떤 물질 100[g]이 완전연소할 때 산소의 과·부족량을 말합니다. '0'에 가까울수록 폭발력이 큽니다.
     - 산소과잉: 양수, 가연성가스 부족
     - 산소부족: 음수, 가연성가스 과잉
2. OB 계산식

$$OB = \frac{O_2}{M} \times 100[g/100]$$

O_2: 산소의 과부족량(g)
M: 분자량(g)

3. 연소용 공기량

(1) 연소용 공기량

① **이론공기량:** 가연물을 연소하기 위하여 이론적으로 산출한 공기량을 말한다.

② **실제공기량:** 가연물을 완전연소하기 위해서는 이론공기량보다 많은 공기가 필요하다. 이때 필요한 공기량이 실제공기량이다.

③ **과잉공기량:** 실제공기량에서 이론공기량을 차감하여 얻은 공기량을 말한다.

(2) 이론산소량

가연물질을 완전연소하기 위하여 필요한 최소의 산소량을 말한다.

(3) 공기비

공기비는 실제공기량을 이론공기량으로 나눈 값을 말한다.

① **기체가연물질의 공기비:** 1.1 ~ 1.3

② **액체가연물질의 공기비:** 1.2 ~ 1.4

③ **고체가연물질의 공기비:** 1.4 ~ 2.0

요약NOTE 연소용 공기량

1. 과잉공기량 = 실제공기량 - 이론공기량
2. 이론산소량 = 이론공기량 × $\frac{21}{100}$
3. 공기비 = $\frac{\text{실제공기량}}{\text{이론공기량}} = \frac{\text{실제공기량}}{\text{실제공기량} - \text{과잉공기량}}$

(4) 가연성 가스의 연소열

가연물질	분자식	분자량	연소열(kcal/kg)
메탄	CH_4	16.04	212.80
에탄	C_2H_6	30.07	372.82
프로판	C_3H_8	44.10	530.60
부탄	C_4H_{10}	58.10	687.64
에틸렌	C_2H_4	28.05	337.15
아세틸렌	C_2H_2	26.03	310.62

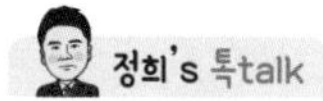

가연성 가스를 공기 중에서 연소시킬 때, 공기 중의 산소 농도가 증가할 때 발생하는 현상은 다음과 같습니다.

1. 연소속도는 빨라집니다.
2. 화염의 온도는 높아집니다.
3. 발화온도는 낮아집니다.
4. 폭발한계는 넓어집니다.
5. 점화에너지는 작아집니다.

4. 이론공연비

(1) 개념

① **이론공연비는 단위질량의 연료를 완전연소시키는 데 필요한 공기량을 말한다.** 이론공연비는 다음과 같다.

$$s = \left(\frac{A}{F}\right)_{st} = \frac{m_{air}}{m_{fuel}}$$

② 이와 동일한 개념으로 공기에 대한 연료의 비를 **이론연공비**로 정의하고 이론공연비의 역수로 나타낸다.

$$\left(\frac{F}{A}\right)_{st} = \frac{m_{fuel}}{m_{air}} = \frac{1}{s}$$

(2) 메탄의 이론공연비

① **메탄 완전연소반응식**

$$CH_4 + 2O_2 \rightarrow CO_2 + 2H_2O$$

② **메탄의 1몰의 질량:** 16g

③ **이론공기량**

$$\frac{O_2(mol)}{0.21} = \frac{2}{0.21}(mol)$$

④ **공기질량:** 공기의 평균분자량이 28.84(g/mol)이므로 공기질량은 다음과 같다.

$$\frac{2}{0.21}(mol) \times 28.84(g/mol) \fallingdotseq 274.67(g)$$

⑤ **이론공연비**

$$(s) = \frac{274.67}{16} = 17.17$$

정희's 톡talk

연공비 & 공연비

1. 연공비 = $\frac{\text{연료 질량}}{\text{공기 질량}}$

2. 공연비 = $\frac{\text{공기 질량}}{\text{연료 질량}}$

메탄의 중량비(완전연소)

1. 기체의 중량비는 1mol당 분자량이며, 전체 혼합가스 1mol의 중량에 대한 각 기체의 중량으로 산출한다.
2. 이론공기량 = $\frac{2}{0.21}[mol] \fallingdotseq 9.52[mol]$
3. 공기중량 = $29[g/mol] \times 9.52[mol]$ $\fallingdotseq 276[g]$
4. 메탄중량 = $16[g/mol] \times 1[mol] = 16[g]$
5. CH_4 중량비 = $\frac{\text{성분}(CH_4)\text{중량}}{\text{전체질량}} \times 100$ $= \frac{16[g]}{276[g]} \times 100$ $\fallingdotseq 5.79[\omega t\%]$

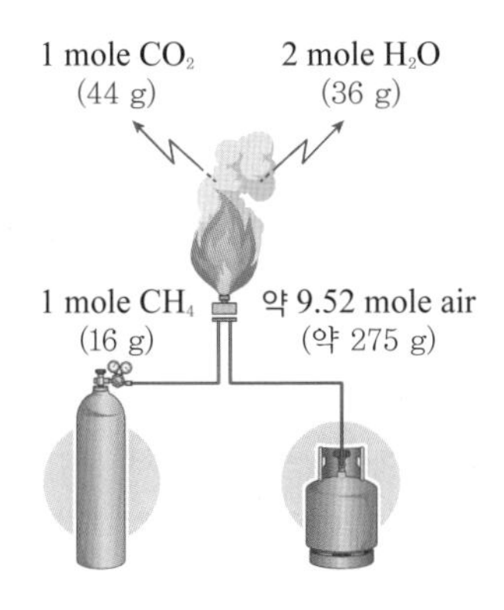

▲ 메탄의 완전연소반응

예제

프로판의 이론공연비를 계산하시오.

풀이

1. 프로판 완전연소반응식: $C_3H_8 + 5O_2 \rightarrow 3CO_2 + 4H_2O$
2. 프로판의 1몰의 질량: 44(g)
3. 이론공기량: $\dfrac{O_2(mol)}{0.21} = \dfrac{5}{0.21}(mol)$
4. 공기질량: 공기의 평균분자량 28.84(g/mol)이므로,

   $\dfrac{5}{0.21}(mol) \times 28.84(g/mol) = 686.67(g)$
5. 이론공연비: $(s) = \dfrac{686.67}{44} = 15.61$

정답 15.61

심화학습 탄소·수소비와 이론공연비의 관계

탄소·수소비가 클수록 이론공연비는 작아진다.

구분	완전연소반응식	탄소·수소비	이론공연비
CH_4	$CH_4 + 2O_2 \rightarrow CO_2 + 2H_2O$	$\dfrac{C}{H} = \dfrac{1}{4} = 0.25$	17.17
C_3H_8	$C_3H_8 + 5O_2 \rightarrow 3CO_2 + 4H_2O$	$\dfrac{C}{H} = \dfrac{3}{8} = 0.375$	15.61
C_2H_2	$C_2H_2 + 2.5O_2 \rightarrow 2CO_2 + H_2O$	$\dfrac{C}{H} = \dfrac{2}{2} = 1$	13.21

정희's 톡talk

이론공기량과 실제공기량

$$\emptyset = \frac{(F/A)}{(F/A)_{st}} = \frac{\text{실제연공비}(F/A)}{\text{이론연공비}(F/A)_{st}} = \frac{\text{연소질량/실제공기질량}}{\text{연소질량/이론공기질량}} = \frac{\text{이론공기몰수} \times \text{분자량}}{\text{실제공기몰수} \times \text{분자량}} = \frac{\text{이론공기량(부피)}}{\text{실제공기량(부피)}}$$

1. 이론공기량 = $\frac{O_2}{0.21}$(vol%)
2. 실제공기량 = 100 - LFL(%)

정희's 톡talk

당량비(Equivalence ratio)

1. 화학변화를 일으킬 때 기본이 되는 양
2. 종류로는 원소의 당량, 산염기의 당량, 산화제의 당량, 환원제의 당량 등이 있습니다.

5. 환기상태와 당량비(Ventilation condition and Equivalence ratio)

(1) 개념

① 연소과정의 공기과잉 혹은 연료과잉의 정도를 정량적으로 나타내기 위하여 **이론연공비에 대한 연소과정의 연료공기비(실제연공비)를 당량비(Equivalence ratio, φ)로 정의한다.**

② **이론공연비**는 연소과정에 공급되는 공기량을 평가하는 기준으로써 **화재의 환기상태를 평가하는 매우 중요한 요소**가 된다.

㉠ 이론공연비보다 연료의 양이 많고 공기의 양이 상대적으로 부족할 경우 연소상태는 연료과잉상태(fuel rich)가 되고 이러한 상태를 **환기부족상태**(under-ventilated condition)라고 부른다.

㉡ 이론공연비보다 공기의 양이 상대적으로 많은 경우 연소상태는 연료부족상태(fuel lean)가 되고 **환기과잉상태**(over-ventilated condition)라고 정의한다.

(2) 특징

① **대부분의 화재는 초기 화재 발생 시 당량비(φ)는 1보다 작은 상태로 시작하여 화재가 성장하면서 당량비(φ)는 증가하고, 화재성장단계를 거치는 동안 당량비(φ)는 1보다 큰 상태가 된다.**

② **당량비의 의미**

구분	의미
당량비(φ) > 1	· 이론공기량이 실제공기량보다 큼 · 공기부족상태이므로 불완전연소를 함 · 환기지배형 화재의 특성을 보임
당량비(φ) = 1	· 이론공기량과 실제공기량이 같음 · 화학양론상태이므로 완전연소의 특성을 보임
당량비(φ) < 1	· 실제공기량이 이론공기량보다 큼 · 공기과잉상태로 연료지배형 화재의 특성을 보임

(3) 프로판 - 공기 혼합기체상의 당량비(연소하한계 당량비 계산)

① **프로판의 완전연소반응식:** $C_3H_8 + 5O_2 \rightarrow 3CO_2 + 4H_2O$

② **이론공기량**

$$\text{당량비} = \frac{\text{이론 공기량}}{\text{실제 공기량}}$$

㉠ 완전연소반응식에서 프로판 1몰당 산소는 5몰이 필요하다.

프로판의 MOC = $2.1 \times \frac{O_2 \text{ mol}}{\text{Fuel mol}}$이므로,

2.1vol%당 O_2는 10.5vol%가 필요하다.

㉡ 이론공기량 = $\frac{10.5\text{vol\%}}{0.21}$ = 50vol%

③ **실제공기량:** 100 - 2.1 = 97.9vol%

④ 당량비(φ)

㉠ 당량비 = $\dfrac{50vol\%}{97.9vol\%} = 0.51$

㉡ 공기과잉상태이므로 연료지배형 화재의 특성을 보인다.

6. 버제스-윌러(Burgess-Wheeler)법칙

(1) 파라핀계탄화수소 계열 가스에서 연소열에 의해 연소하한계를 추정할 수 있는 법칙이다.

(2) 관련식

$$LFL \times \Delta H_C \fallingdotseq 1{,}050$$

LFL: 가연성 혼합가스의 연소하한계(%)
ΔH_C: 유효연소열(kcal/mol)

예제

Burgess-Wheeler 법칙을 이용하여 프로판의 연소하한계 값을 추산하시오. (단, 프로판의 연소열은 529[kcal/mol]이며, 소수점 첫째자리에서 반올림한다)

풀이식

$$LFL \times \Delta H_C \fallingdotseq 1{,}050$$

LFL: 가연성 혼합가스의 연소하한계(%)
ΔH_C: 유효연소열(kcal/mol)

$LFL \times 529 \fallingdotseq 1{,}050$이므로, $LFL \fallingdotseq 1{,}050 \div 529 \fallingdotseq 1.98$
약 2%이다.

정답 2%

5 유체 등 B

1. 포화증기압(Saturated vapour tension)

(1) 개요

① **증기압(Vapour pressure)**: 액체를 밀폐된 진공용기 속에 미소량을 넣으면 전부 증발하여 용기에 차면서 어떤 압력을 나타낸다. 이 압력을 그때의 증기압이라고 한다.

② **포화증기압**: 액체를 주입하면 다시 증발되어 증발과 액화가 평행 상태에 이른다. 이때의 증기압을 포화증기압이라고 한다.

(2) 특성

① 분자운동은 온도 상승과 함께 활발해지므로 포화증기압도 온도 상승에 따라 높아진다.

② 어떤 액체의 절대압력이 그 액체의 온도에 상당하는 포화증기압보다 낮아지면 비등(Boiling)하게 된다.

③ **따라서 수계시스템에서 국소압력이 포화증기압보다 낮으면 기포가 발생한다.** 이러한 현상을 **공동현상**(Cavitation)이라 한다.

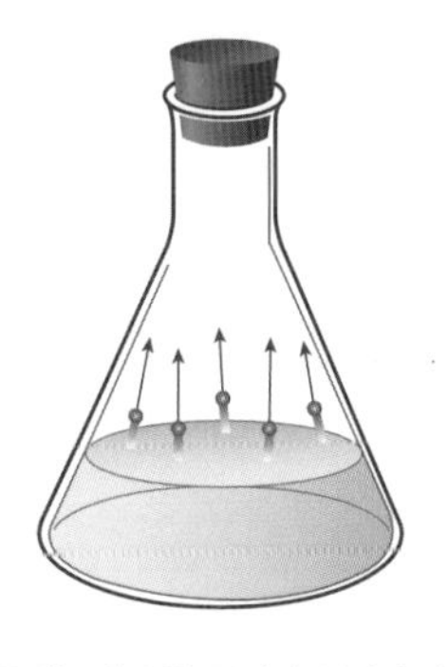

㉠ 처음에는 순수한 증발만 일어나서 액체의 양이 약간 감소한다.

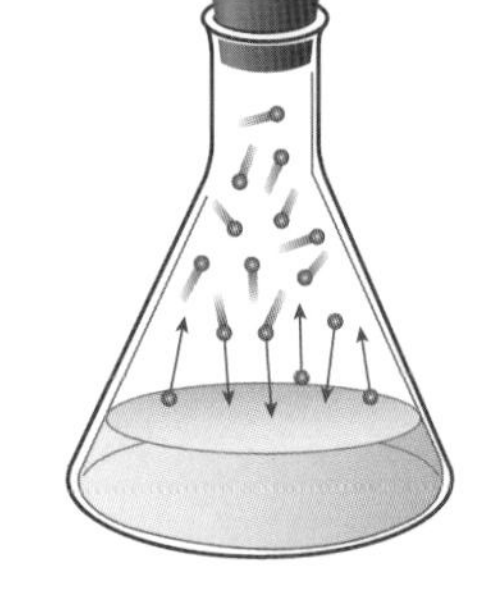

㉡ 증기의 분자 수가 증가함에 따라 응축 비율이 증가한다. 마침내 응축 속도와 증발 속도가 같아진다. 이 계는 평형 상태가 된다.

▲ 밀폐된 용기 내에 있는 액체의 거동

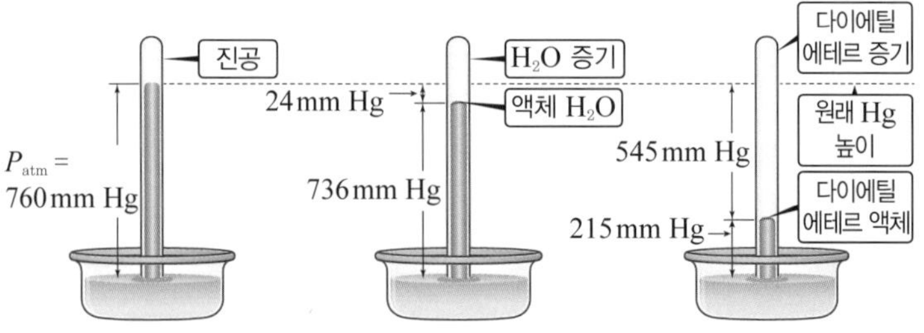

㉠ 여기서 보여준 형태의 간단한 기압계를 사용하면 액체의 증기압을 쉽게 측정할 수 있다.

㉡ 수증기가 수은을 24 mm(760~736) 밀어 내렸으므로, 물의 증기압은 이 온도에서 24 mm Hg이다.

㉢ 다이에틸 에테르는 물보다 훨씬 더 휘발성이어서 높은 증기압을 나타낸다. 이 경우에는 수은 높이가 545 mm(760 → 215) 아래로 내려 갔으므로, 다이에틸 에테르의 증기압은 이 온도에서 545 mm Hg이다.

▲ 액체의 증기압

2. 표면장력(Surface tension)

(1) 정의

유체의 표면에 작용하여 표면적을 최소화하려는 힘이다. 물질은 액체 상태에서 외력이 없는 경우 거의 구형을 유지하려 하는데, 이때 작용하는 장력을 말한다.

(2) 특징

소화에서 가장 중요한 물의 특성인자 중의 하나이며, 물 표면에서 물분자 사이의 응집력 증가는 물의 온도와 전해질 함유량에 좌우된다.

① 물에 함유된 염분은 표면장력을 증가시킨다.

② 비누 · 알코올 · 산과 같은 유기물질은 표면장력을 감소시킨다. 즉, 비누나 샴푸 등의 계면활성제는 표면장력을 적게 해주기 때문에 소화효과를 증대시킨다.

③ 표면장력은 분자 간의 응집력과 직접적인 관계가 있으므로 온도의 상승에 따라 그 크기는 감소한다.

④ 가연성 물질의 표면장력이 작을수록 위험성이 커진다.

(3) 물의 표면장력이 소화에 미치는 영향

① 표면장력은 물방울을 유지시키는 힘으로서 물분무의 경우 물안개 형성을 방해한다.

② 심부화재의 경우 표면장력이 크면 침투력이 저하된다.

③ 계면활성제(비누 · 샴푸)는 표면장력을 감소시킨다.

3. 부력

(1) 정의

① 부력은 중력이 작용하는 공간에서 높이 차이에 따른 압력의 차이로 생기는 힘이다.

② 유체 속에 잠긴 물체가 받는 부력의 크기는 물체가 밀어낸 부피만큼의 유체 무게와 같다(아르키메데스의 법칙).

(2) 부력의 크기

부력은 중력과 반대 방향으로 작용한다.

부력의 크기 = 물체가 밀어낸 유체의 무게(mg)
= 물체가 밀어낸 유체의 질량(m) × 중력 가속도(g)
= 유체의 밀도(ρ) × 물체가 밀어낸 유체의 부피 × 중력 가속도(g)
= 유체의 비중량(γ) × 물에 잠긴 부분의 부피(V)

참고 표면장력

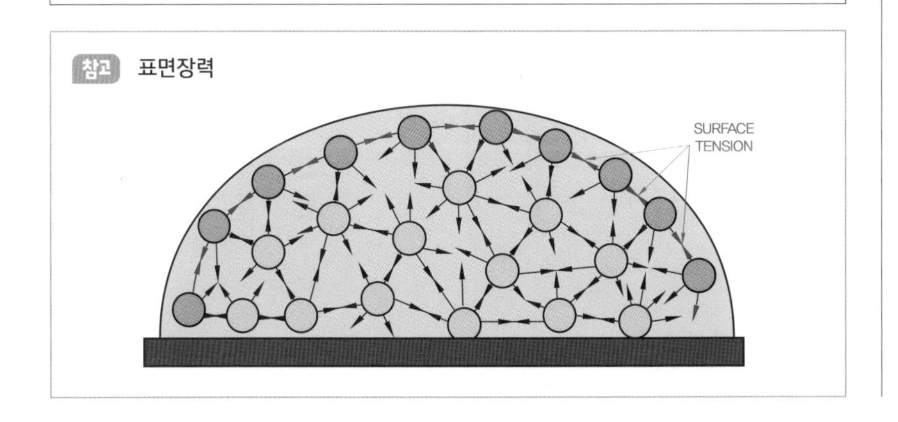

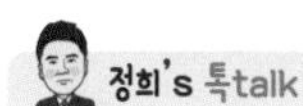

표면장력

표면장력은 유체의 표면에서 접선 방향으로 작용하는 단위 길이당 힘(N/m)입니다. 시그마(σ)로 표기하며, 유체마다 다른 값을 갖습니다. 표면장력은 입자의 응집력에 의해 발생하는데, 유체의 내부에서는 응집력이 모든 방향에 작용하여 상쇄되지만, 표면에서는 경계면 방향으로만 작용하게 되므로 표면장력을 유발하게 합니다. 표면장력은 온도에 따라 변화하며, 온도가 높을수록 응집력이 떨어지므로 감소하게 됩니다.

4. 압력

(1) 정의

단위면적당 수직방향으로 작용하는 힘을 말한다.

$$P = \frac{F}{A} (N/m^2 \text{ 혹은 } kgf/cm^2)$$

(2) 대기압

① 지구를 둘러싸고 있는 공기(대기)에 의하여 누르는 압력을 **대기압**이라고 한다.

② 중력에 의하여 공기가 지구 중심 쪽으로 당겨지기 때문에, 공기의 무게로 인하여 대기압이 생긴다. 기상조건이 변하면 대기압도 변하게 된다. 따라서 대기압에 의하여 지탱되는 수은 기둥의 높이는 해수면에서는 항상 760mm가 아니라 기상조건에 따라 변한다.

> **참고** **표준대기압(atm)**
>
> 1atm = 760mmHg(0℃) = 76cmHg
> = 1.0332kgf/cm^2(0℃)
> = 10.332mAq(4℃) (Aq. Aqua = water) = 10.332mH_2O
> = 1.01325bar(1bar = 10^6dyne/cm^2 = 10^3mbar = 10^6Pa = 10^3hpa)
> = 101.325kPa = 1013.25hPa = 101,325Pa

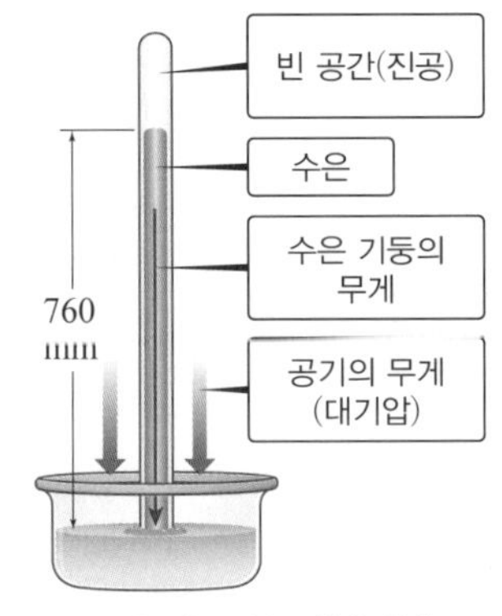

▲ 수은 기둥의 높이(대기압)

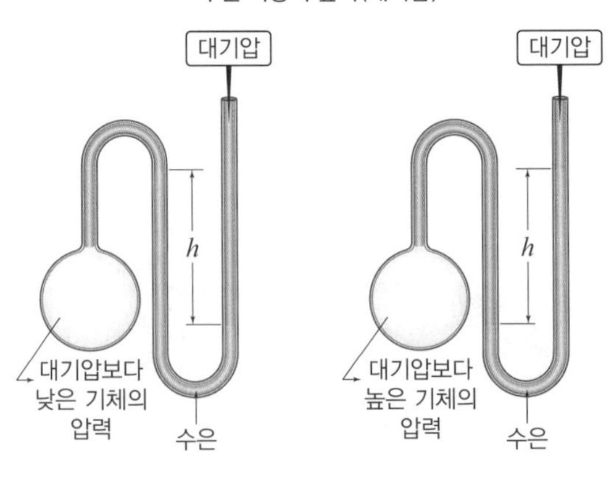

▲ 기체의 압력 = 대기압 − h　　▲ 기체의 압력 = 대기압 + h

정희's 톡talk

압력측정기구 종류

1. **압력계**: 대기압 이상의 압력을 측정하는 압력계
2. **진공계**: 대기압 미만의 압력을 측정하는 압력계
3. **연성계**: 대기압 이상의 정압과 대기압 미만의 진공압을 하나의 계기에 나타낸 압력계

대기압

1. **대기압**[1atm]: 공기가 $1m^2$의 면적을 약 10ton으로 누르는 힘
2. 1Pa=1N/m^2: $1m^2$의 면적에 1N의 힘으로 작용하는 압력

STP·NTP·ATP

1. STP: 0℃, 1atm 조건
2. NTP: 20℃, 1atm 조건
3. ATP: 현재 온도와 압력 조건

(3) 절대압력, 계기압력, 진공압력

① **절대압력**(Absolute pressure): 절대압력은 절대 진공상태의 압력을 "0"으로 두고 측정한 압력을 말한다.

② **계기압력**(게이지압, Gauge pressure): 대기압을 "0"으로 두고 측정한 대기압보다 큰 압력을 말한다. 펌프의 토출측에 사용하는 압력계의 측정압력이다.

③ **진공압력**(Vacuum pressure): 대기압을 "0"으로 두고 측정한 대기압보다 작은 압력을 말한다. 펌프의 흡입측에 사용하는 진공계의 측정압력이다.

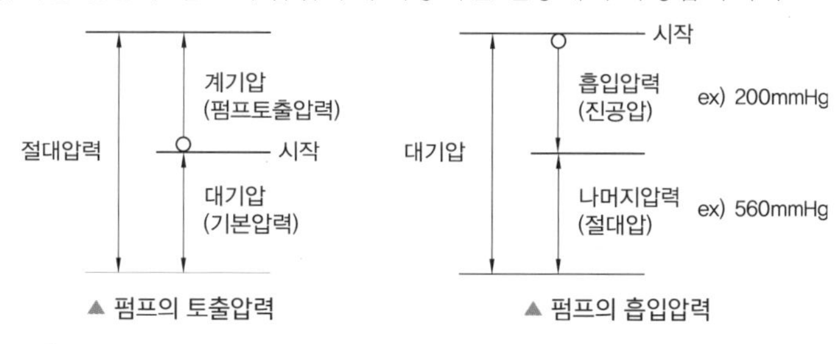

▲ 펌프의 토출압력 ▲ 펌프의 흡입압력

④ **펌프의 흡입측 절대압력 계산**

> **예제**
>
> **펌프 흡입측 진공계의 바늘이 300[mmHg] 일 때, 펌프 내부 압력은 절대압력 [kgf/cm^2]은 얼마인가? (단, 소수점 셋째 자리에서 반올림한다)**
>
> **풀이**
>
> · 절대압력 = 대기압 − 진공압력
> = 760 − 300 = 460[mmHg]
>
> · 단위변환: $460[mmHg] \times \frac{1.0332kgf/cm^2}{760mmHg} \fallingdotseq 0.63[kgf/cm^2]$
>
> **정답** 0.63

5. 유체 및 기본단위

(1) 유체

흐르는 물질, 즉 어떤 힘에 의하여 변형되기 쉬운 성질을 가지는 고체가 아닌 물질로서 일반적으로 **액체**와 **기체** 상태로 존재하는 물질을 말한다.

(2) 내용

① **질량**(Mass, m): **질량은 물체의 고유한 양(量, Quantity)**을 나타내는 말로서 압력과 온도가 일정할 경우 시간과 위치에 따라 변하지 않는 양으로 SI단위에서는 kg이다.

② **밀도**(Density, ρ): 밀도는 물체의 구성입자가 얼마나 조밀하게 들어 있는가를 나타내는 물리량으로서 **단위 체적(단위 부피)이 가지는 유체의 질량 또는 비질량** (Specific mass)이라 한다.

$$\rho = \frac{질량}{부피(체적)} = \frac{kg}{m^3}$$

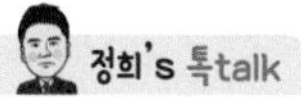
정희's 톡talk

기체의 밀도

1. 표준상태(0℃, 1기압)일 때

$$밀도 = \frac{분자량}{22.4}$$

2. 표준상태가 아닌 때

$$\rho = \frac{PM}{RT}$$

고체 · 액체의 밀도

질량과 부피를 실제 측정하여 구할 수 있습니다.

③ 비중(Specific gravity, s)

㉠ 비중은 기준물질에 대한 단위 체적당 질량비로 나타낸다. 즉, 기준물질과 어떤 물질과의 밀도의 비를 나타낸다.

㉡ 일반적으로 고체나 액체의 비중은 어떤 물질의 밀도와 4℃에서 순수한 물의 밀도의 비를 표현한다. 또한 비중량, 무게의 비로 나타내기도 하며 단위는 없다.

$$\text{액체·고체의 비중} = \frac{\text{측정물질의 밀도}(kg/\ell)}{4℃\ \text{물의 밀도}(kg/\ell)}$$

㉢ 증기의 비중은 각 기체의 분자량과 공기의 평균 분자량(29)의 비로 나타낸다.

$$\text{기체의 비중} = \frac{\text{측정기체의 밀도}(g/\ell)}{\text{표준상태의 공기밀도}(g/\ell)}$$

④ 증기-공기밀도

㉠ 액체와 평형상태에 있는 증기와 공기의 혼합가스 증기밀도이다.

㉡ 증기-공기밀도가 1보다 크면 공기보다 무거우므로 대기 중에서 낮은 곳에 체류하여 인화의 위험이 증대된다.

$$\text{증기-공기밀도} = \frac{Pd}{P_0} + \frac{P_0 - P}{P_0}$$

P_0: 대기압, P: 특정 온도에서의 증기압, d: 증기밀도

⑤ 비점

㉠ 어떤 물질의 증기압이 대기압과 같아질 때의 온도를 비등점이라고 한다.

㉡ 비등점은 물질의 물리적인 특성값으로 고유한 값을 갖는다.

㉢ 표준대기압상태에서 물의 비등점은 100℃이며, 주변 압력에 따라 비등점은 변하게 된다.

㉣ 비등점이 낮은 가연물은 증기압이 커서 기체가 되기 쉬우므로 화재의 위험성이 크다고 볼 수 있다.

⑥ 점도

㉠ 액체와 기체의 끈끈한 성질을 점성이라 하고, 그 점성의 크기를 점도라 한다.

㉡ 가연성 액체의 점도는 액체의 유동성에 영향을 주어 화재가 확대되는 요인이 되기도 한다.

㉢ 액체의 점도가 크면 유동성이 좋지 못하므로 화재의 확대가 느릴 수 있다.

정희's 톡talk

주변압력과 비등점과의 관계

1. 주변압력을 증가시키면 비등점은 높아집니다.
2. 주변압력을 감소시키면 비등점은 낮아집니다.

가연물의 상태별 연소성

기체 > 액체 > 고체

온도 상승 시 점도

온도가 상승하면 액체의 점도는 감소하지만, 기체의 점도는 증가합니다.

참고 힘(Force)과 일(Work)의 정의

1. 힘(Force)
   - 밀거나 당기는 작용이며, 물체의 모양이나 운동 상태를 변화시킨다.
   - 뉴턴의 운동 제2법칙, 질량(m)인 물체에 힘(Force)을 가하면 가속도(a)가 생긴다. 즉, F = m×a로, 질량에 가속도를 가하면 힘으로 정의할 수 있다.
   - 단위는 N(Newton) 또는 kgf(킬로그램중)을 사용한다.

2. 일(Work)
   - 물체에 작용한 힘과 물체가 힘(F)의 방향으로 이동한 거리(S)의 곱을 힘이 한 일이라고 한다. 즉 힘(Force)×이동거리(Shift)로 표현된다[W(Work) = F×S].
   - 단위는 J(Jule)을 사용한다. 1J은 1N의 힘으로 1m를 이동시켰을 때의 일의 양으로 1N · m와 같다.

6. 베르누이의 방정식

(1) 개념

① "비점성 비압축성 이상유체에서 흐르는 유체의 에너지는 다른 에너지로 변할 수 있어도 소멸되지 않는다."라는 에너지보존의 법칙으로 표현할 수 있다.

② 비압축성 이상유체의 정상 유동에서 유체가 가지는 압력에너지, 속도에너지, 위치에너지의 합은 어느 지점에서나 일정하다.

$$\frac{p}{\rho} + \frac{V^2}{2} + zg = \text{일정}$$

$\frac{p}{\rho}$: 압력에너지, $\frac{V^2}{2}$: 속도에너지, zg: 위치에너지

(2) 베르누이 방정식의 응용

① **토리첼리의 정리**: 통의 아래에 있는 구멍에서 흘러나오는 유속의 속력은 베르누이 정리를 이용하여 $v = \sqrt{2gh}$(m/s)로 구할 수 있는데, 이것을 토리첼리의 정리라고 한다.

② **벤츄리 관**(Ventury tube): 베르누이 법칙을 이용하여 유체의 압력이나 속력을 측정하는 데 사용하는 관이다. 한쪽 끝은 넓고 다른 쪽 끝은 좁은 형태로 되어 있으며 굵기가 다른 곳을 연결한 유리관 속의 물기둥의 높이 차이로 유체의 속력을 측정한다.

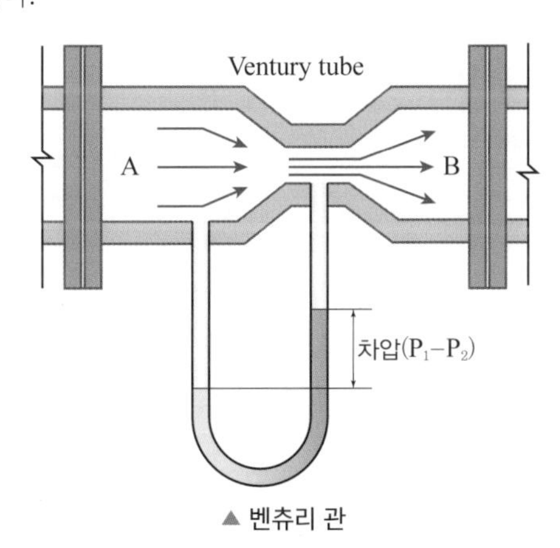

▲ 벤츄리 관

7. 단위

물리량(질량, 길이, 시간 등)을 측정하려면 기준이 되는 일정한 기본크기를 정해 놓고, 이 크기와 비교하여 몇 배가 되는가를 수치로 표시하게 되는데 이 기본크기를 단위(Unit)라고 한다.

(1) 기본단위와 유도단위

① 현재 국제적으로 사용되는 단위는 SI단위로 국제 도량형 총회에서 1960년에 결정된 것이다. 국제단위(SI단위)는 크게 기본단위와 유도단위로 분류된다.

② 독립된 차원을 가지는 것으로 간주되는, 명확하게 정의된 단위인 **미터(m), 킬로그램(kg), 초(s), 암페어(A), 켈빈(K), 몰(mol), 칸델라(cd)의 7개 단위를 SI기본단위**로 하였다.

③ 측정 기본단위인 길이(m), 무게(kg), 시간(second)의 머리글자를 따서 MKS 단위라고 한다.

참고 기본단위와 유도단위

1. SI기본단위

물리량	명칭	기호
길이	미터	m
질량	킬로그램	kg
시간	초	s
전류	암페어	A
온도	캘빈	K
물질의 양	몰	mol
광도	칸델라	cd

2. 유도단위

물리량	기호	SI기본단위 및 유도단위에 의한 표시법
주파수	Hz	1Hz = 1/s
힘	N	$1N = 1kg \cdot m/s^2 = 10^5 dyne$
압력·응력	Pa	$1Pa = 1N/m^2$
에너지·일·열량	J	$1J = 1N \cdot m$
공률	W	1W = 1J/s

핵심 적중

MKS기본단위가 아닌 것은?

① m(미터)
② kg(킬로그램)
③ sec(초)
④ N(뉴턴)

정답 ④

(2) 단위계

① 절대단위계

㉠ 절대단위계에서 힘의 단위로는 N(Newton)을 사용한다.

㉡ 1N(Newton): **질량 1kg의 물체에 1m/s²의 가속도를 가지게 하는 힘**이다.

$$1N(Newton) = 1kg \times 1m/s^2 = 10^5 dyne$$

② 중력단위계(공학단위계)

㉠ 힘의 단위로는 1kg중(무게 Weight. kg_f)을 사용한다.

㉡ $1kg_f$는 1kg에 중력가속도 $9.8m/s^2$를 가지게 하는 힘이다.

$$1kg중(kg_f) = 1kg \times 중력가속도(9.8m/s^2) = 9.8kg \cdot m/s^2 = 9.8N$$

(3) 차원(Dimension)

① 절대단위계(MLT단위계): 질량(Mass), 길이(Length), 시간(Time)으로 나타낸 단위계이다.

$$속도 = \frac{거리}{시간} = \frac{L}{T} = LT^{-1}$$
$$힘 = 질량 \times 가속도 = M \times LT^{-2} = MLT^{-2}$$

② 중력단위계(FLT단위계): 힘(Force), 길이(Length), 시간(Time)으로 나타낸 단위계이다.

$$압력 = \frac{힘}{면적} = \frac{F}{L^2} = FL^{-2}$$

해커스소방 **김정희 소방학개론** 기본서

PART 2

폭발론

CHAPTER 1 폭발의 개관

1 폭발의 개념 B

1. 개요

(1) 정의

① 폭발이란 물리적·화학적 변화의 결과로 발생된 **급격한 압력 상승에 의한 에너지가 외계로 전환되는 과정에서 파열, 폭음 등을 동반하는 현상**을 말한다.

② **물리적 폭발**은 물질의 상태가 변하거나 온도, 압력 등의 조건의 변화에 의한 폭발로써 **화염을 수반하지 않는다**. 반면에 화학적 폭발은 화학반응의 결과로 급격한 압력 상승을 수반한 폭발로써 화염을 동반한다.

③ 「화재조사 및 보고규정」상 화학적인 폭발현상이란 화학적 변화가 있는 연소현상의 형태로서, 급속히 진행되는 화학반응에 의하여 다량의 가스와 열을 발생하면서 **폭음, 불꽃 및 파괴가 일어나는 현상**을 말한다.

(2) 성립조건

① 밀폐된 공간과 연소의 요소가 있어야 한다.

② 폭발한계(폭발범위) 내에 있어야 한다.

③ 가연성 가스 및 분진을 발화시킬 수 있는 점화원이 있어야 한다.

④ 급격한 압력 상승이 수반되어야 한다.

(3) 폭발에 영향을 주는 요인

① 주위의 온도·압력

② 폭발성 물질의 물리적 성질과 물질의 조성

③ 개방계 또는 밀폐계

④ 착화원의 성질

⑤ 가연성 물질의 양과 물질의 유동상태 및 물질의 방축속도

2. 분류

(1) 압력상승의 원인에 따른 분류

① **물리적 폭발: 증기폭발, 수증기폭발**, 보일러폭발, 전선폭발, 감압폭발

② **화학적 폭발**: 산화폭발, 분해폭발, 중합폭발, 촉매폭발

③ **물리·화학적 폭발: 블레비(BLEVE) 현상**

④ 핵폭발

(2) 원인물질의 상태에 따른 분류

① **기상폭발**: 가스폭발, 분진폭발, 분해폭발, 분무폭발, 증기운폭발

② **응상폭발**: 증기폭발, 수증기폭발, 전선폭발

정희's 톡talk

폭발의 메커니즘
1. 급격한 압력의 상승
2. 다량의 가스와 열을 발생
3. 폭음, 불꽃, 파괴가 일어나는 현상

물리적 폭발과 화학적 폭발
물리적 폭발은 화학적인 변화 없이 상의 변화에 의한 폭발로서 원인계와 생성계가 동일합니다. 이에 반해 화학적 폭발은 원인계와 생성계가 동일하지 않습니다.

폭발의 분류

구분	종류
물리적 폭발 (응상폭발)	· 수증기 폭발 · 과열액체 증기폭발 · 저온액화가스 증기폭발 · 압력방출에 의한 폭발 · 전선폭발
화학적 폭발 (기상폭발)	· 산화폭발(가스폭발·분무폭발·분진·폭발·UVCE) · 분해폭발 · 중합폭발 · 반응폭주에 의한 폭발

균일반응폭발, 전파반응폭발

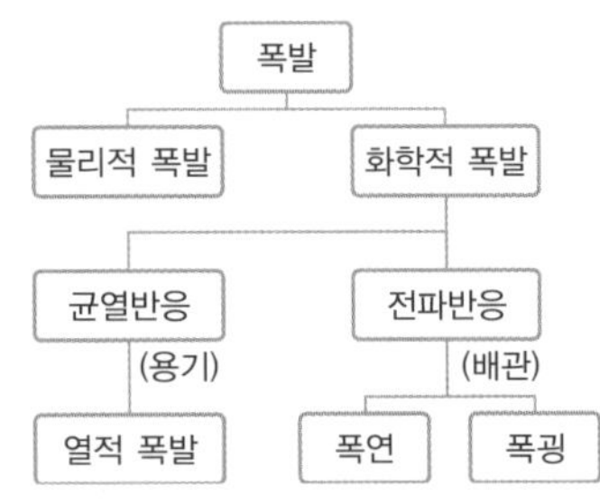

1. 균일반응폭발: 용기 내부의 화학적 변화로 온도·압력·밀도가 균일하게 반응하는 폭발
2. 전파반응폭발: 배관 또는 좁고 긴 통로에서 폭발경로를 따라서 길게 전파되는 폭발

2 폭연과 폭굉 A

1. 개요

폭연과 폭굉은 일반적으로 반응속도가 음속 이하인 것은 폭연, 음속 이상인 것은 폭굉으로 구분한다. 폭연과 폭굉 자체는 폭발이라기보다는 폭발이라는 결과를 초래하는 하나의 메커니즘으로 볼 수 있다.

2. 폭연과 폭굉의 특징

(1) 폭연(Deflagration)의 특징

① 폭연이란 연소부분에서 미연소부분으로의 화염 전파가 전도, 대류, 복사에 의하여 완만하게 전달되는 것을 말한다.

② 폭연은 급격한 연소반응으로서 **화염의 전파속도가 음속보다** 느린 것을 말하며 그 화염의 전파속도는 0.1 ~ 10m/s 정도이다.

③ **느린 층류연소가 강한 폭발형식으로 전환되는 것이다.**

④ 폭연에서는 반응면 전파는 **연소생성물의 난류혼합에 의하여 전파된다.**

⑤ **온도, 압력, 밀도 등이 화염면에서 연속적**으로 나타난다.

⑥ **폭연은 폭굉과 달리 충격파를 형성하지 않는다.**

⑦ 내연기관 내에서 가솔린과 공기의 혼합물은 거의 1/300초 내에 완전연소가 일어나는데 이것이 폭연이다.

(2) 폭굉(Detonation)의 특징

① 폭굉은 폭발적 연소반응으로서 화염의 전파속도가 음속보다 빠른 것을 말하며 일반적으로 화염의 전파속도는 1,000 ~ 3,500m/s이다. 이때의 온도의 상승은 열에 의한 전파라기보다는 충격파의 압력에 기인한다.

② 폭발범위 내의 농도 상태에서 반응속도가 급격히 증대하여 음속을 초과하는 경우이다. 주로 길이가 긴 배관 등에서 발생한다.

③ **에너지 방출속도는 열 전달속도에 기인하지 않고 압력파에 의존한다.**

④ 폭굉파는 음파와 달리 폭굉파가 통과한 곳은 화학적 조성이 변하므로, **가역적인 탄성파로 취급되지 않는다.**

⑤ **온도, 압력, 밀도 등이 화염면에서 불연속적**으로 나타난다.

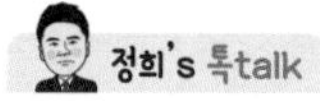

폭연과 폭굉의 비교

1. 폭연
   - 화염의 전파속도: 음속 이하
   - 충격파를 형성하지 않습니다.
2. 폭굉
   - 염의 전파속도: 음속 이상
   - 충격파(폭굉파)가 발생합니다.

핵심기출

폭굉(Detonation)에 대한 설명으로 옳은 것을 모두 고른 것은? 16. 소방간부

ㄱ. 화염전파속도가 음속보다 빠르다.
ㄴ. 충격파가 발생하지 않는다.
ㄷ. 에너지 방출속도는 열 전달속도에 큰 영향을 받는다.
ㄹ. 파면(화염면)에서 온도, 압력, 밀도가 불연속적으로 나타난다.
ㅁ. 온도의 상승은 충격파의 압력에 기인한다.

① ㄱ, ㄹ, ㅁ
② ㄴ, ㄷ, ㄹ, ㅁ
③ ㄱ, ㄴ, ㄷ, ㄹ, ㅁ
④ ㄴ, ㄷ
⑤ ㄴ

정답 ①

핵심기출

01 **폭연과 폭굉에 대한 설명으로 옳은 것은?** 17. 상반기 공채

① 폭연은 화염의 전파속도가 음속보다 빠르고, 폭굉은 화염의 전파속도가 음속보다 느린 현상을 말한다.
② 폭연은 에너지 전달이 충격파에 의해 나타나고, 폭굉은 일반적인 열 전달 과정을 통해 나타난다.
③ 폭연은 온도, 압력, 밀도가 화염면에서 불연속적이고, 폭굉은 온도, 압력, 밀도가 화염면에서 연속적이다.
④ 폭연은 에너지 방출속도가 물질 전달속도에 영향을 받고, 폭굉은 에너지 방출속도가 물질 전달속도에 기인하지 않고 공간의 압축으로 인하여 아주 짧다.

정답 ④

02 **폭연(deflagration)과 폭굉(detonation)에 관한 설명으로 옳은 것은?** 23. 공채

① 예혼합가스의 초기압력이 높을수록 폭굉 유도거리가 길어진다.
② 화염전파속도는 폭연의 경우 음속보다 느리며, 폭굉의 경우 음속보다 빠르다.
③ 폭연은 폭굉으로 전이될 수 없으나 폭굉은 폭연으로 전이될 수 있다.
④ 폭연은 화염면에서 온도, 압력, 밀도의 변화가 불연속적으로 나타난다.

정답 ②

03 **폭연(Deflagration)에 관한 설명으로 옳지 않은 것은?** 23. 소방간부

① 충격파를 형성하지 않는다.
② 에너지 방출속도가 물질전달속도에 영향받지 않고 매우 빠르다.
③ 화염의 전파속도가 음속보다 느린 것을 말하며, 그 화염의 전파속도는 0.1~10m/sec 정도이다.
④ 반응 또는 화염면의 전파가 분자량이나 공기 등의 난류확산에 영향을 받는다.
⑤ 화염면에서 상대적으로 완만한 에너지 변화에 의해서 온도, 압력, 밀도 변화가 연속적으로 나타난다.

정답 ②

요약NOTE 폭연과 폭굉의 비교

구분	폭연(Deflagration)	폭굉(Detonation)
화염의 전파속도	0.1 ~ 10m/s, 음속 이하	1,000 ~ 3,500m/s, 음속 이상
폭발압력	초기압력의 10배 이하	10배 이상
충격파	충격파 압력은 정압	정압과 동압이 합쳐져 초압에 비해 10배 이상 상승
연소형태	확산연소의 형태	예혼합연소의 형태
폭발환경	개방된 환경	밀폐된 환경
에너지 방출속도 (온도 상승)	물질(열)의 전달속도에 영향을 받음	열에 의한 전파보다 충격파에 의한 압력에 영향을 받음
화염면	압력의 Peak가 완만하여 화염면에서 온도, 압력, 밀도가 연속적으로 전파됨 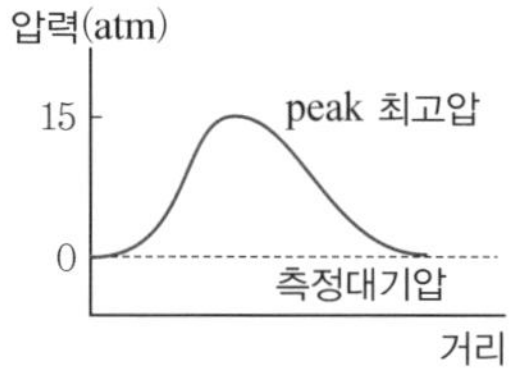 	압력의 Peak가 매우 뾰족하여 화염면에서 온도, 압력, 밀도가 불연속적으로 나타남 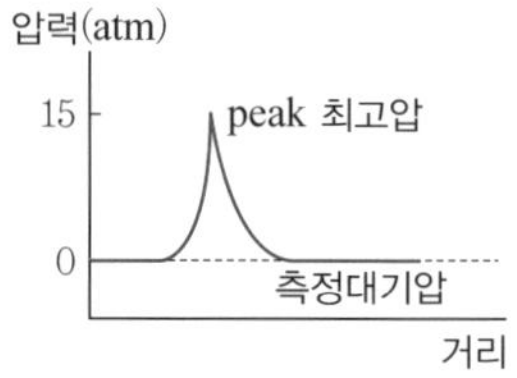
폭발반응의 전파	전도, 대류, 복사에 의해 화염 반응이 미연소부분으로 전파됨	충격파의 압력으로 인해 폭발반응이 전파됨

참고 화재와 폭발의 차이

1. 화재는 열에너지의 이동에 따라 연소전파가 이루어지는 과정이다.
2. 연소의 열에너지 방출에 따라 온도가 상승하며 밀도는 온도 상승에 의하여 감소한다.

구분	화재	폭발
연소(폭발) 전파	열에너지의 이동	복사에너지와 압력파
압력	일정	상승
온도와 밀도	온도 상승, 밀도 감소	온도 상승, 밀도 증가
상태도	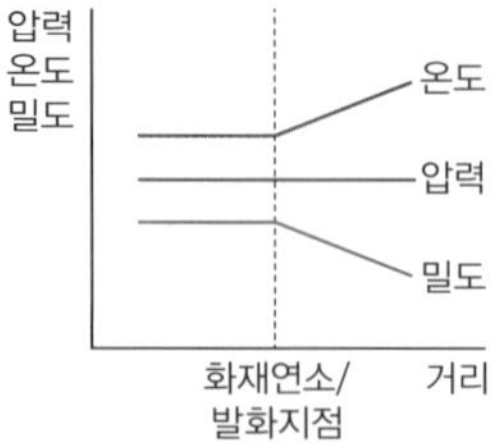 	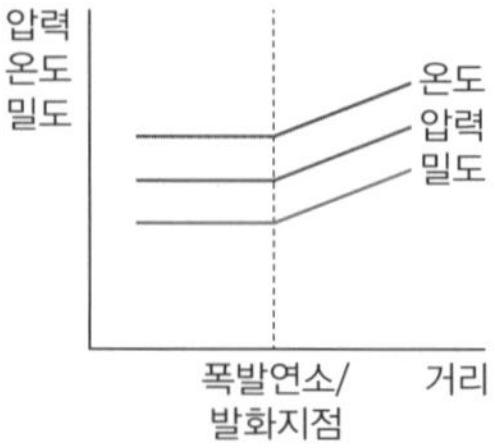

3. 폭굉유도거리(DID; Detonation Inducement Distance)(DDT; Deflagration-to-Detonation Length)

폭굉유도거리란 최초의 완만한 연소에서 폭굉까지 발전하는 데 필요한 거리를 말한다. 즉, 화재 이후 완만하게 진행되던 연소가 폭굉으로 발전할 때까지의 거리를 말한다.

(1) 폭굉유도거리(DID)의 영향요인

폭굉유도거리가 짧아지는 조건은 위험성이 큰 상황이다.

① 점화에너지가 강할수록 짧아진다.

② 연소속도가 큰 가스일수록 짧아진다.

③ 관경이 가늘수록 짧아진다.

④ 관속에 이물질(장애물)이 있을 경우에 짧아진다.

⑤ 배관의 상용 압력이 높을수록 짧아진다.

(2) 폭연에서 폭굉으로의 전이과정(메커니즘)

폭굉은 폐쇄된 공간에서 발생하기 쉽다. 압력파가 중첩되기 위해서는 일정한 질주거리가 있어야 하므로 파이프, 덕트 등에서 잘 발생한다.

① 점화원에 의하여 화재가 발생하면 미연소부분으로의 화염전파가 시작된다.

② 연소파에 의하여 화염의 전방에서 압축파가 발생한다.

③ 압축파는 계속해서 발생하는 압축파와 중첩되면서 강한 충격파로 전이된다.

④ 충격파는 단열압축을 수반하면서 발화점 이상으로 온도가 상승하게 되어 발화를 촉진한다.

⑤ 충격파가 배후에 연소를 수반하면서 엄청난 폭굉파를 발생한다.

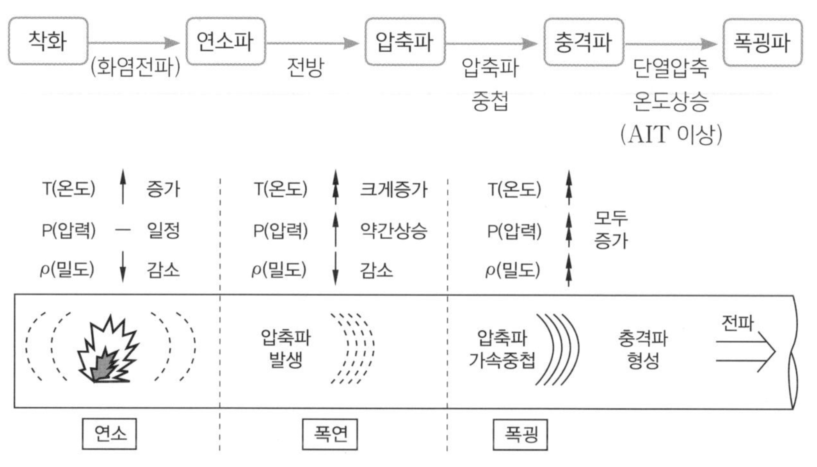

▲ 폭굉파 발생의 메커니즘

(3) DDT(폭연 - 폭굉으로 전이과정) 조건

① 가연성 혼합기가 폭발범위 이내

② 착화를 시킬 수 있는 충분한 점화에너지

③ 통상적으로 배관 길이가 배관직경의 10배 이상 배관 직경 12mm 이상

핵심기출

01 폭연에서 폭굉으로 발전할 때 거리가 짧아지는 조건으로 옳지 않은 것은?
18. 상반기 공채

① 관경이 넓을수록 짧아진다.
② 연소반응속도가 빠를수록 짧아진다.
③ 압력이 높을수록 짧아진다.
④ 관속에 이물질이 있거나 관벽이 거칠수록 짧아진다.

정답 ①

02 다음은 폭연에서 폭굉으로 전이되는 과정이다. ( ) 안에 들어갈 단계로 옳은 것은?
24. 공채·경채

착화 → (ㄱ) → (ㄴ) → (ㄷ) → 폭굉파

	ㄱ	ㄴ	ㄷ
①	화염전파	압축파	충격파
②	화염전파	충격파	압축파
③	압축파	화염전파	충격파
④	압축파	충격파	화염전파

정답 ①

핵심기출

폭굉(detonation)에 관한 설명으로 옳지 않은 것은? 24. 소방간부

① 폭굉은 급격한 압력의 상승 또는 개방에 의해 가스가 격한 음을 내면서 팽창하는 현상이고, 화염의 전파속도는 약 0.1 ~ 10 m/s이다.
② 압력이 높을수록 폭굉으로의 전이가 쉬운 조건이 된다.
③ 최초의 완만한 연소에서 격렬한 폭굉으로 발전하는 데 필요한 거리를 폭굉유도거리라 한다.
④ 폭굉유도거리가 짧아질수록 위험도는 커진다.
⑤ 관경이 가늘수록 폭굉유도거리는 짧아진다.

정답 ①

정희's 톡talk

DDT Length의 발생원리

1. DDT Length가 짧을수록 난류가 증가되고, 화염면의 이동속도가 빨라집니다.
2. 급격하게 압력이 상승하는 압축범위가 작을수록 폭굉의 압력크기는 더 증가하고 전방으로의 화염속도는 더 빨라집니다.
3. 증가된 압력은 후방의 압력파와 중첩되어 충격파(Shock wave)를 더 크게 만듭니다.
4. L/D(직경에 대한 길이 비)가 70 ~ 90 이상이 되면 일정한 압력이 형성되어 전방으로 폭굉을 전파합니다.

(4) 밀폐폭발과정의 화염속도 및 압력곡선

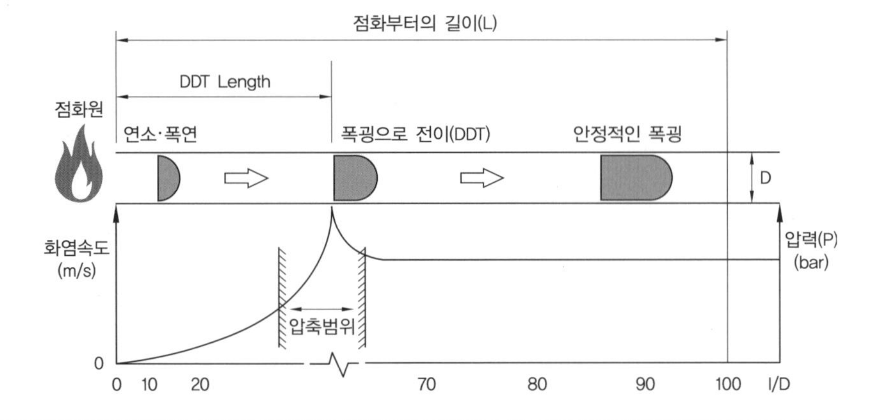

심화학습 폭굉 발생의 방지대책

1. **화염방지기(Flame Arrestor)의 설치:** 배관의 시작 부분에 화염방지기를 설치하여 배관 내에서 전파되고 있는 화염이 배관의 미연소부분으로 확산을 방지한다.
2. **파열판(Rupture Disc)의 설치:** 화염이 충격파로 전이되어 용기 또는 배관 내부에 과압이 발생한 경우 파열판을 통해 압력이 배출되게 하여 연소의 확산을 방지한다.
3. **불활성화:** 불활성 소화약제가 분출되게 하여 순식간에 배관을 폭발농도 이하로 불활성화하여 폭굉으로 전이되는 것을 방지한다.
4. **긴급차단장치의 설치:** 불활성화 조치와 유사한 방법으로 배관 또는 덕트를 긴급하게 차단하는 방법이다.

심화학습 연소, 폭연, 폭굉

구분	연소	폭연	폭굉
환경	개방계	밀폐계	밀폐계
연소형태	확산연소	예혼합연소	예혼합연소
전달에너지	연소열	연소열 (전도·대류·복사)	충격파
상태도	T_1 → T_2 (상승) P_1 → P_2 (일정) p_1 → p_2 (감소)	T_1 → T_2 (상승) P_1 → P_2 (상승) p_1 → p_2 (감소)	T_1 → T_2 (상승) P_1 → P_2 (상승) p_1 → p_2 (상승)

CHAPTER 2 폭발의 분류

1 급격한 압력 상승의 원인에 따른 분류 A

압력 상승의 원인에 따라 폭발을 분류하면 핵폭발, 물리적 폭발, 화학적 폭발, 블레비(BLEVE) 현상으로 분류할 수 있다.

1. 물리적 폭발

물리적 폭발은 물리적 변화를 주체로 한 것으로서 고압용기의 파열, 탱크의 감압 파손 등이 주요 원인이 되며, 화학적 변화를 수반하지 않는 급격한 기화현상에 의하여 발생한다.

(1) 특징

① 물리적 폭발은 물질의 상태·온도·압력 등의 조건의 변화에 의한 폭발이다. **화학적 변화 없이 일어나며 물리적 변화에 의해서만 일어나는 폭발**이다.

② 물리적 폭발에는 고압용기의 파열, 탱크의 감압파손 등이 있다.

③ **물리적 폭발은** 물질의 분자구조가 변하지 않고, 물질의 상태가 변하여 급격한 압력의 상승이 일어나는 폭발을 말한다.

④ 액체가 들어 있는 밀폐용기가 화재 시 외부로부터 가열되면 증기압이 상승되어 용기가 파열되면서 기체와 액체 간의 평형이 깨지는 현상이 발생할 수 있다. 이러한 **과열액체의 증기폭발(비등액체팽창증기폭발)도 물리적 폭발에 해당한다.**

⑤ 미세한 금속선에 큰 용량의 전류가 흘러 전선의 온도 상승으로 용해되어 갑작스러운 기체의 팽창이 짧은 시간 내에 발생하는 **전선의 폭발**도 물리적 폭발에 해당한다.

(2) 보일러의 물리적 폭발

① 보일러와 같이 고압의 포화수를 저장하고 있는 용기가 파손 등의 원인으로 동체의 일부분이 열리면 용기 내압이 급속히 하락되어 일부 액체가 급속히 기화하면서 증기압이 급상승하여 용기가 파괴된다.

② 용기의 내압이 감소하거나, 보일러의 과열에 의하여 내부 수증기 압력이 상승하면서 용기가 파손되는 것이 물리적 폭발의 대표적인 예이다.

(3) LPG 탱크의 물리적 폭발

① 탱크로리에서 LPG를 내릴 때(Unloading) 장치의 손상 및 불량으로 폭발할 수 있다.

② 탱크의 정상부는 외부 화염에 의하여 가열되어 내압강도가 저하되고, 결국 탱크가 파손되어 LPG의 증기폭발이 발생한다.

정희's 톡talk

압력 상승의 원인에 따른 분류
1. 물리적 폭발
- 증기폭발
- 수증기폭발
- 전선폭발
- 보일러 폭발

2. 화학적 폭발
- 산화폭발: 가스·분해·분진·증기운폭발
- 분해폭발
- 중합폭발

핵심기출

01 폭발에 대한 설명으로 옳지 않은 것? 20. 공채

① 증기폭발은 폭발물질의 물리적 상태에 따른 분류 중 기상폭발에 해당한다.
② 폭굉은 연소반응으로 발생한 화염의 전파 속도가 음속보다 빠른 것을 말한다.
③ 블레비(BLEVE)는 액화가스저장탱크 등에서 외부열원에 의해 과열되어 급격한 압력 상승의 원인으로 파열되는 현상이며, 폭발의 분류 중 물리적 폭발에 해당한다.
④ 폭발은 물리적, 화학적 변화의 결과로 발생된 급격한 압력 상승에 의한 에너지가 외계로 전환되는 과정에서 파열, 폭음 등을 동반하는 현상을 말한다.

정답 ①

02 다음 중 화학적 폭발에 해당하지 않는 것은? 22. 소방간부

① 수증기폭발
② UVCE
③ 분해폭발
④ 분진폭발
⑤ 분무폭발

정답 ①

2. 화학적 폭발

화학적 폭발은 물질의 화학반응에 의하여 온도가 상승·과열되어 단시간 내에 급격한 압력 상승이 발생하여 폭발하는 현상을 말한다.

(1) 산화폭발

① 산화폭발은 일반적으로 **급격한 연소반응**에 의한 압력의 발생으로 일어나는 폭발현상이다.

② 산화폭발의 종류로는 **가스폭발, 분무폭발, 분진폭발** 등이 있다.

③ 가연성 가스의 누출, 인화성 액체 탱크 내부의 공기유입, 분진운 형성 등과 같은 폭발성 혼합기체가 형성된 상태에서 점화원에 의하여 착화하여 폭발하는 현상이다.

(2) 분해폭발

① 분해폭발은 **산소에 관계없이** 단독으로 **발열·분해반응을 하는 물질에 의하여 발생하는 폭발현상**이다. 압력과 온도의 영향을 받아 분해되며, 분해반응 시 발생하는 열과 압력에 의하여 주위에 많은 재해를 주는 폭발을 말한다.

② 분해반응에 의하여 폭발을 일으키는 물질에는 에틸렌·산화에틸렌·과산화물·아세틸렌·디아조화합물·히드라진 등이 있다.

③ 아세틸렌은 공기 중에서의 연소범위가 2.5~81%로서 연소범위가 넓어 폭발을 일으킬 위험성이 높은 가스이며, 이를 **압축하면** $C_2H_2 \rightarrow 2C + H_2 + 54kcal$의 분해방정식과 같이 분해를 일으키므로 이 열에 의하여 폭발이 일어난다.

(3) 중합폭발

① 중합폭발은 단량체의 중축합반응에 따른 발열량에 의한 폭발을 말한다.

② 불포화탄화수소 등이 급격한 중합반응을 일으켜 중합열에 의하여 폭발하는 경우의 대표적인 예로는 산화에틸렌(분해폭발도 가능), 부타디엔, 염화비닐, 시안화수소(분해폭발도 가능) 등이 있다.

(4) 반응폭주에 의한 폭발

반응폭주란 화학반응기 내에 압력, 온도, 혼합물의 질량 등의 제어 상태가 규정 조건을 벗어나 화학반응속도가 지수 함수적으로 증가함으로 인하여 화학반응이 과격해지는 현상을 말한다. 이러한 반응폭주 등에 의한 폭발도 화학적 폭발에 해당한다.

핵심기출

01 다음 중 화학적 폭발을 〈보기〉에서 있는 대로 고른 것은? 21. 소방간부

〈보기〉
ㄱ. 중합폭발　ㄴ. 수증기폭발
ㄷ. 산화폭발　ㄹ. 분해폭발

① ㄱ, ㄷ　② ㄷ, ㄹ
③ ㄱ, ㄴ, ㄹ　④ ㄱ, ㄷ, ㄹ
⑤ ㄴ, ㄷ, ㄹ

정답 ④

02 화학적 폭발에 대한 설명으로 관계없는 것은? 16. 소방간부

① 수증기폭발은 밀폐공간 속의 물이 급속히 기화하면서 많은 양의 수증기가 발생함으로써 증기압이 높아져 이것이 공간을 구획하고 있는 용기나 구조물의 내압을 초과하여 파열되는 현상이다.
② 분해폭발은 산소에 관계없이 단독으로 발열·분해반응을 하는 물질에 의해서 발생하는 폭발이다.
③ 중합폭발은 단량체의 중축합반응에 따른 발열량에 의한 폭발로 대표적인 예로는 산화에틸렌, 시안화수소, 염화비닐 등이 있다.
④ 가스폭발은 가연성 가스가 폭발범위 내의 농도로 공기나 조연성 가스 중에 존재할 때 점화원에 의해 폭발하는 현상이다.
⑤ 분진폭발은 공기 중에 부유하고 있는 가연성 분진이 주체가 되는 폭발이다.

정답 ①

03 폭발에 대한 설명으로 옳지 않은 것은? 21. 공채

① 폭연은 폭굉보다 폭발압력이 낮다.
② 분해폭발은 산소에 관계없이 단독으로 발열 분해반응을 하는 물질에서 발생한다.
③ 물리적 폭발은 물질의 상태(기체, 액체, 고체)가 변하거나 온도, 압력 등 조건의 변화에 따라 발생한다.
④ 중합폭발은 가연성 액체의 무적(霧滴, mist)이 일정 농도 이상으로 조연성 가스 중에 분산되어 있을 때 착화하여 발생한다.

정답 ④

2 원인물질의 상태에 따른 분류 A

폭발 원인물질의 상태에 따라 기상폭발과 응상폭발로 분류할 수 있다. 일반적으로 응상폭발은 원인물질의 상태가 액체 상태 또는 고체 상태에서의 폭발현상을 말하며, 기상폭발은 원인물질의 물리적 상태가 기체 상태인 것을 말한다.

1. 기상폭발

기상폭발에는 가스폭발, 분진폭발, 분해폭발, 분무폭발, 증기운폭발이 있다. 특히 분진폭발의 경우 물질 자체는 가연성 고체 상태의 미분이지만 입자표면 주위에 열분해로 발생된 가연성 가스의 연소과정을 거치므로 기상폭발의 범주에 포함된다.

(1) 가스폭발

① 가연성 기체가 빠른 반응 속도로 발열반응을 일으켜 급격히 팽창하면서 급격한 열과 압력을 발생시켜 나타내는 폭발현상을 말한다.

② 가스폭발을 하는 가연성 기체에는 수소, 일산화탄소, 메탄, 프로판, 아세틸렌 등이 있다.

③ 가스폭발을 하는 가연성 가스와 지연성 가스와의 혼합기체가 존재할 때 폭발이 발생할 수 있다.

④ 가스폭발의 조건은 폭발범위(농도조건)를 충족한 상태에서 점화원이 존재하여야 한다. 폭발력은 가연성 가스의 양와 지연성 가스의 혼합량, 밀폐된 상태, 온도, 압력 등에 따라 달라질 수 있다.

⑤ 기상 중에 화염전파가 이루어지려면, 수소와 메탄과 같은 가연성 가스가 공기와 예혼합되어 있는 가연성 혼합기를 형성하고 있어야 한다. 이러한 형태의 예혼합 화염전파 현상이 가스폭발이고 에너지 방출속도가 매우 빠르다.

⑥ 발생장소에 따른 가스폭발

㉠ **개방공간**: 다량의 가연성 가스가 누설되는 경우에 한하여 폭발이 발생한다.

㉡ **밀폐공간**: 가연성 가스가 체류되기 쉬워 농도가 상승되며, 착화 후에는 공간 내의 압력도 상승된다.

㉢ **좁고 긴 공간**: 주로 배관이나 덕트 내부에서 발생되며, 폭굉으로 전이될 우려가 있다.

참고 가스폭발과 분진폭발

구분	가스폭발	분진폭발
연소속도, 초기폭발력	큼	작음
발열량, 발생에너지	작음	큼
일산화탄소 발생률, 연쇄폭발	작음	많음
공기와 가연물	균일한 상태에서 반응	불균일한 상태에서 반응

폭발 원인물질의 상태에 따른 분류
1. 기상폭발: 가스폭발, 분진폭발, 분해폭발, 분무폭발, 증기운폭발
2. 응상폭발: 증기폭발, 수증기폭발, 전선폭발, 물질의 혼합에 의한 폭발

핵심기출

01 다음 중 기상폭발이 아닌 것은? 15. 공채

① 분진폭발 ② 증기폭발
③ 가스폭발 ④ 분무폭발

정답 ②

02 기상폭발에 해당하는 현상으로 옳은 것은? 20. 소방간부

ㄱ. 고체인 무정형 안티몬이 동일한 고상의 안티몬으로 전이할 때 발열함으로써 주위의 공기가 팽창하여 폭발한다.
ㄴ. 가연성 가스와 조연성 가스가 일정 비율로 혼합된 가연성 혼합기는 발화원에 의해 착화되면 가스폭발을 일으킨다.
ㄷ. 기체 분자가 분해할 때 발열하는 가스는 단일 성분의 가스라고 해도 발화원에 의해 착화되면 혼합가스와 같이 가스폭발을 일으킨다.
ㄹ. 공기 중에 분출된 가연성 액체가 미세한 액적이 되어 무상으로 공기 중에 부유하고 있을 때 착화에너지가 주어지면 폭발이 발생한다.
ㅁ. 보일러와 같이 고압의 포화수를 저장하고 있는 용기가 파손 등의 원인으로 동체의 일부분이 열리면 용기 내압이 급속히 하락되어 일부 액체가 급속히 기화하면서 증기압이 급상승하여 용기가 파괴된다.

① ㄱ, ㄴ, ㄷ ② ㄱ, ㄴ, ㄹ
③ ㄴ, ㄷ, ㄹ ④ ㄴ, ㄷ, ㅁ
⑤ ㄷ, ㄹ, ㅁ

정답 ③

03 폭발을 기상 폭발과 응상 폭발로 분류할 때, 폭발의 종류가 다른 것은? 24. 소방간부

① 분무 폭발 ② 분진 폭발
③ 분해 폭발 ④ 증기운 폭발
⑤ 증기 폭발

정답 ⑤

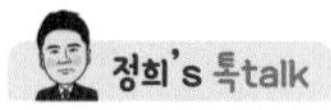

가스폭발의 종류

1. Pool fire: 인화성 액체의 액면 위 증발된 기체가스 화재를 말합니다.
2. Torch fire(Jet fire): 탱크·배관 등에서 누설되는 가스와 공기가 혼합되면서 연소하고, 토치 또는 제트 형태의 화재를 말합니다.
3. Flash fire: 누출되어 형성된 증기운에 점화되어 폭발(UVCE)이 발생하지 않는 연소현상을 말합니다. 가연성가스가 누출되어 기화된 증기가 넓게 퍼지고 이렇게 넓게 퍼진 증기운에 발화되는 화재로, 화염전파가 느리기 때문에 연소속도의 증가가 발생하지 않는 화재입니다.

$$\text{Flash율} = \frac{\text{기화된 액량[kg]}}{\text{전체액량[kg]}}$$

(2) 분해폭발

① **공기나 산소가 혼합되지 않더라도 가연성 가스 자체의 분해 반응열에 의하여 폭발하는 현상**으로 분해폭발은 고압 상태에서 발생되기 쉽다.

② 고압으로 압축된 아세틸렌 가스에 충격이 가해지면 직접 분해반응을 일으키므로 다른 가스들처럼 그대로 용기에 고압으로 충진할 수 없다. 따라서 용기에 고압으로 저장하여야 할 경우는 불활성 다공물질을 용기 내부에 주입하고 여기에 아세톤액을 스며들게 하여 **아세틸렌을 용해 충진하는 방법**도 이용되고 있다.

③ 공기가 섞이지 않은 순수한 상태(산소 없는 상태)에서도 폭발이 가능하므로 폭발상한계는 100%가 될 수 있다.

④ **분해폭발을 하는 물질로는 아세틸렌(C_2H_2), 산화에틸렌(C_2H_4O), 히드라진(N_2H_4), 에틸렌(C_2H_4)**, 오존(O_3), 아산화질소(N_2O), 산화질소(NO), 시안화수소(HCN) 등이 있다.

(3) 분무폭발

① 분무폭발은 **공기 중에 분출된 가연성 액체가 미세한 액적이 되어 무상으로 공기 중에 부유하고 있을 때 착화에너지가 주어지면 폭발이 발생한다.**

② 압력유, 윤활유 등은 유기물로서 가연성이나 인화점이 높아 보통의 상태에서는 연소하기 어려우나 공기 중에 분무되어 폭발을 일으키는 현상을 말한다.

③ 고압의 유압설비의 일부가 파손되어 내부의 가연성 액체가 공기 중에 분출되는 경우에 착화에너지에 의하여 발생한다. 일반적인 가스폭발현상이라고 할 수 있다.

④ 분출한 가연성 액체의 온도가 **인화점 이하로 존재하여도 무상으로 분출된 경우에 폭발하는 경우가 있다.** 착화에너지에 의하여 일부의 액적이 가열되어 그의 표면부분에 가연성의 혼합기체가 형성되고 연소하기 시작하고, 이 연소열에 의하여 그 부근의 액적 주위에는 가연성 혼합기체가 형성되고, 순차적으로 연소반응이 가속화되어 폭발이 발생하는 것이 바로 그것이다.

(4) 증기운폭발(UVCE; Unconfined Vapor Cloud Explosion)

① **대기 중에 기화하기 쉬운 액체가 유출되어 대량의 가연성 혼합기체가 형성되고, 여기에 발화원에 의하여 폭발하는 현상을 말한다.**

② **자유공간 중의 증기운폭발**이라고도 한다.

③ 밀폐된 공간이 아닌 곳에서 발생되는 현상이며, 화구(Fire ball)가 형성된다.

④ 증기운 크기에 따라 피해 정도가 달라지며, 화학공정에서 가장 위험하고 파괴적인 폭발이다.

⑤ **증기운폭발의 프로세스**

㉠ 가연성 또는 인화성 액체 저장탱크에서 가스가 누설되어 급격한 증발이 발생한다.

㉡ 증발된 가스와 공기가 혼합하여 증기운을 형성한다.

㉢ 형성된 증기운이 점화원으로부터 점화된다.

㉣ 폭연에서 폭굉과정으로 급격한 전이과정을 거치면서 UVCE를 발생시킨다.

㉤ Fire ball이 발생한다.

⑥ 증기운폭발의 형성조건

㉠ 방출되는 물질이 가연성 물질이다.

㉡ 발화 전에 충분한 증기운을 형성한다.

㉢ 충분한 증기운이 폭발범위 이내를 형성한다.

㉣ 빠른 화염전파속도를 가진다.

(5) 분진폭발

① 정의

㉠ 분진폭발은 가연성 고체의 미분이 공기 중에 부유하고 있을 때 착화원에 의하여 에너지가 주어지면 폭발하는 현상을 말한다.

㉡ 분진폭발 물질로는 유황, 플라스틱, 사료, 석탄, 알루미늄, 철, 쌀, 보리의 곡물 등 100여종이 넘는 물질이 있으며, 분진폭발을 일으키지 않는 물질로는 석회석, 생석회, 소석회, 산화알루미늄, 시멘트 가루, 대리석 가루, 가성소다, 유리 등이 있다.

② 분진폭발의 조건

㉠ 가연성 물질　　　㉡ 가연성 물질이 미분 상태

㉢ 다량의 조연성 가스가 존재　　　㉣ 공기 중에서 교반과 유동

㉤ 화염전파를 할 수 있는 충분한 에너지의 점화원 존재

③ 분진폭발의 원리(가연성 분진폭발의 메커니즘)

㉠ 가연성 미분이 공기 중의 교반과 유동에 따라 입자의 표면에 에너지가 주어져 표면온도가 상승한다.

㉡ 온도가 상승된 표면입자 분진이 열분해하여 입자주위에 가연성 가스를 발생시킨다.

㉢ 발생된 가연성 가스가 조연성 가스(공기)와 혼합하여 폭발성 혼합기를 생성한다.

㉣ 폭발성 혼합기 상태에 충분한 에너지인 점화원이 착화원으로 작용하면 발화하여 화염을 발생시킨다(1차 폭발).

㉤ 발생된 높은 발열량은 미연소된 분말 입자 표면의 분해를 촉진시켜 가연성 가스를 발생시킨다(2차 폭발).

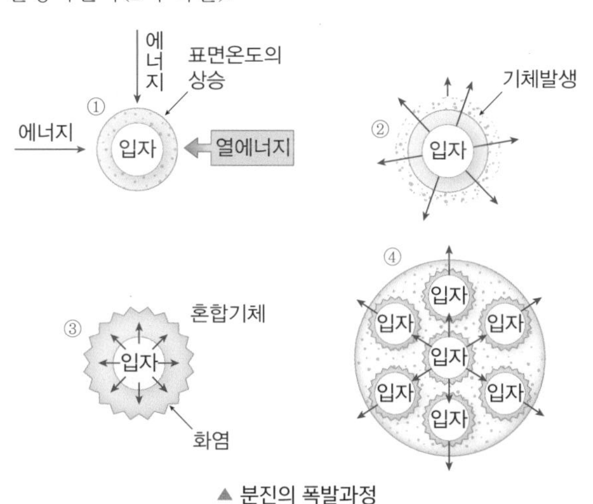

▲ 분진의 폭발과정

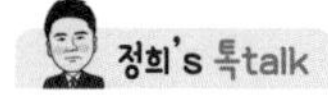

분진과 분진폭발

1. 분진(Dust)은 기체 중에 부유하는 미세한 고체입자를 총칭하는 말로 분진형태로서는 부유분진뿐만 아니라 보통침강이나 포집에 의해 층상으로 누적된 입자군이나 퇴적된 입자군도 포함합니다. 공기 중에서 연소할 수 있는 분진을 가연성분진이라 하고 특히 금속의 분말이 부유 상태에서 격렬하게 폭발할 수 있는 금속분진을 폭발성분진이라고 합니다.
2. 분진폭발 물질
   - 분진폭발을 하는 물질: 유황, 플라스틱, 사료, 석탄, 알루미늄, 철, 쌀, 보리의 곡물
   - 분진폭발을 일으키지 않는 물질: 석회석, 생석회, 소석회, 산화알루미늄, 시멘트 가루, 대리석 가루, 가성소다, 유리
3. 석회석(탄산칼슘)에 열을 가해 이산화탄소를 제거하면 생석회가 되고 생석회에 물을 가하면 소석회(수산화칼슘)가 됩니다.

- $CaCO_3 \rightarrow CaO + CO_2$
- $CaO + H_2O \rightarrow Ca(OH)_2$

핵심기출

다음 설명에 해당하는 것은?　18. 하반기 공채

> 가연성 고체의 미분이 공기 중에 부유하고 있을 때에 어떤 점화원에 의해 에너지가 주어지면 폭발하는 현상을 말한다.

① 가스폭발
② 분무폭발
③ 분해폭발
④ 분진폭발

정답 ④

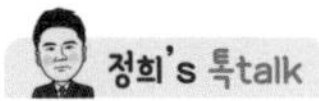

분진폭발의 조건

분진폭발의 조건에는 가연성 미분 상태, 조연성 가스, 점화원, 공기 중에서 교반과 유동이 있습니다.

핵심기출

분진폭발에 영향을 미치는 인자에 관한 설명으로 옳지 않은 것은? 23. 공채

① 분진의 발열량이 클수록 폭발하기 쉽다.
② 분진의 부유성이 클수록 폭발이 용이해진다.
③ 분진폭발은 분진의 입자직경에 영향을 받는다.
④ 분진의 단위체적당 표면적이 작아지면 폭발이 용이해진다.

정답 ④

정희's 톡talk

분진의 비표면적

$$S(\text{비표면적}) = \frac{\phi}{\rho d}$$

ϕ: 형상계수
ρ: 입자의 밀도
d: 입자의 직경

핵심적중

01 분진폭발에 대한 설명으로 가장 옳지 않은 것은?

① 분진의 발열량이 클수록 폭발성은 증가한다.
② 알루미늄 분진 속 수분량이 증가하면 폭발성은 증가한다.
③ 평균입자 직경이 클수록 폭발성은 증가한다.
④ 입도가 같을 경우 구상보다는 침상의 폭발성이 더 크다.

정답 ③

02 분진폭발과 가스폭발에 대한 설명으로 옳지 않은 것은?

① 분진폭발이 가스폭발보다 이산화탄소의 양이 많다.
② 최소발화에너지는 가스폭발이 더 크다.
③ 연소속도는 가스폭발이 더 빠르다.
④ 폭발압력은 가스폭발이 더 크다.

정답 ②

④ 분진폭발의 영향 인자

㉠ 분진의 화학적 성질

ⓐ 분진의 발열량과 휘발성이 클수록 폭발성이 크다.

ⓑ 분진 자체의 열분해 용이성 등도 영향을 미친다.

㉡ 분진의 부유성

ⓐ 부유성이 클수록 공기 중에 체류시간이 길고 위험성도 커진다.

ⓑ **공기 중에서 산화피막을 형성할 수 있는 가연성 분진은 공기 중의 부유시간이 길어지면 폭발성이 감소할 수도 있다.**

ⓒ 분진 중에 존재하는 수분은 분진의 부유성을 억제할 수 있다. 이에 따라 가연성 분진의 폭발하한계가 높아져 폭발성을 약하게 할 수 있다.

ⓓ **수분과의 반응성이 있는 금수성 물질의 분진은 가연성 가스의 발생을 촉진시킬 수 있어 폭발의 위험성이 커질 수 있다.**

㉢ 입도 및 형상

ⓐ **분진의 비표면적**이 클수록 열축적이 용이하고 산소와 접촉이 쉬워 폭발성이 크다.

ⓑ 분진폭발을 일으키는 분진입자의 크기는 약 76㎛(200mesh) 이하이다.

㉣ 산소의 농도

ⓐ 산소의 농도가 낮아지면 최소점화에너지는 증가한다.

ⓑ 산소의 농도가 증가하면 폭발하한계가 낮아지게 되어 강한 폭발성을 가진다.

⑤ 분진폭발의 특징

㉠ 분진폭발은 가스폭발과 같이 조연성 가스의 균일한 상태에서 반응하는 것이 아니고 가연물 주위에서 불균일한 상태에서 반응한다. 즉, **분진폭발은 가스폭발에 비하여 불완전연소가 많이 발생**하기 때문에 일산화탄소의 발생량이 상대적으로 크다고 볼 수 있다.

㉡ 분진폭발은 가스폭발보다 착화를 일으킬 수 있는 **최소발화에너지가 크다.**

㉢ **분진폭발은 2차 폭발, 3차 폭발을 일으킬 수 있다.**

㉣ 가스폭발에 비하여 연소속도나 폭발 압력은 작으나 연소시간이 길고 발생에너지가 크기 때문에 파괴력과 연소 정도가 크다.

㉤ 발생 에너지는 최고치에서 비교한 경우 가스폭발의 수 배 정도이고 온도는 2,000~3,000℃까지 상승한다. 이는 가스에 비하여 분진이 단위체적당의 탄화수소량이 많기 때문이다.

㉥ 화염의 전파속도는 상온·상압하에서 초기에는 2~3m/s 정도이며 연소한 분진의 팽창에 의하여 압력이 상승하므로 화염의 전파속도는 300m/s 정도까지 증가하게 된다.

⑥ **분진폭발의 예방대책:** 분진폭발을 방지하기 위해서는 분진운 생성방지, 점화원 제거, 불활성 물질 첨가 등이 요구된다. 분진운 생성방지는 분진을 취급하는 공정의 장치 내부에서는 현실적으로 어렵다. 1차적 재해의 발생 가능성을 인정하고 2차적인 대형 폭발 발생을 방지하는 것이 주안점이 될 수 있다.

㉠ **불활성 가스 첨가**로 산소농도를 낮춘다.

㉡ 전기식이 아닌 **습식으로 전환하여 가연물의 부유성을 억제한다.**

㉢ 분진의 퇴적과 비산의 우려가 있는 부분을 제거하는 설비를 갖춘다.

㉣ 전기불꽃이나 정전기, 마찰 · 충격 등의 기계적 열원 등 점화원이 될 수 있는 것을 철저히 관리한다.

㉤ 용기나 배관 내에서 분진폭발이 발생하기 시작하는 시점에 압력파의 상승을 감지하여 단시간 내에 소화약제를 분사하여 폭발 진행을 억제할 수 있는 완화대책을 마련한다.

심화학습 알루미늄 분진폭발의 메커니즘

1. 가열된 알루미늄 분진은 공기 중에서 표면이 산화되어 산화피막을 형성한다.

$$4Al + 3O_2 \rightarrow 2Al_2O_3 + 400kcal/mol$$

2. 반응열이 크기 때문에 분진의 가열이 가속화된다.
3. 산화물은 용해 또는 기화해 새로운 표면으로 노출함과 동시에 내부에서 금속의 증발이 시작된다.
4. 기상의 금속 증기는 즉시 연소하여 높은 열을 발생하고 계속하여 금속의 증발을 촉진시킨다.

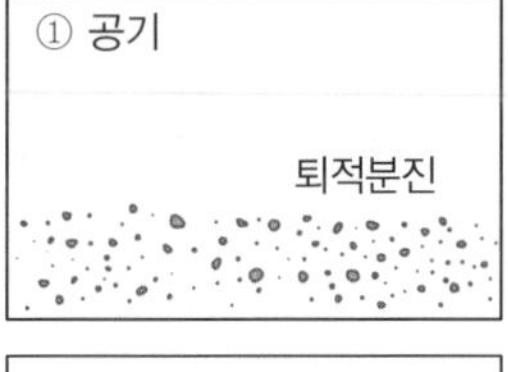

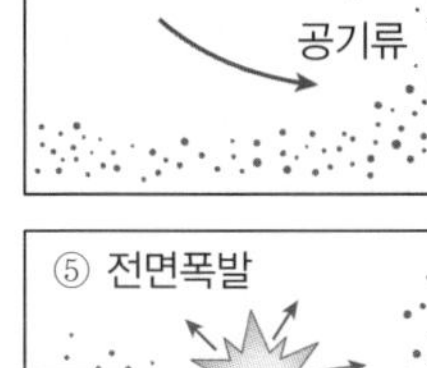

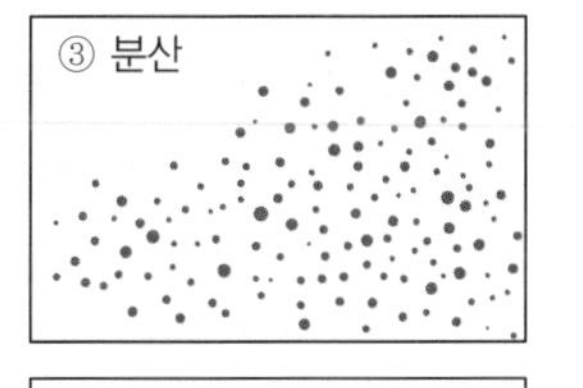

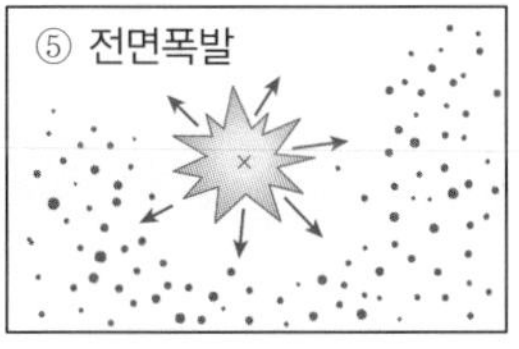

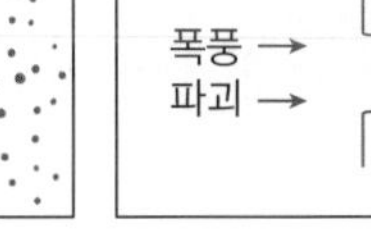

▲ 분진폭발의 순서

핵심기출

01 분진폭발에 영향을 미치는 인자에 관한 설명으로 옳지 않은 것은? 24. 소방간부

① 분진의 발열량이 클수록, 휘발성분의 함유량이 많을수록 폭발하기 쉽다.
② 입자의 크기가 작고 밀도가 클수록 표면적이 크고 폭발이 용이해진다.
③ 열분해가 용이할수록, 기체 반응속도가 빠를수록 폭발하기 쉽다.
④ 알루미늄과 마그네슘 금속분진의 경우 분진 속 수분량이 증가하면 폭발성이 증가한다.
⑤ 평균 입경이 동일한 분진일 경우 분진의 형상에 따라 폭발성이 달라진다.

정답 ②

02 응상폭발에 해당하는 것만을 〈보기〉에서 고른 것은? 23. 소방간부

〈보기〉
ㄱ. 증기폭발　ㄴ. 분진폭발
ㄷ. 분해폭발　ㄹ. 전선폭발
ㅁ. 분무폭발

① ㄱ, ㄴ　② ㄱ, ㄹ
③ ㄴ, ㄷ　④ ㄴ, ㄹ
⑤ ㄹ, ㅁ

정답 ②

03 폭발에 관한 설명으로 옳은 것만을 〈보기〉에서 있는 대로 고른 것은? 23. 공채

〈보기〉
ㄱ. 증기폭발은 액체의 급속한 기화로 인해 체적이 팽창되어 발생하는 현상이다.
ㄴ. 가스폭발은 분진폭발보다 최소발화에너지가 크다.
ㄷ. 분해폭발은 공기나 산소와 섞이지 않더라도 가연성 가스 자체의 분해 반응열에 의해 폭발하는 현상이다.
ㄹ. 폭발(연소)범위는 초기온도 및 압력이 상승할수록 분자 간 유효충돌할 가능성이 높아지기 때문에 넓어진다.

① ㄱ, ㄴ　② ㄷ, ㄹ
③ ㄱ, ㄴ, ㄹ　④ ㄱ, ㄷ, ㄹ

정답 ④

2. 응상폭발

응상이란 고상 또는 액상의 형태로 기상에 비해 밀도가 $10^2 \sim 10^3$배이므로, 기상폭발과 그 양상이 다르다고 할 수 있다. 응상폭발에는 수증기폭발, 증기폭발, 물질의 혼합에 의한 폭발, 전선폭발 등이 있다.

(1) 수증기폭발

① **수증기폭발은 화염을 동반하지 않는 물리적 폭발에 해당한다.**

② 고온의 물질이 물속에 투입되었을 때 고온의 물질에 의하여 물이 짧은 시간에 과열 상태가 되면서 급격히 비등하는 현상을 말한다. 즉, 조건에 따라 달라지지만 물질의 상변화에 따른 폭발현상이다.

(2) 증기폭발

① 일반적으로 액상에서 기상으로 급격한 상변화에 의한 폭발현상에 수증기 폭발을 포함시켜 증기폭발이라고 한다.

② 증기폭발은 상변화에 의한 폭발로 착화를 필요로 하지 않으며, 화염의 발생은 없다.

③ **극저온 액화가스의 증기폭발**은 저온의 액화가스가 상온의 물 위에 분출되었을 때와 같이 액상에서 기상으로 급격한 상변화에 의하여 발생하는 폭발현상을 말한다.

④ **과열 액체의 증기폭발**은 보일러와 같이 고압의 포화수를 저장하고 있는 용기가 파손 등의 원인으로 동체의 일부분이 개방되면, 용기 내압이 급속도로 하락되어 일부 액체가 급속히 기화하고, 증기압이 급상승하여 용기가 폭발(파괴)되는 현상을 말한다.

(3) 물질의 혼합에 의한 폭발

① 2종 이상의 액체인 물질이 혼합된 경우에 양자 간의 확산, 상호용해 등의 물질 이동에 의한 혼합열이 발생하고 이로 인해 폭발이 일어나는 것을 말한다.

② 「위험물안전관리법」의 위험물 중 제1류와 제6류, 제3류와 제4류, 제5류와 제2류와 제4류는 혼재하여도 혼촉발화 위험이 없다.

구분	제1류	제2류	제3류	제4류	제5류	제6류
제1류		×	×	×	×	○
제2류	×		×	○	○	×
제3류	×	×		○	×	×
제4류	×	○	○		○	×
제5류	×	○	×	○		×
제6류	○	×	×	×	×	

(4) 전선폭발

전선에 허용전류 이상의 대전류가 흐를 때 순식간에 전선이 가열되어 용융과 기화가 급속하게 진행되면서 폭발하는 현상이다.

핵심 적중

01 응상폭발에 해당하는 것은? 19. 소방간부

① 저온의 액화가스가 상온의 물 위에 분출되었을 때와 같이 액상에서 기상으로 급격한 상변화에 의해 발생하는 폭발현상
② 공기 중에 분출된 가연성 액체의 미세한 액적이 무상으로 되어 공기 중에 있을 때 점화원에 의해 착화되어 일어나는 폭발현상
③ 가연성 고체의 미분이 공기 중에 부유하고 있을 때에 착화원에 의해 발생하는 폭발현상
④ 공기나 산소가 섞이지 않더라도 가연성 가스 자체의 분해 반응열에 의해 발생하는 폭발현상
⑤ 대기 중에 기화하기 쉬운 가연성 액체가 유출되어 가연성 혼합기체가 대량으로 형성되었을 때 점화원에 의해 착화되어 일어나는 폭발현상

정답 ①

02 물질의 상변화에 의해 에너지 방출이 짧은 시간에 이루어지는 폭발에 해당하지 않는 것은? 20. 소방간부

① 분해폭발 ② 압력폭발
③ 증기폭발 ④ 금속선폭발
⑤ 고체상 전이폭발

정답 ①

03 「위험물안전관리법」의 위험물 중 혼재하여도 위험성이 없는 것은?

① 제1류 위험물과 제2류 위험물
② 제2류 위험물과 제6류 위험물
③ 제3류 위험물과 제6류 위험물
④ 제2류 위험물과 제5류 위험물

정답 ④

정희's 톡talk

물질의 혼합에 의한 폭발(암기법)

1	+	6	=	7*
2	+	5		7*
	⤡	↕		
3	+	4*	=	7*

*혼촉발화의 위험이 없다.

CHAPTER 3 대표적인 폭발현상

1 블레비(BLEVE) 현상 A

1. 개요

(1) 블레비(BLEVE; Boiling Liquid Expanding Vapor Explosion) 현상

블레비 현상(비등액체팽창 증기폭발)은 가연성 액체가 들어있는 **액화가스저장탱크가 화재로부터 열을 공급받아 압력상승**으로 인하여 **탱크의 일부가 파열되고, 탱크 균열로 인한 액상, 기상의 동적 평형상태가 깨지는 물리적 폭발**을 말한다. 블레비 현상으로 대기 중으로 기화된 가스가 점화원에 의하여 폭발할 수 있다.

(2) 발생 조건

① 가연성 액체 또는 가스가 밀폐된 공간(저장탱크) 내에 존재하여야 한다.

② 열을 공급받을 수 있는 **화재 등이 수반**되어야 한다.

③ **열의 공급으로 가연물이 비점 이상이 되어야 한다.**

④ 저장탱크가 파열 · 균열 등에 의하여 내용물이 **대기 중으로 방출**되어야 한다.

⑤ 방출된 가연성 가스가 폭발범위 내에서 착화될 수 있는 **점화원**이 존재하여야 한다.

2. 블레비 현상의 발생 원리 및 특징

(1) 발생 원리

① 액화가스저장탱크 주위에서 화재가 발생하여 저장탱크 벽면이 장시간 화염에 노출되면 탱크 벽면과 내부 액체의 온도도 증가한다.

② 액체가 차 있는 부분의 탱크 벽면 온도는 열전달에 의하여 위험할 정도로 증가되지 않으나 액체가 채워지지 않은 윗부분의 온도는 크게 증가한다. 즉, **파열이 발생하는 지점은 탱크의 기상부와 면하는 부분**이다. 액상부와 면하는 지점은 외부에서 화염에 의한 열을 받는다 해도 그 열을 내부의 액상으로 효과적으로 전달시키는 반면, 기상부와 면하는 지점은 액체보다 낮은 기체의 열전도율로 인해 열을 효과적으로 전달하지 못하고 축적한다. 결국 높아진 내압을 견디지 못하면서 국부적인 가열에 의한 강도 저하에 따른 파열이 발생한다.

③ 액화가스저장탱크의 인장력이 저하되고 탱크내부압력을 견디지 못하여 파열된다.

④ 저장탱크가 파열되면 탱크내부압력은 급격히 감소되고 과열된 액화가스가 급속히 기화하게 된다.

⑤ 블레비 현상으로 분출된 액화가스의 증기가 공기와 혼합하여 연소범위가 형성됨에 따라 공 모양의 대형화염이 상승하는 현상을 **화구(Fire ball)**라 한다.

핵심기출

블레비(BLEVE; Boiling Liquid Expanding Vapor Explosion) 현상의 특징으로 옳지 않은 것은? 21. 공채

① 액화가스저장탱크에서 일어날 수 있다는 점에서는 증기운폭발과 같다.

② 액화가스저장탱크에서 물리적 폭발이 순간적으로 화학적 폭발로 이어지는 현상이다.

③ 블레비의 규모는 파열 시 액체의 기화량에는 차이가 있으나 탱크의 용량에 따른 차이는 없다.

④ 직접 열을 받은 부분이 액화가스저장탱크의 인장 강도를 초과할 경우 기상부에 면하는 지점에서 파열하게 된다.

정답 ③

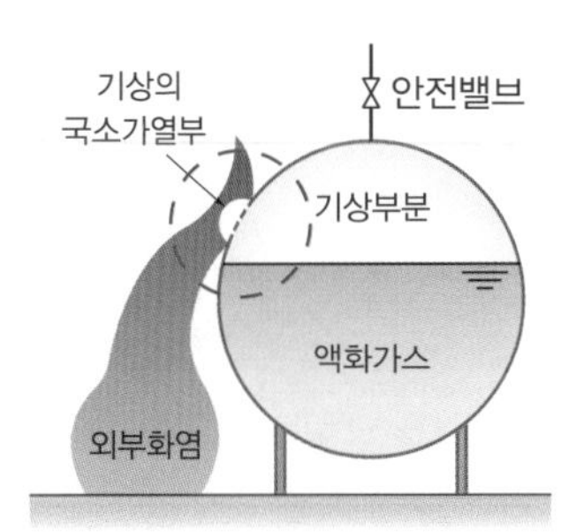

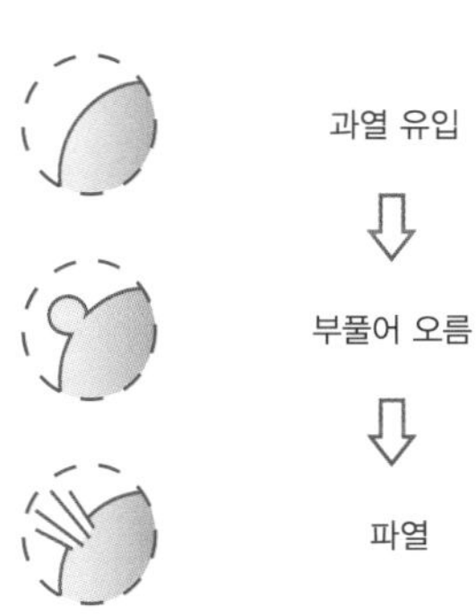

▲ 블레비 현상 매커니즘

핵심 기출

블레비(BLEVE)에 관한 설명으로 옳지 않은 것은? 24. 공채·경채

① 가연물이 비점 이상으로 가열될 때 발생한다.
② 저장탱크의 기계적 강도 이상의 압력이 형성될 때 발생한다.
③ 저장탱크 균열로 인한 액상, 기상의 동적 평형 상태가 유지된다.
④ 저장탱크의 외부 표면에 열전도성이 작은 물질로 단열조치하여 예방한다.

정답 ③

(2) 특징

① 일반적으로 프로판 액화가스탱크에서 발생되는 물리적·화학적 병립에 의한 폭발이 발생할 수 있다. 액화가스저장탱크에서 물리적 폭발이 순간적으로 화학적 폭발로 이어질 때 그 피해가 크다.
② 저장용기의 파열과 균열로 인한 물리적 폭발은 **증기폭발**에 해당한다.
③ 대기 중에서 기화하여 점화원에 의하여 폭발하는 현상은 **증기운폭발**에 해당한다.
④ 블레비 현상의 1차 폭발은 물리적 폭발이다. 블레비 현상의 결과로 대기 중으로 기화된 가연성 가스의 2차 폭발(증기운폭발)은 화학적 폭발에 해당한다.
⑤ 거대한 화구를 형성할 수 있다.
⑥ 불연성 물질의 저장탱크에서 물리적 폭발이 발생하는 경우에는 다른 2차적인 위험조건이 발생하지 않는다.
⑦ 블레비 현상의 규모는 탱크의 용량과 파열 시 액체의 기화량에 영향이 있다.

3. 방지대책

(1) 탱크 내의 압력을 감압시킨다.

(2) 내압강도를 높게 한다.

① 탱크 제작 시 용접부위 등의 품질관리를 철저히 한다.
② 시간 경과 등에 따른 부식을 고려하여 충분한 두께로 제작한다.

(3) 열전도도가 좋은 물질로 탱크 내벽을 제작한다.

(4) 화염으로부터 탱크로의 가열을 방지한다.

① 누설된 가스에 착화되면 그 화염에 의해 탱크가 가열될 수 있다.
② 이와 같은 현상에서 안전밸브가 작동하여도 급격한 내압 상승과 열화에 따른 강도 저하 현상이 발생될 수 있다.
③ 저장탱크의 외부 표면에 열전도성이 작은 물질로 단열조치하여 예방한다.

(5) 경사를 지어서 화염이 직접 탱크에 접하지 않도록 한다.

(6) 탱크표면에 냉각장치를 설치하여 탱크내부의 증기발생을 감소시킨다.

(7) 외부의 저장탱크의 물리적 충격·충돌의 발생을 방지한다.

(8) 폭발방지장치를 설치한다.

① 탱크 내벽에 열전도도가 좋은 알루미늄합금 박판 등을 설치하여 기상부로 흡수되는 열을 액체부분으로 신속히 전달시키는 장치 등을 설치한다.
② 탱크의 기상부 온도를 낮게 유지하여 블레비의 발생시간을 늦춘다.

심화학습 블레비(BLEVE) 발생의 메커니즘

저장탱크 내부 압력 상승으로 1차로 탱크면이 파열되고 순간적인 내부 압력 재상승으로 인하여 탱크 폭발이 일어나는 2차 파열의 현상까지를 블레비(BLEVE)로 본다.

1. 저장탱크의 온도 상승
2. 내부 압력 상승
3. 탱크의 벽면에 연성파괴 발생
4. 일시적인 압력감소 현상 발생
5. 급격한 비등팽창 발생
6. 압력이 급격히 재상승
7. 탱크 외벽의 취성이 파괴

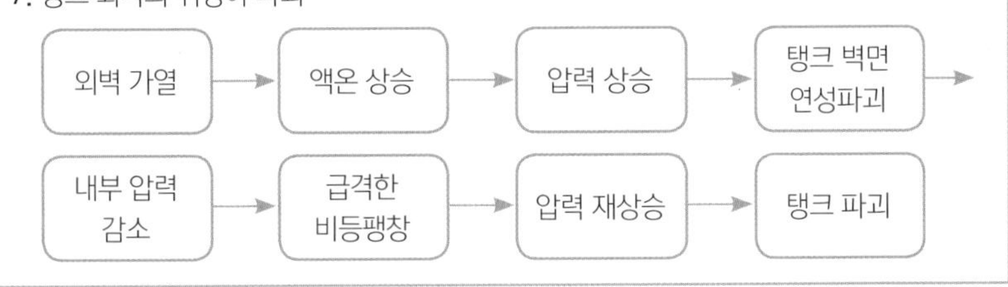

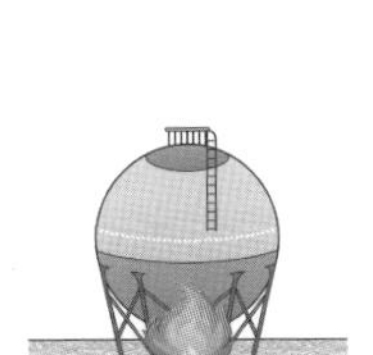
화재 발생

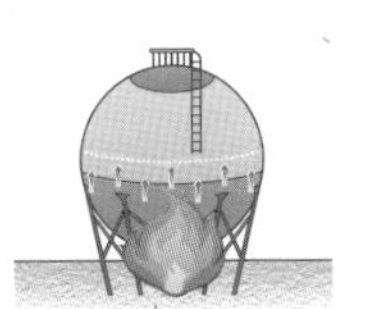
증기압 상승

물리적 폭발 발생

화구 발생

▲ 블레비의 프로세스

참고 BLEVE와 UVCE의 비교

구분	BLEVE	UVCE
발생장소	밀폐계(탱크)	개방계(대기압)
영향인자	· 저장물질의 종류와 형태 · 저장물질의 물리적 상태 · 저장물질의 인화성 · 저장용기의 재질 · 주위온도와 압력	· 방출된 문질의 양 · 증기운의 점화확률 · 폭발한계 이상의 농도 · 폭발효율, 점화원의 위치 · 증발된 물질의 분율(증발량)

2 화구(Fire ball) D

1. 정의

(1) 화구(Fire ball)란 **대량의 증발한 가연성 액체가 갑자기 연소할 때 생기는 구상의 불꽃**을 말한다.

(2) 블레비나 증기운폭발과 같이 증발로 인해 확산된 인화성 가스가 착화되면서 폭발할 때 화염이 급속히 확대되며 공기를 끌어올려 버섯형 화염으로 되어가는 화염형태를 말한다.

2. 화구의 발생 원리 및 특징

(1) 발생 원리

① 액화가스저장탱크가 인접화재의 화염에 의해 가열되면서 탱크 내부의 액체 온도가 상승되어 높은 증기압을 형성한다.

② 압력 상승으로 탱크의 기상부 중 고열부에 돌출이 발생되고 연성 파괴된다. 이에 따라 급격한 압력 저하와 함께 액화가스가 빠르게 증발한다.

③ 기화에 의한 체적 팽창으로 탱크가 파손되고, 증발한 가연성 액체가 갑자기 화염에 의해 착화되어 가스 증기운이 구상의 불꽃을 발생시킨다.

④ 복사열로 인한 피해가 커서 매우 위험하다.

(2) 특징

① 화재 또는 폭발 시 발생되는 화염의 온도보다 훨씬 높은 온도(약 1,500℃)가 된다.

② 화구의 발생으로 인한 복사열이 일반화염의 경우보다 상당히 크므로 인명 및 재산 피해를 가중시키고 주변으로 화재를 확대시킬 수 있다.

참고 화구

1. 액화가스의 탱크가 파열하면 순간증발을 일으켜 가연성 가스의 혼합물이 대량으로 분출한다.
2. 가연성 가스의 혼합물이 발생하면 지변에서 반구상의 화염이 되어 부력으로 상승하는 동시에 주변의 공기를 빨아들인다.
3. 주변에서 빨아들인 화염은 공모양으로 되고, 더욱 상승하여 버섯모양의 화염을 만든다.

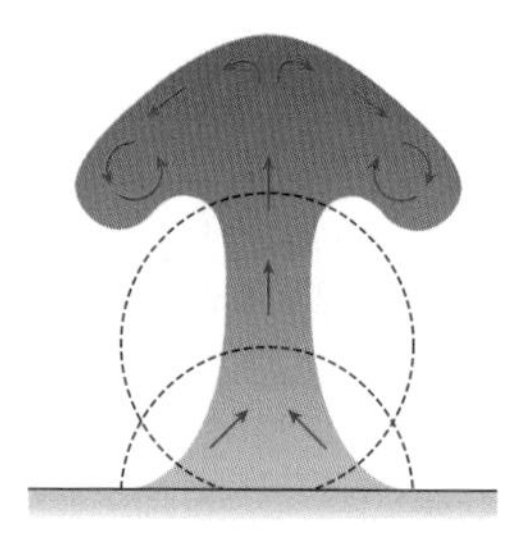

3 증기운폭발(UVCE) C

1. 개요

(1) 증기운폭발(UVCE; Unconfined Vapor Cloud Explosion)이란 대기 중에 대량의 가연성 가스가 유출되거나 대량의 가연성 액체가 유출되면 그것으로부터 발생하는 증기가 공기와 혼합해서 가연성 혼합기체를 형성하고 발화원에 의하여 발생하는 폭발을 말한다.

(2) 증기운폭발(UVCE)이란 밀폐되거나 또는 부분적으로 막혀 있는 지역에서 매우 큰 인화성 가스(증기운 상태)로 인한 외부로의 폭연현상을 말한다.

(3) 개방된 대기 중에서 발생하기 때문에 자유공간 중의 증기운폭발이라고도 한다.

2. 원리

(1) 증기운폭발의 원리

① 가연성 가스의 누출

② 누출된 증기의 확산

③ 대량의 증기운 형성(증발된 가스와 공기의 혼합)

④ 발화에 의한 증기운폭발

(2) 유형별 증기운 형성의 원리

① 대기압하에서 저온으로 하여 액화된 물질(LNG)

㉠ 저온 액화가스가 유출되면 지면 또는 주위의 열에 의하여 급속한 비등을 일으킨다.

㉡ 지면의 온도가 저하되면 증발속도는 저하되지만 단시간에 대량의 가연성 증기운이 생긴다.

② 상온, 가압하에서 액화되어 있는 물질(LPG · 액화부탄) 또는 그 물질의 비점 이상의 온도에 있지만 가압되어서 액화된 물질(반응기 내의 벤젠 · 헥산)

㉠ 고압하에서 기상과 액상의 평형 상태에 있는 물질이 대기압하에 유출되는 경우를 말한다.

㉡ 유출된 액체의 온도는 대기압의 비점까지 낮아진다. 이처럼 순간적으로 기화하는 현상을 플래시 현상이라고 한다.

㉢ 플래시 현상에 의하여 순간적으로 기화한 후에는 주위의 열을 흡수하여 증발이 계속된다.

③ 상온, 대기압에서 액체이며 인화점이 상온보다 낮은 물질(가솔린): 유출한 액체는 지면으로부터 열이 공급되면 액면에서 연속적으로 증기를 발생하여 주위에 확산한다.

핵심 적중

가연성 가스나 가연성 액체가 유출하여 그것으로부터 발생하는 증기가 공기와 혼합해서 가연성 혼합기체가 되어 발화원에 의해 폭발하는 현상으로 옳은 것은?

① 분해폭발
② 증기폭발
③ 분진폭발
④ 증기운폭발

정답 ④

정희's 톡talk

UVCE

UVCE는 자유공간 증기운 폭발로 급격한 화학적인 폭발로서 원인계와 생성계가 다른 화학적 폭발의 대표적인 예입니다.

UVCE의 형성조적

1. 방출되는 물질이 가연성일 것
2. 발화 전에 대량의 증기운 형성
3. 연소범위 이내
4. 난류에 의한 빠른 화염전파속도
5. UVCE를 일으키기 위해서는 고에너지 상태인 액화상태 유지(온도를 낮추거나 압력을 가압)해 주어야 합니다.

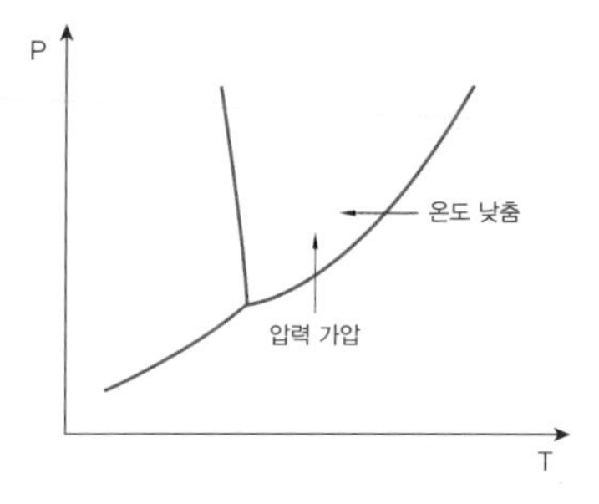

4 퍼징(Purging) 방법 B

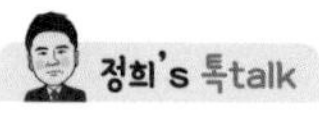

폭발방지 방법의 개념
1. 폭발방지대책
   - 가연물 물질의 농도제어
   - 불활성화(Inerting)
   - 착화원 관리
   - 전기설비의 방폭화
2. 혼합가스의 농도를 폭발범위 밖으로 유지
3. 가연성가스나 인화성액체의 누설방지, 밀폐용기로 공기유입 방지, 적절한 환기 등

1. 퍼징의 개념

가연성 가스 저장 용기(탱크)에서 Inerting을 하기 위한 방법으로 불활성가스를 주입하여 저장용기(탱크) 내부의 산소 농도를 최소산소농도(MOC) 이하로 낮추는 공정을 말한다.

2. 퍼징의 종류

(1) 진공 퍼지

용기를 원하는 진공도까지 진공한 후 질소, 이산화탄소 등의 불활성가스를 주입하여 대기압과 같게 압력을 상승시킨다. 이러한 과정을 반복하여 최소산소농도 이하가 될 때까지 반복한다.

(2) 압력 퍼지

용기에 질소, 이산화탄소 등의 불활성가스를 주입하여 가압한다. 주입된 가스가 용기 내에서 충분히 확산된 후 대기 중으로 방출한다. 이러한 과정을 반복하여 최소산소농도 이하가 될 때까지 반복한다.

(3) 스위프 퍼지

용기의 한 개구부로 불활성가스를 주입하고, 다른 개구부로 혼합가스를 배출시킨다. 이때 입구 및 출구의 유량을 동일하게 유지한다.

(4) 사이폰 퍼지

용기에 액체를 채워 공기를 제거한다. 액체를 드레인 시키면서 불활성가스를 증기공간에 주입시킨다. 주입된 불활성가스의 부피는 용기의 기상부 체적과 같고, 퍼지 속도는 액체의 방출속도와 같다.

요약NOTE Inerting과 Purging의 차이

구분	내용
Inerting	· 이론적인 개념으로서 산소농도를 낮추어 폭발활성화를 방지한다는 의미이다. · $MOC = LFL \times \frac{O_2[mol]}{연료[mol]}$
Purging	· 불활성가스를 주입하여 산소농도를 MOC 이하로 낮추는 작업을 의미한다. · 실제 가연성가스 및 인화성액체 탱크에서 Inerting을 하기 위한 방법이다.

구분	개념도	특징
진공 퍼지	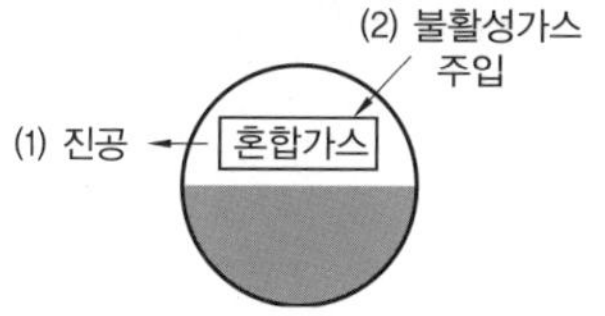 (1) 진공 ← 혼합가스 ← (2) 불활성가스 주입	· 압력퍼지에 비해 적은 불활성가스로도 가능하다. · 진공에 견디지 못하는 대형 용기에는 부적당하다.
압력 퍼지	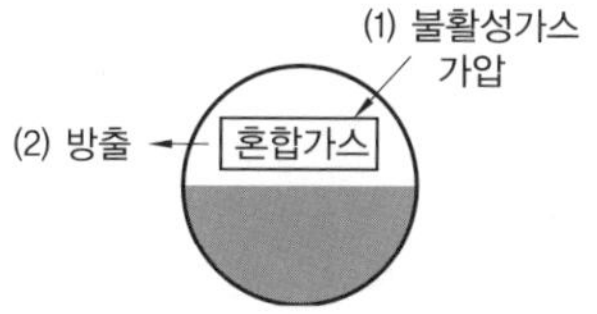 (2) 방출 ← 혼합가스 ← (1) 불활성가스 가압	· 진공퍼지에 비해 빠르다. · 많은 양의 불활성가스를 소모한다. · 고압에 견딜 수 없는 용기에는 부적당하다.
스위프 퍼지	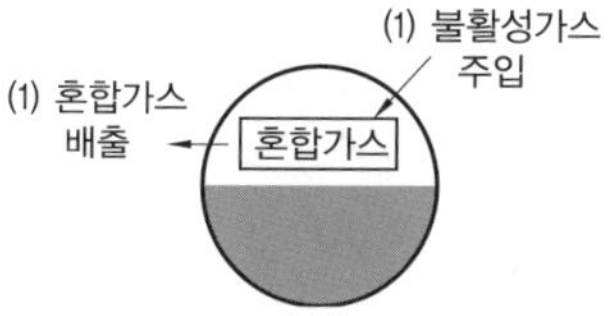 (1) 혼합가스 배출 ← 혼합가스 ← (1) 불활성가스 주입	· 진공퍼지와 압력퍼지 모두 불가능한 용기에 적용한다. · 매우 많은 양의 불활성 가스가 소모된다.
사이폰 퍼지	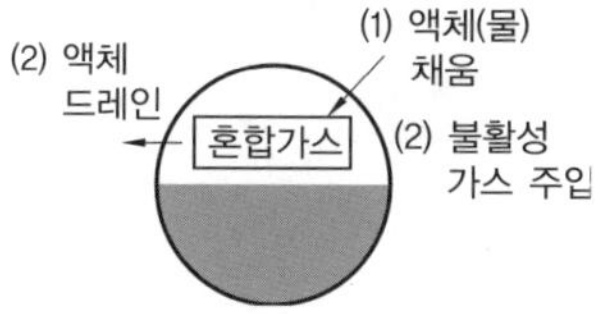 (2) 액체 드레인 ← 혼합가스 ← (1) 액체(물) 채움, (2) 불활성 가스 주입	· 퍼지에 드는 비용이 최소화된다. · 기화된 제품의 손실이 크다.

CHAPTER 4 방폭구조

1 방폭구조의 종류 A

1. 내압방폭구조(Ex d)

내압방폭구조(耐壓防爆構造, Flame Proof Type “D”)란 전폐구조로 용기 내부에서 폭발성 가스 또는 증기가 폭발하였을 때 용기가 그 폭발압력에 파손되지 않고 견디며, 폭발한 고열의 가스가 접합면·개구부 등을 통하여 외부로 나가는 일이 발생하여도 그동안에 냉각되어 외부의 폭발성 가스에 인화될 우려가 없도록 한 구조이다.

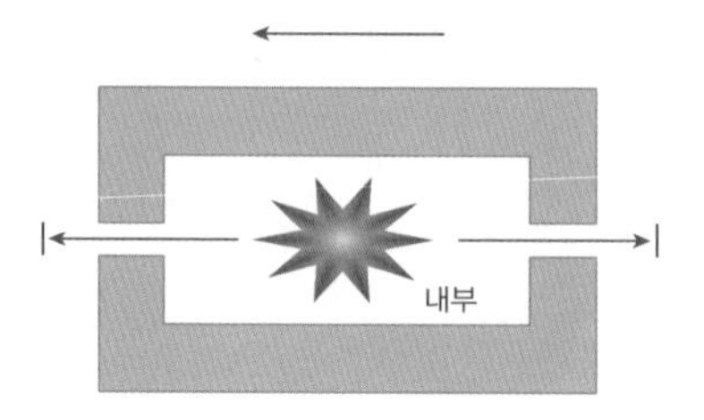

2. 압력방폭구조(Ex p)

압력방폭구조(壓力防爆構造, Pressurized Type “P”)[=내압(內壓)방폭구조]란 점화원이 될 우려가 있는 부분을 용기 내에 넣고 신선한 공기 또는 불연성 가스 등의 보호기체를 용기의 내부에 넣어 줌으로써 용기 내부에는 압력을 형성하여 외부로부터 폭발성 가스 또는 증기가 침입하지 못하도록 한 구조이다. 이러한 구조는 운전 중 보호기체의 압력이 저하되는 경우에 자동경보를 하거나 운전을 정지하는 보호장치가 필요하다.

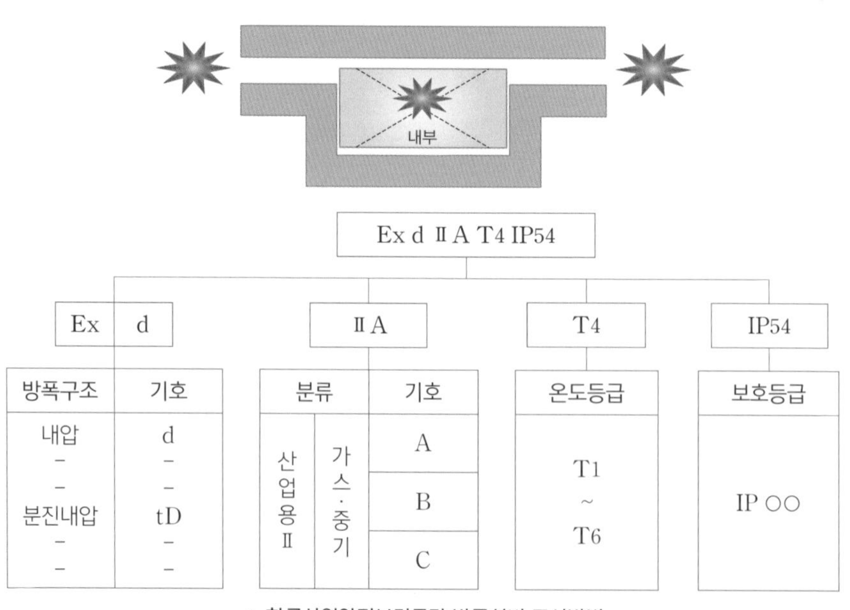

▲ 한국산업안전보건공단 방폭설비 표시방법

핵심기출

다음 설명에 해당하는 것은? 18. 상반기 공채

- (가)는 점화원이 될 우려가 있는 부분을 용기 내에 넣고 불연성 가스인 보호기체를 용기의 내부에 넣어 줌으로써 용기 내부에는 압력이 발생하여 외부로부터 폭발성 가스가 침입하지 못하도록 한 구조이다.
- (나)는 정상시 및 사고시 발생하는 전기불꽃 아크 또는 고온에 의해 폭발성 가스 또는 증기에 점화되지 않는 것이 점화시험 및 기타에 의해 확인된 구조를 말한다.
- (다)는 전기 기기의 불꽃 또는 고온이 발생하는 부분을 절연유 속에 넣고 기름면 위에 존재하는 폭발성 가스 또는 증기에 인화될 우려가 없도록 한 구조이다.

① (가) 내(耐)압방폭구조
(나) 본질안전증가방폭구조
(다) 유입방폭구조
② (가) 압력방폭구조
(나) 안전증가방폭구조
(다) 유입방폭구조
③ (가) 압력방폭구조
(나) 본질안전증가방폭구조
(다) 유입방폭구조
④ (가) 내(耐)압방폭구조
(나) 안전증가방폭구조
(다) 압력방폭구조

정답 ③

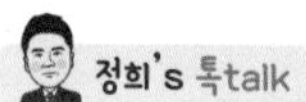

1. IP 보호등급에서 앞의 숫자는 방진성능, 뒤의 숫자는 방수성능을 표시합니다.
2. 방폭구조 형식의 표기가 'de'와 같이 2개의 문자인 경우, 앞 문자 d는 본체를, 뒷 문자 e는 단자함의 구조를 의미합니다.

3. 유입방폭구조(Ex o)

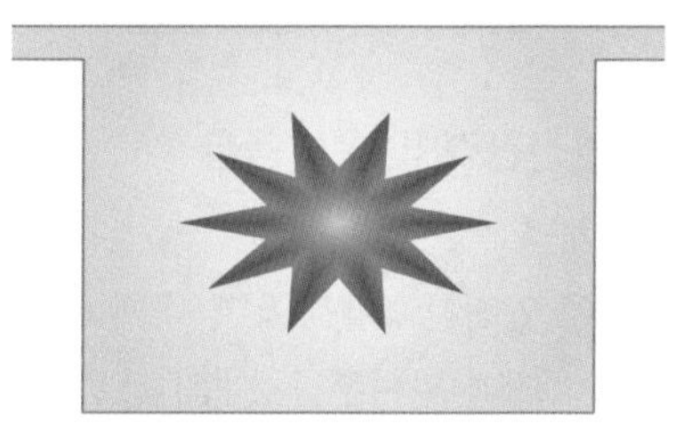

유입방폭구조(油入防爆構造, Oil Immersed Type "O")란 전기기기의 불꽃, 아크 또는 고온이 발생하는 부분을 **기름(절연유)** 속에 넣고 기름면 위에 존재하는 폭발성 가스 또는 증기에 인화될 우려가 없도록 한 구조이다.

4. 안전증가방폭구조(Ex e)

안전증가방폭구조(安全增加防爆構造, Icreased Safety Type "E")란 **정상운전 중**에 폭발성 가스 또는 증기에 점화원이 될 전기불꽃, 아크 또는 고온이 되어서는 안 될 부분에 이러한 것의 발생을 방지하기 위하여 기계적 · 전기적 구조상 또는 온도 상승에 대해서 특히 **안전도를 증가한 구조**이다.

5. 본질안전방폭구조(ia, ib)

본질안전방폭구조(本質安全防爆構造, Intrinsic Safety Type "Ia, Ib")란 **정상시 및 사고시(단선, 단락, 지락 등)**에 발생하는 전기불꽃, 아크 또는 고온에 의하여 폭발성 가스 또는 증기에 점화되지 않는 것이 **점화시험 및 기타**에 의하여 확인된 구조를 말한다.

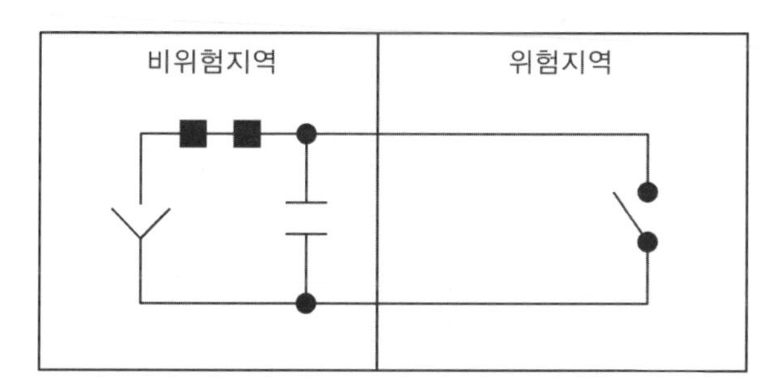

심화학습 가스분류

폭발성 가스의 분류	A	B	C
최대안전틈새 범위(내압)	0.9mm 이상	0.5mm 초과 0.9mm 미만	0.5mm 이하
최소점화전류비(본질안전)	0.8 초과	0.45 이상 0.8 이하	0.45 미만
적용기기	IIA	IIB	IIC

핵심기출

다음 설명에 해당하는 방폭구조는?

20·22. 소방간부

> 정상시 및 사고시(단선, 단락, 지락 등)에 발생하는 전기불꽃, 아크 또는 고온에 의하여 폭발성 가스 또는 증기에 점화되지 않는 것이 점화시험 및 기타에 의하여 확인된 방폭구조

① 내압방폭구조
② 압력방폭구조
③ 안전증가방폭구조
④ 유입방폭구조
⑤ 본질안전방폭구조

정답 ⑤

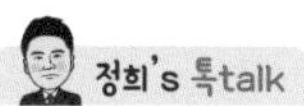

방폭구조의 종류

1. **충전방폭구조(q)**: 위험분위기가 전기기기에 접촉되는 것을 방지할 목적으로 사용합니다(모래, 분체 등의 고체 충전물로 채워서 위험원과 차단 · 밀폐 시키는 구조).
2. **비점화방폭구조(n)**: 정상작동 시 주변의 가연성 증기를 점화시키지 않고, 점화 기능고장이 발생하지 않는 구조로 2종 장소에 적용합니다.
3. **몰드(캡슐)방폭구조(m)**: 보호기기를 고체로 차단시켜 열적 안정을 유지한 것으로, 유지 보수가 필요 없는 기기를 영구적으로 보호하는 방법에 효과가 매우 큽니다.
4. **특수방폭구조(s)**: 위의 방폭구조 이외의 방폭구조로, 폭발성 가스 또는 증기에 점화 또는 위험성분위기로 인화를 방지할 수 있는 것이 시험 · 기타에 의하여 확인된 구조입니다. 특수 사용조건 변경 시에는 보호방식에 대한 완벽한 보장이 불가능하므로 0종, 1종 장소에서는 사용할 수 없습니다.

2 폭발등급 등 C

1. 안전간격 및 폭발등급

(1) 개념

① 안전간격이란 용기 내에 가스폭발 시 중앙부에서 화염이 외측의 폭발물질까지 전달여부를 2개의 평행 금속면 틈 사이를 조정하면서 측정하는 것으로 화염이 전달되지 않는 틈 사이의 한계치다.

② 안전간격이 클수록 최소점화에너지도 크고 폭발하기 어려우며 안전간격이 클수록 안전하다.

(2) 안전간격과 및 폭발등급

폭발등급	안전간격	해당가스
1등급	0.6mm 초과	메탄, 에탄, 프로판, 부탄
2등급	0.4mm 초과 0.6mm 이하	에틸렌, 석탄가스
3등급	0.4mm 이하	아세틸렌, 이황화탄소, 수소

(3) 화염일주한계

① 화염일주한계는 폭발성 분위기 내에 방치된 표준용기의 틈새를 통하여 화염이 내부에서 외부로 전파되는 것을 막을 수 있는 틈새의 최대 간격을 말한다.

② **화염일주한계의 실험:** 화염일주한계는 IEC 표준 시험에 의해 측정되며 가스의 종류마다 다르다.

③ **화염일주한계의 실험(IEC규격)**

㉠ 내용적 8L, 틈새의 깊이 25mm인 표준용기 내에서 점화봉에 의해 착화되어 폭발시킨다.

㉡ 발생된 화염이 용기 밖으로 전파하지 않는 최대값(폭)을 측정한다.

㉢ 틈새는 상부의 틈새조절용 정밀나사로 조정한다.

화염일주한계의 실험

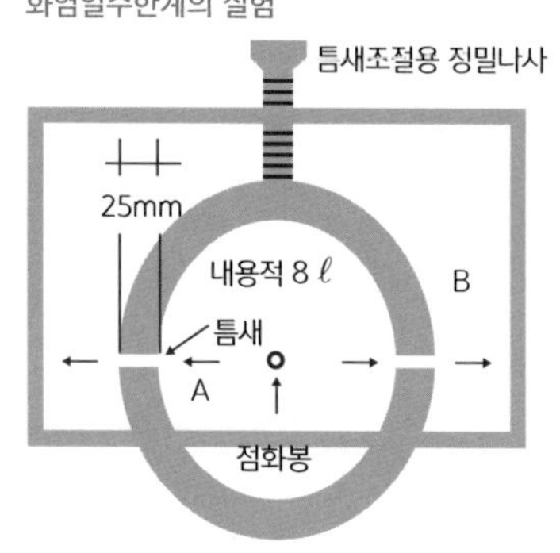

2. 최대안전틈새 및 최소점화전류비

폭발성 가스란 모든 가연성 가스와 인화성 액체의 증기를 말하며, 전기기기 사용장소에서의 위험성은 그 장소에 있는 폭발성 가스의 종류에 따라 다르므로 가스의 위험도를 발화도 및 최대안전틈새 등으로 분류하여 적합한 방폭구조를 정한다.

물질	폭발범위(vol%)		최대안전 틈새(mm)	최소점화 전류(mA)	발화온도 (℃)	가스증기 그룹	온도등급
	상한값	하한값					
메탄	4.4	17.0	1.14	85	537	Ⅰ	T1
프로판	1.7	10.9	0.92	70	455	ⅡA	T1
아세틸렌	2.5	80.0	0.25	24	305	ⅡC	T2
수소	4.0	75.0	0.28	21	560	ⅡC	T1

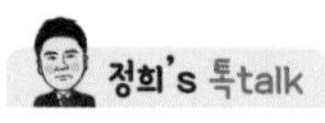

기기의 분류

Ⅰ: 탄광용

Ⅱ: 가스 산업용

Ⅲ: 분진 산업용

3. 온도등급(발화도)

(1) 전기기기에 대한 최고표면온도에 따라 온도등급을 6단계(T1 ~ T6)구분한다.

(2) T1에서 T6까지의 단계 중 T6이 가장 우수하다.

(3) T1은 T2 ~ T6 온도의 전기기기에 대한 적용할 수 없지만, T6는 T1 ~ T5에 적용 가능하다.

4. 최대안전틈새 및 최소점화전류비

(1) 최대안전틈새(MESG; Maximum Experimental Safe Gap) - 내압방폭구조

① 화염은 좁은 틈을 통과하면서 냉각·소멸되므로 전기기기의 밀폐함 접합부의 틈새가 길이에 비해 아주 좁은 경우에는 함 내부에서 폭발이 일어나도 그 화염이 외부로 확산되지 않는다. 즉 틈새의 폭과 길이, 혼합가스의 성질에 따라 위험도가 달라진다.

구분	최대안전틈새 범위	물질
A	0.9mm 이상	메탄, 에탄, 부탄, 일산화탄소, 암모니아
B	0.5mm 초과 ~ 0.9mm 미만	에틸렌, 시안화수소
C	0.5mm 이하	수소, 아세틸렌

② 최대안전틈새란 대상으로 한 가스 또는 증기와 공기와의 혼합가스에 대하여 화염일주가 일어나지 않는 틈새의 최대치를 의미한다.

③ 완전밀폐하지 않는 이유는 내부 발열에 의한 온도상승으로 압력이 상승되므로, 압력의 배출을 위해 화염이 전파되지 않는 틈새를 두는 것이다.

참고 화염통로

화염통로는 내압방폭구조의 Lid(뚜껑)와 Body(구조물체) 사이에 존재하는 틈이다.

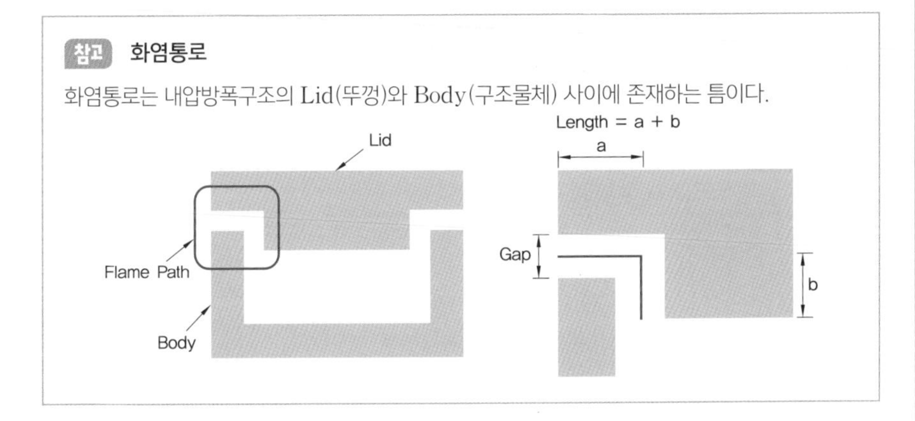

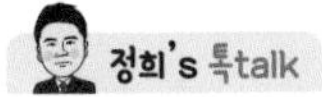

최고표면온도(maximum surface temperature)

최고표면온도란 사용 중 가장 불리한 작동조건하에서 전기기기의 일부 또는 표면에서 발생하는 주위 폭발 위험분위기를 점화시킬 수 있는 가장 높은 온도를 말합니다.

방폭기기의 그룹

1. MESG와 IEC 가스그룹은 서로 종속적입니다. 즉, MESG가 주어지면 IEC 가스그룹을 알 수 있고, IEC 가스그룹이 주어지면 MESG를 알 수 있습니다.
2. 방폭기기는 탄광용을 그룹 Ⅰ(메탄)로, 산업용을 그룹 Ⅱ로 구분하고, 그룹 Ⅱ는 다시 최대안전틈새에 따라 ⅡA, ⅡB 및 ⅡC로 구분합니다. 이 중 ⅡC가 가장 우수합니다(ⅡC는 ⅡA, ⅡB의 장소에서 적용 가능하며, ⅡA는 ⅡB, ⅡC의 장소에서 사용할 수 없습니다).

위험장소 분류

구분	KS, JS	IEC 60079	NFPA 497
지속적인 위험분위기	0종 장소	zone 0	Division 1
간헐적 위험분위기	1종 장소	zone 1	
이상상태 위험분위기	2종 장소	zone 2	Division 2

정희's 톡talk

방폭외함의 종류 표기가 d이면 내압방폭구조의 최대안전틈새, i로 표기되어 있으면 본질안전방폭용기이므로 최소점화전류비를 나타냅니다.

(2) 최소점화전류비(MIC) - 본질안전방폭구조

본질안전방폭구조의 대상 가스 또는 증기는 **메탄가스**의 최소점화전류 대비 폭발성 가스나 증기 각각의 최소점화전류와의 비율로서 다음과 같이 분류한다.

$$\text{MIC ratio} = \frac{\text{측정가스의 최소점화전류}}{CH_4\text{의 최소점화전류}}$$

① **최소점화에너지(Minimum Ignition Energy):** 인화범위 내의 가연성 증기를 점화시키는 데 필요한 최소에너지를 말한다.

② **최소점화전류비(Minimum Igniting Current Ratio):** **메탄 가스**를 기준으로 하며 가연성 증기를 점화시키는 전류의 세기를 비로 나타낸 값을 말한다.

폭발등급	MIC ratio	전기기기의 분류
A	0.8 초과	Ⅱ A
B	0.45 이상 0.8 이하	Ⅱ B
C	0.45 미만	Ⅱ C

참고 소염거리

1. **소염의 개념:** 화염 온도가 열손실과 활성라디칼 감소로 인해 단열 화염온도 이하로 되면 화염이 소멸되는 현상이다.
2. **소염거리[d_c]**
   - 소염경[D_0]은 화염 전파가 불가능한 구경으로 예혼합화염의 파이프 내에 적용한다.
   - **소염 거리와의 관계:** $d_c = 0.65D_0$
   - **소염거리**
     - 화염을 2개의 고체 평판을 삽입하여 그 간격을 서서히 감소시키면 화염이 소멸하는데 이 영역을 무염영역이라 한다.
     - 양 평판의 소염작용이 화염의 한 가운데까지 영향을 미쳐 화염 전파가 불가능하게 되는 평판사이의 거리를 소염거리라 한다.
3. **최대안전틈새 및 화염일주한계**

구분	최대안전틈새	화염일주한계	소염거리
정의	화염일주한계를 내압방폭기기에 적용시킨 간극의 틈새 거리	소염거리를 IEC 표준 실험으로 진행한 평판 간극의 한계 거리	내부의 폭발 화염이 외부로 전파되지 않도록 하는 평판의 이론적인 간극 거리
적용	실제적 적용 개념	실험적 개념	이론적 개념

참고 한국가스안전공사 안전인증 표시

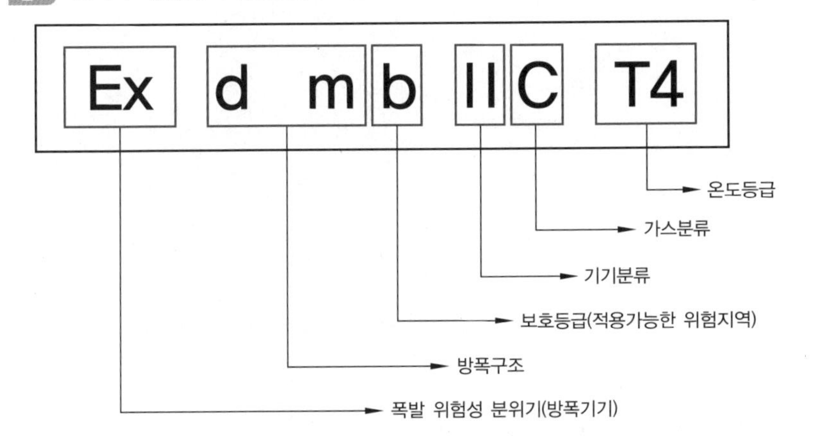

1. 방폭구조

분류	기호	분류	기호
내압	d	몰드	m
압력	p	충전	q
안전증	e	특수	s
유입	o	특수방진	SDP
본질안전	ia, ib	보통방진	DP
비점화	n	방진특수	XDP

2. 보호등급(적용가능한 위험지역)역

a	0종, 1종, 2종 지역에서 사용 가능
b	1종, 2종 지역에서 사용 가능
c	2종 지역에서 사용 가능

3. 기기분류

I	탄광용
II	일반산업용

4. 가스분류

A	메탄, 부탄, 아세톤
B	에틸렌, 황화수소
C	수소, 아세틸렌

5. 온도등급

온도등급	최고 표면 온도(℃)
T1	300 < t ≤ 450
T2	200 < t ≤ 300
T3	135 < t ≤ 200
T4	100 < t ≤ 135
T5	85 < t ≤ 100
T6	t ≤ 85

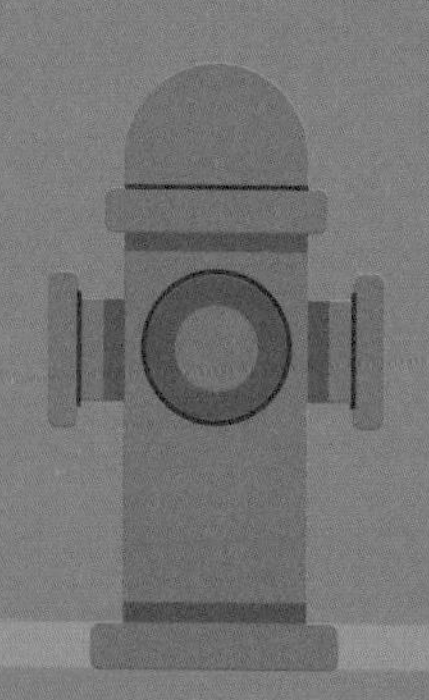

PART 3

화재론

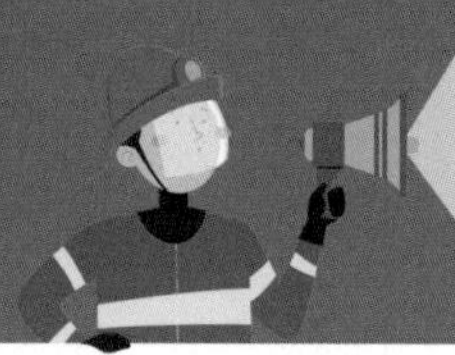

CHAPTER 1 화재의 개요

1 화재의 개념 C

정희's 톡talk

화재
1. 사람의 의도에 반하여 발생한 연소현상으로서 소화할 필요가 있는 현상입니다.
2. 고의(과실)에 의하여 발생한 연소현상으로서 소화할 필요가 있는 현상입니다.
3. 사람의 의도에 반하여 발생하거나 확대된 화학적 폭발현상입니다.

1. 개요

(1) 화재란 사람의 의도에 반하거나 고의 또는 과실에 의하여 발생하는 연소현상으로서 소화할 필요가 있는 현상 또는 사람의 의도에 반하여 발생하거나 확대된 화학적 폭발현상을 말한다(「소방의 화재조사에 관한 법률」 제2조).

(2) "사람의 의도에 반한다."라는 표현은 '과실'에 의한 화재와 자연발화에 의한 화재를, "고의에 의한다."라는 표현은 일정한 대상에 피해발생을 목적으로 '방화'한 것을 의미한다.

(3) 소화시설 또는 이와 동등의 효과가 있는 물건을 이용할 필요가 있어야 한다.

(4) 연소가 일어나고 이러한 연소에 의하여 발생된 열과 화염이 전도·대류·복사 등의 방법 또는 이들의 결합에 의하여 연속적으로 진행되거나, 연소가 확대되어 인명 및 재산상의 손실을 가져다 주는 현상이다.

2. 화재발생 통계자료

(1) 원인별 화재발생현황

① 원인별 화재발생현황을 살펴보면 아래의 표(화재발생원인별 발생건수)에서 알 수 있듯이 부주의에 의한 화재발생건수가 20,149건으로 가장 많으며, 다음으로는 전기적 요인, 기계적 요인의 순이다.

② 전국기준으로 방화에 의한 화재가 370건, 방화로 추정되는 화재가 435건으로 상당한 부분을 차지하고 있음을 알 수 있다.

참고 화재발생원인별 발생건수

* 전국 기준(2020년 소방청 통계연보)

화재발생원인	발생(건)	화재발생원인	발생(건)
가스누출	162	방화의심	435
교통사고	433	부주의	20,149
기계적 요인	4,046	자연적 요인	195
기타	452	전기적 요인	9,459
미상	3,778	화학적 요인	62
방화	370		

✎ 핵심 적중

화재원인 중 가장 많은 비중을 차지하는 것은?
① 부주의
② 합선
③ 가스 누출
④ 교통사고

정답 ①

(2) 지역별 화재발생현황(2019년)

① 2019년 화재발생건수는 전국적으로 40,103건, 화재발생으로 인한 인명피해는 사망자 285명, 부상자 2,230명으로 총 사상자는 2,515명이며, 재산피해액은 8,584억원이다.

② 사상자 수가 가장 많은 지역은 경기지역으로 사망자 47명, 부상자 529명으로 총 사상자는 579명이다.

③ 재산피해액 기준으로는 강원지역이 2,539억원으로 전국에서 가장 높았고, 다음으로는 경기, 서울의 순이다.

참고 지역별 화재의 인명피해 및 재산피해

지역별	발생(건)	인명피해(명)			재산피해(억원)
		합계	사망	부상	
합계	40,103	2,515	285	2,230	8,587
서울	5,881	398	37	361	924
부산	2,440	130	9	121	62
대구	1,323	105	11	94	72
인천	1,499	113	14	99	225
광주	844	61	10	51	45
대전	878	71	9	62	40
울산	737	71	4	67	670
세종	191	8	0	8	27
경기	9,421	576	47	529	2,098
강원	1,973	156	16	140	2,539
충북	1,594	178	15	163	408
충남	2,193	96	33	63	198
전북	2,154	75	13	62	165
전남	2,645	124	23	101	265
경북	2,511	194	15	179	574
경남	3,212	123	26	97	241
제주	607	36	3	33	30

(3) 대형화재 발생현황(2019년)

① 대형화재는 사망 5명 이상, 사상자 10명 이상, 재산피해액 50억원 이상인 화재를 말한다.

② 전국기준 대형화재 발생건수는 18건이다. 지역별로 살펴보면 경기 5건, 강원 4건, 서울 · 충북 각 3건, 광주 · 울산 · 경북 1건이 발생하였다.

참고 지역별 중대재해 발생현황 및 화재발생원인(2019년)

1. 지역별 중대재해 발생현황

지역별	발생(건)	인명피해(명)			재산피해 (백만원)
		합계	사망	부상	
합계	18	232	12	220	397,284
서울	3	47	0	47	72,151
광주	1	33	3	30	27
울산	1	18	0	18	56,091
경기	5	88	4	84	22,821
강원	4	12	4	8	232,766
충북	3	34	1	33	145
경북	1	0	0	0	13,283

2. 지역별 화재발생원인

지역별	합계	가스 누출	교통 사고	기계적 요인	기타	미상	방화	방화 의심	부주의	자연적 요인	전기적 요인	화학적 요인
합계	40,103	162	433	4,046	452	3,778	370	435	20,149	195	9,459	624
서울	5,881	22	37	283	452	490	72	64	3,502	4	1,322	43
부산	2,440	13	7	158	7	182	24	34	1,308	1	676	30
대구	1,323	4	18	170	3	105	20	16	637	5	329	16
인천	1,499	7	19	175	7	138	24	23	649	10	416	31
광주	844	2	9	83	17	55	18	8	430	5	210	7
대전	878	6	7	42	2	60	18	20	429	1	274	19
울산	737	3	6	53	36	106	7	6	330	1	177	12
세종	191	0	3	22	4	18	1	0	87	1	50	5
경기	9,421	38	110	1,164	101	682	58	90	4,527	35	2,418	198
강원	1,973	15	25	242	20	195	9	18	1,039	11	377	22
충북	1,594	13	27	235	40	202	14	18	672	13	318	42
충남	2,193	6	35	319	51	131	36	24	1,000	22	534	35
전북	2,154	5	19	254	38	148	9	33	1,159	19	434	36
전남	2,645	6	17	239	8	200	15	31	1,535	25	535	34
경북	2,511	9	36	296	43	558	17	22	1,016	16	472	26
경남	3,212	9	46	277	25	452	20	18	1,588	16	734	57
제주	607	4	12	34	8	56	8	10	271	10	183	11

2 화재의 유형 분류 B

1. 화재의 분류

(1) 일반화재(A급 화재)

① 일반화재는 종이 · 목재 등의 일반가연물, 고무 · 플라스틱과 같은 합성고분자 등과 같은 가연성 물질과 관련된 화재(보통화재)이다.

② 일반적으로 **화재 후 재를 남기며, 표시색은 백색이다.**

③ 소화방법은 **냉각소화가 가장 효과적이다.**

(2) 유류화재(B급 화재)

① 유류화재는 가솔린, 등유 등과 같은 인화성 액체(제4류 위험물)의 화재이다. 그 외에 오일, 라커, 페인트 등과 같은 가연성 액체와 관련된 화재도 포함된다.

② 연소 후 재를 남기지 않으며, **연소열이 크고 인화성이 좋기 때문에 일반화재보다 위험하다.**

③ **포를 이용한 질식소화가 효과적이다.**

(3) 전기화재(C급 화재)

① 전기화재는 전류가 흐르는 전기장비와 관련된 화재이다.

② **전기화재의 발생원인**으로는 **단락(합선)**, 전기스파크, 과전류, 접속부 과열, 지락[1], 낙뢰, 누전, 열적경과[2], **절연불량** 등이 있다.

③ 전기화재는 할로겐화합물 소화약제, 분말소화약제 또는 이산화탄소와 같은 **비전도성 소화약제**를 사용하여 진압할 수 있다.

(4) 금속화재(D급 화재)

① 금속분자가 적절히 집중되어 있는 상태에서 적절한 발화원이 제공된다면 강력한 폭발을 일으킬 수 있다.

② **가연성 금속(D형)화재는 알루미늄, 마그네슘, 티타늄 등과 같은 가연성 금속과 관련된 화재이다.**

③ 금속화재를 통제하기 위한 특수한 D형 소화약제들을 이용할 수 있다.

④ 금속 화재는 금속 및 금속의 분 · 박 · 리본 등에 의해서 발생되는 화재로 생성된 연기는 무색이다.

⑤ 물과 반응하여 수소(H_2), 아세틸렌(C_2H_2) 등과 같은 가연성 가스를 발생하는 금수성 물질의 화재는 물 및 물을 포함한 소화약제를 사용하여 소화해서는 안 된다.

⑥ 가장 적응성이 좋은 소화제는 건조사 또는 마른모래이다. 특히 알킬기(C_nH_{n+1})와 알루미늄의 유기금속화합물인 알킬알루미늄 화재 시 가장 적합한 소화약제는 팽창질석 또는 팽창진주암이다.

⑦ **금속 화재 발생원인**

㉠ 금속의 정밀가공 시에 축적되는 열이 금속표면의 금속가루분에 가해져 발열이 방열보다 커지면 발생할 수 있다.

㉡ 마그네슘, 칼륨은 발화점이 낮은데 미세한 분말의 경우 수분과 접촉 시 수분의 촉매작용으로 발생 위험성이 높다.

소화적응성에 따른 분류

구분	색상
일반화재(A급)	백색
유류화재(B급)	황색
전기화재(C급)	청색
금속화재(D급)	무색
식용유화재(K급)	기준 없음
가스화재(E급)	황색

용어사전

❶ 지락: 전류가 대지를 통하여 흐르는 것을 말한다.

❷ 열적경과: 다리미 등과 같은 발열체에서 나오는 열이 축적되어 주위의 가연물을 발화시키는 것을 말한다.

금속화재(가연성 · 조연성 가스 발생)

금속+물과 반응	가스
나트륨 · 칼륨	H_2
무기과산화물	O_2
탄화칼슘	C_2H_2
인화칼슘	PH_3

⑧ 예방대책

㉠ 금속분의 발생을 억제한다(공기 중에 부유하지 않도록 환기장치를 설치한다).

㉡ 금속의 가공 시 발생되는 열의 축적을 방지한다.

㉢ 금속의 가공 작업장에는 건조한 상태가 되지 않도록 적정한 습도를 유지한다(금수성 물질은 제외한다).

㉣ 금수성의 금속 및 금속분은 물 또는 습기와 접촉하지 않도록 한다.

(5) 식용유(주방)화재(K급 화재)

① 「소화기구 및 자동소화장치의 화재안전기준(NFSC 101)」의 개정으로 음식점, 다중이용업소의 주방에 K급 소화기의 설치가 의무화되었다.

② **일반 유류화재는 유류의 온도가 발화점보다 훨씬 낮은 비점에서 유면 상의 증기가 연소하는 형태**이므로 그 화염을 꺼버리면 다시 불이 붙을 가능성은 낮다.

③ 주방에서 사용하는 **식용유는 끓는점보다 발화점이 낮아 불꽃을 제거하더라도 재발화할 가능성이 높다.**

④ **K급 소화기는 산소를 차단하는 질식소화와 함께 온도를 발화점 이하로 낮추는 냉각소화에 적합한 강화액 약제로 비누처럼 막을 형성하여 재발화를 차단한다.**

⑤ 식용유 화재의 소화대책

㉠ 중탄산나트륨($NaHCO_3$)의 비누화 소화효과* 이용

㉡ 강화액 소화기인 K급 소화기 사용

㉢ 거품 형태의 폼 방사

㉣ 냄비 뚜껑 등으로 덮어 공기 공급을 차단하여 질식소화한다.

㉤ 배추 등의 야채를 넣어 식용유의 온도를 낮추어 냉각소화한다.

⑥ 식용유 화재와 유류화재의 비교

구분	유류 화재	식용유 화재
연소 메커니즘	흡열 → 증발 → 혼합 → 연소 → 배출	인화점과 발화점의 차이가 적다. 발화점(288~385℃)이 비점보다 낮아 비점 이하의 온도에서도 액면 상의 증발을 통해 발화할 수 있다.
특징	복사열에 의한 액면의 증발을 통해 연소가 진행되기 때문에 화염이 제거되면 복사열에 의한 증발이 없어 재발화 가능성이 없다.	화염을 제거해도 식용유의 온도가 발화점 이상인 상태가 되므로 재발화할 수 있다(자체 발화온도보다 50°F 이상 낮게 유지해야 한다).

(6) 가스화재(E급 화재)

① 주요 발생원인은 아파트 · 주택 등에 설치된 가스용품 취급 · 사용 시의 부주의, 가스배관의 부식 · 파열 등으로 인한 가스폭발 등이 있다.

② 소화방법은 제거소화이다.

정희's 톡talk

식용유(주방)화재(K급 화재)

식용유(주방)화재(K급 화재)란 주방에서 동식물유류를 취급하는 조리기구에서 일어나는 화재를 말합니다. 주방에서 일반적으로 취급하는 가연성 튀김기름(식물성 또는 동물성 기름 및 지방)을 사용한 조리로 인한 화재의 정의에 있어서 NFPA 10에서는 K급 화재로, ISO 7165와 UL711에서는 F급 화재로 분류하고 있습니다. 식용유화재(K급 화재)는 발화점이 비점보다 낮아, 소화 후 재착화 발생이 쉽습니다.

중탄산나트륨($NaHCO_3$)의 비누화 소화효과*

제1종 분말소화약제 방출 시 나트륨 이온이 금속 비누를 만들고 이 비누가 거품을 형성하여 질식효과를 갖습니다.

핵심기출

일반화재에 해당하는 것만을 〈보기〉에서 있는 대로 고른 것은? 24. 공채 · 경채

〈보기〉

ㄱ. 통전 중인 배전반에서 불이 난 경우

ㄴ. 외출 시 전원이 차단된 콘센트에서 불이 난 경우

ㄷ. 실외 난로가 넘어지면서 새어 나온 석유에 불이 붙은 경우

ㄹ. 실험실 시험대 위 나트륨 분말에서 불이 난 경우

① ㄱ

② ㄴ

③ ㄴ, ㄹ

④ ㄱ, ㄷ, ㄹ

정답 ②

③ 가스의 구분

연소성	저장성	독성
가연성 가스 (프로판, 아세틸렌 등)	압축가스❶ (수소, 산소, 질소 등)	아크로레인, 포스겐 등
조연성 가스 (산소, 염소, 불소 등)	액화가스❷ (암모니아, 염소, 탄산가스 등)	비독성 가스 (산소, 수소, 질소 등)
불연성 가스 (질소, 탄산가스 등)	용해가스❸ (아세틸렌 등)	-

④ 액화석유가스(LPG)와 액화천연가스(LNG)의 비교

구분	액화석유가스 (Liquefied Petroleum Gas)	액화천연가스 (Liquefied Natural Gas)
주성분	프로판, 부탄	메탄
상태	상온·상압에서 기체이며, 10 ~ 15℃, 10Kg/cm²에서 액화 보관	상온·상압에서 기체이며, -162℃에서 액화 보관
폭발범위	프로판(2.1 ~ 9.5%), 부탄(1.8 ~ 8.4%)	메탄(5 ~ 15%)
연소속도	상대적으로 느림	상대적으로 빠름
체적변화	액체에 기체로 250 ~ 300배	액체에서 기체로 600배
비점	프로판(-42.1℃), 부탄(-0.5℃)	메탄(-162℃)
비중	· 기체는 공기보다 무거움 · 액체는 물보다 가벼움	· 공기보다 가벼움 · -113℃ 이하는 공기보다 무거움
특징	· 공기 중에 쉽게 연소·폭발함 · 물에는 녹지 않음 · 유기용매에 녹음 · 무독, 무색, 냄새도 없음	· 공기 중에 쉽게 연소·폭발함 · 깨끗한 화염, 급격한 연소특성을 지님 · 복사열이 높음 · 무독, 무색, 냄새도 없음

요약NOTE 화재의 분류

구분		가연물	표시색	주된 소화방법
일반화재	A급 화재	나무, 옷, 고무	백색	냉각소화
유류화재	B급 화재	가솔린, 페인트	황색	질식소화
전기화재	C급 화재	변압기, 송전선	청색	질식소화(비전도성), 제거소화(차단)
금속화재	D급 화재	알루미늄	무색	질식소화(팽창질석 등)
식용유화재	K급 화재	식용유	기준 없음	질식소화(K급 소화기)
가스화재	E급 화재	메탄, 에탄, 암모니아	황색	질식소화, 제거소화(차단)

용어사전

❶ 압축가스: 비점이 낮기 때문에 상온에서 압축하여 액화하기 어려운 가스로 일정한 압력에 의하여 압축되어 있는 가스를 말한다(「고압가스 안전관리법 시행규칙」).

❷ 액화가스: 비점이 높아 쉽게 액화되는 가스이다. 액화하여 용기에 충전한 가스로 가압(加壓)·냉각 등의 방법에 의하여 액체 상태로 되어 있는 것으로서 대기압에서의 끓는점이 섭씨 40도 이하 또는 상용 온도 이하인 것을 말한다(「고압가스 안전관리법 시행규칙」).

❸ 용해가스: 압축하면 분해 폭발하는 가스로 용기에 다공질의 물질을 충전한 다음 아세톤과 같은 용제에 용해하여 압축한 가스를 말한다.

핵심 기출

01 소화약제로 팽창질석 또는 팽창진주암을 사용하였을 때, 적응성이 가장 좋은 화재로 옳은 것은? 18. 하반기 공채

① 일반화재 ② 전기화재
③ 금속화재 ④ 가스화재

정답 ③

02 가연물의 종류에 따른 화재별 특징으로 옳지 않은 것은? 19. 소방간부

① 일반화재는 보통화재라고도 하며, 화재 발생 시 주로 백색연기가 생성되며 연소 후에는 재를 남긴다.
② 유류화재는 화재 시 일반화재보다 진행속도가 빠르고 주로 흑색연기가 생성되며 연소 후에는 재를 남기지 않는다.
③ 전기화재는 C급 화재로서 통전 중인 전기시설물로부터 유도되며, 원인으로는 합선(단락), 과부하, 누전, 낙뢰 등이다.
④ 금속화재는 D급 화재로서 금속작업 시 열의 축적 등의 원인으로 발생하며, 건조사, 건조분말 등을 이용한 질식·피복 효과와 물을 이용한 냉각효과를 이용해 소화한다.
⑤ 가스화재는 가스가 누설되어 공기와 일정 비율로 혼합된 상태에서 점화원에 착화되어 발생하며, 주된 소화 방법은 밸브류 등을 잠그거나 차단시킴으로 인한 제거소화법이다.

정답 ④

2. 화재원인에 따른 분류

(1) 실화

취급부주의나 사용 · 보관 등의 잘못으로 발생한 과실적(過失的) 화재를 말한다.

(2) 방화

사람이 고의로 건축물 · 가연물에 불을 지르고 확대시키는 현상을 말한다.

(3) 자연발화

스파크 또는 화염이 없는 상태에서 열기에 의하여 발화된 연소를 말한다.

(4) 천재발화

지진, 낙뢰, 분화 등에 의하여 발화한 것을 말한다.

3. 「화재조사 및 보고규정」상 화재 분류

(1) 화재의 유형에 따른 분류

① **건축 · 구조물 화재:** 건축물, 구조물 또는 그 수용물이 소손된 것

② **자동차 · 철도차량 화재:** 자동차, 철도차량 또는 그 적재물이 소손된 것

③ **위험물 · 가스제조소등 화재:** 위험물제조소등, 가스제조 · 저장 · 취급시설 등이 소손된 것

④ **선박 · 항공기화재:** 선박, 항공기 또는 그 적재물이 소손된 것

⑤ **임야화재:** 산림, 야산, 들판의 수목, 잡초, 경작물 등이 소손된 것

⑥ **기타화재:** ① ~ ⑤에 해당하지 않는 화재

(2) 소실의 정도에 따른 분류

① **전소:** 건물이 70% 이상 소실되었거나, 그 미만이라도 잔존 부분을 보수하여도 재사용이 불가능한 화재

② **반소:** 건물이 30% 이상 70% 미만이 소실된 화재

③ **부분소:** 전소 또는 반소화재에 해당하지 않는 화재

핵심기출

전기화재(C급화재) 및 주방화재(K급화재)에 관한 설명으로 옳지 않은 것은? 23. 공채

① 주방화재의 가연물 중 하나인 식용유의 발화점은 비점보다 낮다.

② 도체 주위의 자기장 변화에 의해 발생된 유도전류는 전기화재의 점화원으로 작용할 수 있다.

③ 식용유로 인한 화재 시 유면상의 화염을 제거하면 복사열에 의한 기화를 차단하여 재발화를 방지할 수 있다.

④ 전기화재의 발생 원인 중 누전은 전류가 전선이나 기구에서 절연 불량 등의 원인으로 정해진 전로(배선) 밖으로 흐르는 현상이다.

정답 ③

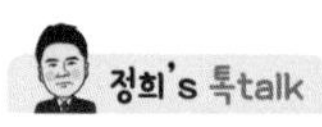

LNG 저장탱크의 Roll over

1. LNG 저장탱크의 상 · 하부의 밀도 차에 의해서 발생하는 상하 반전현상입니다.
2. Roll over 현상으로 대량의 증발가스와 압력상승이 발생하여 증기압력이 증가합니다.

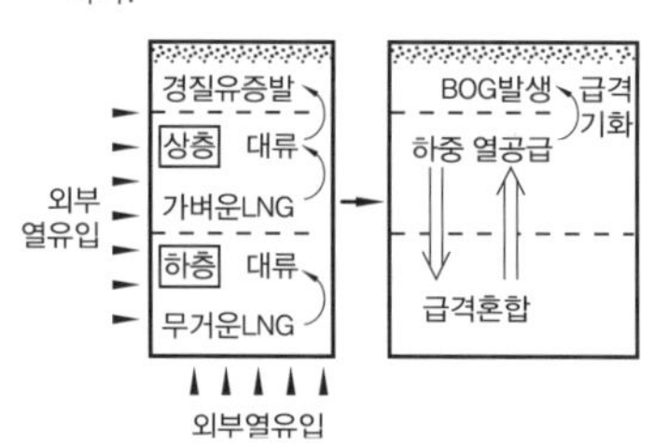

3 화재의 용어 A

1. 화재하중

(1) 개요

① 건물화재 시 발열량 및 화재의 위험성을 나타내는 용어이다.

② 화재의 규모를 결정하는 데 사용한다.

③ 단위면적당 가연물의 발열량을 목재의 발열량으로 환산한 것이다.

(2) 화재하중 산정

① 산정식은 다음과 같다.

$$화재하중(Q) = \frac{\Sigma(G_t H_t)}{H_o A}(kg/m^2) = \frac{\Sigma Q_t}{4,500A}(kg/m^2)$$

G_t: 가연물의 양(kg)
H_t: 단위발열량(kcal/kg)
H_o: 목재단위발열량(4,500kcal/kg)
A: 화재실 바닥면적(m^2)
ΣQ_t: 화재실, 화재구획 내의 가연물 전체발열량(kcal)

② 화재하중의 단위는 kg/m^2이다.

(3) 화재하중 감소방안

① 주요구조부와 내장재를 불연화·난연화한다.

② 가연물을 불연성 밀폐용기에 보관한다(불연화할 수 없는 가연물).

③ 가연물을 제한한다.

■ 건축물 용도에 따른 화재하중

건축물 용도	화재하중(kg/m^2)	건축물 용도	화재하중(kg/m^2)
주택, 아파트	30 ~ 60	창고	200 ~ 1,000
사무실	10 ~ 20	도서관	250

■ 발열량

재료	발열량(Mcal/kg)	품명	발열량(Mcal/kg)
목재	4.5	벤젠	10.5
종이	4.0	석유	10.5
연질보드	4.0	염화비닐	4.1
경질보드	4.5	페놀	6.7
고무	9.0	폴리에스테르	7.5
휘발유	10.0	폴리에틸렌	10.4

정희's 톡talk

화재하중

건축물에서의 내화구조에 대한 설계는 해당 건축물에서 발생할 수 있는 최대 규모를 추정하여 설계하여야 합니다. 그러나 일반적으로는 건축물의 내부에 수납되어 있는 가연성 물질의 양을 기준으로 합니다.

핵심기출

01 화재하중을 산출하는 요소에 해당하지 않는 것은? 21. 소방간부

① 가연물의 배열 상태
② 가연물의 질량
③ 가연물의 단위발열량
④ 목재의 단위발열량
⑤ 화재실의 바닥면적

정답 ①

02 화재용어에 대한 설명으로 옳지 않은 것은? 20. 소방간부

① 가연물의 비표면적이 클수록 화재강도는 증가한다.
② 화재실의 열방출률이 클수록 화재강도는 증가한다.
③ 화재강도와 화재하중이 클수록 화재가혹도는 높아진다.
④ 최고온도에서 연소시간이 지속될수록 화재가혹도는 높아진다.
⑤ 전체 가연물의 양(발열량)이 동일할 때 화재실의 바닥면적이 커지면 화재하중은 증가한다.

정답 ⑤

03 바닥면적이 $200m^2$인 구획된 창고에 의류 1,000kg, 고무 2,000kg이 적재되어 있을 때 화재하중은 약 몇 kg/m^2인가? (단, 의류, 고무, 목재의 단위발열량은 각각 5,000kcal/kg, 9,000kcal/kg, 4,500kcal/kg이고, 창고 내 의류 및 고무 외의 기타 가연물은 존재하지 않으며, 화재 시 완전연소로 가정한다) 20. 공채

① 15.56 ② 20.56
③ 25.56 ④ 30.56

정답 ③

04 화재용어 중 화재실의 단위시간당 축적되는 열의 양을 의미하는 것은? 19. 공채

① 훈소 ② 화재하중
③ 화재강도 ④ 화재가혹도

정답 ③

2. 화재가혹도(Fire severity, 화재심도)

(1) 개요

① 화재의 발생으로 건물 내 수용재산 및 건물 자체에 손상을 입히는 정도를 말한다.

② 화재가혹도가 크면 건물과 기타 재산의 손실은 커지고 작으면 그 손실도 작아진다. 즉, 방호공간 안에서 화재의 세기를 나타낸다.

③ 화재가혹도는 **최고온도(화재강도)**와 그 **온도의 지속시간(화재하중)**이 주요요인이다.

화재가혹도 = 최고온도 × 지속시간(구획화재 성장곡선의 하부면적 개념)

④ **최고온도**는 화재가혹도의 **질적 개념**으로 화재강도와 관련이 있다.

⑤ **지속시간**은 화재가혹도의 **양적 개념**으로 화재하중과 관련이 있다.

⑥ 환기요소 $A\sqrt{H}$는 화재가혹도를 결정하는 중요 요소이다.

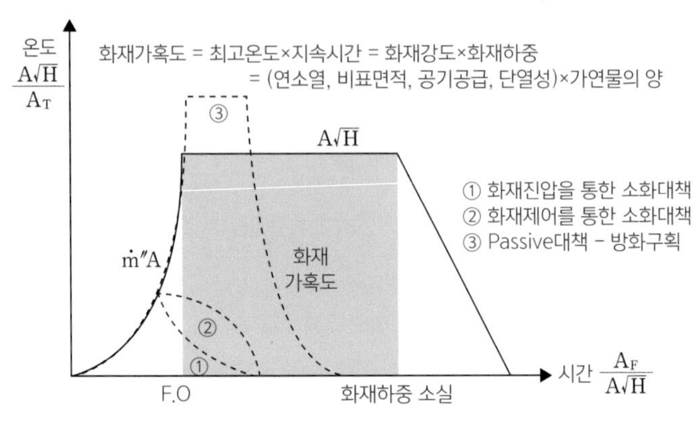

▲ 화재가혹도 개념곡선

(2) 최고온도(Maximum temperature)

단위 시간당 축적되는 열의 양인 열 축적율이 크면 화재강도(Fire Intensity)가 커진다(**질적 개념: 주수율과 관계**).

① 가연물의 연소열

② 가연물의 비표면적

③ **공기의 공급**: 공기의 공급이 원활할수록 열 발생율이 커진다.

④ **화재실의 벽, 천장, 바닥 등의 단열성**: 구조물이 가지는 단열효과가 클수록 열의 외부누출이 쉽지 않고, 화재실 내에 축적상태로 유지된다.

⑤ 화재실의 온도

⑥ 가연물의 배열상태

(3) 지속시간(Duration)

화재실 내에 가연물(화재하중, Fire load)이 많을수록 지속시간이 길어진다(**양적 개념: 주수시간 개념**).

① **화재실 내에 존재하는 가연물의 양**: 가연물의 양이 많을수록 연소지속시간이 길고, 최고온도 지속시간이 길어진다.

② 화재하중은 가연물의 총 발열량을 나타내는 개념이다.

정희's 톡talk

최고온도

1. 환기계수가 클수록 환기지배형 화재의 최고온도는 낮아집니다.
2. 온도인자(tm)

$t[℃] = \beta \frac{A\sqrt{H}}{A_T} = \frac{A\sqrt{H}}{A_T}$ t: 최고온도[℃] β: 상수 A_T: 실내 전표면적

환기계수 개념

1. 개구부 면적과 개구부 높이의 함수($A\sqrt{H}$)이며, 환기지배형 화재에서 연소속도를 증가시키는 주요 원인입니다.
2. 내화구조 건물에서의 최성기 화재는 환기계수의 영향을 받는 환기지배형 화재가 됩니다.

화재실의 환기요소

화재실의 환기요소($A\sqrt{H}$)는 화재가혹도에 영향을 줍니다. 또한 화재실의 벽, 천장, 바닥 등의 단열성에 영향을 받습니다.

지속시간(Fire Duration)

1. 지속시간인자

$T_d = \frac{A_f}{A\sqrt{H}}$

2. 환기계수가 크면 온도가 높은 대신 지속시간이 짧고, 환기계수가 작으면 그 반대가 됩니다.

③ 화재의 규모를 결정하는 것은 화재실의 예상 최대 가연물질의 양이다.

㉠ **고정가연물**: 벽, 천장, 칸막이 등의 바탕재료, 내장재료, 붙박이가구 등(장기하중)

㉡ **적재가연물**: 서적, 의류, 기타 수납물 등(단기하중)

④ 화재하중은 잠재적인 화재가혹도(지속시간 부분을 좌우)를 결정하는 중요한 요소이다.

⑤ 실내 가연물에는 여러 가지의 재료가 있고 연소 시 발열량도 다르기 때문에, 실제로 존재하는 가연물을 그에 상응하는 발열량의 목재로 환산하여 등가 목재중량을 이용하는 것이 필요하다.

(4) 화재하중과 화재가혹도의 주수와의 연관성

① 화재가혹도는 소화수의 주수율(L/m²·min)과 주수시간에 밀접한 관계가 있다.

② 화재가혹도의 요소 중 **화재강도(최고온도)가 크면 축적열량이 크므로 주수율(L/m²·min)이 커야 한다.**

③ 화재가혹도의 요소 중 **화재하중이 크면 지속시간이 길어지므로 주수시간이 길어야 한다.**

심화학습 실내가연물의 연소속도(R) 및 화재계속시간(T)

1. 연소속도(R)

$$R(kg/min) = 5.5 \sim 6A\sqrt{H} = \alpha \frac{A_f}{A\sqrt{H}}$$

A: 개구부 면적(m^2) H: 개구부 높이(m) α: 상수

2. 화재계속시간

$$T(min) = \frac{\text{전체 가연물량(kg)}}{\text{연소속도(kg/min)}} = \frac{W(kg/m^2) \times A_f(m^2)}{5.5 \sim 6A\sqrt{H}(kg/min)}$$

W: 화재하중(kg/m^2) A_f: 화재실의 바닥면적(m^2)

3. 화재하중에 따른 내화도(Fire resistance)의 시간

- 50kg/m²: 1 ~ 1.5시간
- 100kg/m²: 1.5 ~ 3시간
- 200kg/m²: 3 ~ 4시간

참고 화재하중(지속시간)의 주요요소

1. 화재하중의 주요요소는 화재실 내에 존재하는 가연물의 양이다.
2. 가연물의 양이 많을수록 연소지속시간이 길고, 최고온도 지속시간 길어진다. 화재하중은 잠재적인 화재가혹도(지속시간 부분을 좌우)를 결정하는 중요한 요소이다.
3. 화재하중은 가연물의 총 발열량을 나타내는 개념으로 이는 단순한 화재위험요인의 판단자료로 활용한다. 화재실 온도는 시간당 발열량이 보다 중요하다.
4. 화재의 규모를 결정하는 것은 화재실의 예상 최대 가연물질의 양이다.
   - 장기하중(고정가연물): 벽, 천장, 칸막이 등의 바탕재료, 내장재료, 붙박이가구 등
   - 단기하중(적재가연물): 서적, 의류, 기타 수납물 등
5. 실내 가연물에는 여러 가지의 재료가 있고 연소 시 발열량도 다르기 때문에 실제로 존재하는 가연물을 그에 상응하는 발열량의 목재로 환산하여 등가 목재중량을 이용한다.

핵심기출

01 화재가혹도에 관한 설명으로 옳지 않은 것은? 20. 공채

① 화재가혹도란 화재발생으로 당해 건물과 내부 수용재산 등을 파괴하거나 손상을 입히는 정도를 말한다.
② 최고온도는 화재가혹도의 질적 개념으로 화재강도와 관련이 있다.
③ 지속시간은 화재가혹도의 양적 개념으로 화재하중과 관련이 있다.
④ 화재가혹도에 영향을 미치는 환기요소는 개구부 면적의 제곱근에 비례하고 개구부 높이에 비례한다.

정답 ④

02 화재가혹도(Fire severity)에 대한 설명으로 옳지 않은 것은? (단, A는 개구부의 면적, H는 개구부의 높이이다) 22. 공채

① 화재가혹도의 크기는 화재강도와 화재하중의 영향을 받는다.
② 화재실의 최고온도와 지속시간은 화재가혹도를 판단하는 중요한 인자이다.
③ 화재실의 환기요소($A\sqrt{H}$)는 화재가혹도에 영향을 준다.
④ 화재가혹도는 화재실이나 화재구획의 단열성에 영향을 받지 않는다.

정답 ④

3. 화재강도(Fire Intensity)

(1) 개요

① 화재실의 단위시간당 축적되는 열의 양을 화재강도라고 한다.

② 화재실의 열방출률이 클수록 온도가 높아져 화재강도는 크게 나타난다.

③ 화재강도는 화재실내에서 발생되는 열발생률과 외부로 빠져나가는 열누설률에 의해 결정된다.

④ 열발생률은 화재실내에 존재하는 가연물의 연소상황에 따라 결정된다. 연소상황은 가연물과 공기의 공급조건에 영향을 받는다.

⑤ 열누설률의 결정 인자는 벽체의 단열성, 내장재료와 환기요소 등이 있다.

(2) 화재강도 관련인자

① 가연물의 발열량(가연물의 종류)

② 가연물의 비표면적

③ 가연물의 배열상태

④ 화재실의 벽, 바닥, 천장 등의 구조

⑤ 산소의 공급

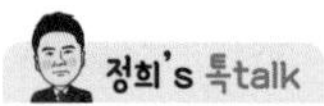

화재강도

1. 화재강도는 화재실 내에서 발생되는 열발생률과 외부로 빠져나가는 열누설률에 의해 결정됩니다.
2. 방호공간 내부화재의 단위시간당 열축적율입니다.
3. 화재강도의 계산

$$화재강도 = \frac{열축적율}{시간} = \frac{열방출율 - 열손실율}{시간}$$

가연물의 발열량

재료	발열량(kcal/kg)
종이	4,000
염화비닐	4,100
목재	4,500
고무	9,000
휘발유	10,000
폴리에틸렌	10,400

참고 화재강도(최고온도)의 주요요소

연소열이 클수록 → 발열량 大
비표면적이 클수록 → 열축적 大
단열성이 클수록 → 열발생률 大
공기공급이 원활할수록 → 화재강도 大

1. **가연물의 연소열(ΔHc)**: 물질의 종류에 따른 특성치이다.
2. **가연물의 비표면적(m^2/kg)**: 물질의 단위질량 당 표면적, 통나무, 대팻밥 등 물질 형상에 따른 특성치이다.
3. **공기(산소)의 공급**: 공기의 공급이 원활할수록 소진율이 커지고 열 발생율도 커진다. 공기의 유입은 창문 등 개구부의 크기, 개수, 위치에 좌우된다.
4. **화재실의 벽, 천장, 바닥 등의 단열성**: 화재실의 열은 개구부를 통하여 외부로 빠져나가지만 실을 둘러싸는 벽, 바닥, 천장 등을 통하여 열전도에 의해서도 빠져나가기 때문에 구조물이 가지는 단열효과가 클수록 열의 외부누출이 쉽지 않다. 즉, 발열량이 화재실 내에 축적상태로 유지될 수 있다.

 예제

그림은 구획실의 크기가 가로 10,000mm, 세로 8,000mm, 높이 3,000mm이며 가연물 A와 가연물 B가 놓여 있는 상태를 나타낸다. 다음과 같은 조건일 때 구획실의 화재하중[kg/m²]은 (단, 주어지지 않은 조건은 무시하고, 소수점 셋째 자리에서 반올림한다)

23. 공채

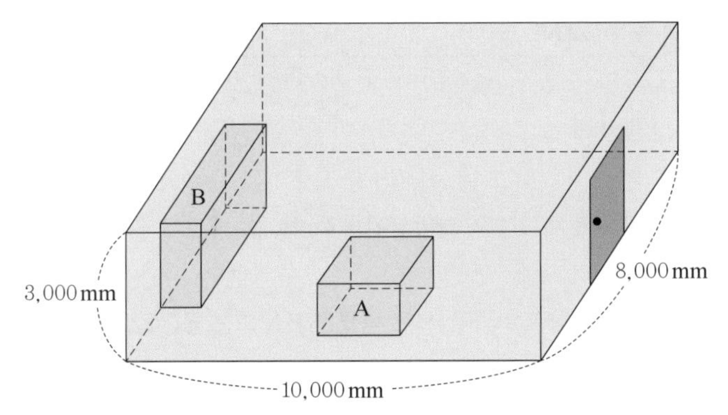

구분	단위발열량(kcal/kg)	질량(kg)
목재	4,500	-
가연물 A	2,000	200
가연물 B	9,000	100

① 1.20
② 2.41
③ 3.61
④ 7.22

풀이식

$$화재하중(Q) = \frac{\Sigma(G_tH_t)}{HA}[kg/m^2](\Sigma: 합)$$

$$화재하중(Q) = \frac{200kg \times 2,000kcal/kg + 100kg \times 9,000kcal/kg}{8 \times 10 \times 4,500kcal/kg}$$

$$≒ 3.61$$

정답 ③

CHAPTER 2 실내건축물의 화재

1 구획화재 B

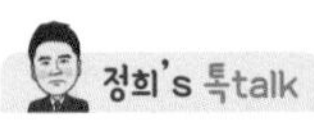

정희's 톡talk

구획화재

구획화재에 있어서 시간과 온도에 관련된 진행단계들은 화재진압활동이 이루어지지 않은 상태에서의 구분입니다. 구획실화재의 발화와 진행은 매우 복잡하며 다양한 요인에 영향을 받습니다.

1. 화재의 진행단계

(1) 개요

① 구획실에서 화재진행은 개방공간에서 화재진행보다 훨씬 복잡하고 다양한 특성을 보인다.

② **구획실을 건축물의 실내공간으로 폐쇄된 거실 또는 공간으로 정의한다.**

③ 구획화재(구획실의 화재)의 성장과 진행단계는 연소하는 가연물과 연소에 이용되는 공기의 양(환기량)에 영향을 받는다.

④ 구획실 화재를 **화재진행단계별(화재성장과정)로 구분**하면 **발화기, 성장기, 플래시오버, 최성기, 쇠퇴기** 등으로 나눌 수 있다.

핵심 기출

실내 화재의 진행 과정을 설명한 내용으로 옳지 않은 것은? 21. 공채

① 발화기 - 건물 내의 가구 등이 독립 연소하고 있으며 다른 동(棟)으로의 연소 위험은 없다.

② 성장기 - 화재의 진행이 급속히 이루어지고 개구부에서는 검은 연기가 분출된다.

③ 최성기 - 산소가 부족하여 연소되지 않은 가스가 다량 발생된다.

④ 감퇴기 - 지붕이나 벽체, 대들보나 기둥도 무너져 떨어지고 열 발산율은 증가하기 시작한다.

정답 ④

(2) 발화기(Incipient)

발화기(초기단계)는 **연소가 시작될 때의 시기**를 말한다. 발화시점에는 화재 규모는 작고 처음 발화된 가연물에 한정된다.

① 발화의 물리적 현상은 점화원에 의하여 발화되기도 하고 자연발화와 같이 자체의 열의 축적에 의하여 발생되기도 한다.

② 건물 내의 가구 등이 독립 연소하고 있으며 다른 동으로의 연소 위험은 없다.

③ **다량의 백색연기가 발생하고, 훈소가 발생하기도 한다.**

④ 실내온도가 아직 크게 상승되지 않은 발화단계로 착화물이나 화원 등의 조건에 따라 일정하지 않은 단계이다.

정희's 톡talk

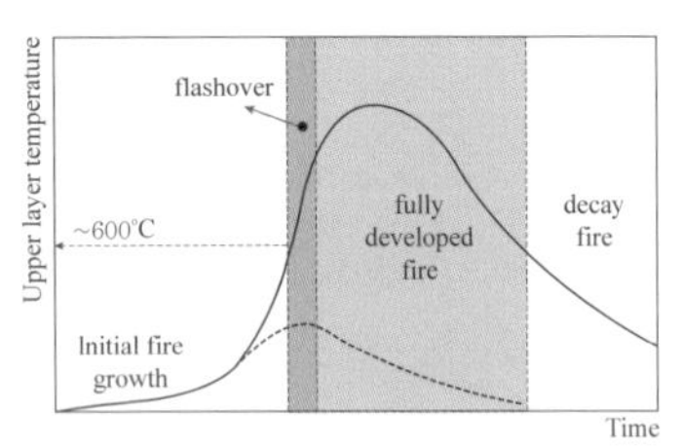

▲ 구획화재의 화재성장과정

(3) 성장기(Growth)

화재가 성장할 때에 천장 부분의 고온의 가스층은 구획실 내의 전반적인 온도를 상승하게 한다. 최초 발화된 가연물의 화재가 커지면서, 성장기의 초기는 개방된 곳에서의 화재와 비슷한 현상을 보인다. 이후 개방된 곳에서의 화재와는 다르게 구획실의 화염은 공간 내의 벽과 천장에 의하여 급속히 영향을 받는다.

① **화재의 진행 변화가 급속히 이루어지고, 개구부에서는 검은 연기가 분출된다.**

② 건물이 인접해 있으면 다른 동으로의 연소위험이 있다.

③ **최성기 직전에 연소확대 현상인 플래시오버가 발생한다.**

④ 화재 성장기단계에서는 실내에 있는 내장재에 착화하여 **롤오버 등이 발생**하며 **개구부에 진한 흑색연기가 강하게 분출한다.**

⑤ 구획실 온도는 가스가 구획실 천장과 벽을 통과하면서 생성된 열의 양과 최초 가연물의 위치 및 공기 유입량 등에 의하여 결정된다.

⑥ 화염의 중심으로부터 거리가 멀어지면 가스의 온도가 내려간다.

(4) 최성기(Fully developed)

최성기는 구획실 내의 모든 가연성 물질들이 화재에 관련될 때의 단계를 의미한다. 구획실 내에서 연소하는 모든 가연물은 최대의 열량을 발산한다. 또한 많은 양의 연소가스를 발생한다.

① 연기의 분출속도는 빠르며, 화재초기보다 연기량은 적고 대체적으로 유리가 녹는 단계이다.

② 천장이나 벽 등 구조물의 낙하의 위험이 있다.

③ 최성기 단계에서 발산하는 연소생성가스의 양과 열은 구획실의 환기의 수와 크기에 영향을 받는다.

④ 연소하지 않은 뜨거운 연소생성가스는 인접한 실내공간으로 이동하며, 충분한 양의 산소 공급이 이루어지면 발화할 수 있다.

⑤ 최성기에는 실내화염이 최고조에 도달하나 실내 산소부족으로 연소속도가 느려진다.

⑥ 실내온도가 화재 중 최고온도에 이르는 시기이다.

⑦ 연기의 발생량은 약간 감소하지만, 화염의 분출이 증가되고 강한 복사열의 영향으로 인접건물로의 연소확대 위험이 높다.

(5) 쇠퇴기(Decay)

구획실 내에 있는 가연물이 거의 연소를 완료하게 되면서 화재의 크기가 크게 감소된다.

① 열 발산율은 크게 감소하기 시작한다.

② 지붕이나 벽체, 대들보나 기둥도 무너져 떨어지고 연기는 흑색에서 백색이 된다.

③ 화세가 쇠퇴하고 다른 곳으로의 연소위험은 비교적 적다.

④ 타다 남은 잔화물은 일정 시간 동안 구획실 온도를 어느 정도 높일 수 있다.

⑤ 화염의 급격한 소멸로 훈소상태가 발생할 수 있다. 이로 인한 백드래프트(Back Draft)의 위험이 있다.

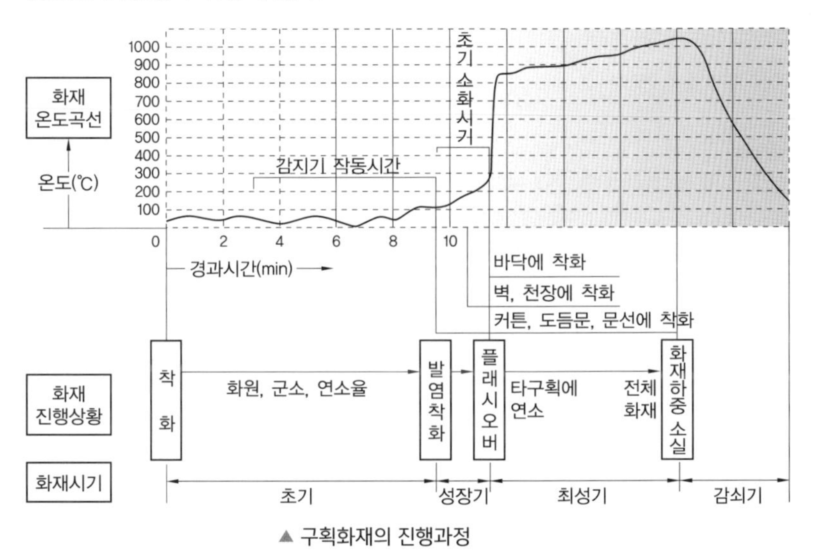

▲ 구획화재의 진행과정

핵심기출

01 건물화재에 관한 설명 중 옳지 않은 것은? 17. 소방간부

① 화재 초기단계에서는 가연물이 열분해되어 가연성 가스가 발생하는 시기이다.

② 화재 성장기단계에서는 실내에 있는 내장재에 착화하여 롤오버 등이 발생하며 개구부에 진한 흑색연기가 강하게 분출한다.

③ 최성기 이후에 플래시오버 현상이 발생하며, 이후 실내에 있는 가연물 또는 내장재가 격렬하게 연소되는 단계로서 실내온도가 최고온도에 이르는 시기이다.

④ 목조건축물은 건축물 자체에 개구부가 많아 공기의 유통이 원활하여 격심한 연소현상을 나타내며, 고온단기형이다.

⑤ 내화건축물은 목조건축물에 비해 공기 유통조건이 일정하며 화재 진행시간도 길고, 저온장기형이다.

정답 ③

02 구획실 화재에 관한 설명으로 옳지 않은 것은? 23. 공채

① 플래시오버 이후에는 연료지배형 화재보다 환기지배형 화재가 지배적이다.

② 환기가 잘되지 않으면 환기지배형 화재에서 연료지배형 화재로 바뀌며 연기 발생이 줄어든다.

③ 연료지배형 화재는 구획실 내 가연물의 연소에 필요한 산소가 충분히 공급되는 조건의 화재이다.

④ 성장기에는 천장 부분에서 축적된 뜨거운 가스층이 발화원으로부터 떨어져 있는 가연성 물질에 복사열을 공급하여 플래시오버를 초래할 수 있다.

정답 ②

2. 연료지배형 화재와 환기지배형 화재

(1) 연료지배형 화재(Fuel controlled fire)

① 일반적으로 연료지배형 화재는 발화 이후 전실화재(Flash over) 이전까지 초기 화재 성장단계에서 주로 형성된다.

② 화재실 내부에 연소에 필요한 공기량은 충분한 상태이기 때문에 화재특성은 연료 자체에 의존하며 연료지배형 화재로 불린다.

③ 가연물(연료량)에 비하여 환기량(공기량)이 충분한 경우에 해당한다. 즉, 환기는 정상이지만 연료가 부족한 상태이다.

④ 연료지배형 화재는 공기공급이 충분한 조건에서 발생하는 것이 일반적이다.

⑤ 연료지배형 화재가 지속되면 화재실 내부의 열적 피드백(Heat feedback)이 증가하여 화원의 연소율이 증가하고 발열량이 지속적으로 상승하는 경우 연료를 완전연소시키기에 공기의 양이 부족한 환기부족 화재(Under-ventilated fire) 상태가 된다.

⑥ 연료지배형 화재는 주로 큰 창문이나 개방된 공간에서, 환기지배형 화재는 내화구조 및 콘크리트 지하층에서 발생하기 쉽다.

(2) 환기지배형 화재(Ventilation controlled fire)

① 완전연소시키기에 공기의 양이 부족한 환기 부족 화재 상태가 되면 생성된 연료가스는 화재실 상층부에서 미연소가스(Unburned fuel gas) 형태로 존재하고 이로 인해 공간 내의 화재특성은 부족한 공기의 양에 의하여 결정되기 때문에 환기지배형 화재로 불린다.

② 가연물(연료량)에 비하여 환기량이 부족한 경우에 해당한다. 즉, 연료는 정상이지만 환기량이 부족한 상태이다.

③ 환기지배형 화재의 경우는 연소속도가 비교적 느리다.

④ 환기지배형 화재는 공기공급이 충분하지 않으므로 불완전연소가 심하다.

(3) 환기인자

① 건축물에서 발생하는 화재 크기는 플래시오버 현상 발생유무와 관련이 있다.

② 구획화재에서 환기량을 결정하는 인자는 개구부의 면적과 개구부 높이의 평방근이다. 아래의 식에서 알 수 있듯이 환기량은 개구부의 면적과 개구부의 높이의 제곱근(평방근)에 비례한다.

$$R = KA\sqrt{H}$$

R: 연소속도(환기량), K: 환기계수, A: 개구부 면적, H: 개구부 높이

③ 연료지배형 화재는 주로 공동주택과 같은 곳에서 일어나며, 연소속도가 가연물의 연소특성에 의하여 지배된다.

④ 환기지배형 화재는 주로 창고에서 일어나는 현상으로, 가연성 가스의 발생량에 비하여 공기 공급이 충분하지 않아 발생하는 실내화재의 일반적 현상이며, 개구부를 통한 환기량이 연소속도를 좌우한다.

핵심기출

01 연료지배형 화재와 환기지배형 화재에 대한 설명으로 옳지 않은 것은? 19. 공채

① 환기지배형 화재는 공기공급이 충분하지 않으므로 불완전연소가 심하다.
② 연료지배형 화재는 공기공급이 충분한 조건에서 발생한 화재가 일반적이다.
③ 연료지배형 화재는 주로 큰 창문이나 개방된 공간에서, 환기지배형 화재는 내화구조 및 콘크리트 지하층에서 발생하기 쉽다.
④ 일반적으로 플래시오버 전에는 환기지배형 화재가, 이후에는 연료지배형 화재가 지배적이다.

정답 ④

02 실내 일반화재 진행 과정에 관한 설명으로 옳은 것은? 24. 공채·경채

① 화재 초기에는 실내 온도가 급격하게 상승하기 시작한다.
② 성장기에는 급속한 연소 진행으로 환기지배형 화재 양상이 나타난다.
③ 최성기에는 실내 화염이 최고조에 도달하나 실내 산소 부족으로 연소속도가 느려진다.
④ 감쇠기에는 화염의 급격한 소멸로 훈소 상태가 되어 백드래프트(Back Draft)의 위험이 없다.

정답 ③

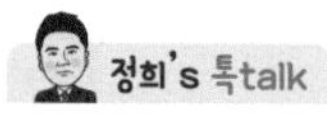

연소속도

1. 연료지배형 화재

$$\dot{m} = \frac{\dot{q}''}{L_U}$$

$\dot{m}$: 단위면적당 연소속도[kg/s·m²]
$\dot{q}''$: 순열유속[KW/m²]
L_u: 기화열[KJ/kg]

2. 환기지배형 화재

$$\dot{m} = (5.5\sim6.0)A\sqrt{H}\,[kg/min]$$

A: 개구부의 면적[m²]
H: 개구부의 높이[m]

핵심적중

구획화재에서 환기량을 결정하는 인자로 옳은 것은?

① 개구부의 수와 개구부의 면적
② 개구부의 면적과 개구부 폭의 평방근
③ 개구부의 면적과 개구부 높이의 평방근
④ 개구부의 수와 개구부 폭의 평방근

정답 ③

3. 구획화재의 유동특성

(1) 개념

실내건축물의 구획공간은 출입구, 창문 및 환기구 등과 같은 개구부를 통하여 외기 또는 인접공간으로 연결되어 있다. 이러한 개구부를 환기구라고 하며 **환기구에서의 유동은 환기구 내부와 외부의 압력차에 기인한다.** 구획화재실로 외부공기의 유입이나 내부연기의 배출은 환기구를 통하여 이루어지며, 화재실 내부의 열적 특성이나 연소특성을 파악하기 위해서는 환기구를 통한 유동특성의 이해가 중요하다.

(2) 화재실의 압력분포

① 구획공간에서의 출입구를 통한 유동은 공간내부와 외부의 압력차 · 온도차에 의하여 형성되기도 하고 부력이나 환기장치의 가동으로 인한 강제대류 등에 의하여 유동이 발생한다.

② 출입구를 통한 유동에 가장 근본적인 원인이 되는 압력차는 화재 자체에 의하여 발생할 수도 있고, 환기시스템의 가동에 의하여 발생할 수도 있다.

③ **자연대류**(Natural convection)의 경우 화재공간 내부에서의 압력분포는 중력에 의해 수직적으로 변화하여 중립면을 기준으로 외부의 차가운 공기가 공간으로 유입되고 내부의 더운 공기가 외부로 유출되는 형태를 가진다.

④ **강제대류**(Forced convection)의 경우 외부의 공기가 다른 환기구를 통하여 강제적으로 공급되기 때문에 공간 내부의 압력은 증가하고 출입구에서는 외부로 유출되는 유동이 형성된다.

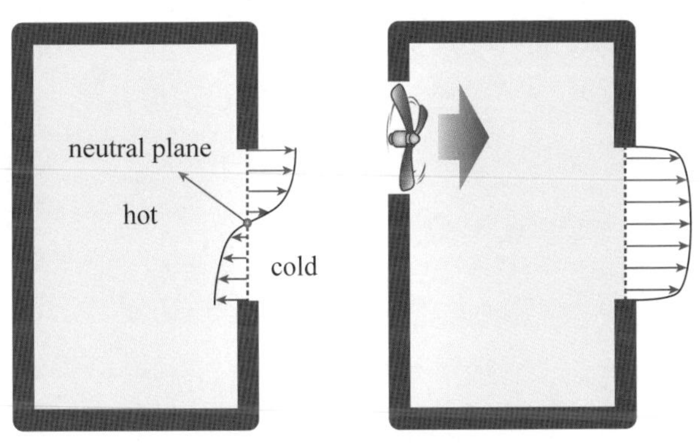

▲ 자연대류와 강제대류 시의 출입구 유동분포

핵심기출

구획실 화재에 관한 설명으로 옳은 것은?

24. 공채 · 경채

① 플래시오버(Flash Over)는 최성기와 감쇠기 사이에서 발생하며 충격파를 수반한다.

② 굴뚝효과가 발생할 때는 개구부에 형성된 중성대 상부에서 공기가 유입되고, 중성대 하부에서 연기가 유출된다.

③ 연료지배형 화재는 환기지배형 화재보다 산소 공급이 원활하고 연소속도가 빠르다.

④ 화재플룸(Fire Plume)은 실내 공기의 압력 차이로 가연성가스가 천장을 따라 화재가 발생하지 않은 복도 쪽으로 굴러다니는 것처럼 뿜어져 나오는 현상이다.

정답 ③

4. 화재진행에 영향을 미치는 요인들

구획화재의 성상과 진행단계에 영향을 미치는 요인으로는 **배연구(환기구)의 크기와 수 및 위치, 구획실의 크기, 실내를 둘러싸고 있는 물질들의 열 특성, 실내 천장의 높이, 최초 발화되는 가연물의 크기, 추가적인 가연물의 위치 등**이 있다.

(1) 구획실의 배연구의 크기와 수

구획실의 크기, 형태 및 천장의 높이는 많은 양의 뜨거운 가스층이 형성될 수 있는지를 결정한다. 화재의 진행을 위해서는 연소가 지속될 수 있도록 충분한 공기의 공급이 이루어져야 한다.

(2) 구획실 가연물질의 열 특성

연소하는 구획실에서 진행되는 온도의 변화는 가연물이 타면서 발산하는 에너지의 직접적 결과이다. 화재에 있어서 발생되는 에너지는 열과 빛의 형태로 존재하게 된다. **화재에서 일정시간 동안 발산되는 열에너지의 양을 열발산율(HRR)이라고 한다.**

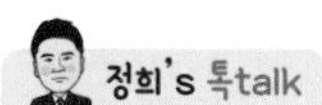

열발산율(HRR; Heat Release Rate)
열발산율은 Btu/s 또는 kW로 측정됩니다. 열발산율은 불타고 있는 가연물의 연소열(연소할 때에 개별물질의 질량이 발산하는 열의 양) 및 일정 시간 동안 소비되는 가연물의 양과 직접적으로 관련이 있습니다.

(3) 추가적인 가연물질

화재에 의하여 생성되는 열과 가연물들 간의 한 가지 중요한 상호관계는 최초 발화된 가연물들로부터 떨어져 있는 추가적인 가연물들의 발화이다.

(4) 구획실 화재의 열 전달과정

① 초기의 화염에서 상승하는 열은 대류에 의하여 전달된다.
② 열은 전도에 의하여 다른 가연물로 전달된다.
③ 복사는 화재가 성장기로부터 최성기로 전환되는 데 있어서 중요한 역할을 한다.

2 내화건축물과 목조건축물의 화재 B

1. 내화건축물의 화재

내화건축물의 화재는 일반적으로 1,000℃ 내외의 고열이 발생하게 된다. 철골 자체는 불연성이나, H-Beam의 강구조물 등의 강소재는 600℃ 이상의 열에 일정시간 이상 노출되면 강소재 특유의 열적 특성에 급격한 변화가 일어나 강구조물이 뒤틀리거나 휘어져 결국 건축구조물 붕괴의 원인이 된다.

(1) 건축물의 내화구조(「건축법」 제50조)

① 문화 및 집회시설, 의료시설, 공동주택 등 대통령령으로 정하는 건축물은 주요 구조부와 지붕을 내화(耐火)구조로 하여야 한다. 다만, 막구조 등 대통령령으로 정하는 구조는 주요구조부에만 내화구조로 할 수 있다.

② 대통령령으로 정하는 용도 및 규모의 건축물은 국토교통부령으로 정하는 기준에 따라 방화벽으로 구획하여야 한다.

(2) 내화건축물의 화재특성

① 내화건축물은 주로 고층화에 의한 대규모 건축물이다. 소방활동은 대상물의 용도 · 규모에 따라 정확하게 전개되어야 한다.

② 불특정 다수인이 사용하므로 요구조자(구조대상자)가 있을 확률이 높다.

③ 최근에는 대형화 · 지하화의 복잡성으로 대상물 구조물의 실태파악이 어렵다.

④ 건축물의 기밀성이 높아 휴대무전기 등의 교신에 장해가 발생하기 쉽다.

⑤ **밀폐구조 때문에 연기가 충만하여 발화점 및 상황의 확인이 곤란하다.**

⑥ **위층으로 연소할 위험이 크고 덕트 배관을 통한 수평방향뿐만 아니라 아래층에도 연소할 위험이 있다.**

⑦ **내부구획 때문에 무효주수가 되기 쉬우며 물로 인한 손해가 발생하기 쉽다.**

⑧ **내화건축물의 화재성상은 목조건축물과 비교하여 저온 장기형**이다(목조건축물의 화재성상은 고온 단기형이다).

⑨ **내화건축물의 최성기의 온도는 약** 900 ~ 1,000℃이며, 목조건축물의 최성기의 온도는 1,100 ~ 1,300℃이다.

⑩ **내화건축물의 화재의 진행과정은 초기 → 성장기 → 최성기 → 종기이다.**

(3) 소방활동 시 주의사항

① 빌딩화재에 있어서는 각양각색의 임무를 맡아 소방활동을 실시하고 있다. 지휘본부장을 중심으로 지휘체제의 구축이 명확하여야 한다.

② 빌딩화재에서는 각 출동대가 인명검색구조, 연소방지, 배연 및 물로 인한 손해방지 등의 다양한 임무를 부여받는다. 따라서 지휘본부장 등은 재난의 실태를 정확하게 파악하여 출동대가 부족하다고 판단되면 신속하게 응원요청을 한다.

정희's 톡talk

목조건축물과 내화건축물 비교

구분	목조건축물	내화건축물
화재 성상	고온단기형	저온장기형
최고 온도	1,000 ~ 1,300℃	900 ~ 1,000℃

온도
목조(고온단기형)
내화구조
(저온장기형)
시간

내화구조

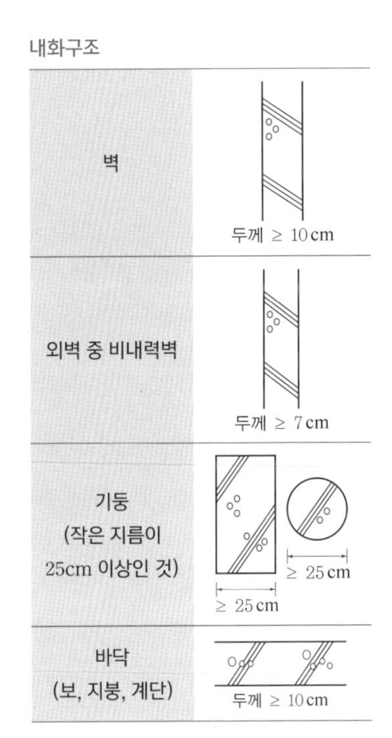

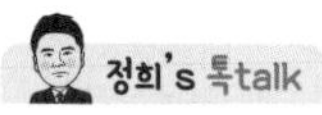

❶ 폭렬: 철근과 콘크리트의 팽창도 차이로 철근의 부착력이 감소하여 콘크리트 표층이 벗겨지고 부서지는 현상을 말한다.

정희's 톡talk

고강도 콘크리트

고강도 콘크리트는 설계기준강도가 보통 콘크리트에서는 40MPa 이상을 의미합니다. 단, 경량골재 콘크리트에서는 27MPa 이상이지만, 경량골재 콘크리트는 국내에서 구조용으로는 거의 사용되지 않으므로 40MPa 이상으로 보면 됩니다.

(4) 내화건축물의 콘크리트의 물리적·화학적 특성

① 건축물은 초고층화, 지하화 등에 따라 고강도 콘크리트의 사용이 빈번해졌다. 고강도 콘크리트는 시공의 편리성이 있지만, 화재 시 폭렬❶이라는 콘크리트의 파괴로 인하여 인적·물적 피해를 수반한다는 점에서 위험성이 대두되고 있다.

② 압축강도

㉠ 가열온도 200℃ 이상에서는 극단적인 압축강도 저하를 확인할 수 있다.

㉡ 공시체 내부의 수분증발이 그 원인으로 보고되고 있다.

㉢ 가열온도 400℃ 이상에서는 급격한 강도 저하를 나타내며 약 700℃에서는 상온에서의 압축강도의 약 20 ~ 40%까지 저하된다.

③ 폭렬은 압축강도와 밀접한 관계가 있다. 일반적으로 보통 콘크리트보다 고강도 콘크리트에서 폭렬현상이 더 잘 발생한다.

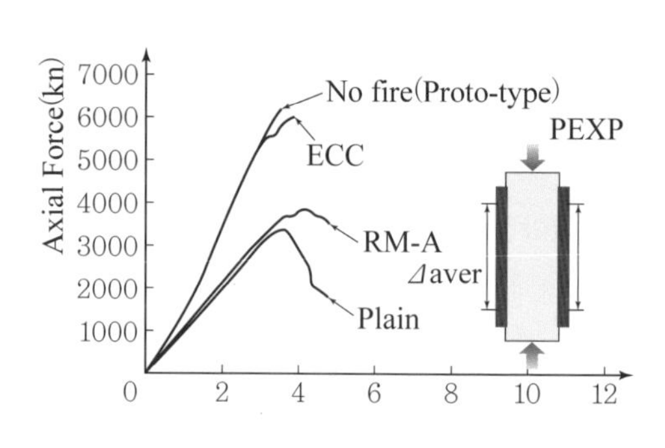

구분	축압축내력 (kN)	잔존 내력비*	축압축강성** (kN·mm⁻¹)	잔존 강성비*	비고
No-fire (Proto-type)	6074.1	-	1547.5	-	가열 전
ECC	5998.6	0.99	1495.2	0.97	가열 후
RM-A	3831.6	0.63	1058.2	0.68	가열 후
Plain	3350.5	0.55	1023.7	0.66	가열 후

* 잔존내력비 및 잔존강성비는 Proto type인 No-fire 시험체에 대한 비이다.
** 축압축강성은 $0.3P_{max}$에 대한 Secent 강성이다.

(5) 내화건축물의 화재 진화과정

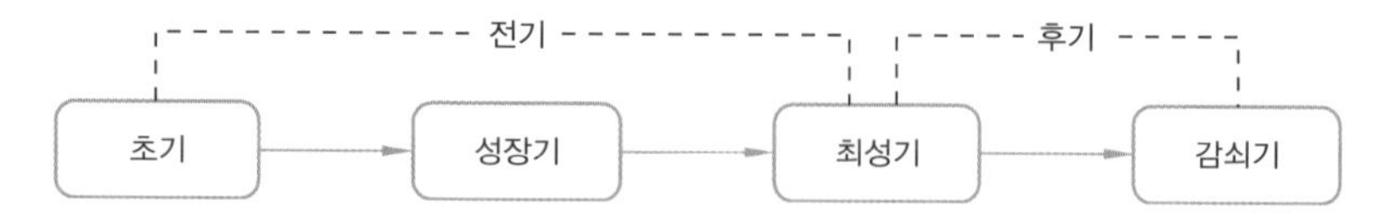

2. 목조건축물의 화재

목조건축물은 화재진압이 힘들고 연소속도가 빠르며 건축물이 붕괴되기 쉬우므로 화재발생 초기의 대응체제 구축이 요구된다. 목재의 착화온도 영역은 약 260℃ 정도이고 350 ~ 450℃ 정도에서는 자연발화한다.

(1) 목재의 연소특성

① **목재의 외관**: 목재 크기가 작고 얇은 가연물이 두텁고 큰 것보다 연소가 잘 된다.

② **목재의 열전도율: 열전도율이 작으면 연소가 잘 된다.**

③ **열팽창률**: 목재의 열팽창률은 철재, 벽돌, 콘크리트보다 작다.

④ **수분의 함유량**: 수분함량이 15% 이상이면 고온에 장시간 접촉해도 착화하기 어렵다.

(2) 목재의 열분해과정

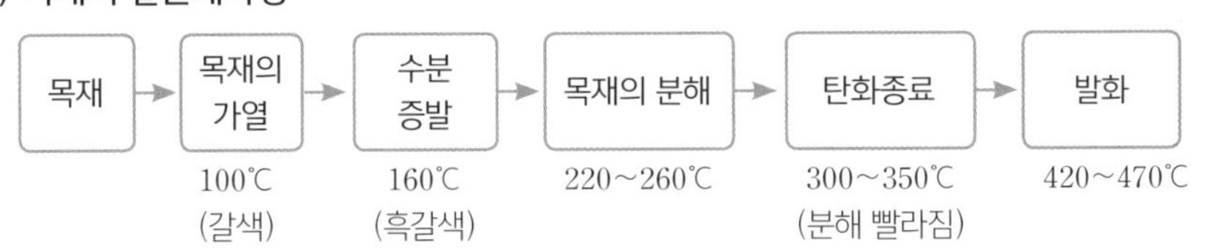

① **200℃의 가열**: 수증기, 이산화탄소(CO_2), 개미산, 초산, 기타 가연성 가스가 발생하며, 이 단계에서는 탈수가 완료된다.

② 200 ~ 280℃: 수증기의 발생이 적고, 일산화탄소(CO)가 발생하면서 1차적인 흡열반응이 시작된다.

③ 280 ~ 500℃: 가연성 증기가 산소와 발열반응을 시작하며, 탄화물질로부터 2차적인 반응이 일어난다.

④ 500℃: 현저한 발열반응으로 표면연소인 목탄이 생성된다.

(3) 목조건축물의 화재확대요인

① **접촉**: 화염의 접촉이라고 하며 불꽃의 직접접촉을 말한다.

② **복사열**: 열 전자파 형태로 이동하는 현상으로 화재 시 가장 크게 작용한다.

③ **비화**: 불티가 되어 날아가 발화하는 것을 말한다.

(4) 목조건축물의 화재특성

① **연소확대가 빠르다.**

㉠ 제1성장기는 **무염착화로부터 발화착화**로 되기 때문에 연소가 빠르다.

㉡ 수평적 연소보다 천장 · 계단을 통한 수직방향의 연소확대가 빠르다.

㉢ 건물의 구획이 클수록, 창 · 출입구의 개구부가 많고 넓을수록 빠르다.

② **연소열이 높다.**

㉠ 창 · 출입구 등의 개구부가 넓을수록 연소열이 높다.

㉡ 건물 내의 수용 가연물이 많을수록 연소열이 높다.

③ **건축물의 붕괴**

㉠ 최성기 이후에는 지붕, 기둥, 대들보, 벽체 등이 붕괴된다.

㉡ 상층의 바닥이 연소하여 가구 등이 낙하한다. 주수에 의한 기와, 대들보 등이 낙화한다.

핵심기출

01 화재에 대한 옳은 설명을 모두 고른 것은? 20. 공채

> ㄱ. 낮은 산소분압에서 화재가 발생하였을 때 초기에 화염 없이 일어나는 연소를 훈소연소라 한다.
> ㄴ. 목조건축물 화재는 유류나 가스 화재와는 달리 일반적으로 무염착화 없이 발염착화로 이어진다.
> ㄷ. A급 화재는 일반화재로 면화류, 합성수지 등의 가연물에 의한 화재를 말한다.
> ㄹ. 전소란 건물의 70% 이상이 소실된 화재를 말한다.

① ㄱ, ㄴ　② ㄷ, ㄹ
③ ㄱ, ㄴ, ㄷ　④ ㄱ, ㄷ, ㄹ

정답 ④

02 목조건축물 화재의 진행 과정에 관한 설명 중 〈보기〉의 내용에 해당하는 것은? 24. 소방간부

> 〈보기〉
> 연기의 색이 백색에서 흑색으로 변하며, 개구부가 파괴되어 공기가 공급되면서 급격한 연소가 이루어져 연기가 개구부로 분출하게 된다.

① 화재의 원인에서 무염착화
② 무염착화에서 발염착화
③ 발염착화에서 발화
④ 발화에서 최성기
⑤ 최성기에서 연소낙하

정답 ④

정희's 톡talk

목조건축물의 화재특성

1. 목조건축물은 일반적으로 내화건축물에 비해 플래시오버에 도달하는 시간이 빠릅니다. 즉, 최성기에 도달하는 시간이 내화건축물보다 빠르게 나타납니다.
2. 목조건축물은 내화건축물보다 연소속도가 빠르고 연소시간이 비교적 짧습니다. 또한 화재 최고온도는 높지만 유지시간은 짧습니다.

④ 비화(飛火)

㉠ 지붕이 타서 붕괴되거나 불티의 비산이 증가한다.

㉡ 불길이 강하면 나무 조각 등이 비산한다.

(5) 목조건축물 화재의 연소속도

목재의 상태 \ 발화와 연소	빠른 경우	느린 경우
내화성	없는 것	있는 것
건조 상태	수분이 적은 것	수분이 많은 것
굵기(두께)	가는 것(얇은 것)	굵은 것(두꺼운 것)
외형	4각형	둥근 것
표면	거친 것	매끈한 것
페인트	칠한 것	칠하지 않은 것

(6) 목조건축물의 화재진행과정

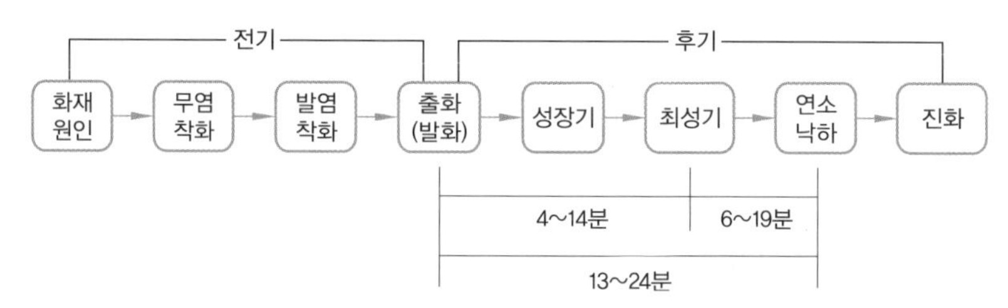

① 화재의 원인에서 무염착화

㉠ 화재의 원인은 가연물과 장소에 따라 차이가 있으며, **무염착화란 가연물이 연소할 때 숯불모양으로 불꽃 없이 착화하는 현상**으로 공기가 주어질 때 언제든 불꽃발생이 가능한 단계를 말한다.

㉡ **유류화재나 가스화재에서는 무염착화 없이 발염착화로 이어진다.**

② 무염착화에서 발염착화

㉠ 무염 상태의 가연물질에 충분한 산소공급으로 불꽃이 발화하는 단계이다.

㉡ 가연물의 종류, 바람, 발생 장소 등이 화재의 진행방향을 결정하게 된다.

③ **발염착화에서 발화(출화)**: **출화(발화)**란 단순히 가연물에 불이 붙은 것을 의미하는 것이 아니고 **천장이나 벽 속에 착화되었을 때**를 말한다. 그러므로 가옥의 천장까지 불이 번져 가옥 전체에 불기가 확대되는 단계이다.

옥내출화	옥외출화
· 가옥구조 시 천장면에서 발염착화 · 불연천장인 경우 뒷면 판에 발염착화 · 천장 속 및 벽 속에 발염착화	· 가옥의 벽 및 지붕에 발염착화 · 가옥의 추녀 밑에서 발염착화 · 창, 출입구 등에서 발염착화

④ 발화(출화)에서 최성기

㉠ 플래시오버가 발생하는 단계로, 연기의 색은 백색에서 흑색으로 변한다.

㉡ 최고온도가 1,300℃까지 올라가게 된다.

⑤ **최성기에서 연소낙하**: 화세가 급격히 약해지면서 지붕, 벽이 무너지는 시기이다.

핵심 적중

01 목재건축물의 연소속도에 대한 설명으로 가장 옳지 않은 것은?

① 수분이 적을수록 연소속도가 빠르다.
② 표면이 거칠수록 연소속도는 느리다.
③ 목재의 형상이 둥근 것이 4각형이 보다 연소속도가 느리다.
④ 목재의 두께가 얇을수록 연소속도가 빠르다.

정답 ②

02 목조건축물의 일반적인 화재 진행과정으로 옳은 것은? 18. 소방간부

① 무염착화 - 발염착화 - 화재원인 - 최성기 - 발화
② 화재원인 - 무염착화 - 발염착화 - 발화 - 최성기
③ 화재출화 - 무염착화 - 발화 - 화재원인 - 최성기
④ 화재원인 - 발염착화 - 무염착화 - 최성기 - 발화
⑤ 무염착화 - 발염착화 - 화재원인 - 발화 - 최성기

정답 ②

03 목재건축물의 화재에 대한 설명으로 가장 옳지 않은 것은?

① 목재건축물의 화재는 유류나 가스 화재와는 달리 일반적으로 무염착화 없이 발염착화로 이어진다.
② 내화건축물화재에 비해 고온단기형이다.
③ 최고온도가 약 1,300℃까지 올라가게 된다.
④ 목재건축물의 화재를 전기와 후기로 구분할 때 분기점에서 출화가 된다.

정답 ①

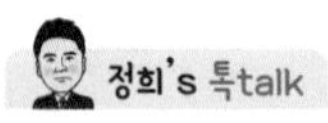

풍속에 따른 연소시간

구분	연소시간
발화 → 최성기	4 ~ 14분 (5 ~ 15분)
최성기 → 연소낙하	6 ~ 19분
발화 → 연소낙하	13 ~ 24분

3 화재의 특수현상 A

화재진행단계에서 발생하는 화재의 특수현상으로는 백드래프트, 플래시오버, 플래임오버, 롤오버 등이 있다. 이러한 특수현상에 대한 정확한 이해와 적절한 대처를 통해 화재진압 활동 시에 소방대원의 안전사고를 예방할 수 있다.

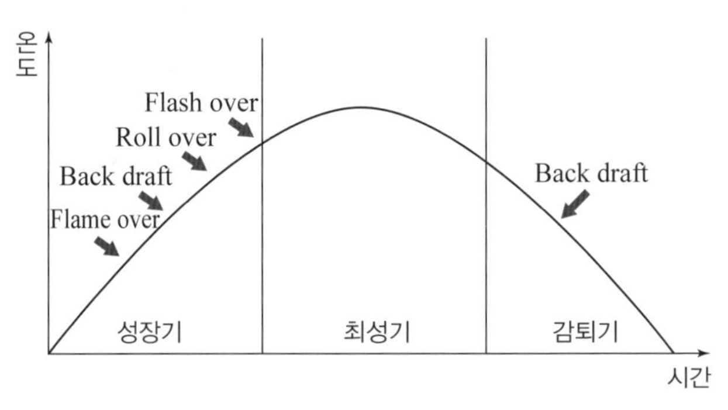

▲ 시간과 온도변화에 따른 연소 이상현상

1. 플래임오버(Flame over) 현상

플래임오버 현상은 1946년 12월 미국 Atlanta에 있는 Winecoff Hotel 로비화재에서 가연성 벽을 따라 연소 확대가 어떻게 진행되는지 묘사하는 데 처음 사용된 용어이다. 119명의 사람이 목숨을 잃은 이 사고를 계기로 미국의 주거용 건물의 벽, 천장 그리고 바닥 재질에 대한 기준이 강화되기 시작하였다[2019년 신임교육과정 소방전술 I(화재1)].

(1) 개념

① 구획화재에서 가연성 물질이 화재에 의하여 연소되는 경우 실내의 전체 가연물질 표면을 점화할 수 있는 가연성 가스가 생성되고 매우 빠른 속도로 화재가 확산된다.

② 특히 **플래임오버 현상은 복도와 같은 통로공간에서 벽, 바닥 표면의 가연물에 화염이 급속하게 확산되는 현상**을 말한다.

(2) 특징

① 플래임오버 현상은 화재진압 시 통로나 복도 등에서 소방관 뒤쪽에 갑자기 연소 확대가 일어나 고립되는 위험한 상황을 만들 수 있다.

② 플래임오버 현상 방지대책으로는 **통로 내부 벽과 천장의 마감재료를 불연재료로** 하는 방법이 있다.

③ 통로나 출구를 따라 진행되는 화염 확산은 일반적인 구획공간 내의 화염 확산보다 치명적이다.

정희's 톡talk

롤오버와 플래시오버

롤오버의 특징은 실의 상부에 있는 아주 높은 온도의 가연성 증기에서 발화한다는 것입니다. 반면에 플래시오버는 공간 내 전체 가연물에서 동시에 발화합니다.

핵심기출

특수화재현상 중 플래시오버(Flash over)와 롤오버(Roll over)에 대한 설명으로 옳지 않은 것은? 20. 소방간부

① 롤오버는 화염이 선단부에서 주변 공간으로 확대된다.
② 플래시오버는 화염이 순간적으로 공간 전체로 확대된다
③ 플래시오버는 공간 내 전체 가연물에서 동시에 발화하는 현상이다.
④ 롤오버 시 발생되는 복사열은 플래시오버 시 발생되는 복사열보다 강하다.
⑤ 롤오버는 실의 상부에 있는 가연성 가스가 발화온도 이상 도달했을 때 발화하는 현상이다.

정답 ④

2. 롤오버(Roll over) 현상

(1) 정의

① 롤오버 현상은 연소과정에서 발생된 가연성 가스가 공기 중 산소와 혼합되어 **천장부분에 집적된 상태**에서 발화온도에 도달하여 발화함으로써 **화재의 선단부분이 매우 빠르게 확대되는 현상**이다.

② 롤오버 현상은 화재지역의 상층(천장)에 집적된 고압의 뜨거운 가연성 가스가 화재가 발생되지 않은 저압의 다른 부분으로 이동하면서 화재가 매우 빠르게 확대되는 원인이 된다.

③ 화재가 발생한 장소의 출입구 바로 바깥쪽 복도 천장에서 연기와 산발적인 화염이 굽이쳐 흘러가는 현상이다.

(2) 특징

① 이상연소 현상인 플래시오버(Flash over) 현상보다 먼저 일어난다. 즉, **롤오버 현상은 플래시오버 현상의 전조현상이다.**

② 롤오버 현상은 전형적으로 공간 내의 화재가 성장단계에서 발생한다.

③ 롤오버 현상에 의한 연소 확대는 성큼성큼 건너뛰듯이 확대되므로, 어느 순간 뒤쪽에서 연소 확대가 일어나 계단을 찾고 있는 소방관을 고립시킬 수 있다.

(3) 롤오버(Roll over) 현상과 플래시오버(Flash over) 현상의 비교

① **플래시오버 현상에 비하여 롤오버 현상의 복사열은 상대적으로 약하다.**

② 플래시오버 현상은 일순간에 실내 전체의 공간으로 확대되며, 롤오버 현상은 화염선단 부분이 주변 공간으로 확대된다.

③ 롤오버 현상은 상층부 초고온 증기 · 가연성 가스의 발화에 의하여 확산된다.

요약NOTE 롤오버 현상과 플래시오버 현상의 비교

구분	롤오버 현상	플래시오버 현상
확대범위	화염선단 부분이 주변 공간으로 확대	전체 공간으로 확대
복사열	상대적으로 약함	복사열이 강함
매개체	상층부 초고온 가연성 가스의 발화	구획공간 내 모든 부분의 가연물 동시발화

3. 플래시오버(Flash over) 현상

(1) 개념

① 화재 발생 초기에는 **대류현상**으로 인하여 실내의 온도가 상승하며 발생한 가연성 가스가 발화하지 않은 상태로 천장부근에 축적되고, **축적된 가연성 가스의 농도가 점차 증가하여 연소범위 내에 들게 되면 착화**하게 되어 천장이 화염에 휩싸인다.

② 착화된 천장의 화염에서 많은 복사열이 방출되어 실내의 온도가 급격히 상승하게 되고 어느 일정 온도 이상이 되면 실내 전체가 화염에 휩싸이는 연소 확대현상이 일어나게 된다.

③ ISO방화시험용어에 의하면 플래시오버 현상을 '**구획 내 가연성 재료의 전 표면이 불로 덮이는 전이현상**'으로 정의하고 있다.

(2) 플래시오버 현상의 징후

① **롤오버(Roll over) 현상이 발생한다.**

② 고온의 연기가 발생하고 아래로 쌓인다.

③ 일정한 공간 내에서의 계속적인 열 집적이 이루어진다.

④ 구획실 내의 전면적인 자유연소를 한다.

(3) 특징

① 실내의 온도 상승에 의하여 일시에 연소하면서 **화재의 진행을 순간적으로 실내 전체에 확산시키는 현상**으로, 실내 모든 가연물의 동시발화현상이 나타난다. **전실화재(순발연소)**라고도 한다.

② 국부화재로부터 구획 내 모든 가연물이 연소되기 시작하는 큰 화재로 전이된다.

③ **플래시오버 시점에서 실내의 온도는 약 800 ~ 900℃가 된다.**

④ 플래시오버 현상이 발생하면, 이동식 소화기로 화재를 진압하는 것은 불가능하며 관창호스로 진압하여야 한다.

⑤ 플래시오버 현상으로 **연료지배화재에서 환기지배화재로 전이**될 수 있다.

⑥ 열의 재방출로 발생되는 플래시오버 현상은 연기와 열이 화염으로 전환되는 것을 의미한다.

⑦ 화점 주위에서 화재가 서서히 진행하다가 어느 정도 시간이 경과함에 따라 대류와 복사현상에 의하여 일정 공간 안에 있는 가연물이 발화점까지 가열되어 일순간에 걸쳐 동시 발화되는 현상을 의미한다.

⑧ 플래시오버 현상은 모든 화재에서 발생하는 것은 아니지만 건축물 화재에서 종종 발생할 수 있으며 안전사고의 원인이 될 수 있다는 것에 유의하여야 한다.

> **참고** 플래시오버 영향요소
>
> 1. **가연물의 발열량**: 초기 가연물의 발열량이 클수록 발생이 용이하다.
> 2. **실내 산소분압**: 실내 산소분압이 높을수록 발생이 용이하다.
> 3. **개구율**: 개구율이 1/3 ~ 1/2일 때 가장 빠르다. 반면에 1/8일 때 가장 느리다.
> 4. **화원의 크기**: 화원이 클수록 발생이 용이하다.

핵심기출

01 플래시오버(Flash over) 현상에 대한 설명으로 옳지 않은 것은? 17. 소방간부

① 플래시오버 현상은 점화원의 위치와 크기, 가연물의 양과 성질, 개구부의 크기, 실내 마감재 등에 영향을 받는다.
② 열전도율이 작은 내장재일수록 플래시오버 현상을 촉진시킬 수 있다.
③ 플래시오버 현상은 건축물 실내화재에서 볼 수 있는 현상이다.
④ 산소가 다량으로 유입되어 일어나는 현상으로 천장재보다 벽이 크게 영향을 받으며, 개구부의 크기가 작을수록 플래시오버 현상을 촉진시킨다.
⑤ 천장부근에 가연성 가스가 축적되어 어느 시기에 이르러 폭발적으로 연소하는 현상이다.

정답 ④

02 화재 시 구획실에서 발생하는 현상에 관한 설명으로 옳은 것은? 23. 공채

① 개구부의 크기는 플래시오버 발생과 관련이 없다.
② 구획실의 창문과 문손잡이의 온도로 백드래프트의 발생 가능성을 예측할 수 없다.
③ 준불연성이나 불연성의 내장재를 사용할 경우 플래시오버 발생까지의 소요시간이 길어진다.
④ 구획실 내의 산소가 부족하여 훈소상태에서 공기가 갑자기 다량 공급될 때 가연성 가스가 순간적으로 폭발하듯 발화하는 현상은 플래시오버이다.

정답 ③

(4) 플래시오버 현상의 대응전술

① **공기차단 지연법:** 환기와 반대로 개구부를 닫아 산소를 감소시킴으로써 연소 속도를 줄여 지연시킬 수 있다.

② **배연 지연법:** 창문 등을 개방하여 배연함으로써 공간 내부에 쌓인 열을 방출시켜 플래시오버 현상을 지연시킬 수 있다.

③ **냉각 지연법:** 분말소화기 등을 분사하여 일시적으로 온도를 낮출 수 있다. 이는 플래시오버 현상을 지연시키고 관창호스를 연결할 시간을 벌 수 있다. 플래시오버 현상의 전조현상으로는 고온의 연기발생과 롤오버(Roll over) 현상이 관찰된다.

▲ 플래시오버 전 단계

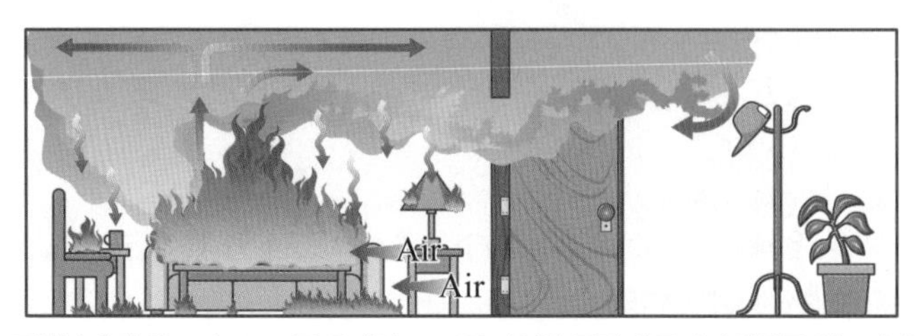

구획실 내의 온도가 483℃를 초과하고, 모든 가연성 물질이 동시적 발화를 일으킨다.

▲ 플래시오버

(5) 백드래프트 현상과 플래시오버 현상의 구분

① 화재진행단계에서 플래시오버 현상은 최성기 직전 또는 시작점에서 발생한다. 반면에 백드래프트 현상은 화재의 초기 또는 감퇴기에 발생한다.

② 플래시오버 현상의 악화원인은 강한 복사열이다. 백드래프트 현상은 밀폐된 공간에서 훈소 상태에 있을 때 유입되는 공기가 가연성 가스와 혼합되면서 발생한다.

③ 일반적으로 플래시오버 현상이 백드래프트 현상보다 발생빈도가 높다.

④ 플래시오버 현상은 폭발이 아니지만 백드래프트 현상은 폭발현상으로 볼 수 있다. 백드래프트 현상이 발생하면 강한 충격파가 발생한다. 이에 따라 화염폭풍이 개구부를 파괴할 수 있으며 건물의 일부분이 붕괴될 수 있다.

핵심 적중

배연(환기)과 반대로 개구부(창문)를 닫아 산소를 감소시킴으로써 연소 속도를 줄이고 공간 내 열의 축적현상도 늦추게 하여 지연시키는 방법을 무엇이라 하는가?

① 배연 지연법
② 공기차단 지연법
③ 냉각 지연법
④ 산소제거법

정답 ②

핵심 적중

01 플래시오버와 백드래프트에 대한 설명으로 옳은 것은? 17. 상반기 공채

① 플래시오버는 충격파가 없고, 백드래프트는 충격파가 있다.
② 플래시오버는 산소의 공급으로, 백드래프트는 복사열의 공급으로 발생한다.
③ 플래시오버는 산소의 부족으로, 백드래프트는 가연성 가스의 부족으로 발생한다.
④ 플래시오버는 화재 종기에, 백드래프트는 화재 초기에 발생한다.

정답 ①

02 백드래프트와 플래시오버에 대한 설명으로 가장 옳지 않은 것은?

① 플래시오버는 실내 건축물화재에서 일어나는 급격한 연소현상이다.
② 플래시오버 발생 시 충격파를 동반한다.
③ 백드래프트는 산소공급으로 발생하게 된다.
④ 백드래프트를 대비해서 출입문을 개방하기 전에 천장의 환기구를 개방하는 것이 좋다.

정답 ②

4. 백드래프트(Back draft) 현상

(1) 개념

백드래프트 현상은 **공기 부족으로 훈소 상태**에 있을 때 **신선한 공기가 유입**되어 실내에 축적되었던 가연성 가스가 단시간에 폭발적으로 연소함으로써 화재가 폭풍을 동반하여 실외로 분출되는 현상을 말한다.

(2) 백드래프트 현상의 징후

① 폐쇄된 공간에서 산소의 부족으로 불꽃이 약화되어 가는 상태가 된다.

② 거의 완전히 폐쇄된 건물에서 훈소 상태가 지속되며 높은 열이 집적되는 상태가 지속된다. 화염은 보이지 않지만 창문과 손잡이가 뜨거워진다.

③ 외부에 설치되어 있는 **개구부의 유리창 안쪽에서 타르와 같은 물질이 흘러내린다.**

④ **건물 내 연기가 소용돌이치거나 맴도는 현상**이 나타난다.

⑤ **문 주위 또는 개구부의 틈에서 압력차**에 의하여 **공기가 빨려들어 오는 특이한 소리(휘파람 소리) 또는 심한 진동이 발생한다.**

(3) 특징

① **불완전연소된 가연성 가스와 열이 축적된 상태에서 일시에 다량의 공기가 공급될 때 순간적으로 폭발적 발화현상이 나타난다. 역류성 폭발**이라고도 한다.

② 백드래프트 현상은 공정별 폭발 중 **화학적 폭발**에 해당한다.

③ 화재진행단계별 단계에서 백드래프트 현상은 주로 화재의 감퇴기에 발생하며 성장기 단계에서 발생하기도 한다.

④ **플래시오버(Flash over) 현상은 자유연소 상태에서 발생하며, 백드래프트 현상은 훈소 상태의 불완전연소 상태에서 발생한다.**

⑤ **충격파와 화염폭풍이 발생되는 폭발현상**이다.

⑥ 연소확대의 주 매개체는 외부의 공기 유입이다. 플래시오버(Flash over) 현상의 경우는 축적된 복사열이라고 할 수 있다.

(4) 백드래프트 대응전술

① **배연(지붕환기)법:** 건축물의 지붕에 채광창이 있다면 개방하여 환기를 하거나, 지붕에 개구부를 만들어 배연하는 전술을 말한다. 배연법 대응전술에 의하여 폭발이 발생될 수는 있지만 폭발력이 위로 분산되어 위험성은 크지 않다.

② **측면공격법:** 소방대원이 개구부의 측면에 배치한 후 출입구가 개방되면 개구부의 측면공격을 실시하고 화재 공간에 집중 방수하는 소방전술이다.

③ **급냉(담금질)법:** 화재현장의 개구부를 개방하는 즉시 완벽한 보호장비를 갖춘 소방대원이 집중 방수함으로써 폭발 직전의 기류를 급냉시키는 방법이다. 배연법에 의한 대응전술만큼 효과적이지는 않지만 화재현장에서 유일한 방안인 경우가 많다.

핵심기출

01 백드래프트(Back draft)에 대한 설명으로 옳은 것은? 21. 공채

① 불완전연소에 의해 발생된 일산화탄소가 가연물로 작용하여 폭발하는 현상이다.

② 화재 진압 시 지붕 등 상부를 개방하는 것보다 출입문을 먼저 개방하는 것이 효과적인 전술이다.

③ 밀폐된 실내에서 발생되는 현상으로, 출입문을 한번에 완전히 개방하여 연기를 일순간에 배출해야 폭발력을 억제할 수 있다.

④ 연료지배형 화재가 진행되고 있는 공간에 산소가 일시적으로 다량 공급됨에 따라 가연성 가스가 폭발적으로 연소하는 현상이다.

정답 ①

02 백드래프트(Back Draft) 현상에 관한 일반적인 설명으로 옳은 것은? 18. 소방간부

① 화재성장기에 주로 발생하는 급격한 가연성 가스 착화현상이며, 충격파는 발생되지 않는다.

② 공기 부족으로 훈소 상태에 있을 때 밀폐된 실내의 축적된 가연성 가스가 신선한 공기의 유입으로 인하여 폭발적으로 연소하는 현상이다.

③ 가연성 증기가 연소점에 도달하여 불덩어리가 천장을 따라 굴러다니는 현상이다.

④ 연료지배연소에서 환기지배연소로 급격하게 전이되는 과정으로, 구획 전체로 연소가 확대된다.

⑤ 천장의 복사열로 인해 주변 가연물이 자연발화에 도달하는 현상으로, 이 현상이 발생되기 전에 피난이 종료되어야 한다.

정답 ②

03 백드래프트(back draft)의 발생 징후로 옳지 않은 것은? 24. 공채·경채

① 유리창 안쪽에 타르와 유사한 물질이 흘러내려 얼룩진 경우

② 창문을 통해 보았을 때 건물 내에서 연기가 소용돌이치는 경우

③ 화염은 보이지 않지만 창문과 문손잡이가 뜨거운 경우

④ 균열된 틈이나 작은 구멍을 통하여 건물 밖으로 연기가 밀려 나오는 경우

정답 ④

핵심기출

유류화재의 이상현상에 대한 설명으로 옳은 것은? 20. 소방간부

① 프로스오버(Froth over): 점성이 큰 뜨거운 유류 표면 아래에서 물이 끓을 때 화재를 수반하지 않고 유류가 넘치는 현상
② 슬롭오버(Slop over): 탱크 내의 유류가 50% 미만 저장된 경우, 화재로 인한 내부 압력 상승으로 탱크가 폭발하는 현상
③ 오일오버(Oil over): 중질유 탱크 화재 시 액면의 뜨거운 열파가 탱크 하부로 전달될 때, 탱크 하부에 존재하고 있던 에멀션(Emulsion) 상태의 물을 기화시켜 물의 급격한 부피 팽창으로 탱크 내의 유류가 분출하는 현상
④ 링파이어(Ring fire): 액화가스저장 탱크의 외부 화재로 탱크가 장시간 과열되면 내부 액화가스의 급격한 비등·팽창으로 탱크 내부 압력이 급격히 증가되고, 최종적으로 탱크의 설계압력 초과로 탱크가 폭발하는 현상
⑤ 보일오버(Boil over): 중질유 탱크 내에 화재로 연소유의 표면온도가 물의 비점 이상 상승했을 때, 물분무 또는 포(Foam)소화약제를 뜨거운 연소유 표면에 방사하면 물이 수증기가 되면서 급격한 부피 팽창으로 연소유를 탱크 외부로 비산시키는 현상

정답 ①

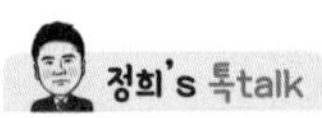

보일오버

1. 단일성분 액체인 경질유는 열류층을 형성하지 못합니다. 반면에 다성분 액체인 중질유는 끓는점이 달라 200~300℃의 열류층(Heat Layer)을 형성합니다.
2. 열류층이 천천히 하강하며 열류층이 탱크 바닥으로 도달하게 되는데, 이때 물이 수증기로 변하면서 급작스런 부피팽창이 발생하여 유류가 외부로 분출되는 현상을 보일오버라고 합니다.

슬롭오버

슬롭오버는 소화활동 중 소방대에 의해 고온층의 표면에 물, 포말 등 찬 물질이 투입되게 되면 열흐름과 물질의 이동이 같은 방향으로 교란되어 열류층을 탱크 밖으로 비산시키며 연소하는 현상을 말합니다.

5. 유류화재의 이상현상

(1) 오일오버(Oil over)

① 액체 가연물질인 제4류 위험물의 저장탱크에서 화재가 발생하는 경우 나타나는 이상현상이다. 저장탱크 내에 저장된 **제4류 위험물의 양이 내용적의 2분의 1 이하로** 충전되어 있을 때 화재로 인한 **증기압력**이 상승하면서 저장탱크 내의 유류를 외부로 분출하면서 탱크가 파열되는 것을 말한다.

② 오일오버는 액체 가연물질인 유류화재의 이상현상인 보일오버·슬롭오버·프로스오버에 비하여 그 위험성이 상당히 크다.

(2) 보일오버(Boil over)

① **상부에 지붕이 없는 저장탱크**에 점성이 크고 비점이 다른 성분의 중질유에 화재가 발생하여 장기간 화재에 노출되는 경우 발생할 수 있다.

② 비점의 비중이 작은 성분은 먼저 증발하고 비점의 비중이 큰 성분은 가열축적되어 열류층이 형성하게 된다. 발생된 열류층은 액면하부로 전파하는 열파침강이 발생한다.

③ 열파가 하부로 전달되면서 유류탱크 원유 자체에 함유된 수분이나 기름의 에멀션이 이 열을 공급받아 급격한 부피 팽창을 하게 되고, 이때 부피 팽창으로 상층의 유류를 밀어 올리며 기름과 함께 비산하게 된다.

④ 이때 탱크 아래의 **물의 비등**으로 기름이 탱크 밖으로 **화재를 동반하여 방출하는 현상**을 보일오버라 한다.

(3) 슬롭오버(Slop over)

① 상부에 지붕이 없는 유류저장탱크에서 장기간 화재가 발생하여 고온의 열류층이 형성된 상태에서 **소화작업으로 소화수가 주수**되면 유류표면으로부터 물의 급격한 증발이 발생한다.

② 이때 유면에서 거품이 일어나거나, 열류의 교란에 의하여 고온의 열류층 아래에 찬 기름이 급히 열팽창하여 유면을 밀어 올린다.

③ 화재현장에서 소화작업 등에 의한 물, 포말이 주입되면 수분의 급격한 증발에 의하여 유면에 거품이 일거나 열류의 교란에 의하여 고온층 아래의 찬 기름이 급히 열팽창하여 유면을 밀어 올려 유류는 불이 붙은 채 탱크벽을 넘어서 일출한다.

④ 수분이 들어 있는 고기류에 밀가루 또는 쌀가루를 입혀 끓는 식용유에 넣어 튀기거나 야채를 끓는 식용유에 넣어 익힐 때 발생한다.

(4) 프로스오버(Froth over)

① 프로스오버는 인화성 액체인 석유류의 화재 시 발생하는 이상현상인 **오일오버, 보일오버에 비하여 위험성이 적다.**

② 점성을 가진 뜨거운 유류 표면의 아래 부분에서 물이 비등할 경우 비등하는 물이 저장탱크 내의 유류를 외부로 넘쳐흐르게 하는 현상으로, 다른 이상현상보다는 발생 횟수가 많으나 **직접적으로 화재를 발생시키지는 않는다.**

③ 이것은 화재 이외의 경우에도 **물이 고점도 유류 아래에서 비등**할 때 탱크 밖으로 물과 기름이 거품과 같은 상태로 넘치는 현상이다.

④ 뜨거운 아스팔트가 물이 약간 채워진 탱크차에 옮겨질 때 발생할 수 있다.

(5) 경질유와 중질유 탱크화재의 특성

① 개요

㉠ 경질유란 등유보다 휘발도가 큰 상태로 20℃에서 증기압이 5mmHg 이상인 것을 말한다. 경질유는 인화점이 낮아 증기 발생이 용이하므로 작은 점화에너지로도 인화가 쉽다.

㉡ 중질유란 등유보다 휘발도가 작은 상태로 20℃에서 증기압이 5mmHg 미만인 것을 말한다. 중질유는 인화점이 높으므로 인화점까지 온도를 상승시켜야 인화가 가능하다.

㉢ **경질유**는 단일성분 액체로 액온이 인화점보다 높아 **예혼합형 전파**로 연소확대되고, 폭발에 가까운 재해를 일으킨다. 폭발방지대책이 필요하다.

㉣ 반면에, **중질유**는 다성분 액체로 액온이 인화점보다 낮아 **예열형 전파**로 연소확대되고, 보일오버, 슬롭오버 등의 재해를 일으킨다. 화재방지 대책이 필요하다.

② 경질유 화재의 특성

㉠ 비점이 낮은 휘발유, 등유 등을 말한다. 경질유의 저장은 FRT 등을 사용하여 증기공간을 없애 폭발 가능성을 저감시키거나 증기공간을 없애기 위해 증기공간에 불활성 가스를 주입한다.

㉡ **예혼합형 전파**: 액온이 인화점보다 높은 경우에 발생하는 화염점파이다. 액면상이 증기에는 연소범위가 포함되어 있는 농도영역이 존재하는데 화염은 그 증기층을 통해서 전파된다.

㉢ **액면아래 온도 분포**: 화염 중심에서 약 1,400~1,500℃ 정도이며 아래로 내려갈수록 온도는 낮아진다.

㉣ 재해형태는 BLEVE, UVCE의 형태로 나타날 수 있다.

③ 중질유 화재의 특성

㉠ 일반적으로 디젤, 중유, 원유 등이 해당한다. 비점이 높아 상온에서는 일반적으로 연소범위 이하가 된다. 비정상적인 가열이나 화재 노출로 인해 저장탱크의 중질유가 인화점까지 가열될 때 증기공간이 연소범위가 된다.

㉡ 중질유는 CRT에 저장이 가능하다.

㉢ **예열형 전파**: 액온이 인화점보다 낮은 경우에 발생하는 화염점파이다. 액면상의 농도가 연소하한계 이하여서 화염이 곧바로 전파되지 않고 화염에 의해 미연소 액면이 인화점까지 예열이 되어야만 화염전파가 시작된다.

㉣ 원유와 같이 다비점 성분의 경우는 유출을 수반하는 화재인 경우 보일오버 또는 슬롭오버가 발생될 수 있다.

핵심기출

01 유류저장탱크 내 유류 표면에 화재 발생 시 뜨거운 열류층이 형성되고 그 열파가 장시간에 걸쳐 바닥까지 전달되어 하부의 물이 비점 이상으로 가열되면서 부피가 팽창해 저장된 유류가 탱크 외부로 분출되었다. 이에 해당하는 현상으로 옳은 것은? 24. 공채·경채

① 보일오버(boil over)
② 슬롭오버(slop over)
③ 프로스오버(froth over)
④ 오일오버(oil over)

정답 ①

02 위험물화재의 특수현상 중 슬롭오버(Slop over) 현상으로 옳은 것은? 18. 소방간부

① 점성이 큰 유류에 화재가 발생했을 때 소화용수의 유입에 의한 갑작스러운 부피 팽창으로 탱크 내의 유류가 끓어 넘치는 현상
② 저장탱크 속의 물이 점성을 가진 뜨거운 기름의 표면 아래에서 끓을 때 화재를 수반하지 않고 기름이 넘쳐흐르는 현상
③ 가연성 가스가 연소하면서 바람을 타고 흘러가는 현상
④ 석유화재에서 저장탱크 하부에 고인 물이 격심한 증발을 일으키면서 불붙은 석유를 분출하는 현상
⑤ 과열상태의 탱크 내부에서 액화가스가 분출하여 기화되어 착화되었을 때 폭발하는 현상

정답 ①

6. 훈소화재(Smoldering)

(1) 개요

① 훈소란 가연물이 열분해에 의하여 가연성 가스를 발생시켰을 때 공간의 밀폐로 산소의 양이 부족하거나 바람에 의하여 그 농도가 현저히 저하된 경우 **다량의 연기를 내며 고체 표면에서 발생하는 느린 연소과정이다.**

② 연료표면에서 반응이 일어나고 이 표면에서 작열과 탄화현상이 일어난다. **공기의 유입이 많을 경우 유염연소로 변화할 수 있다.**

③ 불완전연소가 일어나는 동안 연료의 10%가 일산화탄소로 변화한다. 일반적으로 **훈소는 산소와 고체의 표면에서 발생하는 매우 느린 연소이지만 일산화탄소가 생성되기 때문에 매우 위험하다.**

(2) 특징

① **화재초기 무염착화에서 발열착화되기 전 또는 소화되어 갈 때 볼 수 있다.**

② 진행과정이 느려 공기가 많이 필요하지 않다. 훈소반응속도는 약 1 ~ 5mm/min이다(훈소의 표면온도는 약 400 ~ 1,000℃이다).

③ 훈소는 왕겨나 쓰레기더미, 고체연료 폐기장 등에서 발생하기 쉽다.

④ 훈소는 톱밥이나 매트리스의 연소에서 보듯이 **산소의 부족으로 불꽃을 내지 않고 연기만 나는 연소를 말한다.**

⑤ **내부에서는 백열연소를 하고 있다는 점에서 표면연소와 같다.**

⑥ **불꽃연소에 비하여 온도가 낮으며, 발연량은 높다.**

⑦ **연소속도가 늦고 연쇄반응이 일어나지 않는다.**

⑧ **연기입자가 크며 액체미립자가 다량 포함되어 있다.**

(3) 표면연소와 훈소의 구분

구분	표면연소	훈소
연소의 외관적 형태	작열연소(무염연소)	작열연소(무염연소)
화염연소	발생하지 않음	조건에 따라 발생할 수 있음
연소형태	심부연소	심부연소
가연성 증기발생	발생하지 않음	발생함
연기	발생하지 않음	다량 발생함
가연물	숯, 목탄, 금속분 등	나무, 종이, 식물성 섬유 등

(4) 훈소의 메커니즘

열분해 후 온도하강 → 응축 통해 계외 배출 → 독성 및 발연량 증가

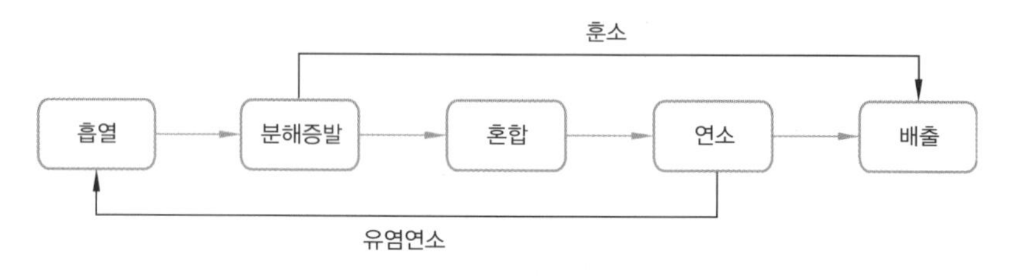

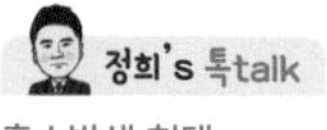

훈소발생 형태

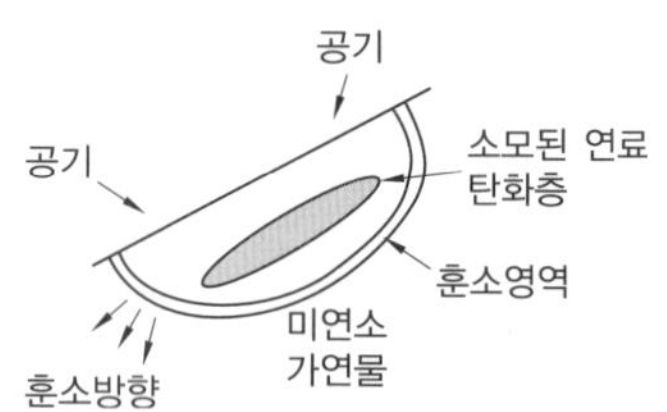

심화학습 작열연소, 훈소, 표면화재

1. 작열연소(Growing combustion): 화염 없이 가연물의 표면에서 벌겋게 달아오르는 듯 연소하는 형태를 묘사한 것으로 훈소와 표면연소의 외관적인 모습을 표현한 용어이다.
2. 표면연소(Surface combustion)
   - 표면연소하는 가연물로는 주성분이 탄소로 구성된 목탄(숯), 코크스와 같은 물질이다. 또한 칼륨, 나트륨, 알루미늄 등과 같은 금속 등은 열에 가열되어도 가연성 기체가 발생하지 않는다.
   - 가열된다고 하여도 더 이상 열분해가 발생하지 않으므로 가연성 기체의 생성이 없다.
3. 표면연소와 훈소
   - 연소의 외관적인 형태는 불꽃 없이 작열하는 형태이므로 동일하다.
   - 표면연소는 가연물 자체가 가열되어도 열분해나 승화, 증발 등의 과정이 없고 가연성 기체를 발생시키지 않는 것들의 연소이므로 온도가 상승하거나 산소가 충분히 공급되어도 화염연소로 전환될 수 없다.
   - 훈소는 가연성 기체를 발생시키는 가연물들이 온도나 산소 부족으로 인하여 가연성 기체에 착화되지 못하는 상태이므로 차후 조건을 만족시키게 되면 화염연소로 전환될 수 있다.
   - 훈소의 불완전연소 과정에서는 연료의 약 10% 이상이 일산화탄소로 되기 때문에 인체에는 치명적인 위험한 연소형태이다.
   - 훈소는 고체가연물 중 분해과정을 통해 연소하는 가연물에서 발생하며 용융-증발과정을 거쳐 연소하게 되는 가연물(스티로폼, 플라스틱, 비닐, 나일론 섬유 등)에서는 잘 발생하지 않는다. 일반적으로 목재나 종이, 면직류 등 셀룰로오스 물질에서 주로 발생한다.
4. 작열연소의 방향별 진행속도
   - 작열연소의 반응은 가연물의 표면에서 반응하여 가연물의 반응층 내부를 예열시켜 연소하기 좋은 조건으로 만들면서 진행한다. 가연물의 심부로 향하는 방향에 비하여 표면층에서의 확산은 가연물을 예열시키는 것 외에 대기에 의한 열손실이 있기 때문에 표면층을 따르는 연소속도에 비하여 비교적 축열이 용이한 가연물 심부로 진행하는 연소속도가 더욱 빠르다.
   - 심부화재는 가연물의 표면은 심부에 비하여 산소의 공급은 원활할 수 있으나 대기에 의한 냉각에 의해 연소하기에는 불리한 조건이 된다. 따라서 반응은 표면을 따르기보다는 심부를 향해 더욱 빠르게 진행한다. 반대로 화염연소는 가연물의 기상반응(화염)으로부터 발생한 복사열에 의하여 가연물 표면이 예열상태가 되고 열분해가 되기 때문에 심부로 진행하는 속도보다 가연물의 표면을 따르는 속도가 더욱 빠르다.

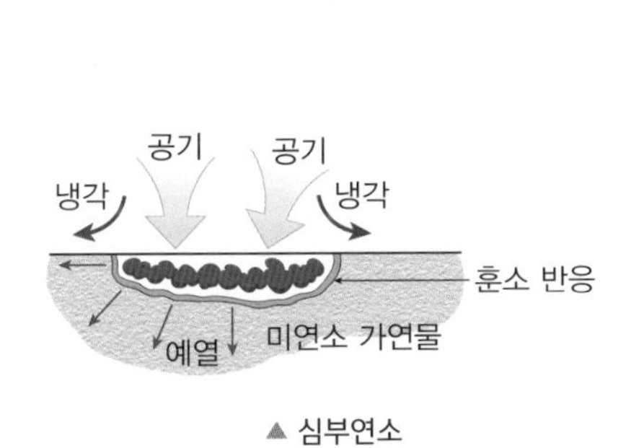

▲ 심부연소

▲ 화염연소

정희's 톡talk

금수성 화재

물기와 접촉하거나 수분을 흡수하면 가연성 가스를 생성하거나 높은 열을 일으키는 화재를 의미합니다.

1. 물기와 반응하여 가연성 가스를 발생하는 물질: 알루미늄, 금속나트륨 등은 물과 접촉했을 때 수소가스를 생성시키고, 인화석회(인화칼슘)는 인화수소를 발생시키며, 카바이트(탄화칼슘)는 아세틸렌가스를 발생시킵니다.
2. 수분과 반응하여 열을 발생하는 물질: 생석회(산화칼슘), 과산화나트륨, 수산화나트륨, 삼염화인, 발연황산, 무수염화알루미늄, 클로로술폰산 등은 수분과 반응하여 열을 발생시킵니다.

핵심 적중

다음 설명 중 옳지 않은 것은?

① 나트륨, 칼륨은 물과 반응하여 수소기체가 발생한다.
② 무기과산화물은 물과 반응하여 산소기체가 발생한다.
③ 칼슘카바이트는 물과 반응하여 아세틸렌 기체가 발생한다.
④ 인화칼슘은 물과 반응하여 가연성 가스인 포스겐이 발생한다.

정답 ④

CHAPTER 3 건축의 방재와 피난

1 건축의 방재 C

1. 성능위주설계(Performance-based fire safety design)

(1) 개념

① 성능위주설계는 건축물이 갖추어야 할 세부적인 지침과 고시에 의하여 설계하는 사양위주설계가 아니라 화재모델링 및 시뮬레이션 등 공학적인 기법들을 이용하는 새로운 방화설계를 말한다.

② 대통령령으로 정하는 특정소방대상물(신축하는 것만 해당)에 소방시설을 설치하려는 자는 그 용도, 위치, 구조, 수용 인원, 가연물의 종류 및 양 등을 고려하여 설계(성능위주설계)하여야 한다.

(2) 성능위주설계의 필요성

① **화재안전의 극대화**: 건물의 화재 위험성을 고려한 가장 적합한 방화설계를 적용할 수 있다.

② **법 적용의 유연성**: 새로운 유형의 건축물에도 합리적인 소방설계를 할 수 있다.

③ **경제성**: 건축물의 특성을 고려하여 건물의 위험도보다 과다한 소방설계 또는 부족한 소방설계를 방지함으로써 최적의 설계를 구현할 수 있다.

④ 소방전문가의 양성 및 소방분야의 발전

(3) 성능위주설계를 해야 하는 특정소방대상물의 범위(영 제9조) - 신축하는 것만 해당

① 연면적 20만제곱미터 이상인 특정소방대상물. 다만, 별표 2 제1호 가목에 따른 아파트등(이하 "아파트등"이라 한다)은 제외한다.

② 50층 이상(지하층은 제외한다)이거나 지상으로부터 높이가 200미터 이상인 아파트등

③ 30층 이상(지하층을 포함한다)이거나 지상으로부터 높이가 120미터 이상인 특정소방대상물(아파트등은 제외한다)

④ **연면적 3만제곱미터 이상인 특정소방대상물**

㉠ 별표 2 제6호 나목의 철도 및 도시철도 시설

㉡ 별표 2 제6호 다목의 공항시설

⑤ 창고시설 중 연면적 10만제곱미터 이상인 것 또는 지하층의 층수가 2개 층 이상이고 지하층의 바닥면적의 합계가 3만제곱미터 이상인 것

⑥ 하나의 건축물에 「영화 및 비디오물의 진흥에 관한 법률」 제2조 제10호에 따른 영화상영관이 10개 이상인 특정소방대상물

⑦ 「초고층 및 지하연계 복합건축물 재난관리에 관한 특별법」 제2조 제2호에 따른 지하연계 복합건축물에 해당하는 특정소방대상물

⑧ 별표 2 제27호의 터널 중 수저(水底)터널 또는 길이가 5천미터 이상인 것

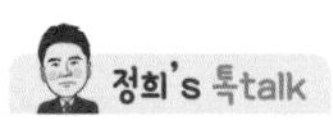

성능위주설계
연면적·높이·층수 등이 일정 규모 이상인 대통령령으로 정하는 특정소방대상물(신축하는 것만 해당한다)에 소방시설을 설치하려는 자는 성능위주설계를 하여야 합니다.

성능위주설계자의 자격, 기술인력, 설계범위 등
1. 성능위주설계자의 자격
   - 전문 소방시설설계업을 등록한 자
   - 전문 소방시설설계업에 따른 기술인력을 갖춘 자
2. 기술인력: 소방기술사 2명 이상
3. 설계범위: 성능위주설계가 필요한 특정소방대상물

2. 건축물의 방재

(1) 공간적 대응(Passive system)

공간적 대응은 **건축적인 방재 시스템**을 말한다.

① **대항성**

㉠ 대항성이란 발생된 화재에 건축물이 대항하여 화재를 일부 공간에 국한시키는 성능을 말한다.

㉡ 일반적으로 건축물의 내화구조, 방연성능, 방화구획의 성능, 화재방어의 대응성, 초기소화의 대응성 등이 있다.

② **회피성**

㉠ 회피성이란 건축적인 성능으로 화재 발생 자체를 억제하는 것을 말한다.

㉡ 난연화, 불연화, 내장제 제한, 방화구획의 세분화, 방화훈련 등 예방적 조치 또는 상황이다.

③ **도피성**

㉠ 도피성이란 화재 발생 시 거주자가 안전한 장소로 피난할 수 있도록 하는 건축적인 성능을 말한다.

㉡ 건축의 공간성을 말하는 피난계단, 전실, 안전구역, 건축적인 방연과 배연 성능을 말한다.

(2) 설비적 대응(Active system)

설비적 대응은 **건축적인 대응을 보조하는 소방 설비적 시스템**을 말한다.

① **대항성**

㉠ 발생된 화재를 소방 설비적 시스템으로 국한시키거나 진압하는 성능이다.

㉡ **방화문·방화셔터, 스프링클러설비, 옥내소화전설비** 등이 해당한다.

② **회피성**

㉠ 화재발생 자체를 억제하는 소방 설비적 시스템을 말한다.

㉡ 정전기 발생억제 등 **점화원제거설비, 가스누설차단설비** 등이 해당한다.

③ **도피성**

㉠ 화재 발생 시 거주자가 안전하게 피난할 수 있는 소방 설비적 시스템이다.

㉡ 안전한 피난을 유도하는 **피난유도설비, 피난기구** 등이 해당한다.

(3) 건축물의 방재계획

① **부지선정 및 배치계획:** 소화활동에 지장이 없는지 여부, 주변으로부터의 위험성 등을 고려하여 건축물의 부지를 확보하고 건물을 배치하는 것이다.

② **평면계획:** 방연구획과 제연구획을 설정하여 소화활동, 소화, 수평적 피난 등을 적절하게 하기 위한 계획이다.

③ **단면계획:** 상하층의 방화구획으로 불이나 연기가 다른 층으로 이동하지 않도록 하고 수직적 피난 등을 고려하는 계획이다.

④ **입면계획:** 입면계획의 가장 큰 요소는 개구부, 창문 그리고 벽이다. 또한 형상의 구조예방, 연소방지, 소화, 피난, 구출에 대한 계획도 포함된다.

⑤ **재료계획:** 건축물의 내·외장재로 불연재를 사용하는 방재계획을 말한다.

주요구조부

내력벽(耐力壁), 기둥, 바닥, 보, 지붕틀 및 주계단(主階段)을 말합니다. 다만, 사이 기둥, 최하층 바닥, 작은 보, 차양, 옥외 계단, 그 밖에 이와 유사한 것으로 건축물의 구조상 중요하지 아니한 부분은 제외합니다.

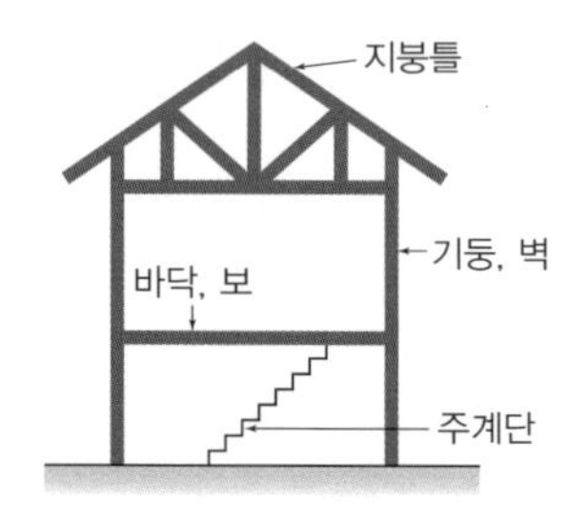

핵심 적중

01 화재를 견딜 수 있는 성능을 가진 구조로 화재가 진화된 후 간단한 수선으로 재사용이 가능한 구조를 무엇이라고 하는가?

① 방화구조 ② 불연구조
③ 내화구조 ④ 난연구조

정답 ③

02 건축물의 주요구조부로 옳지 않은 것은?

① 내력벽 ② 바닥
③ 기둥 ④ 옥외계단

정답 ④

03 벽의 내화구조에 해당하지 않는 것은? (단, 외벽 중 비내력벽인 경우는 제외한다)

23. 소방간부

① 벽돌조로서 두께가 19cm 이상인 것
② 철근콘크리트조 또는 철골철근콘크리트조로서 두께가 10cm 이상인 것
③ 골구를 철골조로 하고 그 양면을 두께 4cm이상의 철망모르타르(그 바름바탕을 불연재료로 한 것으로 한정)로 덮은 것
④ 철재로 보강된 콘크리트블록조·벽돌조 또는 석조로서 철재에 덮은 콘크리트블록등의 두께가 5cm 이상인 것
⑤ 고온·고압의 증기로 양생된 경량기포 콘크리트패널 또는 경량기포 콘크리트 블록조로서 두께가 5cm 이상인 것

정답 ⑤

3. 내화구조

(1) 개요

내화구조는 화재를 견딜 수 있는 성능을 가진 구조를 말한다.

(2) 내화구조(「건축물의 피난·방화구조 등의 기준에 관한 규칙」 제3조)

① 벽의 경우

㉠ 철근콘크리트조·철골철근콘크리트조로서 두께가 10cm 이상인 것
㉡ 골구를 철골조로 하고 그 양면을 두께 4cm 이상의 철망모르타르(그 바름바탕을 불연재료로 한 것으로 한정한다. 이하 같다) 또는 두께 5cm 이상의 콘크리트블록·벽돌 또는 석재로 덮은 것
㉢ 철재로 보강된 콘크리트블록조·벽돌조 또는 석조로서 철재에 덮은 콘크리트블록등의 두께가 5cm 이상인 것
㉣ 벽돌조로서 두께가 19cm 이상인 것
㉤ 고온·고압의 증기로 양생된 경량기포 콘크리트패널 또는 경량기포 콘크리트블록조로서 두께가 10cm 이상인 것

② 외벽 중 비내력벽인 경우

㉠ 철근콘크리트조·철골철근콘크리트조로서 두께가 7cm 이상인 것
㉡ 골구를 철골조로 하고 그 양면을 두께 3cm 이상의 철망모르타르 또는 두께 4cm 이상의 콘크리트블록·벽돌 또는 석재로 덮은 것
㉢ 철재로 보강된 콘크리트블록조·벽돌조 또는 석조로서 철재에 덮은 콘크리트블록등의 두께가 4cm 이상인 것
㉣ 무근콘크리트조·콘크리트블록조·벽돌조 또는 석조로서 그 두께가 7cm 이상인 것

③ 기둥의 경우: 그 작은 지름이 25cm 이상인 것. 다만, 고강도 콘크리트(설계기준강도가 50MPa 이상인 콘크리트)를 사용하는 경우에는 국토교통부장관이 정하여 고시하는 고강도 콘크리트 내화성능 관리기준에 적합하여야 한다.

㉠ 철근콘크리트조 또는 철골철근콘크리트조
㉡ 철골을 두께 6cm(경량골재를 사용하는 경우에는 5cm) 이상의 철망모르타르 또는 두께 7cm 이상의 콘크리트블록·벽돌 또는 석재로 덮은 것
㉢ 철골을 두께 5cm 이상의 콘크리트로 덮은 것

④ 바닥의 경우

㉠ 철근콘크리트조·철골철근콘크리트조로서 두께가 10cm 이상인 것
㉡ 철재로 보강된 콘크리트블록조·벽돌조 또는 석조로서 철재에 덮은 콘크리트블록 등의 두께가 5cm 이상인 것
㉢ 철재의 양면을 두께 5cm 이상의 철망모르타르 또는 콘크리트로 덮은 것

4. 방화구조

(1) 개요

① 화재 시 불에 견디는 성능은 없어도 화염의 확산을 막을 수 있는 정도와 성능을 가진 구조를 말한다.

② 일반적으로 화재 진압 후 건축물의 재사용이 어렵다.

③ 내화구조는 부재의 단면재료와 두께 등에 의하여 결정되나, 방화구조는 부재의 단면재료와는 관계없이 부재에 대한 마감기준으로 정의된다.

④ 「건축물의 피난·방화구조 등의 기준에 관한 규칙」에서 국토교통부령으로 정하는 구조에 해당하는 것을 방화구조로 규정하고 있다.

(2) 방화구조

① **철망모르타르로서 그 바름두께가 2cm 이상인 것**

② 석고판 위에 시멘트모르타르 또는 회반죽을 바른 것으로서 그 두께의 합계가 2.5cm 이상인 것

③ 시멘트모르타르 위에 타일을 붙인 것으로서 그 두께의 합계가 2.5cm 이상인 것

④ 심벽에 흙으로 맞벽치기한 것

5. 불연재료·준불연재료·난연재료

(1) 불연재료

불에 타지 아니하는 성질을 가진 재료로서 국토교통부령으로 정하는 기준에 적합한 재료를 말한다.

(2) 준불연재료

불연재료에 준하는 성질을 가진 재료로서 국토교통부령으로 정하는 기준에 적합한 재료를 말한다.

(3) 난연재료

불에 잘 타지 아니하는 성능을 가진 재료로서 국토교통부령으로 정하는 기준에 적합한 재료를 말한다.

> **참고** 「건축물의 피난·방화구조 등의 기준에 관한 규칙」상 불연재료·준불연재료·난연재료
>
> 1. 불연재료
>   ① 콘크리트·석재·벽돌·기와·철강·알루미늄·유리·시멘트모르타르 및 회. 이 경우 시멘트모르타르 또는 회 등 미장재료를 사용하는 경우 「건설기술 진흥법」 제44조 제1항 제2호에 따라 제정된 건축공사표준시방서에서 정한 두께 이상인 것에 한한다.
>   ② 「산업표준화법」에 따른 한국산업표준에서 정하는 바에 따라 시험한 결과 질량감소율 등이 국토교통부장관이 정하여 고시하는 불연재료의 성능기준을 충족하는 것
>   ③ 그 밖에 ①과 유사한 불연성의 재료로서 국토교통부장관이 인정하는 재료. 다만, ①의 재료와 불연성재료가 아닌 재료가 복합으로 구성된 경우를 제외한다.
> 2. **준불연재료:** 「산업표준화법」에 따른 한국산업표준에 따라 시험한 결과 가스 유해성, 열방출량 등이 국토교통부장관이 정하여 고시하는 준불연재료의 성능기준을 충족하는 것을 말한다.
> 3. **난연재료:** 「산업표준화법」에 따른 한국산업표준에 따라 시험한 결과 가스 유해성, 열방출량 등이 국토교통부장관이 정하여 고시하는 난연재료의 성능기준을 충족하는 것이다.

핵심 적중

다음 중 건축관련 법규에서는 불연재료이지만 소방관련 법규에서는 불연재료가 아닌 것은?

① 콘크리트조
② 기와조
③ 석조
④ 유리

정답 ④

6. 방화구획

(1) 방화구획 적용대상(「건축법 시행령」 제46조)

주요구조부가 내화구조 또는 불연재료로 된 건축물로서 연면적이 1,000m²를 넘는 것은 내화구조로 된 바닥 · 벽 및 60분 또는 60+ 방화문(자동방화셔터 포함)으로 구획(방화구획)하여야 한다.

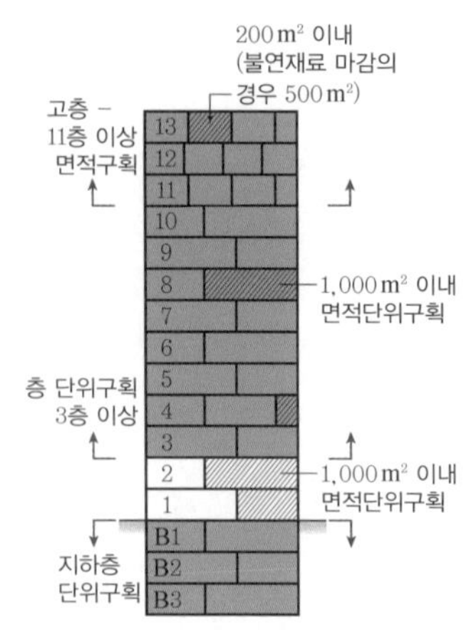

▲ 방화구획 기준 적용의 예

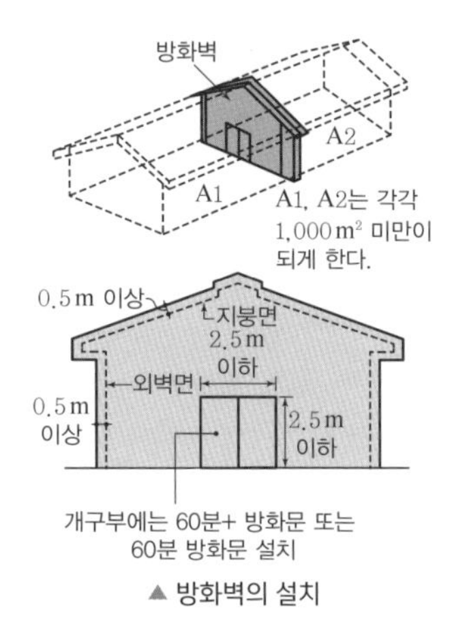

▲ 방화벽의 설치

(2) 방화구획기준(「건축물의 피난 · 방화구조 등의 기준에 관한 규칙」 제14조)

건축물의 규모		구획기준	
10층 이하의 층		바닥면적 1,000m²(3,000m²) 이내마다 구획	· 내화구조의 바닥, 벽 및 60분+ 방화문 또는 60분 방화문(자동방화셔터 포함)으로 구획함 · ( ) 안의 면적은 스프링클러 자동식 소화설비를 설치한 때의 기준
11층 이상의 층	실내마감이 불연재료인 경우	바닥면적 500m²(1,500m²) 이내마다 내화구조벽으로 구획	
	실내마감이 불연재료가 아닌 경우	바닥면적 200m²(600m²) 이내마다 내화구조벽으로 구획	
지상층		매 층마다 구획(면적에 무관)	
지하층			

* 필로티의 부분을 주차장으로 사용하는 경우 그 부분은 건축물의 다른 부분과 구획

7. 방화문(「건축법 시행령」 제64조)

(1) 방화문 기준

① **60분+ 방화문**: 연기 및 불꽃을 차단할 수 있는 시간이 60분 이상이고, 열을 차단할 수 있는 시간이 30분 이상인 방화문을 말한다.

② **60분 방화문**: 연기 및 불꽃을 차단할 수 있는 시간이 60분 이상인 방화문을 말한다.

③ **30분 방화문**: 연기 및 불꽃을 차단할 수 있는 시간이 30분 이상 60분 미만인 방화문을 말한다.

(2) 방화문의 분류체계 개선

방화문의 명칭으로 방화 성능을 알 수 있도록 60분+ 방화문, 60분 방화문 및 30분 방화문으로 방화문 종류를 구분하도록 「건축법 시행령」을 개정하였다.

> **참고** 방화문의 설치구분
>
> 1. **60분 방화문 또는 60분+ 방화문 설치하여야 하는 곳**
>   · 방화벽에 설치하는 개구부
>   · 방화구획에 설치하는 개구부
>   · 특별피난계단 중 옥내로부터 노대 또는 부속실로 통하는 출입구
>   · 옥내 · 외 설치하는 피난계단 출입구
>   · 비상용 승강기의 승강장 출입구
> 2. **30분 방화문 설치도 가능한 곳**: 특별피난계단 중 노대 또는 부속실로부터 계단실로 통하는 출입구

핵심 적중

건축물의 방화구획에 대한 설명으로 옳지 않은 것은?

① 주요구조부가 내화구조로 된 건축물로서 연면적 1,000m²를 넘는 건축물은 방화구획한다.
② 3층 이상의 층과 지하층은 층마다 구획한다.
③ 11층 이상인 경우 바닥면적 200m² 이내마다 구획한다.
④ 구획은 갑종방화문 또는 을종방화문, 자동방화셔터 등으로 구획한다.

정답 ④

8. 직통계단 등

(1) 보행거리에 의한 직통계단의 설치(「건축법 시행령」)

건축물의 피난층(직접 지상으로 통하는 출입구가 있는 층 및 피난안전구역을 말한다) 외의 층에서는 피난층 또는 지상으로 통하는 직통계단을 거실의 각 부분으로부터 계단에 이르는 **보행거리가** 30m **이하**가 되도록 설치하여야 한다.

구분		보행거리
원칙		30m 이하
주요구조부가 내화구조 또는 불연재로로 된 건축물*	일반적인 경우	50m 이하
	공동주택의 16층 이상인 경우	40m 이하
	자동화생산시설의 자동식 소화설비공장인 경우	75m 이하 (무인화공장: 100m 이하)

* 지하층에 설치한 바닥면적의 합계가 300m² 이상인 공연장, 집회장, 관람장, 전시장 제외

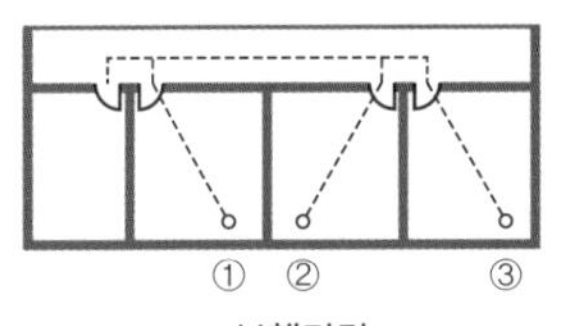

▲ 보행거리

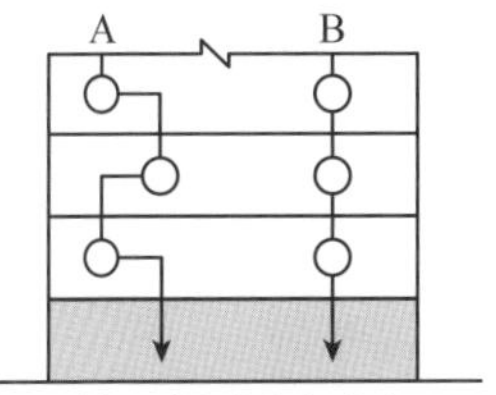

A는 직통계단이 아님

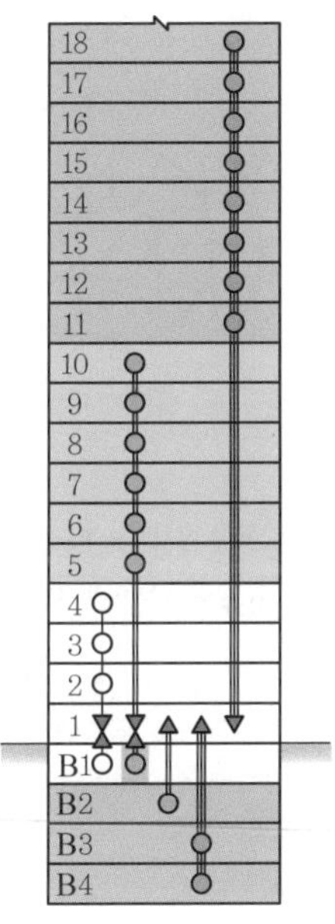

▲ 원칙적인 설치기준

(2) 계단의 구조선택(「건축법 시행령」)

피난규정에서 요구하는 계단은 직통계단이나 당해 건축물의 층수 등에 따라 설치된 **직통계단**의 구조를 피난계단 또는 특별피난계단의 구조로 구분하여 설치한다.

① 직통계단을 **피난계단** 또는 **특별피난계단**으로 설치하여야 하는 경우

설치층의 위치	예외	
· 5층 이상의 층 · 지하 2층 이하의 층	내화구조 또는 불연재료 건축물의 5층 이상의 층	바닥면적의 합계가 200m² 이하인 경우
		바닥면적의 합계가 200m² 마다 방화구획이 되어 있는 경우

② 직통계단을 특별피난계단으로 설치하여야 하는 경우

설치층의 위치	예외
· 11층 이상인 층(공동주택은 16층 이상) · 지하 3층 이하인 층	· 갓복도식 공동주택은 제외 · 지하층 바닥면적의 합계가 400m² 미만인 층은 층수 산정에서 제외

(3) 건축물 내부에 설치하는 피난계단의 구조(「건축물의 피난·방화구조 등의 기준에 관한 규칙」 제9조)

① 계단실은 창문·출입구 기타 개구부(창문 등)를 제외한 당해 건축물의 다른 부분과 **내화구조**의 벽으로 구획할 것

② 계단실의 실내에 접하는 부분의 마감은 **불연재료**로 할 것

③ 계단실에는 예비전원에 의한 조명설비를 할 것

④ 계단실의 바깥쪽과 접하는 창문 등(망이 들어 있는 유리의 붙박이창으로서 그 면적이 각각 1m² 이하인 것 제외)은 당해 건축물의 다른 부분에 설치하는 창문 등으로부터 2m 이상의 거리를 두고 설치할 것

⑤ 건축물의 내부와 접하는 계단실의 창문 등(출입구 제외)은 망이 들어 있는 유리의 붙박이창으로서 그 면적을 각각 $1m^2$ 이하로 할 것

⑥ 건축물의 내부에서 계단실로 통하는 출입구의 유효너비는 0.9m 이상으로 하고, 그 출입구에는 피난의 방향으로 열 수 있는 것으로서 언제나 닫힌 상태를 유지하거나 화재로 인한 연기 또는 불꽃을 감지하여 자동적으로 닫히는 구조로 된 60분+ 방화문 또는 60분 방화문을 설치할 것. 다만, 연기 또는 불꽃을 감지하여 자동적으로 닫히는 구조로 할 수 없는 경우에는 온도를 감지하여 자동적으로 닫히는 구조로 할 수 있다.

⑦ 계단은 내화구조로 하고 피난층 또는 지상까지 직접 연결되도록 할 것

돌음계단

피난계단과 특별피난계단은 돌음계단으로 해서는 안 됩니다.

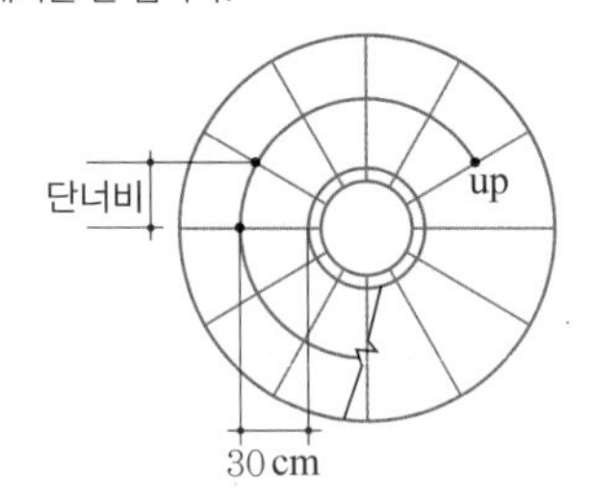

건축물의 바깥쪽에 설치하는 피난계단의 구조 (「건축물의 피난·방화구조 등의 기준에 관한 규칙」 제9조)

1. 계단은 그 계단으로 통하는 출입구외의 창문등(망이 들어 있는 유리의 붙박이창으로서 그 면적이 각각 $1m^2$ 이하인 것을 제외한다)으로부터 2m 이상의 거리를 두고 설치할 것
2. 건축물의 내부에서 계단으로 통하는 출입구에는 60분+방화문 또는 60분 방화문을 설치할 것
3. 계단의 유효너비는 0.9m 이상으로 할 것
4. 계단은 내화구조로 하고 지상까지 직접 연결되도록 할 것

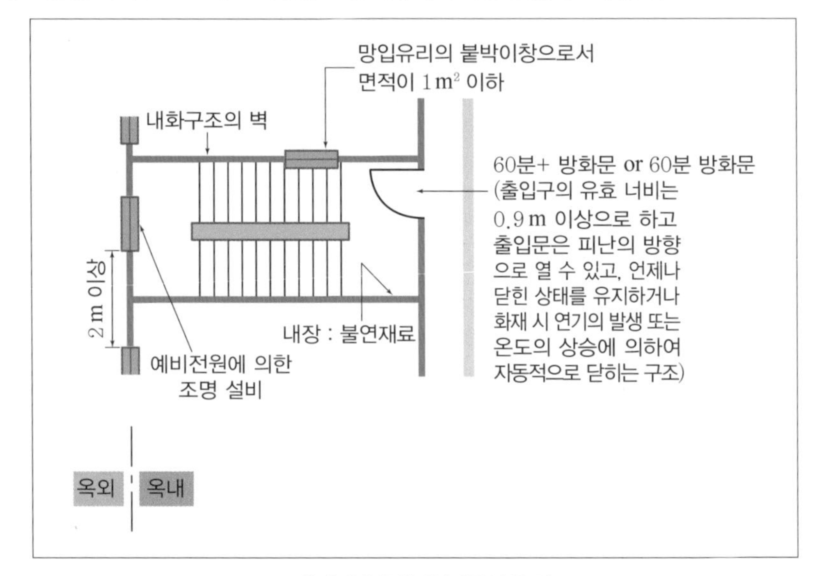

▲ 옥내피난계단(피난계단의 구조)

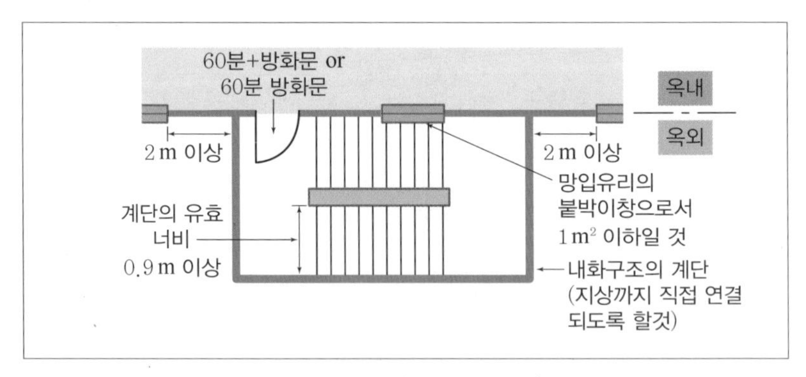

▲ 옥외피난계단(피난계단의 구조)

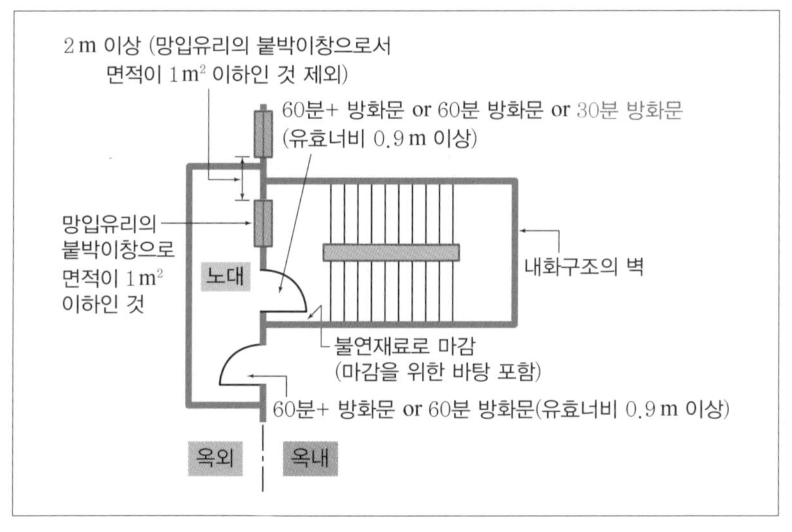

▲ 노대가 설치된 경우(특별피난계단의 구조)

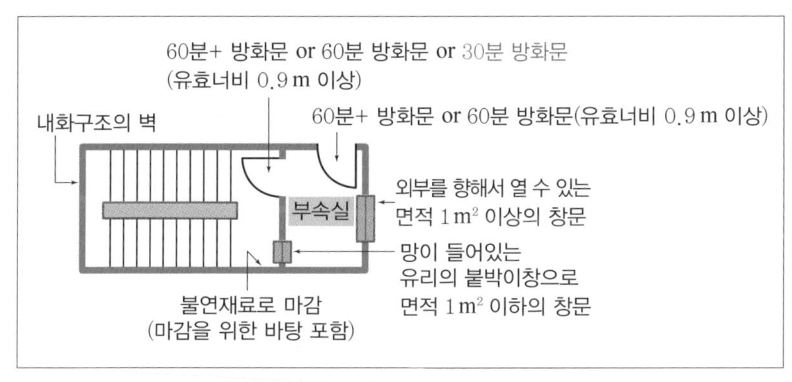

▲ 창문이 있는 부속실이 설치된 경우(특별피난계단의 구조)

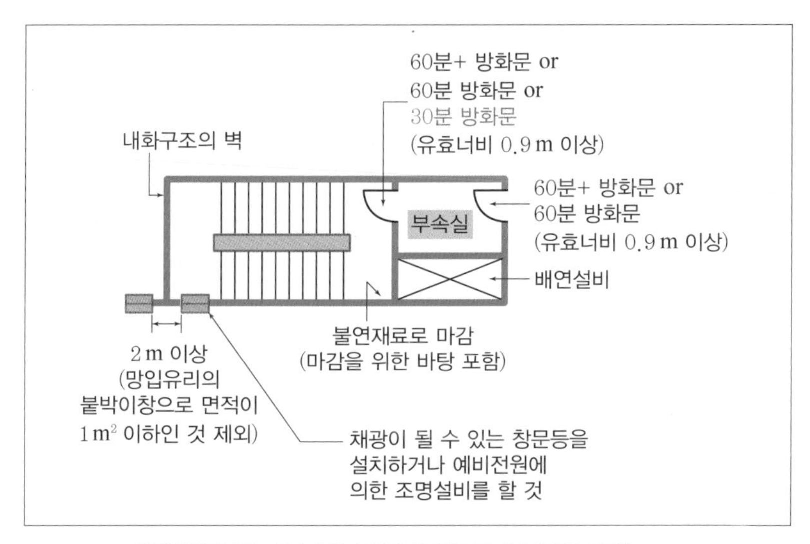

▲ 배연설비가 있는 부속실에 설치된 경우(특별피난계단의 구조)

 정희's 톡talk

특별피난계단의 구조(「건축물의 피난·방화구조 등의 기준에 관한 규칙」 제9조)

1. 건축물의 내부와 계단실은 노대를 통하여 연결하거나 외부를 향하여 열 수 있는 면적 1m² 이상인 창문(바닥으로부터 1m 이상의 높이에 설치한 것에 한한다) 또는 「건축물의 설비기준 등에 관한 규칙」 제14조의 규정에 적합한 구조의 배연설비가 있는 면적 3m² 이상인 부속실을 통하여 연결할 것
2. 계단실·노대 및 부속실은 창문 등을 제외하고는 내화구조의 벽으로 각각 구획할 것
3. 계단실 및 부속실의 실내에 접하는 부분의 마감은 불연재료로 할 것
4. 계단실에는 예비전원에 의한 조명설비를 할 것

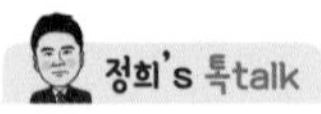

「건축법」 제2조(정의)
고층 건축물이란 층수가 30층 이상이거나 높이가 120m 이상인 건축물을 말합니다.

「건축법 시행령」 제2조(정의)
1. 초고층 건축물이란 층수가 50층 이상이거나 높이가 200m 이상인 건축물을 말합니다.
2. 준초고층 건축물이란 고층건축물 중 초고층 건축물이 아닌 것을 말합니다.

9. 피난안전구역

(1) 개념(「건축법 시행령」 제34조)

① 초고층 건축물에는 피난층 또는 지상으로 통하는 직통계단과 직접 연결되는 피난안전구역을 **지상층으로부터 최대 30개 층마다 1개소 이상 설치하여야 한다.**

② 피난안전구역은 건축물의 피난·안전을 위하여 건축물 중간층에 설치하는 대피공간을 말한다.

③ 준초고층 건축물에는 피난층 또는 지상으로 통하는 직통계단과 직접 연결되는 피난안전구역을 해당 건축물 전체 층수의 2분의 1에 해당하는 층으로부터 상하 5개층 이내에 1개소 이상 설치하여야 한다. 다만, 국토교통부령으로 정하는 기준에 따라 피난층 또는 지상으로 통하는 직통계단을 설치하는 경우에는 그러하지 아니하다.

(2) 피난안전구역의 설치기준(「건축물의 피난·방화구조 등의 기준에 관한 규칙」 제8조의2)

① **피난안전구역은 해당 건축물의 1개층을 대피공간**으로 하며, 대피에 장애가 되지 아니하는 범위에서 기계실, 보일러실, 전기실 등 건축설비를 설치하기 위한 공간과 같은 층에 설치할 수 있다. 이 경우 피난안전구역은 건축설비가 설치되는 공간과 내화구조로 구획하여야 한다.

② 피난안전구역에 연결되는 특별피난계단은 피난안전구역을 거쳐서 상·하층으로 갈 수 있는 구조로 설치하여야 한다.

③ **피난안전구역의 구조 및 설비의 기준**

㉠ 피난안전구역의 바로 아래층 및 위층은 「녹색건축물 조성 지원법」에 따라 국토교통부장관이 정하여 고시한 기준에 적합한 단열재를 설치할 것. 이 경우 아래층은 최상층에 있는 거실의 반자 또는 지붕 기준을 준용하고, 위층은 최하층에 있는 거실의 바닥 기준을 준용할 것

㉡ 피난안전구역의 내부마감재료는 불연재료로 설치할 것

㉢ 건축물의 내부에서 피난안전구역으로 통하는 계단은 특별피난계단의 구조로 설치할 것

㉣ 비상용 승강기는 피난안전구역에서 승하차할 수 있는 구조로 설치할 것

㉤ 피난안전구역에는 식수공급을 위한 급수전을 1개소 이상 설치하고 예비전원에 의한 조명설비를 설치할 것

㉥ 관리사무소 또는 방재센터 등과 긴급연락이 가능한 경보 및 통신시설을 설치할 것

㉦ 피난안전구역의 면적 산정기준에 따라 산정한 면적 이상일 것

㉧ 피난안전구역의 높이는 **2.1m 이상**일 것

㉨ 「건축물의 설비기준 등에 관한 규칙」에 따른 배연설비를 설치할 것

㉩ 그 밖에 소방청장이 정하는 소방 등 재난관리를 위한 설비를 갖출 것

2 피난론 C

1. 피난계획의 원칙

(1) 개념

① 건물 내 화재가 발생한 경우 또는 재난 · 재해가 발생한 경우 그 건물 내에 있는 사람들이 안전한 장소로 이동하여 안전을 지키는 것을 피난이라고 한다.

② 원활한 피난을 위한 계획을 위하여 피난계획 · 피난대책을 수립하여야 하며, 이를 위한 일반적인 원칙을 미리 수립해 두는 것이 중요하다.

(2) 피난계획의 일반적 원칙

① **피난경로는 간단명료하여야 한다.**

㉠ 복도와 통로 등이 복잡하고 굴곡이 있는 것은 부적당하다.

㉡ 복도와 통로의 말단부에서 계단이나 출구로 연결되는 것이 바람직하다.

② **피난구조설비는 고정식 설비이어야 한다.**

㉠ 이동식 기구와 장치 등은 최후의 소수인원을 위한 보조수단이어야 한다.

㉡ 이동식 설비로는 피난용 로프, 금속제 사다리, 완강기 등이 있다.

③ **피난수단은 원시적 방법으로 하여야 한다.**

㉠ 비상시 복잡한 조작을 필요로 하는 것은 부적당하다.

㉡ 가장 본능적인 인간의 행동을 고려한 조작을 우선시하여야 한다.

④ **2개 이상의 방향으로 상시 피난할 수 있는 피난로를 확보하여야 한다.**

㉠ 피난통로 하나가 화재 등으로 사용할 수 없는 경우 다른 방향으로 피난할 수 있도록 2개 방향의 피난로를 상시 확보해 두는 것이 효율적이다.

㉡ 상호 반대방향으로 다수의 출구와 연결되는 것이 좋다.

⑤ **수평동선과 수직동선으로 구분한다.**

⑥ **피난대책은 Fool proof와 Fail safe의 원칙을 중시하여야 한다.**

㉠ Fool proof: 피난구 유도등 및 유도표지 등은 문자보다는 그림과 색을 사용하여 직감적으로 알 수 있도록 한다.

㉡ Fail safe: 하나의 수단이 고장 등으로 실패하여도 다른 수단에 의하여 그 기능이 발휘될 수 있도록 한다.

참고 피난 시 인간의 보행속도

종류	관련된 사람	평균보행속도(m/s)	
		수평	계단
자력으로 행동하기 힘든 자	신체장애자, 유아, 노약자	0.8	0.4
건물 내부에 익숙하지 않은 자	내방객 및 숙박시설 이용자	1.0	0.5
내부 경로에 익숙한 자	종업원, 건물의 근무자	1.2	0.6

핵심 적중

피난대책의 일반적 원칙으로 옳지 않은 것은?

① 피난경로는 간단명료하게 해야 한다.

② 피난구조설비는 이동식 설비를 위주로 해야 한다.

③ 피난수단은 원시적 방법에 의한 것을 원칙으로 한다.

④ 피난경로는 2 이상으로 확보되어야 한다.

정답 ②

2. 패닉(Panic) 현상

(1) 개념

① 패닉 현상이란 큰 위험에 마주쳤을 때 느끼는 비이상적인 극도의 공포감을 말한다. 유독가스에 의한 호흡장애로 인하여 패닉이 발생할 수 있다.

② 패닉 현상은 한정된 공간에서 사람이 많은 경우 발생할 수 있으며 주변의 사람에게 영향을 줄 수 있다.

③ 건물을 이용하는 모든 사람들이 평상시 양호한 신체적 · 정신적 능력을 갖추고 있어도 패닉 현상이 발생하는 상황을 고려하여 피난시설을 설치하여야 한다.

(2) 패닉의 발생조건

① 화재 발생 시 피난로가 불분명하고 출구를 확인할 수 없는 경우 발생할 수 있으며, 화재 시 발생하는 연기에 의한 시계 제한으로 인하여 발생할 수 있다.

② 실제로 화재의 위험성만큼이나 패닉으로 인한 위험성이 클 수 있다.

③ 치명적인 패닉은 화재가 없는 장소에서도 발생할 수 있다.

(3) 피난계획 시 고려하여야 할 인간의 피난본능

① **좌회본능**

㉠ 오른손잡이인 경우 오른손 · 오른발이 발달해 있기 때문에 무의식적으로 왼쪽으로 도는 것이 자연스럽다.

㉡ 피난로의 관리에 적용할 수 있다.

② **귀소본능**: 본능적으로 비상시 자신의 신체를 보호하기 위하여 원래 온 길 또는 늘 사용하는 경로에 의하여 탈출을 도모하고자 한다.

③ **추종본능**

㉠ 비상시에는 한 사람의 리더를 추종하는 경향이 있다.

㉡ 불특정 다수인이 모이는 현장에서 패닉 현상이 발생하는 경우 한 사람의 리더를 추종하는 본능이 쉽게 발생한다.

④ **퇴피본능**

㉠ 긴급사태가 확인되면 반사적으로 그 지점에서 멀어지려고 한다.

㉡ 건물의 중심부에서 연기와 불꽃이 상승하면 외주(外周) 방향으로, 외주부가 위험하면 중앙 방향으로 퇴피하려고 한다.

⑤ **지광본능**

㉠ 화재 시 정전 또는 검은 연기의 유동으로 주위가 어두워지면 사람들은 밝은 곳으로 피난하고자 한다.

㉡ 출입구 · 계단 등을 가능한 한 외부에 접하게 하는 것이 피난 시 유용하다.

핵심 적중

인간의 피난본능으로 옳지 않은 것은?

① 추종본능
② 지광본능
③ 우회본능
④ 귀소본능

정답 ③

3. 피난계획의 수립 및 시행

소방안전관리대상물의 관계인은 장소에 근무하거나 거주 또는 출입하는 사람들이 화재가 발생한 경우 안전하게 피난할 수 있도록 피난계획을 수립·시행하여야 한다.

(1) 피난계획 포함사항

피난계획에는 특정소방대상물의 구조, 피난시설 등을 고려한 피난경로가 포함되어야 한다.

① 화재경보의 수단 및 방식

② 층별·구역별 피난대상 인원의 현황

③ 장애인, 노인, 임산부, 영유아 및 어린이 등 이동이 어려운 사람(재해약자)의 현황

④ 각 거실에서 옥외(옥상 또는 피난안전구역 포함)로 이르는 피난경로

⑤ 재해약자 및 재해약자를 동반한 사람의 피난동선과 피난방법

⑥ 피난시설, 방화구획 그 밖에 피난에 영향을 줄 수 있는 제반사항

(2) 피난유도 안내정보의 제공

① 소방안전관리대상물의 관계인은 피난시설의 위치, 피난경로, 대피요령이 포함된 피난유도 안내정보를 근무자 또는 거주자에게 정기적으로 제공하여야 한다.

② **안내정보 제공방법**

㉠ **연 2회 피난안내교육을 실시하는 방법**

㉡ **분기별 1회 이상 피난안내방송을 실시하는 방법**

㉢ 피난안내도를 층마다 보기 쉬운 위치에 게시하는 방법

㉣ 엘리베이터, 출입구 등 시청이 용이한 지역에 피난안내영상을 제공하는 방법

4. 건축물의 안전대책

(1) 피난방향

① 수평방향의 피난은 복도를 통한 피난이다.

② 수직방향의 피난은 계단을 활용한 피난이 주를 이룬다.

(2) 피난시설의 안전구역

① **복도(1차 안전구역)**

② **계단부속실(전실, 2차 안전구역)**

③ **계단(3차 안전구역)**

(3) 피난방향 및 경로

구분	특징
T형	피난자에게 피난경로를 확실히 알려주는 형태
X형	양방향으로 피난할 수 있는 확실한 형태
H형(CO형)	피난자의 집중으로 패닉현상이 일어날 우려가 있는 형태
Z형	중앙복도형 건축물에서의 피난경로로서 코너식 중 제일 안전한 형태

정희's 톡talk

2차 안전구역(전실)

1차 안전구역에 연결된 특별피난계단의 부속실 또는 피난계단이 여기에 해당하며 피난의 완료되는 시점까지 화염과 연기로부터 안전하게 보호되어야 하는 곳을 말합니다.

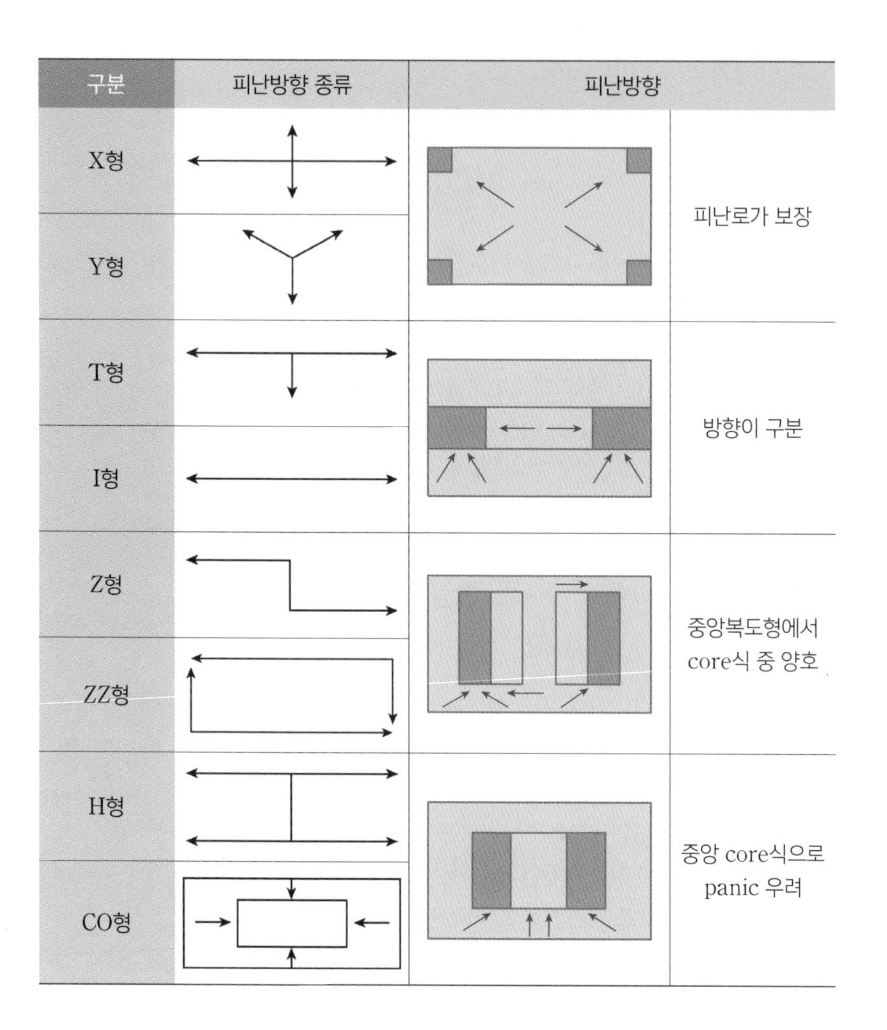

구분	피난방향 종류	피난방향	
X형			피난로가 보장
Y형			
T형			방향이 구분
I형			
Z형			중앙복도형에서 core식 중 양호
ZZ형			
H형			중앙 core식으로 panic 우려
CO형			

CHAPTER 4 화재조사

1 개론 C

1. 개요

소방기관은 화재를 예방 · 경계 · 진압임무를 수행하는 조직으로 화재를 통계화하고 이를 근거로 화재예방정책을 수립 · 실행하고, 유사화재의 방지를 통하여 건축물 공간 등의 안전의 확보를 도모하여 인명과 재산보호라는 소방행정목적을 달성할 수 있다.

(1) 목적

① 화재조사를 통하여 화재 발생에 대한 **책임규명**을 할 수 있다.
② **발화원인**을 규명하고 **예방행정의 자료**로 활용한다.
③ 사상자의 발생원인과 방화관리상황을 규명하여 **소방행정 자료**로 활용한다.
④ 화재의 발생상황 · 원인 · 피해상황을 통계화하여 **소방홍보 자료 및 소방정책수립의 자료로 활용**한다.
⑤ 화재피해를 알리고 **유사화재의 방지와 피해의 경감**에 이바지한다.

(2) 화재조사의 특징

① **현장성**: 화재현장에서 조사가 이루어져야 하므로 현장성을 가진다.
② **강제성**: 화재현장에서 관계인의 동의를 얻기는 쉽지 않으므로 강제성의 특징이 있다.
③ **프리즘식**: 다양한 측면에서 화재조사를 하여 정확한 조사가 이루어져야 한다.
④ **신속성**: 정확한 화재조사의 감식을 위함과 시간이 지날수록 현장보존이 어려워지므로 신속성이 필요하다.
⑤ **정밀과학성**: 정확하게 판단되어야 하므로 정밀과학성이 요구된다.
⑥ **보존성**: 화재현장에서의 증거물은 보존이 잘 되어야 화재조사가 정확하게 이루어질 수 있다.
⑦ **안전성**: 화재현장에서의 안전성이 요구된다.

2. 권한과 의무

(1) 권한

① 화재에 의하여 파손되고 파괴된 재산의 조사권
② 화재관계자에 대한 질문권
③ 관계자에 대한 자료 제출 명령권
④ 화재조사를 담당하는 소방공무원의 출입 조사권
⑤ 경찰관이 방화 또는 실화범죄의 증거물을 압수한 경우 검사에게 송치될 때까지 증거물에 대한 조사권
⑥ 방화 · 실화범죄의 피의자에 대한 질문권

핵심 적중

01 화재조사의 목적으로 가장 옳지 않은 것은? 13. 소방간부

① 화재 발생에 대한 책임규명을 화재조사를 통하여 할 수 있다.
② 연소원인 등을 규명하여 예방 및 진압대책상의 자료로 활용한다.
③ 화재의 발생상황, 원인, 손해상황 등을 통계화하여 자료로 활용한다.
④ 작동기능점검을 위하여 화재조사를 실시한다.
⑤ 화재예방 및 연소방지를 위한 자료축적을 위해서 화재조사를 한다.

정답 ④

02 화재조사에서 대한 설명으로 옳지 않은 것은?

① 화재 경계와 예방활동을 위한 정보자료를 획득한다.
② 소방기관과 관계 보험회사는 화재가 발생한 경우 원인 조사는 협력할 수 있으나 피해상황을 조사할 때는 협력할 수 없다.
③ 발화원인을 규명하고 예방행정의 자료로 활용한다.
④ 화재조사는 다양한 측면에서 화재조사를 하여 정확한 조사가 이루어져야 한다.

정답 ②

03 화재조사의 특징으로 옳지 않은 것은? 12. 경기

① 강제성이 있다.
② 경제성이 있다.
③ 현장성이 있다.
④ 프리즘식이 있다.

정답 ②

(2) 의무

① 특수장소를 조사할 때 관계자의 승낙을 얻을 의무
② 관계자의 업무방해 및 비밀누설 금지의 의무
③ 방화 및 실화 혐의자에 대한 경찰 통보, 증거물의 수집 및 보존의무
④ 피의자의 체포 또는 증거물의 압수 중 질문 및 조사를 수행함에 있어 경찰관의 수사를 방해하지 않을 의무
⑤ 방화·실화 근절의 공동목적 달성을 위하여 소방관과 경찰관의 상호협력 의무
⑥ 관계 보험회사의 화재조사에 협조할 의무

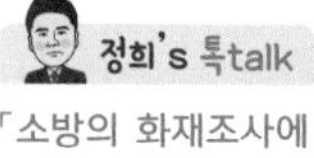

「소방의 화재조사에 관한 법률 시행령」상 화재조사의 내용·절차(영 제3조)
1. 현장출동 중 조사: 화재발생 접수, 출동 중 화재상황 파악 등
2. 화재현장 조사: 화재의 발화원인, 연소상황 및 피해상황 조사 등
3. 정밀조사: 감식·감정, 화재원인 판정 등
4. 화재조사 결과 보고

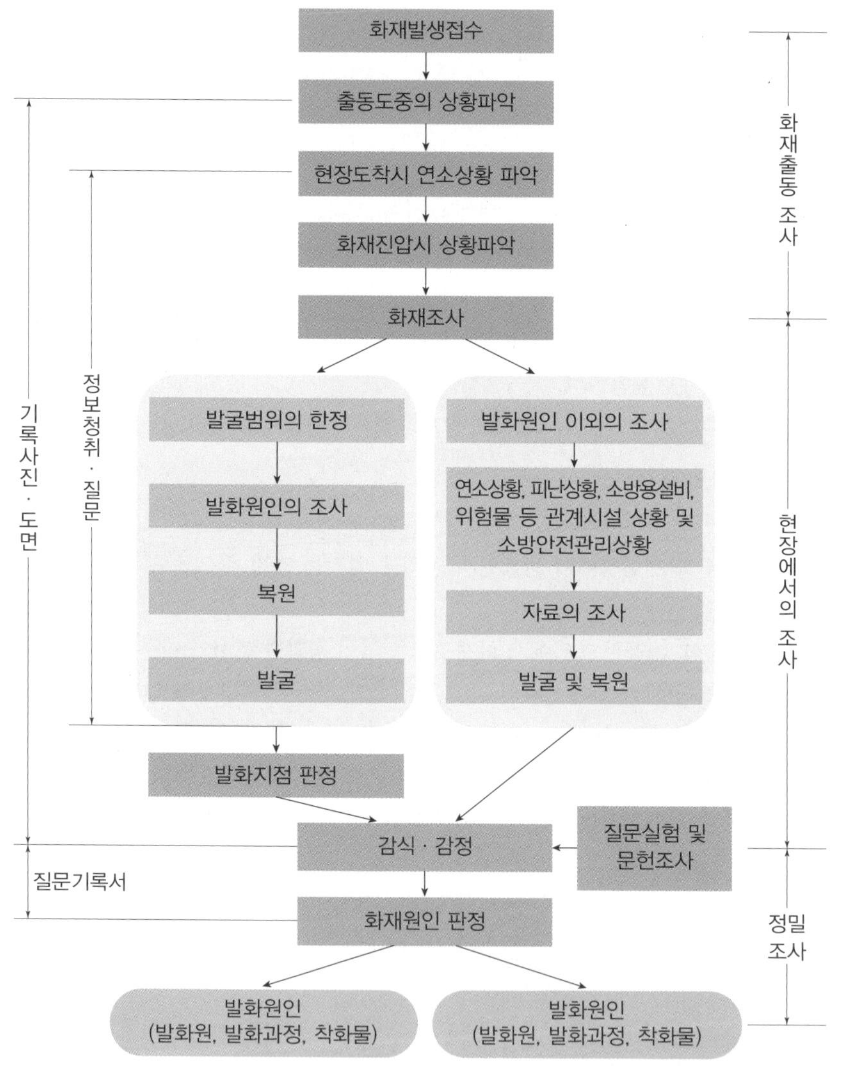

▲ 화재조사의 흐름도

2 화재조사활동 D

1. 조사활동

(1) 화재 시의 조사활동

① 화재 인지와 동시에 조사 시작

② 현장도착 후 화재상황 파악

③ 탐문 등 실시

(2) 진화 후의 조사활동

① 조사계획

② 현장관찰

③ 관계자의 진술 등 확인

④ 발굴장소 검토

⑤ 현장발굴과 복원

⑥ 발화원 검토

⑦ 발화원 판정

⑧ 현장철수

2. 현장감식 등

(1) 목재연소의 강약

① **균열흔**: 목재표면이 높은 온도의 화염을 받아 연소될 때는 비교적 굵은 균열흔을 나타내며, 저온으로 장시간 가열이나 연소 시에는 목재 내부의 수분이나 가연성 가스가 목재표면으로 분출하게 되어 그 흔적이 가느다란 균열로 남게 된다.

㉠ **완소흔**: 700~800℃ 정도의 비교적 낮은 온도에서 천천히 연소된 경우 홈이 얇고 삼각 또는 사각형태를 나타내며, 초기 연소부분 또는 잔불씨에 의한 연소부분에서 나타난다.

㉡ **강소흔**: 자신의 연소열로 화염이 지속되거나 확대 연소하게 되면 가연물은 900℃ 정도까지 가열되며, 홈이 깊은 요철이 형성된다.

㉢ **열소흔**: 가연물이 1,100℃ 정도의 고온 상태에 접하여 일시에 연소하게 되면 불완전연소 홈이 아주 깊은 상태가 되는데, 맹렬한 확산 중심부분 등에서 나타난다.

② **무염흔**: 물질이 착화되어 불꽃 없이 연기만 내면서 연소되는 경우를 말한다.

③ **박리흔**: 목재나 콘크리트표면이 강한 수열을 받으면서 탄화하여 결합력 상실에 의하여 떨어져 나가는 현상을 말한다.

④ **주염흔**: 건물 등 불연성 구조물에 불꽃흔적을 남기는 현상을 말한다.

(2) 연소의 방향성

① 연소 방향에 대한 판별은 전체 비교에 의한다.

② 비교에서 연소 방향의 강약과 그 방향 및 열변화의 방향을 확인한다.

③ 각각의 방향성을 입체적으로 보고 고찰한다.

3 「소방의 화재조사에 관한 법률」상 화재조사 C

1. 총칙

제1조【목적】 이 법은 화재예방 및 소방정책에 활용하기 위하여 화재원인, 화재성장 및 확산, 피해현황 등에 관한 과학적·전문적인 조사에 필요한 사항을 규정함을 목적으로 한다.

(1) 목적

화재예방 및 소방정책에 활용하기 위하여 화재원인, 화재성장 및 확산, 피해현황 등에 관한 과학적 · 전문적인 조사에 필요한 사항을 규정함을 목적으로 한다.

(2) 정의

① 화재: 사람의 의도에 반하거나 고의 또는 과실에 의하여 발생하는 연소현상으로서 소화할 필요가 있는 현상 또는 사람의 의도에 반하여 발생하거나 확대된 화학적 폭발현상을 말한다.

② 화재조사: 소방청장, 소방본부장 또는 소방서장이 화재원인, 피해상황, 대응활동 등을 파악하기 위하여 자료의 수집, 관계인 등에 대한 질문, 현장 확인, 감식, 감정 및 실험 등을 하는 일련의 행위를 말한다.

③ **화재조사관**: 화재조사에 전문성을 인정받아 화재조사를 수행하는 **소방공무원**을 말한다.

④ 관계인 등: 화재가 발생한 소방대상물의 소유자 · 관리자 또는 점유자(관계인) 및 다음의 사람을 말한다.

㉠ 화재 현장을 발견하고 신고한 사람

㉡ 화재 현장을 목격한 사람

㉢ 소화활동을 행하거나 인명구조활동(유도대피 포함)에 관계된 사람

㉣ 화재를 발생시키거나 화재발생과 관계된 사람

2. 화재조사의 실시 등

(1) 화재조사의 실시

① 소방청장, 소방본부장 또는 소방서장(소방관서장)은 화재발생 사실을 알게 된 때에는 지체 없이 화재조사를 하여야 한다. 이 경우 수사기관의 범죄수사에 지장을 주어서는 아니 된다.

② 소방관서장의 조사사항

㉠ 화재원인에 관한 사항

㉡ 화재로 인한 인명 · 재산피해상황

㉢ 대응활동에 관한 사항

㉣ 소방시설 등의 설치 · 관리 및 작동 여부에 관한 사항

㉤ 화재발생건축물과 구조물, 화재유형별 화재위험성 등에 관한 사항

㉥ 그 밖에 대통령령으로 정하는 사항

핵심 기출

01 화재원인조사 내용 중 옳지 않은 것은? 18. 상반기 공채

① 화재원인조사
② 소실피해조사
③ 소방시설등조사
④ 연소상황조사

정답 ②

02 「소방의 화재조사에 관한 법률」상 화재조사를 할 수 있는 권한을 가진 자로 옳은 것은? 18. 경채(10월)

① 행정안전부장관, 소방청장, 소방본부장
② 행정안전부장관, 소방본부장, 소방서장
③ 소방청장, 소방본부장, 소방서장
④ 소방청장, 경찰청장, 소방서장

정답 ③

(2) 화재조사전담부서의 설치 · 운영 등

① **소방관서장**은 전문성에 기반하는 **화재조사를 위하여 화재조사전담부서(전담부서)를 설치 · 운영하여야 한다.**

② **전담부서의 업무**

㉠ 화재조사의 실시 및 조사결과 분석 · 관리

㉡ 화재조사 관련 기술개발과 화재조사관의 역량증진

㉢ 화재조사에 필요한 시설 · 장비의 관리 · 운영

㉣ 그 밖의 화재조사에 관하여 필요한 업무

③ **소방관서장은 화재조사관으로 하여금 화재조사 업무를 수행하게 하여야 한다.**

④ **화재조사관**은 **소방청장이 실시하는 화재조사에 관한 시험에 합격한 소방공무원 등 화재조사에 관한 전문적인 자격을 가진 소방공무원**으로 한다.

⑤ 전담부서의 구성 · 운영, 화재조사관의 구체적인 자격기준 및 교육훈련 등에 필요한 사항은 대통령령으로 정한다.

(3) 화재합동조사단의 구성 · 운영

소방관서장은 사상자가 많거나 사회적 이목을 끄는 화재 등 대통령령으로 정하는 대형화재 등이 발생한 경우 종합적이고 정밀한 화재조사를 위하여 유관기관 및 관계 전문가를 포함한 화재합동조사단을 구성 · 운영할 수 있다.

(4) 화재현장 보존 등

① 소방관서장은 화재조사를 위하여 필요한 범위에서 화재현장 보존조치를 하거나 화재현장과 그 인근 지역을 통제구역으로 설정할 수 있다. 다만, 방화(放火) 또는 실화(失火)의 혐의로 수사의 대상이 된 경우에는 관할 경찰서장 또는 해양경찰서장(경찰서장)이 통제구역을 설정한다.

② 누구든지 소방관서장 또는 경찰서장의 허가 없이 위 ①에 따라 설정된 통제구역에 출입하여서는 아니 된다.

③ 화재현장 보존조치를 하거나 통제구역을 설정한 경우 누구든지 소방관서장 또는 경찰서장의 허가 없이 화재현장에 있는 물건 등을 이동시키거나 변경 · 훼손하여서는 아니 된다. 다만, 공공의 이익에 중대한 영향을 미친다고 판단되거나 인명구조 등 긴급한 사유가 있는 경우에는 그러하지 아니하다.

④ 화재현장 보존조치, 통제구역의 설정 및 출입 등에 필요한 사항은 대통령령으로 정한다.

(5) 화재조사 증거물 수집 등

① **소방관서장**은 화재조사를 위하여 필요한 경우 **증거물을 수집하여 검사 · 시험 · 분석 등을 할 수 있다.** 다만, 범죄수사와 관련된 증거물인 경우에는 수사기관의 장과 협의하여 수집할 수 있다.

② 소방관서장은 수사기관의 장이 방화 또는 실화의 혐의가 있어서 이미 피의자를 체포하였거나 증거물을 압수하였을 때에 화재조사를 위하여 필요한 경우에는 범죄수사에 지장을 주지 아니하는 범위에서 그 피의자 또는 압수된 증거물에 대한 조사를 할 수 있다. 이 경우 수사기관의 장은 소방관서장의 신속한 화재조사를 위하여 특별한 사유가 없으면 조사에 협조하여야 한다.

③ 증거물 수집의 범위, 방법 및 절차 등에 필요한 사항은 대통령령으로 정한다.

3. 화재조사 결과의 공표 등

(1) 화재조사 결과의 공표

소방관서장은 국민이 유사한 화재로부터 피해를 입지 않도록 하기 위한 경우 등 필요한 경우 화재조사 결과를 공표할 수 있다. 다만, 수사가 진행 중이거나 수사의 필요성이 인정되는 경우에는 관계 수사기관의 장과 공표 여부에 관하여 사전에 협의하여야 한다.

(2) 화재조사 결과의 통보

소방관서장은 화재조사 결과를 중앙행정기관의 장, 지방자치단체의 장, 그 밖의 관련 기관·단체의 장 또는 관계인 등에게 통보하여 유사한 화재가 발생하지 않도록 필요한 조치를 취할 것을 요청할 수 있다.

(3) 화재증명원의 발급

소방관서장은 화재와 관련된 이해관계인 또는 화재발생 내용 입증이 필요한 사람이 화재를 증명하는 서류(화재증명원) 발급을 신청하는 때에는 화재증명원을 발급하여야 한다.

4. 화재조사 기반구축

(1) 국가화재정보시스템의 구축·운영

① 소방청장은 화재조사 결과, 화재원인, 피해상황 등에 관한 화재정보를 종합적으로 수집·관리하여 화재예방과 소방활동에 활용할 수 있는 국가화재정보시스템을 구축·운영하여야 한다.

② 화재정보의 수집·관리 및 활용 등에 필요한 사항은 대통령령으로 정한다.

(2) 연구개발사업의 지원

① 소방청장은 화재조사 기법에 필요한 연구·실험·조사·기술개발 등(연구개발사업)을 지원하는 시책을 수립할 수 있다.

② 소방청장은 연구개발사업을 효율적으로 추진하기 위하여 다음의 어느 하나에 해당하는 기관 또는 단체 등에게 연구개발사업을 수행하게 하거나 공동으로 수행할 수 있다.

㉠ 국공립 연구기관

㉡ 「특정연구기관 육성법」 제2조에 따른 특정연구기관

㉢ 「과학기술분야 정부출연연구기관 등의 설립·운영 및 육성에 관한 법률」에 따라 설립된 과학기술분야 정부출연연구기관

㉣ 「고등교육법」 제2조에 따른 대학·산업대학·전문대학·기술대학

㉤ 「민법」이나 다른 법률에 따라 설립된 법인으로서 화재조사 관련 연구기관 또는 법인 부설 연구소

㉥ 「기초연구진흥 및 기술개발지원에 관한 법률」 제14조의2 제1항에 따라 인정받은 기업부설연구소 또는 기업의 연구개발전담부서

㉦ 그 밖에 대통령령으로 정하는 화재조사와 관련한 연구·조사·기술개발 등을 수행하는 기관 또는 단체

③ 소방청장은 연구개발사업을 실시하는 데 필요한 경비의 전부 또는 일부를 출연하거나 보조할 수 있다.

④ 연구개발사업의 추진에 필요한 사항은 행정안전부령으로 정한다.

4-1 「화재조사 및 보고규정」 1 (정의) A

1. 목적

제1조【목적】 이 규정은 「소방의 화재조사에 관한 법률」및 같은 법 시행령, 시행규칙에 따라 화재조사의 집행과 보고 및 사무처리에 필요한 사항을 정하는 것을 목적으로 한다.

2. 정의 1(감식 및 감정)

(1) 감식

화재원인의 판정을 위하여 전문적인 지식, 기술 및 경험을 활용하여 주로 시각에 의한 종합적인 판단으로 구체적인 사실관계를 명확하게 규명하는 것을 말한다.

(2) 감정

화재와 관계되는 물건의 형상, 구조, 재질, 성분, 성질 등 이와 관련된 모든 현상에 대하여 과학적 방법에 의한 필요한 실험을 행하고 그 결과를 근거로 화재원인을 밝히는 자료를 얻는 것을 말한다.

2-2. 정의 2(발화 등)

(1) 발화

열원에 의하여 가연물질에 지속적으로 불이 붙는 현상을 말한다.

(2) 발화열원

발화의 최초 원인이 된 불꽃 또는 열을 말한다.

(3) 발화지점

열원과 가연물이 상호작용하여 화재가 시작된 지점을 말한다.

(4) 발화장소

화재가 발생한 장소를 말한다.

2-3. 정의 3(최초착화물 등)

(1) 최초착화물

발화열원에 의해 불이 붙은 최초의 가연물을 말한다.

(2) 발화요인

발화열원에 의하여 발화로 이어진 연소현상에 영향을 준 **인적·물적·자연적인 요인**을 말한다.

(3) 발화관련 기기

발화에 관련된 불꽃 또는 열을 발생시킨 기기 또는 장치나 제품을 말한다.

핵심 적중

01 다음 중 용어의 정의로 옳지 않은 것은?

① 감정은 화재와 관계되는 물건의 형상, 구조, 재질, 성분, 성질 등 이와 관련된 모든 현상에 대하여 과학적 방법에 의한 필요한 실험을 행하고 그 결과를 근거로 화재원인을 밝히는 자료를 얻는 것을 말한다.
② 발화지점은 화재가 발생한 부위를 말한다.
③ 화재란 사람의 의도에 반하거나 고의에 의해 발생하는 연소현상으로서 소화설비 등을 사용하여 소화할 필요가 있거나 또는 사람의 의도에 반해 발생하거나 확대된 물리적인 폭발현상을 말한다.
④ 감식은 화재 원인의 판정을 위하여 전문적인 지식, 기술 및 경험을 활용하여 주로 시각에 의한 종합적인 판단으로 구체적인 사실관계를 명확하게 규명하는 것을 말한다.

정답 ③

02 화재원인을 규명하고 화재로 인한 피해를 산정하기 위하여 자료의 수집, 관계자 등에 대한 질문, 현장확인, 감식, 감정 및 실험 등을 하는 일련의 행동을 무엇이라 하는가? 13. 대전

① 감식 ② 감정
③ 조사 ④ 수사

정답 ③

03 「화재조사 및 보고규정」과 관련한 용어의 정의로 옳지 않은 것은? 19. 소방간부

① 감식: 화재와 관계되는 물건의 형상, 구조, 재질, 성분, 성질 등 이와 관련된 모든 현상에 대하여 과학적 방법에 따라 필요한 실험을 행하고 그 결과를 근거로 화재원인을 밝히는 자료를 얻는 것
② 재구입비: 화재 당시의 피해물과 같거나 비슷한 것을 재건축(설계 감리비 포함) 또는 재취득하는 데 필요한 금액
③ 내용연수: 고정자산을 경제적으로 사용할 수 있는 연수
④ 손해율: 피해물의 종류, 손상 상태 및 정도에 따라 피해액을 적정화시키는 일정한 비율
⑤ 잔가율: 화재 당시에 피해물의 재구입비에 대한 현재가의 비율

정답 ①

(4) 동력원

발화관련 기기나 제품을 작동 또는 연소시킬 때 사용되어진 연료 또는 에너지를 말한다.

(5) 연소확대물

연소가 확대되는데 있어 결정적 영향을 미친 가연물을 말한다.

2-4. 정의 4(재구입비 등)

(1) 재구입비

화재 당시의 피해물과 같거나 비슷한 것을 재건축(설계 감리비를 포함한다) 또는 재취득하는데 필요한 금액을 말한다.

(2) 내용연수

고정자산을 경제적으로 사용할 수 있는 연수를 말한다.

> **심화학습 내용연수**
>
> 1. **물리적 내용연수:** 고정자산을 정상적인 방법으로 관리하였을 경우 기술적으로 이용이 가능할 것으로 예측되는 기간을 말한다.
> 2. **경제적 내용연수:** 고정자산의 사용가치 및 교환가치 등을 고려한 경제적 이용이 가능한 기간을 말한다.
> 3. 화재피해액 산정에 있어서 보통 물리적 내용연수는 관심의 대상이 아니기 때문에 제외되므로 실무상 피해물의 피해액 산정 시 경제적 내용연수를 적용하게 된다.

(3) 손해율

피해물의 종류, 손상 상태 및 정도에 따라 피해금액을 적정화시키는 일정한 비율을 말한다.

(4) 잔가율

화재 당시에 피해물의 재구입비에 대한 현재가의 비율을 말한다.

(5) 최종잔가율

피해물의 내용연수가 다한 경우 잔존하는 가치의 재구입비에 대한 비율을 말한다.

> **심화학습 최종잔가율 기준**
>
> 1. 고정자산에 있어서 피해물이 경제적 내용연수를 다 하였더라도 다른 용도로 사용될 수 있으므로 당해 피해물에 경제적 가치가 잔존하게 된다.
> 2. 화재 등으로 인한 피해액 산정에 있어 최종잔가율은 현실을 감안하여 건물, 부대설비, 가재도구, 구축물의 경우 20%, 기타의 경우 10%로 한다.

심화학습 잔가율 기준(중앙소방학교 화재조사실무 2. 화재조사, 2018)

1. 화재 당시 피해물에 잔존하는 경제적 가치의 정도이다.
2. 피해물의 현재가치의 재구입비에 대한 비율로 표시한다.
3. 피해물의 현재가치는 재구입비에서 사용기간에 따른 손모 및 경과기간으로 인한 감가액을 공제한 금액이다.

- 현재가(시가) = 재구입비 × 잔가율
- 잔가율 = $\frac{(\text{재구입비} - \text{감가수정액})}{\text{재구입비}}$
- 잔가율 = 100% - 감가수정율
- 잔가율 = 1 - (1 - 최종잔가율) × $\frac{\text{경과연수}}{\text{내용연수}}$

2-5. 정의 5(화재현장 등)

(1) 화재현장

화재가 발생하여 소방대 및 관계인 등에 의해 소화활동이 행하여지고 있거나 행하여진 장소를 말한다.

(2) 접수

119종합상황실(이하 "상황실"이라 한다)에서 유·무선 전화 또는 다매체를 통하여 화재 등의 신고를 받는 것을 말한다.

(3) 출동

화재를 접수하고 상황실로부터 출동지령을 받아 소방대가 차고 등에서 출발하는 것을 말한다.

(4) 도착

출동지령을 받고 출동한 소방대가 현장에 도착하는 것을 말한다.

(5) 선착대

화재현장에 가장 먼저 도착한 소방대를 말한다.

(6) 초진

소방대의 소화활동으로 화재확대의 위험이 현저하게 줄어들거나 없어진 상태를 말한다.

(7) 잔불정리

화재 초진 후 잔불을 점검하고 처리하는 것을 말한다. 이 단계에서는 열에 의한 수증기나 화염 없이 연기만 발생하는 연소현상이 포함될 수 있다.

(8) 완진

소방대에 의한 소화활동의 필요성이 사라진 것을 말한다.

(9) 철수

진화가 끝난 후, 소방대가 화재현장에서 복귀하는 것을 말한다.

(10) 재발화감시

화재를 진화한 후 화재가 재발되지 않도록 감시조를 편성하여 일정 시간 동안 감시하는 것을 말한다.

3. 화재조사의 개시 및 원칙 등

(1) 화재조사의 개시 및 원칙

① 「소방의 화재조사에 관한 법률」(이하 "법"이라 한다) 제5조 제1항에 따라 화재조사관(이하 "조사관"이라 한다)은 **화재발생 사실을 인지하는 즉시 화재조사**(이하 "조사"라 한다)를 시작해야 한다.

② 소방관서장은 「소방의 화재조사에 관한 법률 시행령」(이하 "영"이라 한다) 제4조 제1항에 따라 조사관을 근무 교대조별로 2인 이상 배치하고, 「소방의 화재조사에 관한 법률 시행규칙」(이하 "규칙"이라 한다) 제3조에 따른 장비·시설을 기준 이상으로 확보하여 조사업무를 수행하도록 하여야 한다.

③ **조사는 물적 증거를 바탕으로 과학적인 방법을 통해 합리적인 사실의 규명을 원칙**으로 한다.

(2) 화재조사관의 책무

① 조사관은 조사에 필요한 전문적 지식과 기술의 습득에 노력하여 조사업무를 능률적이고 효율적으로 수행해야 한다.

② 조사관은 그 직무를 이용하여 관계인등의 민사분쟁에 개입해서는 아니 된다.

(3) 화재출동대원 협조

① 화재현장에 출동하는 소방대원은 조사에 도움이 되는 사항을 확인하고, 화재현장에서도 소방활동 중에 파악한 정보를 조사관에게 알려주어야 한다.

② 화재현장의 선착대 선임자는 철수 후 지체 없이 국가화재정보시스템에 별지 제2호 서식 화재현장출동보고서를 작성·입력해야 한다.

4. 관계인등의 협조

(1) 관계인등 협조

① 화재현장과 기타 관계있는 장소에 출입할 때에는 관계인등의 입회하에 실시하는 것을 원칙으로 한다.

② 조사관은 조사에 필요한 자료 등을 관계인등에게 요구할 수 있으며, 관계인등이 반환을 요구할 때는 조사의 목적을 달성한 후 관계인등에게 반환해야 한다.

(2) 관계인등 진술

① 관계인등에게 질문을 할 때에는 시기, 장소 등을 고려하여 진술하는 사람으로부터 임의진술을 얻도록 해야 하며 진술의 자유 또는 신체의 자유를 침해하여 임의성을 의심할 만한 방법을 취해서는 아니 된다.

② 관계인등에게 질문을 할 때에는 희망하는 진술내용을 얻기 위하여 상대방에게 암시하는 등의 방법으로 유도해서는 아니 된다.

③ 획득한 진술이 소문 등에 의한 사항인 경우 그 사실을 직접 경험한 관계인등의 진술을 얻도록 해야 한다.

④ 관계인등에 대한 질문 사항은 질문기록서에 작성하여 그 증거를 확보한다.

핵심기출

「화재조사 및 보고규정」상 화재조사의 종류 중 화재원인조사의 범위에 포함되지 않는 것은? 19. 소방간부

① 화재의 연소경로 등 연소상황조사
② 피난상의 장애요인 등 피난상황조사
③ 화재의 발견, 통보 및 초기소화상황 조사
④ 열에 의한 탄화, 파손 등 재산피해 조사
⑤ 소방·방화시설의 활용 또는 작동 등의 상황조사

정답 ④

정희's 톡talk

감식 및 감정

1. 소방관서장은 조사 시 전문지식과 기술이 필요하다고 인정되는 경우 국립소방연구원 또는 화재감정기관 등에 감정을 의뢰할 수 있습니다.
2. 소방관서장은 과학적이고 합리적인 화재원인 규명을 위하여 화재현장에서 수거한 물품에 대하여 감정을 실시하고 화재원인 입증을 위한 재현실험 등을 할 수 있습니다.

전문보수교육

소방청장, 본부장 또는 소방학교장은 화재조사관 자격증을 취득한 자에 대한 전문보수교육을 실시할 때에는 자격증을 발급한 날로부터 2년마다 4시간 이상으로 하고, 전문보수교육 내용은 화재조사관의 업무에 관한 사항과 업무지침의 내용을 포함합니다.

4-2 「화재조사 및 보고규정」 2(화재 유형 등) A

1. 화재유형

(1) 화재유형

① **건축·구조물화재:** 건축물, 구조물 또는 그 수용물이 소손된 것

② **자동차·철도차량화재:** 자동차, 철도차량 및 피견인 차량 또는 그 적재물이 소손된 것

③ **위험물·가스제조소등 화재:** 위험물제조소등, 가스제조·저장·취급시설 등이 소손된 것

④ **선박·항공기화재:** 선박, 항공기 또는 그 적재물이 소손된 것

⑤ **임야화재: 산림, 야산, 들판의 수목, 잡초, 경작물 등이 소손된 것**

⑥ **기타화재:** 위의 각 호에 해당되지 않는 화재

(2) 화재가 복합되어 발생한 경우

① (1)의 화재가 복합되어 발생한 경우에는 화재의 구분을 화재피해금액이 큰 것으로 한다.

② 다만, 화재피해금액으로 구분하는 것이 사회관념상 적당하지 않을 경우에는 발화장소로 화재를 구분한다.

2. 화재건수 결정 등

(1) 화재건수 결정

1건의 화재란 1개의 발화지점에서 확대된 것으로 발화부터 진화까지를 말한다. 다만, 다음 경우는 다음의 기준에 따른다.

① **동일범이 아닌 각기 다른 사람에 의한 방화, 불장난은 동일 대상물에서 발화했더라도 각각 별건의 화재로 한다.**

② 동일 소방대상물의 발화점이 2개소 이상 있는 다음의 화재는 **1건의 화재**로 한다.

㉠ **누전점이 동일한 누전에 의한 화재**

㉡ **지진, 낙뢰 등 자연현상에 의한 다발화재**

③ 발화지점이 한 곳인 화재현장이 둘 이상의 관할구역에 걸친 화재는 발화지점이 속한 소방서에서 1건의 화재로 산정한다. 다만, 발화지점 확인이 어려운 경우에는 화재피해금액이 큰 관할구역 소방서의 화재 건수로 산정한다.

(2) 발화일시 결정

① 발화일시의 결정은 관계인등의 화재발견 상황통보(인지)시간 및 화재발생 건물의 구조, 재질 상태와 화기취급 등의 상황을 종합적으로 검토하여 결정한다.

② 다만, 자체진화 등 사후인지 화재로 그 결정이 곤란한 경우에는 발화시간을 추정할 수 있다.

핵심 기출

01 화재피해조사 산정기준 중 동일 소방대상물로서 한 건의 화재로 취급하는 기준에 대한 설명으로 옳지 않은 것은? 22. 공채

① 한 곳에서 발생한 화재
② 누전점이 다른 2개소 이상에서 발생한 화재
③ 지진, 낙뢰 등 자연환경에 의해 발생한 여러 화재
④ 동일범에 의한 방화 또는 불장난으로 2개소 이상에서 발생한 화재

정답 없음

*위 문제의 심의의원 전원 "출제오류" 의견을 제출하였고, 그 논거는 다음과 같음
- A위원: 문제 서두에 「화재피해조사 산정기준」이라 제시하면서, 수험자가 선택해야 할 선택은 「화재 건수의 기준」을 물어보아 문제 오류로 판단
- B위원: 출제자가 「화재피해조사 산정기준」이라고 명확히 제시하고 있어, 「화재조사 및 보고규정」 제26조를 따를 수 없어 출제 오류로 판단
- C위원: 문제의 근거 제시와 이어진 내용 불일치 등으로 문제와 선택지 간에 인과관계 불성립으로 인한 출제오류로 판단

02 「화재조사 및 보고규정」에 관한 설명으로 옳지 않은 것은? 18. 소방간부

① 사상자는 화재현장에서 사망 또는 부상당한 사람을 말하며, 화재현장에서 부상을 당한 후 72시간 이내에 사망한 경우에도 당해 화재로 인한 사망으로 본다.
② 건축·구조물 화재에서 전소는 건물의 입체면적 70% 이상이 소실되었거나, 또는 그 미만이라도 잔존부분을 보수 하여도 재사용이 불가능한 것을 말한다.
③ 화재조사 시 화재의 유형을 건축·구조물 화재, 자동차·철도차량 화재, 위험물·가스제조소등 화재, 선박·항공기화재, 임야화재, 기타화재로 구분한다.
④ 1건의 화재란 1개의 발화점으로부터 확대된 것으로 발화부터 진화까지를 말한다.
⑤ 동일범이 아닌 각기 다른 사람에 의한 방화, 불장난도 동일대상물에서 발생한 경우에는 1건의 화재로 한다.

정답 ⑤

핵심기출

「화재조사 및 보고규정」상 화재건수 결정에 관한 설명으로 옳지 않은 것은? 24. 소방간부

① 1건의 화재란 1개의 발화지점에서 확대된 것으로 발화부터 진화까지를 말한다.
② 동일 소방대상물의 발화점이 2개소 이상 있는 지진, 낙뢰 등 자연현상에 의한 다발화재는 1건의 화재로 한다.
③ 동일 소방대상물의 발화점이 2개소 이상 있는 누전점이 동일한 누전에 의한 화재는 1건의 화재로 한다.
④ 동일범이 아닌 각기 다른 사람에 의한 방화, 불장난은 동일 대상물에서 발화했더라도 각각 별건의 화재로 한다.
⑤ 발화지점이 한 곳인 화재현장이 둘 이상의 관할구역에 걸친 화재에 대해서는 소방서마다 각각 별건의 화재로 한다.

정답 ⑤

3. 사상자 및 부상자 분류 등

(1) 화재의 분류

화재원인 및 장소 등 화재의 분류는 소방청장이 정하는 국가화재분류체계에 의한 분류표에 의하여 분류한다.

(2) 사상자

① **사상자는 화재현장에서 사망한 사람과 부상당한 사람**을 말한다.
② 다만, 화재현장에서 부상을 당한 후 **72시간 이내에 사망한 경우**에는 당해 화재로 인한 사망으로 본다.

(3) 부상자 분류

부상의 정도는 의사의 진단을 기초로 하여 다음 각 호와 같이 분류한다.

① **중상: 3주 이상의 입원치료를 필요로 하는 부상을 말한다.**
② **경상:** 중상 이외의 부상(입원치료를 필요로 하지 않는 것도 포함한다)을 말한다. 다만, 병원 치료를 필요로 하지 않고 단순하게 연기를 흡입한 사람은 제외한다.

4. 건물의 동수 산정 등

(1) 건물의 동수산정

① **주요구조부가 하나인 경우**
㉠ **주요구조부가 하나로 연결되어 있는 것은 1동으로 한다.**
㉡ 다만, 건널 복도 등으로 2 이상의 동에 연결되어 있는 것은 그 부분을 절반으로 분리하여 각 동으로 본다.

② **건물의 외벽을 이용하여 공간을 만든 경우(그림 1):** 건물의 외벽을 이용하여 실을 만들어 헛간, 목욕탕, 작업실, 사무실 및 기타 건물 용도로 사용하고 있는 것은 주건물과 같은 동으로 본다.

③ **지붕 및 실이 하나로 연결된 경우(그림 2):** 구조에 관계없이 지붕 및 실이 하나로 연결되어 있는 것은 같은 동으로 본다.

④ **격벽으로 방화구획이 되어 있는 경우(그림 3):** 목조 또는 내화조건물의 경우 격벽으로 방화구획이 되어 있는 경우도 같은 동으로 한다.

⑤ **차광막, 비막이 등의 덮개를 설치한 경우(그림 4):** 독립된 건물과 건물 사이에 차광막, 비막이 등의 덮개를 설치하고 그 밑을 통로 등으로 사용하는 경우는 다른 동으로 한다.

⑥ **옥상에 목조 또는 방화구조건물이 별도 설치된 경우**
㉠ 내화조 건물의 옥상에 목조 또는 방화구조건물이 **별도 설치되어 있는 경우는 다른 동으로** 한다.
㉡ 다만, 이들 건물의 **기능상 하나인 경우**(옥내계단이 있는 경우)는 **같은 동으로** 한다.

⑦ 내화조 건물의 외벽을 이용하여 목조·방화구조건물이 별도 설치된 경우

㉠ 내화조 건물의 외벽을 이용하여 목조 또는 방화구조건물이 별도로 설치되어 있고 건물 내부와 구획되어 있는 경우 다른 동으로 한다.

㉡ 다만, 주된 건물에 부착된 건물이 옥내로 출입구가 연결되어 있는 경우와 기계설비 등이 쌍방에 연결되어 있는 경우 등 건물 **기능상 하나인 경우는** 같은 동으로 한다.

※ 같은 동으로 한다.

▲ 그림 1

(외벽을 이용하여 헛간 등 용도로 사용)

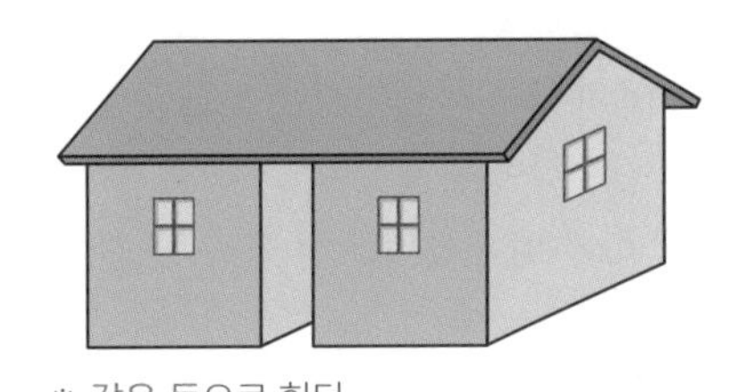

※ 같은 동으로 한다.

▲ 그림 2

(지붕 및 실이 하나로 연결되어 있는 것)

※ 같은 동으로 한다.

▲ 그림 3

(목조·내화조 건물의 격벽으로 방화구획)

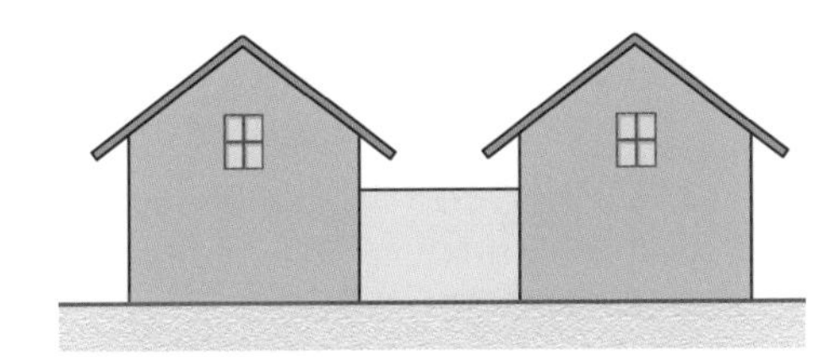

※ 다른 동으로 한다.

▲ 그림 4

(차광막, 비막이 등의 덮개가 설치된 경우)

(2) 소실정도

① 건축·구조물의 소실정도는 다음에 따른다.

㉠ 전소: 건물의 70% 이상(입체면적에 대한 비율을 말한다. 이하 같다)이 소실되었거나 또는 그 미만이라도 잔존부분을 보수하여도 재사용이 불가능한 것

㉡ 반소: 건물의 30% 이상 70% 미만이 소실된 것

㉢ 부분소: ㉠, ㉡에 해당하지 아니하는 것

② 자동차·철도차량, 선박·항공기 등의 소실정도는 ①의 규정을 준용한다.

(3) 소실면적 산정

① 건물의 소실면적 산정은 소실 바닥면적으로 산정한다.

② 수손 및 기타 파손의 경우에도 (2)의 규정을 준용한다.

5. 화재피해금액 산정 등

(1) 화재피해금액 산정(제18조)

① 화재피해금액은 화재 당시의 피해물과 동일한 구조, 용도, 질, 규모를 재건축 또는 재구입하는데 소요되는 가액에서 경과연수 등에 따른 감가공제를 하고 현재가액을 산정하는 실질적·구체적 방식에 따른다. 다만, 회계장부상 현재가액이 입증된 경우에는 그에 따른다.

핵심 적중

01 건물의 70% 이상(입체면적)이 소실되었거나 또는 그 미만이라도 잔존부분을 보수하여도 재사용이 불가능한 화재의 소실정도는?

① 전소 ② 반소
③ 부분소 ④ 즉소

정답 ①

02 전소란 건물의 70% 이상이 소실되었거나 또는 그 미만이라도 잔존부분을 보수하여도 재사용이 불가능한 것이다. 이때 70%는 어떠한 면적의 비율인가? 11. 통합

① 바닥면적 ② 입체면적
③ 연면적 ④ 화재층 면적

정답 ②

03 화재조사 시 건물의 동수 산정기준에 대한 설명 중 옳지 않은 것은? 16. 소방간부

① 구조에 관계없이 지붕 및 실이 하나로 연결되어 있는 것은 같은 동으로 본다.
② 건물의 외벽을 이용하여 실을 만들어 헛간, 목욕탕, 작업실, 사무실 및 기타 건물 용도로 사용하고 있는 것은 주 건물과 다른 동으로 본다.
③ 목조·내화조건물의 경우 격벽으로 방화구획이 되어 있는 경우도 같은 동으로 한다.
④ 독립된 건물과 건물 사이에 차광막, 비막이 등의 덮개를 설치하고 그 밑을 통로 등으로 사용하는 경우는 다른 동으로 한다.
⑤ 주요구조부가 하나로 연결되어 있는 것은 1동으로 한다. 다만, 건널 복도 등으로 2 이상의 동에 연결되어 있는 것은 그 부분을 절반으로 분리하여 각 동으로 본다.

정답 ②

정희's 톡talk

주요구조부(외벽, 지붕, 격벽 등)가 하나로 연결되어 있거나 이용하여 공간을 만든 경우 같은 동으로 봅니다. 이때 옥상(외벽)에 별도 설치되어 있는 경우 다른 동으로 봅니다. 다만, 기능상 하나라면 같은 동으로 합니다.

핵심기출

「화재조사 및 보고규정」에 관한 내용으로 옳지 않은 것은? 23. 공채

① 건물의 소실면적 산정은 소실 입체면적으로 산정한다.
② 건물의 소실정도에서의 반소는 건물의 30% 이상 70% 미만이 소실된 것을 말한다.
③ 건물 등 자산에 대한 최종잔가율은 건물·부대설비·구축물·가재도구는 20%로 하며, 그 이외의 자산은 10%로 정한다.
④ 발화일시의 결정은 관계인등의 화재발견 상황통보(인지)시간 및 화재발생 건물의 구조, 재질 상태와 화기취급 등의 상황을 종합적으로 검토하여 결정한다. 다만, 자체 진화 등 사후인지 화재로 그 결정이 곤란한 경우에는 발화시간을 추정할 수 있다.

정답 ①

② ①의 규정에도 불구하고 정확한 피해물품을 확인하기 곤란한 경우에는 소방청장이 정하는 「화재피해금액 산정매뉴얼」(이하 "매뉴얼"이라 한다)의 간이평가방식으로 산정할 수 있다.

③ **건물 등 자산에 대한 최종잔가율은 건물·부대설비·구축물·가재도구는 20%로 하며, 그 이외의 자산은 10%로 정한다.**

④ 건물 등 자산에 대한 내용연수는 매뉴얼에서 정한 바에 따른다.

⑤ 대상별 화재피해금액 산정기준은 별표 2에 따른다.

⑥ 관계인은 화재피해금액 산정에 이의가 있는 경우 해당 서식에 따라 관할 소방관서장에게 재산피해신고를 할 수 있다.

⑦ ⑥에 따른 신고서를 접수한 관할 소방관서장은 화재피해금액을 재산정해야 한다.

심화학습 화재피해액 산정

1. **건물:** '신축단가(m^2당)×소실면적×[1 - (0.8×경과년수/내용년수)]×손해율'의 공식에 의하되, 신축단가는 한국감정원이 최근 발표한 '건물신축단가표'에 의한다.
2. **영업시설:** 'm^2당 표준단가×소실면적×[1 - (0.9×경과년수/내용년수)]×손해율'의 공식에 의하되, 업종별 m^2당 표준단가는 매뉴얼이 정하는 바에 의한다.
3. **재고자산:** '회계장부상 현재가액×손해율'의 공식에 의한다. 다만, 회계장부상 현재가액이 확인되지 않는 경우에는 '연간매출액 ÷ 재고자산회전율×손해율'의 공식에 의하되, 재고자산회전율은 한국은행이 최근 발표한 '기업경영분석' 내용에 의한다.
4. **회화(그림), 골동품, 보석류:** 전부손해의 경우 감정가격으로 하며, 전부손해가 아닌 경우 원상복구에 소요되는 비용으로 한다.

(2) 세대수 산정(제19조)

세대수는 거주와 생계를 함께 하고 있는 사람들의 집단 또는 하나의 가구를 구성하여 살고 있는 독신자로서 자신의 주거에 사용되는 건물에 대하여 재산권을 행사할 수 있는 사람을 1세대로 산정한다.

관계법규 화재조사 및 보고규정[별표 2]

화재조사 및 보고규정

【적용요령】

1. 피해물의 경과연수가 불분명한 경우에 그 자산의 구조, 재질 또는 관계인등의 진술 기타 관계자료 등을 토대로 객관적인 판단을 하여 경과연수를 정한다.
2. 공구 및 기구·집기비품·가재도구를 일괄하여 재구입비를 산정하는 경우 개별 품목의 경과연수에 의한 잔가율이 50%를 초과하더라도 50%로 수정할 수 있으며, 중고구입기계장치 및 집기비품으로서 그 제작연도를 알 수 없는 경우에는 그 상태에 따라 신품가액의 30% 내지 50%를 잔가율로 정할 수 있다.
3. 화재피해금액 산정매뉴얼은 본 규정에 저촉되지 아니하는 범위에서 적용하여 화재피해금액을 산정한다.

관계법규 화재조사 및 보고규정[별표 2]

화재조사 및 보고규정

산정대상	산정기준
건물	「신축단가(m^2당)×소실면적×[1-(0.8×경과연수/내용연수)]×손해율」의 공식에 의하되, 신축단가는 한국감정원이 최근 발표한 '건물신축단가표'에 의한다.
부대설비	「건물신축단가×소실면적×설비종류별 재설비 비율×[1-(0.8×경과연수/내용연수)]×손해율」의 공식에 의한다. 다만 부대설비 피해금액을 실질적·구체적 방식에 의할 경우「단위(면적·개소 등)당 표준단가×피해단위×[1-(0.8×경과연수/내용연수)]×손해율」의 공식에 의하되, 건물표준단가 및 부대설비 단위당 표준단가는 한국감정원이 최근 발표한 '건물신축단가표' 에 의한다.
구축물	「소실단위의 회계장부상 구축물가액×손해율」의 공식에 의하거나 「소실단위의 원시건축비 ×물가상승율×[1-(0.8×경과연수/내용연수)]×손해율」의 공식에 의한다. 다만 회계장부상 구축물가액 또는 원시건축비의 가액이 확인되지 않는 경우에는 「단위(m, m^2, m^3)당 표준 단가×소실단위×[1-(0.8×경과연수/내용연수)]×손해율」의 공식에 의하되, 구축물의 단위당 표준단가는 매뉴얼이 정하는 바에 의한다.
영업시설	「m^2당 표준단가×소실면적×[1-(0.9×경과연수/내용연수)]×손해율」의 공식에 의하되, 업종별 m^2당 표준단가는 매뉴얼이 정하는 바에 의한다.
잔존물제거	「화재피해금액×10%」의 공식에 의한다. 철골조 건물, 기계장치, 공구 및 기구, 차량 및 운반구, 예술품 및 귀중품, 동물 및 식물의 피해금액은 잔존물제거비 산정에 있어 화재피해금액에 산입하지 않는다. → 삭제
기계장치 및 선박·항공기	「감정평가서 또는 회계장부상 현재가액×손해율」의 공식에 의한다. 다만 감정평가서 또는 회계장부상 현재가액이 확인되지 않아 실질적·구체적 방법에 의해 피해금액을 산정 하는 경우에는「재구입비×[1-(0.9×경과연수/내용연수)]×손해율」의 공식에 의하되, 실질적·구체적 방법에 의한 재구입비는 조사자가 확인·조사한 가격에 의한다.
공구 및 기구	「회계장부상 현재가액×손해율」의 공식에 의한다. 다만 회계장부상 현재가액이 확인되지 않아 실질적·구체적 방법에 의해 피해금액을 산정하는 경우에는「재구입비×[1-(0.9×경과 연수/내용연수)]×손해율」의 공식에 의하되, 실질적·구체적 방법에 의한 재구입비는 물가 정보지의 가격에 의한다.
집기비품	「회계장부상 현재가액×손해율」의 공식에 의한다. 다만 회계장부상 현재가액이 확인되지 않는 경우에는 「m^2당 표준단가×소실면적×[1-(0.9×경과연수/내용연수)]×손해율」의 공식에 의하거나 실질적·구체적 방법에 의해 피해금액을 산정하는 경우에는 「재구입비× [1-(0.9×경과연수/내용연수)]×손해율」의 공식에 의하되, 집기비품의 m^2당 표준단가는 매뉴얼이 정하는 바에 의하며, 실질적·구체적 방법에 의한 재구입비는 물가정보지의 가격에 의한다.
가재도구	「(주택종류별·상태별 기준액×가중치)+(주택면적별 기준액×가중치)+(거주인원별 기준액×가중치)+(주택가격(m^2당)별 기준액×가중치)」의 공식에 의한다. 다만 실질적·구체적 방법에 의해 피해금액을 가재도구 개별품목별로 산정하는 경우에는 「재구입비× [1-(0.8×경과 연수/내용연수)]×손해율」의 공식에 의하되, 가재도구의 항목별 기준액 및 가중치는 매뉴얼 이 정하는 바에 의하며, 실질적·구체적 방법에 의한 재구입비는 물가정보지의 가격에 의한다.
차량, 동물, 식물	전부손해의 경우 시중매매가격으로 하며, 전부손해가 아닌 경우 수리비 및 치료비로 한다.
재고자산	「회계장부상 현재가액×손해율」의 공식에 의한다. 다만 회계장부상 현재가액이 확인되지 않는 경우에는「연간매출액÷재고자산회전율×손해율」의 공식에 의하되, 재고자산회전율은 한국은행이 최근 발표한 '기업경영분석' 내용에 의한다.
회화(그림), 골동품, 미술공예품, 귀금속 및 보석류	전부손해의 경우 감정가격으로 하며, 전부손해가 아닌 경우 원상복구에 소요되는 비용으로 한다.
임야의 입목	소실전의 입목가격에서 소실한 입목의 잔존가격을 뺀 가격으로 한다. 다만, 피해산정이 곤란할 경우 소실면적 등 피해 규모만 산정 할 수 있다.
기타	피해당시의 현재가를 재구입비로 하여 피해금액을 산정한다.

4-3 「화재조사 및 보고규정」 3(화재합동조사단 운영 등) B

1. 화재합동조단 운영 및 종료

(1) 화재합동조사단 운영 및 종료

① 소방관서장은 영 제7조 제1항에 해당하는 화재가 발생한 경우 다음에 따라 화재합동조사단을 구성하여 운영하는 것을 원칙으로 한다.

㉠ **소방청장:** 사상자가 30명 이상이거나 2개 시·도 이상에 걸쳐 발생한 화재(임야화재는 제외한다. 이하 같다)

㉡ **소방본부장:** 사상자가 20명 이상이거나 2개 시·군·구 이상에 발생한 화재

㉢ **소방서장:** 사망자가 5명 이상이거나 사상자가 10명 이상 또는 재산피해액이 100억원 이상 발생한 화재

② ①에도 불구하고 소방관서장은 영 제7조 제1항 제2호 및 「소방기본법 시행규칙」 제3조 제2항 제1호에 해당하는 화재에 대하여 화재합동조사단을 구성하여 운영할 수 있다.

③ 소방관서장은 영 제7조 제2항과 영 제7조 제4항에 해당하는 자 중에서 단장 1명과 단원 4명 이상을 화재합동조사단원으로 임명하거나 위촉할 수 있다.

④ 화재합동조사단원은 화재현장 지휘자 및 조사관, 출동 소방대원과 협력하여 조사와 관련된 정보를 수집할 수 있다.

⑤ 소방관서장은 화재합동조사단의 조사가 완료되었거나, 계속 유지할 필요가 없는 경우 업무를 종료하고 해산시킬 수 있다.

(2) 조사서류의 서식

조사에 필요한 서류의 서식은 다음에 따른다.

① **화재·구조·구급상황보고서:** 별지 제1호 서식

② **화재현장출동보고서:** 별지 제2호 서식

2. 조사 보고 등

(1) 조사 보고

① 조사관이 조사를 시작한 때에는 소방관서장에게 지체 없이 별지 제1호 서식 화재·구조·구급상황보고서를 작성·보고해야 한다.

② **조사의 최종 결과보고**

㉠ **「소방기본법 시행규칙」 제3조 제2항 제1호에 해당하는 화재:** 별지 제1호 서식 내지 제11호 서식까지 작성하여 화재 발생일로부터 30일 이내에 보고해야 한다.

㉡ **①에 해당하지 않는 화재:** 별지 제1호 서식 내지 제11호 서식까지 작성하여 화재 발생일로부터 15일 이내에 보고해야 한다.

핵심기출

「화재조사 및 보고규정」상 소실면적의 산정에 대한 내용이다. ( ) 안에 들어갈 내용으로 옳은 것은? 20. 소방간부

> 건물의 소실면적 산정은 소실바닥면적으로 산정한다. 다만, 화재피해 범위가 건물의 6면 중 2면 이하인 경우에는 6면 중의 피해면적의 합에 ( )분의 1을 곱한 값을 소실면적으로 한다.

① 3 ② 5
③ 10 ④ 15
⑤ 20

정답 ②

핵심기출

「화재조사 및 보고규정」상 조사업무처리의 기본사항 등에 관한 내용으로 옳지 않은 것은? 20. 소방간부

① 소방본부장 또는 서장은 화재현장조사를 위하여 소방활동구역을 설정하는 경우 필요한 최대범위로 설정한다.
② 화재범위가 2 이상의 관할구역에 걸친 화재에 대해서는 발화 소방대상물의 소재지를 관할하는 소방서에서 1건의 화재로 한다.
③ 지진, 낙뢰 등 자연현상으로 인한 다발화재로 동일 소방대상물의 발화점이 2개소 이상에서 발생하여도 1건의 화재건수로 한다.
④ 건축구조물 화재의 화재소실 정도는 3종류로 구분하며, 그중 전소는 건물의 70% 이상, 반소는 30% 이상 70% 미만이 소실된 것을 말한다.
⑤ 화재인지시간은 소방관서에 최초로 신고된 시점을 말하며, 자체진화 등의 사후인지 화재로 그 결정이 곤란한 경우에는 발생시간을 추정할 수 있다.

정답 ①

③ ②에도 불구하고 다음의 정당한 사유가 있는 경우에는 소방관서장에게 사전 보고를 한 후 필요한 기간만큼 조사 보고일을 연장할 수 있다.

㉠ 법 제5조 제1항 단서에 따른 수사기관의 범죄수사가 진행 중인 경우

㉡ 화재감정기관 등에 감정을 의뢰한 경우

㉢ 추가 화재현장조사 등이 필요한 경우

④ ③에 따라 조사 보고일을 연장한 경우 그 사유가 해소된 날부터 10일 이내에 소방관서장에게 조사결과를 보고해야 한다.

⑤ 치외법권지역 등 조사권을 행사할 수 없는 경우는 조사 가능한 내용만 조사하여 제21조 각 호의 조사 서식 중 해당 서류를 작성 · 보고한다.

⑥ 소방본부장 및 소방서장은 제2항에 따른 조사결과 서류를 영 제14조에 따라 국가화재정보시스템에 입력 · 관리해야 하며 영구보존방법에 따라 보존해야 한다.

(2) 화재증명원의 발급

① 소방관서장은 화재증명원을 발급받으려는 자가 규칙 제9조 제1항에 따라 발급신청을 하면 규칙 별지 제3호서식에 따라 화재증명원을 발급해야 한다. 이 경우 「민원 처리에 관한 법률」 제12조의2 제3항에 따른 통합전자민원창구로 신청하면 전자민원문서로 발급해야 한다.

② 소방관서장은 화재피해자로부터 소방대가 출동하지 아니한 화재장소의 화재증명원 발급신청이 있는 경우 조사관으로 하여금 사후 조사를 실시하게 할 수 있다. 이 경우 민원인이 제출한 별지 제13호서식의 사후조사 의뢰서의 내용에 따라 발화장소 및 발화지점의 현장이 보존되어 있는 경우에만 조사를 하며, 별지 제2호서식의 화재현장출동보고서 작성은 생략할 수 있다.

③ 화재증명원 발급 시 인명피해 및 재산피해 내역을 기재한다. 다만, 조사가 진행 중인 경우에는 "조사 중"으로 기재한다.

④ 재산피해내역 중 피해금액은 기재하지 아니하며 피해물건만 종류별로 구분하여 기재한다. 다만, 민원인의 요구가 있는 경우에는 피해금액을 기재하여 발급할 수 있다.

⑤ 화재증명원 발급신청을 받은 소방관서장은 발화장소 관할 지역과 관계없이 발화장소 관할 소방서로부터 화재사실을 확인받아 화재증명원을 발급할 수 있다.

3. 조사관의 교육훈련

(1) 화재통계관리

소방청장은 화재통계를 소방정책에 반영하고 유사한 화재를 예방하기 위해 매년 통계연감을 작성하여 국가화재정보시스템 등에 공표해야 한다.

(2) 조사관의 교육훈련

① 조사에 관한 교육훈련에 필요한 과목은 별표 3으로 한다.

② ①의 교육과목별 시간과 방법은 소방본부장, 소방서장 또는 「소방공무원 교육훈련규정」 제13조에 따라 교육과정을 운영하는 교육훈련기관의 장이 정한다. 다만, 규칙 제5조 제2항에 따른 의무 보수교육 시간은 4시간 이상으로 한다.

③ 소방관서장은 조사관에 대하여 연구과제 부여, 학술대회 개최, 조사 관련 전문기관에 위탁훈련 · 교육을 실시하는 등 조사능력 향상에 노력하여야 한다.

(3) 유효기간

이 훈령은 「훈령 · 예규 등의 발령 및 관리에 관한 규정」에 따라 이 훈령을 발령한 후의 법령이나 현실 여건의 변화 등을 검토하여야 하는 2025년 12월 31일까지 효력을 가진다.

CHAPTER 5 화재진압

1 화재진압(Fire suppression) C

1. 화재진압

(1) 개념

① 화재진압이란 화재현장에서 화재피해를 최소화하고 화재를 소화하는 현장활동을 말한다.

② 화재진압은 화재발생 대상물의 위치, 구조, 용도, 설비, 가연물의 종류와 상태, 기상, 도로, 지형 등에 따라 달라진다. 소방장비 및 기계기구의 활용방법 및 소방대의 운영 등 상황에 따른 소방전술이 필요하다.

(2) 소방력❶

① 소방대원

㉠ **지휘자**: 지휘자는 현장 활동에 있어서 보다 효과적인 화재진압을 위한 핵심적인 지휘권한 및 책임을 가진다. 대원을 확실하게 장악하고 자기의 상황판단에 따라 소방의 활동목적을 달성하며 자신의 명령에 대한 책임을 진다.

㉡ **대원**: 소방활동 시에는 신속성과 정확성이 동반된 대원이 필요로 하며, 지휘자의 지시와 명령에 따라 행동하여야 한다. 또한 체력과 정신력 및 소방에 대한 지식이 있어야 한다.

② **소방장비**: 소방장비는 소방업무를 효과적으로 수행하기 위하여 필요한 것으로「소방장비관리법」상 기동장비 · 화재진압장비 · 구조장비 · 구급장비 · 보호장비 · 정보통신장비 · 측정장비 및 보조장비로 구분한다.

③ **소방용수**: 일반적으로 소방용수라 함은 「소방기본법」상에서 규정하는 소방에 필요한 소방용수시설을 말한다. 소방용수는 소방기관이 소방활동에 사용할 것을 목적으로 시 또는 도의 책임하에 설치하거나 지정한 것이다.

> **참고** 소방용수시설의 설치기준(**「소방기본법 시행규칙」 제6조 제2항 [별표 3]**)
>
> 1. 공통기준
>   - 주거 · 상업지역 및 공업지역: 소방대상물과 수평거리 100m 이하
>   - 그 외의 지역: 소방대상물과 수평거리 140m 이하
> 2. 개별기준
>
> | 소화전 | 급수탑 | 저수조 |
> |---|---|---|
> | 연결금속구 구경 65mm | · 급수배관 구경 100mm 이상
· 개폐밸브 1.5 ~ 1.7m | · 낙차가 4.5m 이하
· 수심 0.5m 이상
· 흡수관 투입구의 길이 · 지름 60cm 이상 |

용어사전

❶ **소방력**: 소방기관이 소방업무를 수행하는 데에 필요한 인력과 장비 등을 말한다. 일반적으로 소방력이란 소방활동을 할 수 있는 소방의 힘으로서 소방의 3요소인 소방대원(소방대), 소방장비, 소방용수를 말한다.

2. 화재진압활동 시 소방대의 권한

(1) 소방활동구역의 설정(현장활동권)

① 화재, 재난 · 재해, 그 밖의 위급한 상황이 발생한 현장에 있어서 구역 내에 일정한 사람을 제외하고는 출입을 제한할 수 있다.

② 구역의 설정은 통제선을 설치하는 방법으로 하고, 구역의 범위는 화재상황에 따라서 적절하게 운용하여야 한다.

③ 소방활동구역 출입자

㉠ 소방활동구역 안에 있는 소방대상물의 소유자 · 관리자 또는 점유자

㉡ 전기 · 가스 · 수도 · 통신 · 교통의 업무에 종사하는 사람으로서 원활한 소방활동을 위하여 필요한 사람

㉢ 의사 · 간호사 그 밖의 구조 · 구급업무에 종사하는 사람

㉣ 취재인력 등 보도업무에 종사하는 사람

㉤ 수사업무에 종사하는 사람

㉥ 그 밖에 소방대장이 소방활동을 위하여 출입을 허가한 사람

(2) 소방대의 긴급통행권 및 소방자동차의 우선통행권

① **소방대의 긴급통행권:** 「소방기본법」에서 "소방대는 화재, 재난 · 재해, 그 밖의 위급한 상황이 발생한 현장에 출동하기 위하여 긴급한 때에는 일반적인 통행에 쓰이지 아니하는 도로 · 빈터 또는 물위를 통행할 수 있다."라고 규정하고 있다.

② **일반적인 통행에 쓰이지 아니하는 도로:** 사도나 부지 내의 통로를 말한다. 소방대가 통행하면 개인의 권리를 제한하게 되지만, 소방활동이라는 긴급을 요하는 경우에는 사유재산권의 침해를 허용하는 범위에 해당한다.

③ **소방자동차의 우선통행권:** 「소방기본법」에서 "모든 차와 사람은 소방자동차(지휘를 위한 자동차와 구조 · 구급차 포함)가 화재진압 및 구조 · 구급 활동을 위하여 출동을 할 때에는 이를 방해하여서는 아니 된다."라고 규정하고 있다.

④ **소방자동차의 사이렌 사용 시 방해행위 금지사항**

㉠ 소방자동차에 진로를 양보하지 아니하는 행위

㉡ 소방자동차 앞에 끼어들거나 소방자동차를 가로막는 행위

㉢ 그 밖에 소방자동차의 출동에 지장을 주는 행위

(3) 강제처분 · 종사명령(긴급조치권)

「소방기본법」 제25조의 **강제처분** 규정은 소방대가 활동 시 소방대의 소화활동, 연소의 방지, 인명구조활동에 관하여 이 조항을 근거로 관계자 및 대상물에 대하여 강제처분을 할 수 있게 되어 있다.

(4) 정보수집권(정보수집조사권)

화재에서의 적절한 진압을 위한 정보수집이 필요하다. 화재안전조사 또는 경방조사를 통하여 정보를 수집하고 비밀누설금지의 의무를 준수하여야 한다.

3. 화재진압 시 안전관리

(1) 임무수행과 안전관리

① 안전관리라 함은 지휘자와 대원의 안전을 확보하는 것이다. 지휘자는 대원의 안전을 무시한 전술을 결정하여서는 아니 된다. 안전관리는 그 자체가 목표는 아니며, 조직목표를 달성하기 위한 수단이다.

② 대원들은 위험상황을 직감하지 못하는 수가 많아 위험에 노출되는 경우가 많다. 현장에서의 지휘자는 출동대의 임무를 지정하였다고 하여 임무가 완료되는 것은 아니며, 활동환경을 주도면밀하게 관찰하여야 하고 상황의 변화와 대원의 위치를 끊임없이 확인 · 검토하여 대원의 안전 확보에 노력하여야 한다.

③ **현장에서의 활동은 2인 1조 활동을 원칙**으로 하며 지휘자는 주의 깊은 관찰로 대원 개인별 특성을 미리 파악하여 개인별 임무활동에 반영한다.

(2) 소방공무원 생명보호 우선과제(2019년 신임교육과정 소방전술 I)

① 안전과 관련된 문화적 변화의 필요성을 인식한다. 이러한 변화에는 지휘, 관리, 감독, 책임, 개인별 임무라는 각 요소의 적절한 융합이 요구된다.

② 건강과 안전에 대한 개인적 · 조직적 책임감을 향상시킨다.

③ 현장대응의 모든 단계에 있어서 안전관리에 관심을 기울인다.

④ 모든 소방공무원은 위험한 임무수행을 중단시킬 수 있는 권한을 가진다.

⑤ 훈련 및 자격인증 등 국가차원의 제도를 발전시키고 이에 적극 참여한다.

⑥ 소방공무원 건강검진과 관련된 제도를 발전시키고 이에 적극 참여한다.

⑦ 생명보호 우선원칙 수립을 위한 정보를 수집하고 관련 연구과제를 개발한다.

⑧ 건강과 안전을 한 단계 발전시킬 수 있는 사용 가능한 기술을 활용한다.

⑨ 모든 순직사고 및 공상사고를 철저히 조사한다.

⑩ 안전관리훈련을 정기적으로 실시할 수 있는 제도를 정착시킨다.

⑪ 표준작전절차 등 국가적인 대응절차 및 매뉴얼을 개발하고 준수한다.

⑫ 위험한 상황별 대응방법을 국가적으로 개발하고 준수한다.

⑬ 소방공무원과 그 가족들에 대하여 정신의학적 치료의 기회를 제공한다.

⑭ 국민을 대상으로 하는 화재 시 생명보호 교육에 충분한 교육 자료를 제공한다.

⑮ 건축물에 설치되는 소방시설의 기준을 강화한다.

⑯ 소방활동장비를 개발함에 있어 안전 및 생명보호를 최우선 고려사항으로 한다.

(3) 전략전술(Strategy and Tactics)

① 소방현장에서의 가장 흔하게 활용되는 전략전술의 개념은 우선순위에 따른 화재진압을 하는 것이다.

② **5가지 대응목표 우선순위에 따른 자원배치**(RECEO): 생명보호(Rescue) → 외부확대방지(Exposure) → 내부확대방지(Con·ne) → 화점진압(Extinguish) → 재발방지를 위한 점검 · 조사(Overhaul)

③ 최근 이러한 5단계(RECEO)의 마지막 6단계에 '화재발생 부지(장소) 내 현장 안전조치(Safeguard)'를 추가하여 6단계(RECEOS) 대응우선순위 전략개념으로 활용하고 있다.

2 단계별 화재진압활동 C

1. 출동준비

(1) 평소 보유장비의 점검 · 정비와 출동구역 내의 소방용수시설 및 지리조사, 소방대상물에 대한 소방활동자료조사 등을 통하여 소방장비를 최고의 상태로 유지하여야 한다.

(2) 관할구역 내의 지리 및 소방통로와 소방용수에 대한 조사활동을 통하여 관리유지 상태와 변동사항을 수시로 확인하여야 한다.

2. 화재출동

(1) 화재를 접수하고 소방대가 현장에 도착할 때까지의 일련의 행동을 화재출동이라고 한다.

(2) 출동로 선정은 화재현장으로 안전하고 단시간에 도착할 수 있는 도로를 선정하는 것을 원칙으로 한다. 일반적으로 화재현장에 가장 가깝고, 주행하기 쉽고, 타 대의 진입방향과 중복되지 않는 도로 등 여러 조건을 종합적으로 판단하여 결정한다.

3. 현장도착

소방대의 현장도착 시의 활동은 도착순위에서 선착대 및 후착대로 나누어지고 각각 중점으로 하여야 할 활동내용이 정해져 있다.

(1) 선착대

① 인명검색 및 구조활동을 우선시한다.

② 연소위험이 가장 큰 방면에 포위 부서한다.

③ 화점 근처의 소방용수시설을 점유한다.

④ 사전 경방계획을 충분히 고려하여 행동한다.

⑤ 재해실태, 인명위험, 소방활동상 위험요인 등과 같은 상황을 신속히 후착대에게 적극적 정보를 제공한다.

(2) 후착대

① 선착대와 연계하여 인명구조활동 등 중요임무 수행을 지원한다.

② 화재방어는 선착대가 진입하지 않는 곳을 우선한다.

③ 방어할 필요가 없는 경우는 지휘자의 명령에 따라 급수 및 비화경계, 수손방지 등의 업무를 수행한다.

④ 과잉파괴행동 등 불필요한 활동은 하지 않는다.

4. 화점확인

(1) 현장에 도착한 소방관들의 첫 임무는 화재가 발생한 위치를 찾는 것이다.

(2) 우선 화재가 발생한 건축물 내부의 화재 위치와 크기를 아는 것이 이후 화재진압의 기초가 된다.

핵심 적중

소방전술 시 선착대의 임무로서 옳지 않은 것은?

① 인명검색 및 구조활동을 우선시한다.
② 연소위험이 가장 큰 방면에 포위 부서한다.
③ 사전 경방계획을 충분히 고려하여 행동한다.
④ 급수 및 비화경계, 수손방지 등의 업무를 수행한다.

정답 ④

5. 진입 및 인명구조활동

(1) 농연 내에서의 진입요령

① 공기호흡기 및 휴대용 경보기를 확실하게 착용한다.

② 퇴로확보에 필요한 로프, 조명기구 코드 및 수관 등 외부와 연락할 수 있는 수단을 확보하고 확인한다.

③ 화점실 등의 문을 개방하는 경우는 화염의 분출 등에 의한 위험을 피하기 위하여 문의 측면에 위치하고 엄호방수 태세를 취하면서 서서히 문을 개방한다.

④ 직상층에서 깊숙이 진입할 때는 특별피난계단, 피난사다리, 피난기구 등의 위치를 확인하고 **반드시 퇴로를 확보하여 놓는다.**

⑤ 내화조건물이나 지하실, 터널 등 연기가 충만하기 쉬운 건물 화재에서는 자세를 낮추어서 **중성대 아래쪽으로부터 진입하는 것이 원칙**이다.

⑥ 농연이 충만해 있는 실내에서는 열기가 있는 연기는 상승하는 성질로 인하여 바닥에 가까운 위치에서는 연기가 적은 경우가 많으므로, 진입을 하기 전에 내부를 밑에서부터 관찰하는 것이 중요하다.

(2) 옥내 진입요령

① 처마 밑을 통과할 때는 기와의 낙하나 건물벽 등의 추락물을 확인한다.

② 개구부를 급격히 개방하면 화염·농연의 분출이 있으므로 주의한다. 특히 개구부를 정면으로 대한 자세로 개방하는 것은 위험성이 매우 높다.

③ 퇴로를 확보하면서 진입한다. 화재상황이 변화할 경우 언제라도 탈출할 수 있는 체제를 갖추어 두어야 한다.

6. 배연

(1) 배연의 필요성

① 인명구조

② 호스연장과 관창배치

③ 폭발 및 연소확대의 방지

(2) 배연활동 시 주의점

① 건물 내부의 연기, 열기의 상태, 건물 상태, 인명위험의 유무를 종합적으로 판단하여 배연을 하여야 한다.

② 화재의 특성을 고려하여 개방 및 폐쇄하여야 할 개구부를 결정한다.

③ 자연환기방식, 강제환기방식 중 효율적이라고 판단하는 것을 선택한다.

(3) 분무주수를 활용한 배연·배열

① **분무주수에 의한 배연방법**

㉠ 관창압력은 0.6MPa 이상 분무주수를 한다.

㉡ 관창의 각도는 60도 정도로 급기구를 완전히 덮을 수 있는 거리를 주수 위치로 선정한다.

㉢ 급기구측에서 분무주수하여 기류를 이용하는 배연방법이다.

간접공격법 요령

1. 가연물 또는 옥내의 온도가 높은 상층부를 향하여 주수합니다.
2. 간접공격법에 의한 주수 시 개구부는 가능한 한 작게 하는 것이 위험성을 감소시킵니다.
3. 가열증기가 몰아칠 염려가 있는 경우에는 분무주수에 의한 고속분무로 화재가 발생한 실내의 천장면에 충돌시켜 반사주수를 병행합니다.
4. 옥내의 연소가 완만하여 열기가 적은 연기의 경우 로이드레만법을 이용하는 것은 효과는 없으므로 유의합니다.

② 간접공격법(로이드레만 전법)에 의한 배연·배열

㉠ 간접공격법: 연기와 열을 제거할 때 물의 흡열작용에 의한 냉각과 환기로 옥내 고온기체 및 연기의 배출을 보다 유효하게 하기 위한 안개모양의 주수법이다.

㉡ 물의 큰 기화잠열과 기화 시의 체적팽창력을 활용하여 배연·배열하는 방법이다.

7. 소방호스 연장

소방호스의 연장에는 옥내 수관연장과 옥외 수관연장으로 구분된다. 옥내 수관연장은 연결송수관과 계단을 이용하는 방법이 있고, 옥외 수관연장은 옥외계단과 개구부를 이용하는 방법이 있다. 연장은 사다리, 파괴기 운반, 호스연장 순으로 하여야 한다.

8. 관창 배치

(1) 노즐배치(관창배치)의 일반원칙

① 소방활동에 필요한 관창을 배치함과 동시에 구조를 요청하는 자의 악화방지를 위하여 관창을 배치한다.

② 소화와 엄호를 위한 관창배치 후 경계관창을 배치한다.

(2) 일반목조건물의 화재 노즐 배치

연소의 위험이 큰 쪽을 먼저 배치하며, 분무주수 전환이 될 수 있는 것으로 하여야 한다. 또한 방수구는 3구를 원칙으로 한다.

(3) 노즐의 우선배치

① 인접건물로 화재가 확대 위험이 있는 방향에 우선 배치한다.

② 도로에 접하지 않는 곳을 우선 배치하여야 하며, 풍횡측 및 풍상측의 순으로 포위하여야 한다. 단, 중앙부화재는 풍하측을 우선으로 한다.

③ 2층 이상의 건물은 위층을 중점으로, 단층일 경우에는 천장 속을 중점으로 한다.

④ 최성기에 건물의 풍하측에 우선 배치하고, 풍횡측 및 풍상측 순으로 포위한다.

9. 방수

(1) 방수(Fire stream)의 종류

① **봉상주수**: 물줄기와 같은 모양으로 방사되는 형태로 대량의 물이 필요하고 호스의 반동이 크다.

② **분무주수**: 물을 작은 물방울 또는 안개와 같이 미세하게 흩뿌리는 방식이다.

(2) 주수방법

① **집중주수**: 연소물 또는 인명의 구조를 위한 엄호를 위하여 한 곳에 집중적으로 주수하는 것을 말하며 주수목표에 접근하지 않도록 주의한다.

② **확산주수**: 연소물이나 연소위험이 있는 장소에 대하여 넓게 관창을 상하, 좌우, 원을 그리듯이 주수하는 방법이다.

③ **반사주수**: 장해물로 인한 주수사각 때문에 주수목표에 직접 주수할 수 없는 경우, 벽, 천장 등에 물을 반사시켜 주수하는 방법이다.

④ **유하주수**: 주수압력을 약하게 하여 물이 흐르듯이 주수하는 방법으로 건물의 벽 속에 잠재해 있는 화세의 잔화처리 등에 이용한다.

3 소방전술 B

1. 소방전술의 기본원칙

(1) 신속대응의 원칙

화재를 신속히 발견하고 출동·대응한다면 피해가 확대되기 전에 진화할 수 있다는 원칙이다.

(2) 인명구조 최우선의 원칙

사람의 생명은 무엇보다 소중하므로 다소 재산피해를 감수하더라도 인명보호를 최우선 과제로 삼아야 한다는 원칙이다.

(3) 선착대 우위의 원칙

화재현장에 가장 먼저 도착한 소방대의 주도적인 역할을 존중한다는 원칙이다.

(4) 포위공격의 원칙

소방대가 화재의 전후·좌우·상하에서 입체적으로 공격하거나 방어하는 방안을 강구하여, 한 방향에서만 화재를 공격함으로써 다른 방향으로 화재가 확대되는 것을 막을 수 있다는 원칙이다. 다만, 화재의 윗부분이나 바람이 불어오는 방향 등 화재가 급격히 확대되는 쪽은 소방관 손실의 위험이 있으므로 연소확대 저지에 그쳐야 한다.

(5) 중점주의의 원칙

화세에 비추어 소방력이 부족하여 불가피한 경우에는 가장 피해가 적을 것으로 판단되는 부분의 희생을 감수하더라도 보다 중요한 부분을 집중적으로 방어하여야 한다는 수세적인 원칙이다. 화재는 초기에 대량의 소방력을 투입하여 일거에 진압하는 것이 바람직하지만, 소방력이 충분하지 못한 지역에서 발생하는 특수 및 대형화재에는 중점주의가 적용될 수 있다.

2. 소방전술의 분류

(1) 포위전술

화재는 사방으로 확대되기 때문에 포위하여 관창을 배치·진압한다. 출동초기부터 차량으로 포위태세로 임하고 만약 소방대의 배치가 한쪽 방향으로 치우친 경우에는 호스선으로 포위한다.

(2) 블록전술

주로 인접건물로의 화재확대방지를 위해 적용하는 전술형태로 블록의 4방면 중 확대가능한 면을 동시에 방어하는 전술이다.

(3) 중점전술

화세에 비해 소방력이 부족하거나 천재지변 등으로 전체 화재현장을 모두 통제할 수 없는 경우, 화재발생장소 주변에 사회적 · 경제적 혹은 소방상 중요한 시설 또는 대상물이 있고 이것에 중점을 두어 진압하는 경우 또는 천재지변 등 보통의 전술로는 진압이 곤란한 경우의 전술이다. 대폭발 등으로 다수의 인명보호를 위하여 피난로, 피난예정지 확보작전 등으로 보다 중점적으로 방어하는 데 사용된다.

(4) 집중전술

부대가 집중하여 일시에 진화하는 작전으로 위험물 옥외저장탱크 화재 등에 사용된다.

3. 공격전술과 수비전술

(1) 공격전술

소방력이 화세보다 우세한 경우 **직접방수** 등의 방법에 의하여 일시에 소화하는 것을 목적으로 소방력을 화점에 집중적으로 발휘하게 하는 전술이다.

(2) 수비전술

소방력이 화세보다 약한 경우 화면을 포위하고 방수 등에 의하여 화세를 저지하는 것을 의미하며, 소방대가 현장도착 후 **화세가 소방력보다 우세한 경우 먼저 수비전술을 취하고 점점 공격전술로 전환한다.**

4. 직접공격과 간접공격

(1) 직접공격

① **화점을 타격하여 연소물을 분산시키고, 열을 냉각시키는 것**을 말한다. 직상주수로 대량의 물을 화점에 일시에 타격하는 방법으로 화재가 최성기 직전이거나 인명을 보호하기 위하여 사용한다.

② 화재가 확대되는 것을 막을 수 있는 장점이 있으나 공격하는 소방관이 위험에 처할 수 있다.

③ 일반적으로 불길의 진행방향에서 **직상주수**로 화점에 직접 타격하는 것이 가장 효과적이다.

(2) 간접공격

① **화점의 주위를 공격하여 질식시키거나 냉각시키는 방법이다.**

② **분무주수를 주로 이용한다.**

③ 밀폐된 공간에서 사용할 때에는 최대의 질식효과를 거둘 수 있다.

MEMO

PART 4

소화론

CHAPTER 1 소화이론

1 소화의 기본원리 A

1. 제거소화

(1) 정의

연소의 3요소 또는 4요소 중 하나인 가연물을 점화원이 없는 장소로 신속하게 제거하거나 안전한 장소로 이동시키는 소화방법을 말한다.

(2) 소화방법

① 양초의 촛불을 입김으로 끄는 소화방법이 해당한다.

② 제거소화는 부촉매소화와 달리 질식소화·냉각소화와 함께 물리적 소화로 구분할 수 있다. 즉, 제거소화는 물리적 소화이며 부촉매소화는 화학적 소화이다.

③ 전기를 사용하는 전기기기·전열기·전기난로 등에 화재가 발생하였을 때에는 전기의 공급을 차단시켜 소화되게 한다.

④ 연소하지 않은 미연소 가스를 제거하거나 화염에 바람을 불어 점화원과 가연성 가스와의 접촉을 차단시켜 소화시키는 것도 제거소화방법의 하나이다.

⑤ 가스화재 시 가스의 공급을 차단하여 소화하는 방법이 해당한다.

⑥ 실내에 액화석유가스(LPG)가 누설되어 화재가 발생하였을 때 저장용기의 주 밸브를 폐쇄시켜 소화하는 방법이 해당한다.

⑦ 산림화재 시 벌목하는 방법(방화선 구축)은 제거소화에 해당한다.

⑧ 유류탱크화재 시 질소폭탄으로 폭풍을 일으켜 증기를 날려보내는 것이 해당한다.

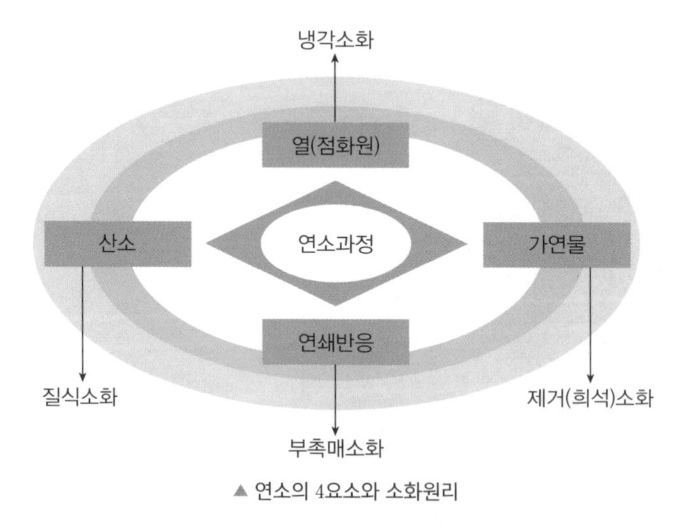

▲ 연소의 4요소와 소화원리

정희's 톡talk

소화의 원리
화재는 발화 → 연소 → 연소확대로 성장합니다. 소화는 이러한 연소확대 메커니즘을 차단함으로써 가능합니다.

소화방법
연소의 3요소를 차단하는 질식·냉각·제거(물적·에너지 조건 제어)하는 물리적 소화방법이 있습니다. 또한 화학적 제어를 통해 연소의 연쇄반응을 억제하는 화학적 소화방법이 있습니다.

핵심기출

01 다음 중 제거소화방법으로 옳은 것은? 20. 소방간부

ㄱ. 전기화재 시 전원 차단 ㄴ. 가스화재 시 가스공급 차단 ㄷ. 일반화재 시 옥내소화전 사용 ㄹ. 유류화재 시 포소화약제 사용 ㅁ. 산불화재 시 방화선(도로) 구축

① ㄱ, ㄴ, ㄹ ② ㄱ, ㄴ, ㅁ
③ ㄴ, ㄷ, ㄹ ④ ㄴ, ㄹ, ㅁ
⑤ ㄷ, ㄹ, ㅁ

정답 ②

02 가스화재 시 밸브를 차단시켜 가스공급을 중단시키는 소화방법의 소화원리로 옳은 것은? 17. 소방간부

① 냉각소화
② 질식소화
③ 제거소화
④ 억제소화
⑤ 희석소화

정답 ③

2. 질식소화(물적 조건에 의한 소화)

(1) 개요

① 가연물질이 연소를 지속하기 위해서는 충분한 공기의 공급이 이루어져야 한다. 일반적으로 공기 중의 산소의 농도는 21vol% 존재하고 있는데, 가연물에 공급되는 공기 중의 **산소의 농도를** 15vol% **이하**로 유지하면 연소 상태의 유지가 어려워 연소 상태가 정지되는 것을 이용한 소화방법이다. 즉, **공기 중의 산소농도를 낮추어 소화하는 방법**을 말한다.

② 연소 중인 가연물질에 공급되는 공기의 양을 물리적으로 줄여 소화하기도 하고, 가스계 소화약제를 방사시켜 상대적으로 산소의 농도를 낮추어 질식소화하기도 한다.

③ **제5류 위험물**은 물질 자체에 산소를 포함하고 있으므로 **질식소화의 방법이 효과적이지 않다.**

④ 질식소화 효과가 있는 소화약제는 **무상으로 방사하는 물소화약제, 무상의 강화액 소화약제, 무상의 산알칼리소화약제, 포소화약제, 이산화탄소소화약제, 할론소화약제, 분말소화약제, 할로겐화합물 및 불활성기체 소화약제 등**이 있다.

⑤ 유화질식, 희석질식, 피복질식으로 산소공급원을 차단하여 소화한다.

(2) 소화방법

① 물소화약제는 수증기가 될 때 약 1,700배로 팽창한다. 수증기가 공기 중의 산소의 농도를 희석하여 질식소화한다.

② 유지류 등의 화재 시에 포(Foam)소화약제로 덮어 소화하는 방법을 말한다.

③ **이산화탄소**는 **비중이** 1.52**로 공기 또는 산소보다 무거워** 가연물질에 방출되면 가연물질의 표면에 불연층을 형성하거나 둘러싸 산소의 공급을 차단시켜 화재를 소화하는 질식소화작용이 다른 소화약제에 비하여 우수하다(불연성기체로 덮는 방법).

④ 할론소화약제는 그 자체가 열에 연소하지 않는 물질로서 대기에 방출되면 비중이 공기보다 무겁고(열분해생성가스도 같음) 전기의 절연성이 높아 가연물질의 연소에 필요한 공기 중의 산소의 공급을 차단하여 질식시켜 소화한다.

⑤ 할론 대체물질인 할로겐화합물 및 불활성기체 소화약제가 일정한 방호구역 또는 방호대상물에 방출되어 **공기 중의 산소의 농도를 낮게 하여 화재를 소화하는 소화작용**을 말한다.

⑥ 제3종 분말소화약제는 제1인산암모늄으로부터 열분해되어 나온 기체상의 암모니아·수증기 등이 공기 중의 산소의 공급을 차단하거나 희석시켜 소화하는 질식소화작용을 한다.

⑦ 탄산수소나트륨의 열분해과정에서 발생되는 기체상태의 이산화탄소(CO_2), 수증기가 가연물질의 산소량의 부족으로 인하여 소화되게 하는 작용을 한다.

⑧ 연소물을 수건이나 담요 등으로 덮어 소화하거나, 금속화재 시 건조 또는 팽창질석 등을 이용하는 경우도 해당한다.

질식소화

질식소화는 산소공급원을 차단하는 소화방법입니다. 물적 조건에 의한 소화방법으로 유화질식, 희석질식, 피복질식 등이 있습니다.

핵심 적중

01 다음 설명에 해당하는 소화방법으로 옳은 것은? 18. 하반기 공채

> 일반적으로 공기 중의 산소농도 21%를 15% 이하로 희석하거나 저하시키면 연소 중인 가연물은 산소의 양이 부족하여 연소가 중단된다.

① 냉각소화
② 질식소화
③ 제거소화
④ 유화소화

정답 ②

02 질식소화에 대한 설명으로 가장 옳은 것은? 17. 하반기 공채

① 연소가 진행되고 있는 계의 열을 빼앗아 온도를 떨어뜨림으로써 불을 끄는 방법이다.
② 가연물을 제거하여 연소현상을 제어하는 방법이다.
③ 화염이 발생하는 연소반응을 주도하는 라디칼을 제거하여 중단시키는 방법이다.
④ 연소의 물질조건 중 하나인 산소의 공급을 차단하여 소화의 목적을 달성하는 방법이다.

정답 ④

03 다음 소화방법 중 다른 하나는?

① 양초에 촛불을 입김으로 소화하였다.
② 유류화재 시 폭발물의 후폭풍으로 소화하였다.
③ 산불화재 시 물로서 소화하였다.
④ 전기화재 시 라디칼의 형성을 억제하면서 소화하였다.

정답 ④

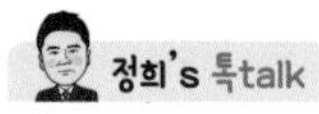

냉각소화

냉각소화는 점화원을 차단하는 소화방법으로 에너지 조건에 의한 소화입니다. 즉, 발열과 방열의 균형을 깨트려 점화에너지를 차단하여 소화합니다.

핵심기출

소화방법에 대해 옳은 설명만을 모두 고른 것은? 21. 공채

ㄱ. 질식소화는 일반적으로 공기 중 산소 농도를 낮추어 소화하는 방법을 말한다.
ㄴ. 냉각소화가 가능한 약제로는 물, 강화액, CO_2, 할론 등이 있다.
ㄷ. 피복소화는 비중이 물보다 큰 비수용성 유류화재 시 무상주수하여 소화하는 방법을 말한다.
ㄹ. 부촉매소화는 가스화재 시 가스공급을 차단하여 소화하는 방법을 말한다.

① ㄱ, ㄴ ② ㄱ, ㄴ, ㄷ
③ ㄴ, ㄷ, ㄹ ④ ㄱ, ㄴ, ㄷ, ㄹ

정답 ①

3. 냉각소화(에너지 조건에 의한 소화)

(1) 개요

① 연소의 3요소 또는 4요소 중의 점화원을 이용한 소화의 원리로써 연소 중인 **가연물질의 온도를 발화점 이하로 냉각시켜 소화하는 것**을 말한다.

② 냉각소화가 가능한 소화약제로는 물소화약제, 강화액소화약제, 이산화탄소소화약제, 할론소화약제, 포소화약제 등이 있다.

(2) 소화방법

① 연소가 지속되고 있는 상황에서 물리적 소화의 한 방법으로 **연소상태에 있는 가연성 분해물질의 생성을 억제하는 방법**이 해당한다.

② 점화원의 열을 점화원 유지상태 이하로 가연물질을 냉각하기 위한 것이다.

③ **아레니우스 방정식은 연소속도와 온도와의 관계를 나타낸다. 아레니우스 방정식은 소화원리 중 냉각소화와 밀접한 관계가 있다.**

④ 연소 시 발생하는 열에너지를 흡수할 수 있는 물질을 이용하여 소화하는 방법을 말한다.

⑤ 물소화약제로 사용할 경우 화재발생 장소의 주위로부터 많은 열을 흡수하기 때문에 빠른 시간 내에 화재의 온도를 발화점 이하로 냉각시켜 주로 냉각소화작용을 한다.

⑥ **물소화약제**는 연소상태에 있는 가연물질을 다른 물질에 비하여 **비교적 큰 비열과 기화열을 이용**하여 열을 흡수하거나 빼앗는 방법으로 냉각하여 소화할 수 있다.

⑦ **이산화탄소소화약제**는 고압용기에 액상으로 저장한 뒤 화재 시 방출하면 액상의 이산화탄소가 기체상의 이산화탄소로 기화하면서 화재발생 장소의 주위로부터 많은 열을 흡수하므로, 화재를 발화점 이하로 냉각시켜 소화시키는 기능을 한다.

⑧ **할론소화약제**는 비점이 낮고 액상에서 기체상으로 기화하는 과정에서 주위의 열을 흡수하여 화재를 발화점 이하로 냉각시켜 소화하는 냉각소화작용을 한다.

⑨ **할론 대체물질인 할로겐화합물 및 불활성기체 소화약제**도 할론소화약제와 같이 화재의 소화과정에서 주위로부터 많은 증발잠열을 흡수하며 냉각소화작용을 하지만 비열의 값은 물에 비해 낮다.

⑩ **탄산수소칼륨**은 탄산수소나트륨보다 낮은 온도에서 열분해를 하며, 금속칼륨이 금속나트륨에 비하여 반응성이 크므로 냉각소화작용이 우수하다.

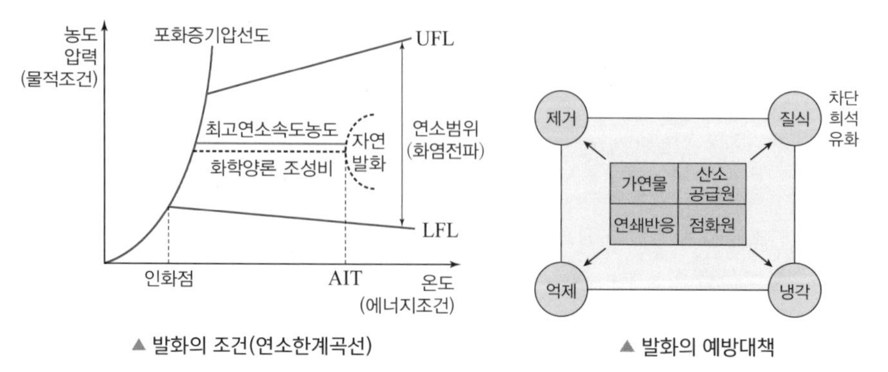

▲ 발화의 조건(연소한계곡선) ▲ 발화의 예방대책

4. 부촉매소화(연쇄반응 억제에 의한 소화)

(1) 개요

① 가연물질의 연속적인 연쇄반응이 진행하지 않도록 **부촉매를 이용하여** 연소현상인 화재를 소화시키는 방법을 부촉매소화라고 한다.

② 화학적 원리를 이용하기 때문에 일명 화학적 소화라 하고, 연속적인 연쇄반응을 억제하여 **화염을 형성하는 라디칼을 없앰으로써 소화하여 억제소화라고도 한다.**

③ **표면연소(무염연소)물질들은** 연쇄반응을 동반한 연소가 아니므로 **부촉매소화효과를 얻기 어렵다.**

(2) 소화방법

① 탄산칼륨을 함유한 강화액은 K^+로 인해 부촉매소화효과를 가진다.

② 할론소화약제가 가지고 있는 **할로겐족 원소인 불소(F)·염소(Cl) 및 브롬(Br)이** 가연물질을 구성하고 있는 활성화되어 생성된 수소기(H), 수산기(OH)와 작용하여 가연물질의 연쇄반응을 차단·억제시켜 더 이상 화재를 진행하지 못하게 하는 소화작용을 한다.

③ 할론의 대체물질인 할로겐화합물 및 불활성기체 소화약제도 할론소화약제처럼 화재의 열에 의해서 가연물질로부터 활성화된 활성유리기인 수소기(H) 또는 수산기(OH)와 반응하여 가연물질의 연속적인 연쇄반응을 차단·방해하는 부촉매소화작용이 우수하다.

④ 제3종 분말소화약제는 제1인산암모늄으로부터 유리되어 나온 활성화된 암모늄이온(NH_4^+)이 가연물질 내부에 함유되어 있는 활성화된 수산이온(OH^-)과 반응하여 연속적인 연소의 연쇄반응을 억제·차단함으로써 화재를 소화한다.

요약NOTE 소화의 기본원리

냉각소화	질식소화
· 일반화재 시 옥내소화전 사용 · 발화점 또는 인화점 이하로 냉각하여 소화 · 연소가 진행되고 있는 열을 빼앗아 소화하는 방법 · 열을 흡수하여 가연성 연소생성물의 생성을 줄여 소화하는 방법 · 일반적으로 봉상주수에 의한 방법 · 물리적 소화에 해당	· 유류화재 시 포소화약제 사용(주된 소화원리) · 공기 중 산소농도를 15% 이하로 낮추어 소화하는 방법 · 산소의 공급을 차단하여 소화하는 방법 · 일반적으로 분무주수에 의한 방법 · 물리적 소화에 해당
제거소화	**부촉매소화**
· 전기화재 시 전원 차단 · 촛불을 입으로 불어서 소화하는 방법 · 가스화재 시 가스공급 차단 · 산불화재 시 방화선(도로) 구축 · 연소물이나 화원을 제거하여 연소반응을 중지시켜 소화 · 물리적 소화에 해당	· 할론소화약제를 사용하여 화학적 연쇄반응 속도를 줄여 소화하는 방법 · 연쇄반응 속도를 늦추어 소화하는 방법 · 연소반응을 주도하는 라디칼을 제거하여 중단시키는 방법 · 화학적 소화에 해당

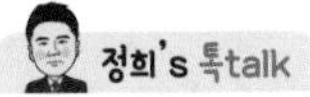

화학적 소화는 작열연소(심부화재)에는 효과가 없습니다. 불꽃연소에 한하여 사용할 수 있는 방법으로 화학반응력의 차이를 이용한 연쇄반응의 억제를 통하여 소화하는 방법이 있습니다.

핵심기출

01 가연물의 화학적 연쇄반응 속도를 줄여 소화하는 방법으로 옳은 것은? 20. 공채

① 다량의 물을 주수하여 소화한다.
② 할론소화약제를 사용하여 소화한다.
③ 연소물이나 화원을 제거하여 소화한다.
④ 에멀션(Emulsion) 효과를 이용하여 소화한다.

정답 ②

02 다음 중 부촉매소화효과를 가장 기대하기 힘든 물질은 무엇인가? 17. 하반기 공채

① 강화액소화약제
② 할로겐화합물 소화약제
③ 수성막포
④ 제3종 분말소화약제

정답 ③

03 소화방법에 관한 설명으로 옳은 것만을 〈보기〉에서 있는 대로 고른 것은? 23. 공채

〈보기〉
ㄱ. 산림화재 시 화재 진행방향의 나무를 벌목하는 것은 제거소화의 방법 중 하나이다.
ㄴ. 물은 비열, 증발잠열의 값이 작아서 주로 냉각소화에 사용된다.
ㄷ. 부촉매 소화는 화학적 소화에 해당한다.
ㄹ. 유류화재는 포 소화약제를 방사하여 유류 표면에 얇은 층을 형성함으로써 공기 공급을 차단해 소화한다.
ㅁ. 물에 침투제를 첨가하는 이유는 표면장력을 증가시켜 소화능력을 향상하기 위함이다.

① ㄱ, ㄷ, ㄹ　② ㄴ, ㄹ, ㅁ
③ ㄱ, ㄴ, ㄷ, ㄹ　④ ㄱ, ㄷ, ㄹ, ㅁ

정답 ①

5. 기타소화

(1) 피복소화

① 연소물질의 주위를 둘러싸 산소의 공급을 차단시킴으로써 더 이상 연소나 화재가 진행되지 않도록 하여 소화시키는 소화작용이다.

② 피복소화작용을 가지는 소화약제로는 전기나 열의 부도체로서 비중이 공기보다 무거운 기체상의 소화약제는 피복소화효과가 있으나 대표적인 피복소화효과가 있는 것은 이산화탄소소화약제이다.

③ **이산화탄소를 소화약제**로 방사하였을 경우 이산화탄소의 **증기비중은** 1.52로서 공기보다 1.52배 무거워진다.

④ 피복소화를 하는 이산화탄소는 피연소물에 대한 물리·화학적 변화나 피해를 주지 않는다. 사람이 있는 공간에서의 사용은 인체의 질식이 우려되므로 상당한 주의가 필요하다.

(2) 유화소화

① 유화소화는 유류표면에 유화층을 형성하여 산소의 공급을 차단하여 소화하는 방법을 말한다.

② **유화층은 유류표면에 물과 유류의 중간 성질을 가지는 엷은 층**을 말한다.

③ 일반적으로 **비중이 물보다 큰 중유 등으로 인한 화재** 시 무상의 물소화약제로 방사하거나 포소화약제를 유류화재 시 방사하는 경우 유류표면에 유화층을 형성하여 공기 중의 산소의 공급을 차단시켜 소화하는 작용을 말한다.

④ 유화소화작용을 가지는 소화약제는 대부분 상온에서 액체 또는 수용액 상태로 존재하여야 하며, 주로 **비수용성 물질**의 소화에 쓰인다.

⑤ 유화소화효과를 크게 하기 위해서는 유면의 속도에너지를 키워야 하므로 질식소화보다는 물입자를 약간 크게 하고 좀 더 강하게 분무하여야 한다.

⑥ 수용액 상태의 물·강화액소화약제의 경우에는 무상으로 방사하여야 한다.

(3) 희석소화

① 희석소화작용이 적용되는 가연성 액체는 물에 용해되는 **수용성의 가연물질**이어야만 한다. 수용성 가연물질인 알코올·에스테르·케톤 등으로 인한 화재에 많은 양의 물을 방사하여 가연물질의 농도를 연소농도 이하로 희석하여 소화시키는 작용이다.

② 수용성의 가연물질에 소화약제인 물을 대량으로 방사하여 수용성 가연물질의 연소농도를 낮추어 희석하여 소화하는 것을 희석소화라 한다.

③ 연소하고 있는 가연물질에 공급되고 있는 **산소의 농도를 연소농도 이하로 낮추어 소화하는** 것은 희석소화이면서 질식소화라 할 수 있다.

(4) 방진소화

제3종 분말소화약제를 고체 화재면에 방사 시 **메타-인산**(HPO_3)이 생성되어 유리질의 피막을 형성하므로 열분해 생성으로 인한 방진효과가 나타나게 된다.

$$NH_4H_2PO_4 \rightarrow HPO_3 + NH_3 + H_2O$$

핵심기출

다음에서 설명하는 소화방법은? 19. 소방간부

> 비중이 물보다 큰 중유 등 비수용성 유류화재 시 무상주수하거나 포소화약제를 방사하여 유류표면에 엷은 층이 형성되어 공기 중의 산소 공급을 차단시켜 소화하는 방법을 말한다.

① 제거소화법
② 유화소화법
③ 억제소화법
④ 방진소화법
⑤ 피복소화법

정답 ②

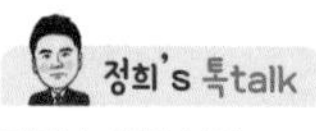

기타소화의 분류
1. 피복소화: 이산화탄소소화약제
2. 유화소화: 중유(비수용성), 무상
3. 희석소화: 수용성 물질
4. 방진소화: 제3종 분말(메타인산)

제3종 분말소화약제
제3종 분말소화약제가 A급 화재에도 효과가 있는 이유는 열분해 시 발생된 메타-인산의 피막효과 때문입니다.

2 소화약제 B

1. 개요

(1) 소화약제는 소화설비 또는 소화기구에 사용되는 소화성능이 있는 물질로서 연소의 4요소 중 한 가지 이상을 제거할 수 있는 능력이 우수하여야 한다.

(2) 소화약제의 구비조건
① 연소의 4요소 중 하나 이상을 제어할 수 있는 능력이 우수할 것
② 인체에 대한 독성이 없을 것
③ 환경에 대한 오염이 적을 것
④ 저장 및 사용 시 안정성이 있을 것
⑤ 가격이 저렴할 것(경제성)

2. 소화약제의 분류

일반적으로 소화약제는 **수계 소화약제**와 **비수계 소화약제**로 구분한다. 수계 소화약제는 물과 포소화약제로 구분할 수 있고, 비수계 소화약제는 사용되는 주된 성분에 따라 이산화탄소소화약제, 할론소화약제, 할로겐화합물 및 불활성기체 소화약제 및 분말소화약제로 세분화할 수 있다.

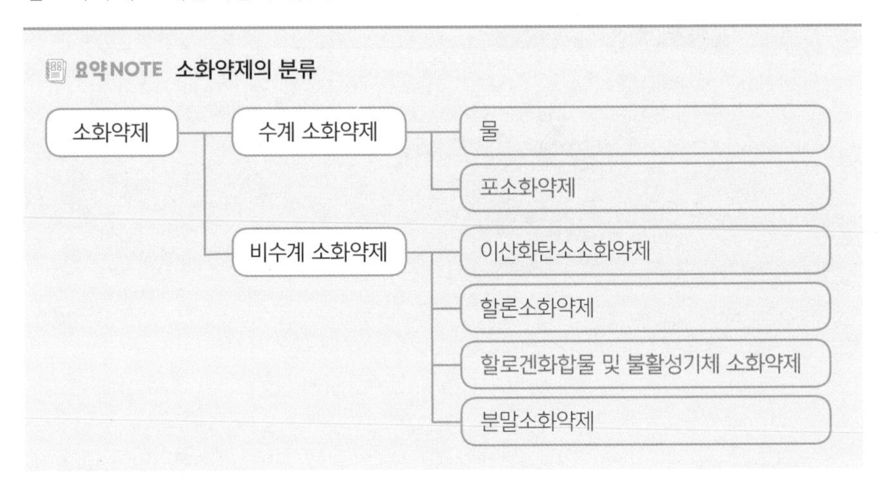

(1) 소화약제의 특성 비교

구분	수계 소화약제		비수계 소화약제	
	물	포	이산화탄소	할로겐화합물
주된 소화효과	냉각	질식 · 냉각	질식	부촉매
소화속도	비교적 느림		비교적 빠름	
냉각효과	큼		적음	
사용 후 오염	큼		극히 적음	
주요 적응화재	A급	A, B급	(A*), B, C급	(A*), B, C급

(A*): 밀폐 상태 방출 시 일반화재에도 사용이 가능하다.

핵심 기출

전기화재에 적응성이 있는 소화약제에 해당하지 않는 것은? 21. 소방간부

① 이산화탄소소화약제
② 인산염류소화약제
③ 중탄산염류소화약제
④ 고체에어로졸화합물
⑤ 팽창질석 · 팽창진주암

정답 ⑤

(2) 소화기구의 소화약제별 적응성[「소화기구 및 자동소화장치의 화재안전기술기준(NFTC 101)」 소화기구의 소화약제별 적응성]

소화약제의 구분		일반화재	유류화재	전기화재	주방화재
가스	이산화탄소소화약제	-	○	○	-
	할론소화약제	○	○	○	-
	할로겐화합물 및 불활성기체 소화약제	○	○	○	-
분말	인산염류소화약제	○	○	○	-
	중탄산염류소화약제	-	○	○	*
액체	산알칼리소화약제	○	○	*	-
	강화액소화약제	○	○	*	*
	포소화약제	○	○	*	*
	물 · 침윤소화약제	○	○	*	*
기타	고체에어로졸화합물	○	○	○	-
	마른 모래	○	○	-	-
	팽창질석 · 팽창진주암	○	○	-	-
	그 밖의 것	-	-	-	*

비고

"*"의 소화약제별 적응성은 「소방시설 설치 및 관리에 관한 법률」 제36조에 의한 형식승인 및 제품검사의 기술기준에 따라 화재 종류별 적응성에 적합한 것으로 인정되는 경우에 한한다.

CHAPTER 2 수계 소화약제

1 물소화약제 A

1. 개요

(1) 우리 주변에서 발생하는 대부분의 화재는 물로 소화할 수 있다. 물론 **금수성 화재**나 **유류·전기·금속화재**의 경우 물소화약제로는 소화의 한계가 있기도 하다. 그럼에도 불구하고 물소화약제는 가장 많이 사용하는 소화약제라 할 수 있다.

(2) 물이 소화약제로 널리 사용되고 있는 가장 큰 이유는 우리의 주변에서 쉽게 구할 수 있고, 물리적 성능 특성 중 **비열과 증발 잠열이 커서 화재에 대한 냉각효과가 우수**하기 때문이다. 또한 소화설비의 적용성에 있어서 **비압축용 유체**의 특징으로 펌프나 배관 등을 사용하여 쉽게 운송할 수 있다.

(3) 물은 A급 화재(일반화재)에서는 우수한 능력이 발휘되나, B급 화재에서는 오히려 화재가 확대될 수 있고, C급 화재(전기화재)에서는 소화는 가능하지만 감전사고의 위험성이 있으므로 주의하여야 한다.

(4) 사용 후 2차 피해인 수손이 발생하고 추운 곳에서는 사용하기 부적당하다는 단점도 있다.

정희's 톡talk

물소화약제

물소화약제는 비압축성 유체로 펌핑·이송이 용이하고, 경제적이며 안정성이 높습니다. 냉각소화효과와 질식소화효과가 우수하며 독성이 없어 인체에 무해합니다.

요약NOTE 물소화약제의 장점·단점

구분	내용
장점	· 물은 비열과 기화열이 커서 많은 열을 흡수하므로 냉각효과가 우수 · 비압축성 유체로 저장 및 송수가 용이함 · 값이 싸고, 주변에서 쉽게 구할 수 있음 · 인체에 무해함 · 다양한 형태의 방사가 가능하여 봉상·적상·무상주수 가능 · 분무주수 시 중유화재(B급 화재) 및 전기화재에도 적합
단점	· 동절기에는 동결의 우려가 있음 · 진화 후 수손 피해 발생이 있음 · 금수성 물질의 화재에는 피하여야 함 · 유류화재, 전기화재 및 금속화재에는 적용하기 어려움

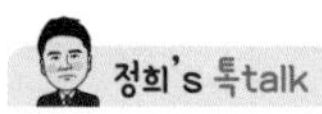

얼음의 비열과 물의 밀도

얼음의 비열은 0.5cal/g′·c이고, 물의 밀도는 $1g/cm^3$입니다.

극성공유결합

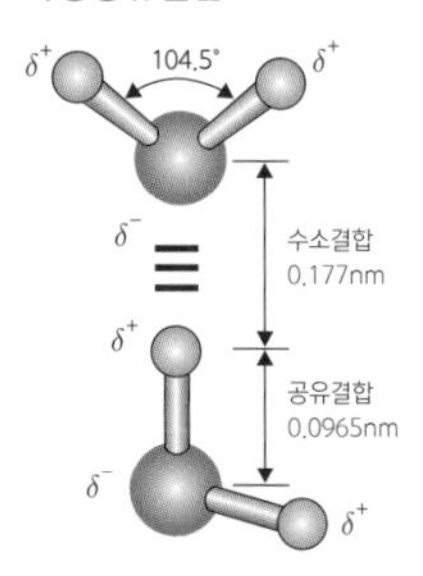

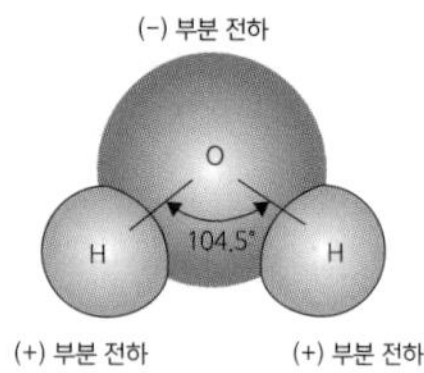

수소결합

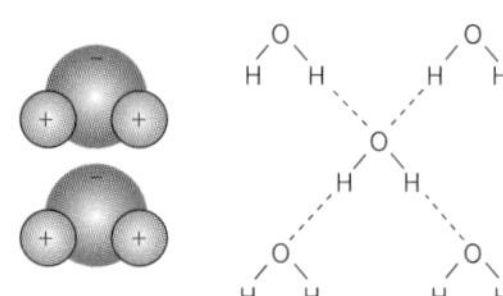

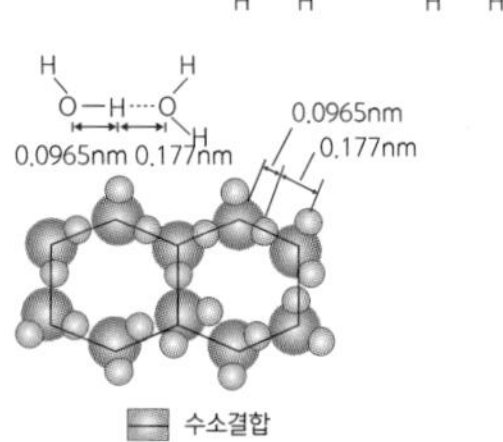

핵심 기출

물 소화약제에 관한 설명으로 옳지 않은 것은?

24. 소방간부

① 물은 분자 내에서는 수소결합을, 분자간에는 극성공유결합을 하여 소화약제로써의 효과가 뛰어나다.

② 물의 증발잠열은 100℃, 1기압에서 539 kcal/kg이므로 냉각소화에 효과적이다.

③ 물의 주수형태 중 무상은 전기화재에도 적응성이 있다.

④ 물 소화약제를 알코올 등과 같은 수용성 액체 위험물 화재에 사용하면 희석작용을 하여 소화효과 가 있다.

⑤ 중질유화재에 물을 무상으로 주수 시 급속한 증발에 의한 질식효과와 함께 에멀션(emulsion) 형성에 의한 유화효과가 있다.

정답 ①

2. 물리적·화학적 특성

(1) 물리적 특성

① 물은 안정한 액체로 자연상태에서 기체·액체·고체의 형태로 존재한다.

② 물의 비열은 1cal/g℃로 다른 물질에 비하여 상대적으로 크다.

■ **물질의 비열(cal/g℃)**

물질명	비열(cal/g℃)	물질명	비열(cal/g℃)
물	1.00	할론 1301	0.20
수소	3.41	할론 1211	0.12
헬륨	1.25	할론 2402	0.18
이산화탄소	0.55	공기	0.24

③ 물의 증발잠열(기화열)은 539.6cal/g으로 다른 물질에 비하여 크고, 물의 용융열 79.7cal/g과 비교하여도 기화열은 상당히 크다. 물의 상태가 고체에서 액체로의 상변화일 때보다 액체에서 기체로의 상변화 때 많은 열량이 필요하다.

■ **물질의 증발잠열과 용융열(cal/g)**

구분	증발잠열	용융열	구분	증발잠열	용융열
물	539.6	79.7	에틸알코올	204.0	24.9
아세톤	124.5	23.4	LPG	98.0	-

④ 대기압하에서 100℃의 물이 액체에서 수증기 상태로 변할 때 체적은 약 1,700배 정도 증가한다.

⑤ 물의 비중은 1기압을 기준으로 4℃일 때 가장 크고 이를 기준으로 높아지거나 낮아질 때 비중은 작아진다.

⑥ 물은 압력을 받으면 약간은 압축되나 일반적으로 비압축성 유체로 간주한다.

⑦ 물의 점도는 온도가 올라가면 작아진다.

⑧ 물의 표면장력은 온도가 상승하면 작아진다.

(2) 화학적 특성

① 물은 수소 2원자와 산소 1원자로 이루어져 있으며 이들 사이의 화학결합은 극성 공유결합이다.

② 이때 산소 원자와 수소 원자는 전자를 1개씩 내어서 전자쌍을 만들고 이를 공유하지만, 전자쌍은 전기음성도가 더 큰 산소 원자 쪽에 가깝게 위치하여 산소 원자는 약한 음전하(-)를 띠고, 수소 원자는 극성을 띠게 된다.

③ 따라서, 극성을 띤 물분자끼리는 전기적 인력에 의한 수소결합을 하게 되며 강한 응집력을 갖는다.

④ 물이 비교적 큰 표면 장력을 가지는 것도 분자 간의 인력의 세기와 직접적인 관계가 있으며, 비교적 큰 비열도 수소 결합을 끊는 데 큰 에너지가 필요하기 때문이다.

3. 물소화약제의 소화효과

(1) 냉각소화효과

① 물의 비열(cal/g℃)과 기화열(cal/g)은 비교적 크다.

② 화재발생 장소의 주위로부터 많은 열을 흡수하기 때문에 빠른 시간 내에 화재의 온도를 발화점 이하로 냉각시켜 주로 냉각소화작용을 한다.

③ 분무상의 작은 입자가 봉상주수 입자보다 더 쉽게 증발되므로 열을 더 빨리 흡수한다.

(2) 질식소화효과

① 물이 수증기가 될 때 체적이 약 1,600 ~ 1,700**배로 팽창**한다. 팽창된 수증기가 공기 중의 산소의 농도를 희석하여 질식소화한다.

② **무상주수일 때의 주된 소화 효과는 질식소화**이다.

(3) 유화소화효과

① 점성이 있는 가연성 액체에 **물을 무상주수하면 유화층(에멀션)을 형성**시켜 공기 중의 산소의 농도를 차단함으로써 화재를 소화하는 기능을 유화소화효과라고 한다.

② 미립자가 물보다 **비중이 큰 중유 또는 윤활유 등의 화재**에 적합하다.

③ 가연성 증기의 발생이 억제되어 소화되는 원리도 있다.

④ 물소화약제를 분무노즐을 사용하여 고압으로 방사할 경우 발생되는 분무를 이용한다.

(4) 희석소화효과

① **수용성 액체**의 화재 시 물을 주입시켜 가연성 물질의 농도를 낮춘다.

② 수용성 가연물질인 알코올 · 에테르 · 에스테르 · 케톤류 등의 화재에 적합하다.

③ 많은 양의 물을 일시에 방사하여 가연물질의 연소농도를 소화농도 이하로 묽게 희석시켜 소화하는 소화방법을 희석소화라고 한다.

(5) 타격 및 파괴에 의한 소화효과

① 화재발생 시 물을 고압으로 방사하는 경우 가연물질의 화재위력을 저하시키거나 외부로 화재가 확산되는 것을 파괴함으로써 화재가 더 이상 확산되지 않도록 제한하여 소화하는 소화작용이다.

② 일반적으로 일반화재에 적용된다.

③ 대부분의 경우 봉상이나 적상으로 주수하면 가연물은 파괴되어 연소가 중단된다.

④ 유류화재의 경우에는 봉상으로 주수하면 거품이 격렬하게 발생되기 때문에 봉상주수는 피하여야 한다.

핵심 적중

01 물소화약제가 냉각소화효과가 큰 이유는?

① 비열이 크고 비점이 높기 때문에
② 비열과 기화열이 크기 때문에
③ 기화열이 크고 비점이 높기 때문에
④ 융점이 높고 비열이 크기 때문에

정답 ②

02 물을 이용하여 소화할 때 기대하기 가장 어려운 소화효과는?

① 냉각소화
② 질식소화
③ 희석소화
④ 부촉매소화

정답 ④

정희's 톡talk

유화작용과 희석작용

1. **유화작용**: 유화효과를 높이기 위해서는 유면에서의 타격력을 증가시켜 주어야 하므로 질식효과의 물방울 입자크기보다 약간 크게 하고 고압으로 방사합니다.
2. **희석소화**: 인화성 액체 표면에 작거나, 중간 크기의 무상물방울을 완만하게 분사하여 훨씬 더 높은 인화점을 가지는 용해액으로 생성시켜 소화하는 것입니다.

4. 물소화약제의 한계

(1) 유류화재

① 물의 밀도는 대부분의 유류보다 크다. 물보다 비중이 작은 유류화재에서 주수하면 유류가 물의 표면에 부유하여 화염면을 확대시킬 수 있어 주의하여야 한다.

② 유류화재에서는 연소부에 대하여 적절히 대응하지 못하면 고온의 기름을 저장탱크에서 넘치게 하여 화재를 확산시킬 수 있다.

③ 중유의 탱크화재에서 무상이 아닌 봉상이나 적상으로 분사하면, 물의 분사 압력으로 불이 붙은 중유입자가 물입자와 함께 탱크 밖으로 비산하여 화재를 더욱 확대시킬 우려가 있다.

(2) 전기화재

① 물소화약제로 전기화재에서 소화는 가능하지만 감전사고의 위험이 있다.

② 전기화재 시 물소화약제를 이용하여 소화하기 위해서는 일정한 거리를 유지하면서 **무상주수**하여야 한다.

(3) 금속화재

① 물에 심하게 반응하는 물질인 Na · K · Mg · Al · Ca · Zn 등의 **금속화재는 물소화약제를 사용하여서는 안 된다.**

② 제3류 위험물에 해당하는 나트륨(Na), 칼륨(K) 등 알칼리금속과 칼슘(Ca) 등의 알칼리토금속, 제2류 위험물에 해당하는 철분, 마그네슘 등은 **물과 반응하여 가연성 · 폭발성 가스인 수소가스**를 발생한다.

③ 물이 함유된 소화약제는 금속화재에 절대로 사용하여서는 안 된다.

(4) 물과 반응하는 화학물질

① 제1류 위험물에 해당하는 **무기과산화물**(과산화나트륨, 과산화칼륨, 과산화칼슘 등), 삼산화크롬(CrO_3) 등은 물과 반응하여 **산소**를 발생시킨다.

② 제3류 위험물에 해당하는 **알킬알루미늄, 알킬리튬, 탄화칼슘(CaC_2), 탄화알루미늄 등은 물과 반응하여 메탄 · 에탄 · 아세틸렌 등 가연성 가스**를 생성한다.

③ 제3류 위험물인 **금속의 인화물(인화칼륨, 인화칼슘 등)은 물과 만나면 맹독성 포스핀가스**(PH_3)를 발생시킨다.

④ 제6류 위험물인 질산은 물과 만나면 급격히 발열하여 폭발에 이르기도 한다.

(5) 심부화재

① **물은 공기 중에서 표면장력계수가 비교적 크다.**

② 입자의 크기가 크기 때문에 연료 표면으로의 침투성은 우수하다. 반면, 심부화재가 발생할 경우 고체 내부로의 침투는 효과적이지 않다.

③ **심부화재**의 경우 물 첨가제인 **침투제**(Wetting agent)를 사용하여 성능을 개선하여야 한다.

탄화칼슘과 탄화알루미늄

1. 탄화칼슘은 물과 반응하여 아세틸렌(C_2H_2)을 생성합니다.

$$CaC_2 + 2H_2O \rightarrow Ca(OH)_2 + C_2H_2 \uparrow$$

2. 탄화알루미늄은 물과 반응하여 메탄가스(CH_4)를 생성합니다.

$$Al_4C_3 + 12H_2O \rightarrow 4Al(OH)_3 + 3CH_4 \uparrow$$

5. 물의 주수 형태

화재발생 시 물소화약제를 방사하는 방법으로는 **봉상주수, 적상주수 및 무상주수** 등이 있다.

(1) 봉상주수(棒狀注水)

① 소화설비의 방사기구로부터 **굵은 물줄기의 형태**로 주수하는 방법이다.

② 일반화재로서 화세가 강하여 신속하게 화재의 소화가 필요한 경우 사용된다.

③ 수용성 가연물질의 화재 시 짧은 시간에 많은 양의 소화약제가 요구되는 상황에 대처하기 위해 많이 사용된다.

④ **전기전도성이 있어 전기화재에는 부적당하다.**

⑤ 적용 소화설비는 물소화기 · 옥내소화전설비 · 옥외소화전설비 · 연결송수관설비 등이 있다.

⑥ 질식소화효과도 있지만 주된 소화원리는 **냉각소화**이다.

(2) 적상주수(適狀注水)

① 물입자의 직경이 0.5 ~ 6mm인 **물방울모양의 형상으로 주수되는 방법**이다.

② 스프링클러설비의 스프링클러헤드로부터 물이 방사될 경우 방사되는 물입자의 형태로, 적상으로 방사되는 물입자는 봉상의 물입자와 같이 전기의 전도성이 **있으므로 전기화재(C급 화재)에는 부적합하다.**

③ 적용 소화설비는 스프링클러설비 · 연결살수설비 등이 있다.

④ 주된 소화원리는 **냉각소화**이다.

(3) 무상주수(霧狀注水)

① 물을 **구름 또는 안개모양으로 방사하는 방법**으로 물을 주수하는 방법이다.

② 고압으로 방사할 때 물입자가 무상의 형태로 물입자가 이격되는 특징이 있어 **전기의 전도성이 없어 전기화재의 소화도 가능하다.**

③ **물입자의 직경은 0.1 ~ 1.0mm이다.**

④ 중질유 및 고비중을 가지는 화재 시 유류표면에 엷은 유화층을 형성하여 공기 중의 산소의 공급을 차단하는 유화소화효과를 나타내기도 한다.

⑤ 적용 소화설비는 물소화기(분무노즐 사용) · 옥내소화전설비(분무노즐 사용) · 옥외소화전설비(분무노즐 사용) · 물분무설비 등이 있다.

⑥ **주된 소화원리는 질식소화이다.**

⑦ 물방울 입자의 크기는 **스프링클러 → 물분무 → 미분무 순으로 미분무가 가장 작다.**

⑧ 미분무란 물만을 사용하여 소화하는 방식으로 최소설계압력에서 헤드로부터 방출되는 **물입자 중 99%의 누적체적분포가 400μm 이하로 분무되고** A급 · B급 · C급 화재에 적응성을 가지는 것을 말한다(「미분무소화설비의 화재안전기준(NFSC 104A)」 제3조 제2호).

정희's 톡talk

주수방법

봉상	굵은 물줄기(긴 봉의 형태)
적상	0.5 ~ 4mm 물방울
무상	0.1 ~ 1.0mm 구름 · 안개모양

핵심기출

물소화약제에 대한 설명으로 옳은 것은?

21. 공채

① 질식소화 작용은 기대하기 어렵다.
② 분무상으로 방사 시 B급 화재 및 C급 화재에도 적응성이 있다.
③ 물은 비열과 기화열 값이 작아 냉각소화 효과가 우수하다.
④ 수용성 가연물질인 알코올, 에테르, 에스테르 등으로 인한 화재에는 적응성이 없다.

정답 ②

정희's 톡talk

적상주수를 우상주수, 무상주수는 분무주수라고도 합니다.

정희's 톡talk

무상주수

1. 무상주수하면 물입자가 이격되어 전기적으로 비전도성을 띱니다. 따라서 전기화재 적응성이 있습니다.
2. 물소화약제를 무상주수할 때 주된 소화원리는 일반적으로 질식소화입니다.

6. 물소화약제의 첨가제

물은 안정적이고 우수한 소화약제이다. 보다 최적화된 사용을 위하여 적용화재에 따라 요구되는 성능향상 첨가제를 사용하여 소화효과를 극대화하고자 하는 목적이 있다.

(1) 증점제(Viscosity water agent)

① 물의 점도를 증가시키는 Viscosity agent를 혼합한 수용액이며, 'Thick water'라고 불리기도 한다.

② 점성이 좋으면 물이 분산되지 않아 소방대상물에 정확히 도달할 수 있으므로 **산림화재**에 사용된다.

③ 물은 유동성이 좋아 소화대상물에 장시간 부착되어 있지 못한다. **가연물에 대한 접착성질을 강화시키기 위하여 증점제를 사용한다.**

④ 증점제를 사용하여 물의 사용량을 줄일 수 있으며, 대표적인 증점제로는 CMC, Gelgard 등이 있다.

⑤ 증점제를 사용하면 가연물에 대한 침투성이 떨어지고, 방수 시에 마찰손실이 증가하며, 분무 시 물방울의 직경이 커지는 등의 단점이 있다.

(2) 침투제(침윤제, Wetting agent)

① 물의 침투성을 증가시키기 위하여 합성계면활성제(1.1% 첨가)를 사용한다.

② **물의 표면장력을 낮추어 심부화재, 원면화재의 소화효과를 극대화할 수 있다.**

③ 침투제가 첨가된 물을 'Wet water'라고 부르며, 이것은 가연물 내부로 침투하기 어려운 목재, 고무, 플라스틱, 원면, 짚 등의 화재에 사용되고 있다.

(3) 유동성 보강제(Rapid water)

① 물의 유속을 빠르게 하고, 물의 마찰손실을 줄일 수 있도록 첨가하는 것이다.

② 물의 점성을 약 70% 정도 감소시켜 마찰손실을 줄여 방수량은 증가하게 된다.

③ 약제로는 폴리에틸렌옥사이드를 사용한다.

(4) 유화제(Emulisfier)

① 중유나 엔진오일 등은 인화점이 높은 고비점 유류의 화재 시 **에멀젼 형성을 증가**시키기 위해 계면활성제를 첨가하여 사용하는 약제이다.

② 유류에서 가연성 증기의 증발을 억제하여 소화효과를 증대시키는 첨가제이다.

③ 약제로는 계면활성제, 친수성콜로이드를 사용한다.

(5) 동결방지제(부동액, Antifreeze agent)

① 물의 어는점 이하에서 동파되거나 물의 응고현상을 방지 · 지연하기 위한 첨가제이다.

② 대표적인 동결방지제는 글리세린, 프로필렌글리콜, 에틸렌글리콜, $CaCl_2$ 등이 있다.

(6) 강화액(wet chemical agent)

① 물의 소화력을 높이기 위하여 억제효과가 있는 염류를 첨가하여 만든다.

② 물이 갖는 소화효과와 첨가제가 갖는 부촉매효과를 얻을 수 있다.

③ 약제로는 알칼리금속의 중탄산나트륨, 탄산칼륨, 인산암모늄을 사용한다.

핵심기출

물소화약제 첨가제 중 주요 기능이 물의 표면장력을 작게 하여 심부화재에 대한 적응성을 높여 주는 것은? 20. 공채

① 부동제
② 증점제
③ 침투제
④ 유화제

정답 ③

7. 강화액소화약제 및 산알칼리소화약제

(1) 강화액소화약제(Loaded stream)

① 강화액소화약제는 동절기 물소화약제가 동결되는 단점을 보완하고 물의 소화력을 높이기 위하여 화재에 억제효과가 있는 염류를 첨가한 것으로 염류로는 알칼리금속염의 **탄산칼륨**(K_2CO_3)**과 인산암모늄**[$(NH_4)H_2PO_4$] 등이 사용된다.

② 한랭지역 및 겨울철에 사용 가능하다. -20℃에서도 동결되지 않아 추운 지방에도 사용이 가능하다.

③ 알칼리 금속염을 주성분으로 하는 수용액이다.

④ **강화액소화기가 무상일 때는 A급 · B급 · C급 화재에 적용된다.**

⑤ 소화력을 향상시키기 위하여 탄산칼륨, 인산암모늄을 첨가한다.

⑥ **부촉매소화효과가 있다**(열분해되어 생성되는 K^+ Na^+ 등).

⑦ 봉상일 경우에는 냉각작용에 의한 일반화재에 적합하다.

(2) 산알칼리소화약제

① 탄산소수나트륨(알칼리)과 황산(산)의 화학반응에 의하여 생성된 이산화탄소가 압력으로 작동한다.

② 알칼리금속염이 물의 소화능력을 강화시킨다.

③ 일반화재에 적응성이 있고, 산알칼리소화기는 무상일 때는 전기화재에도 가능하다.

④ 현재는 거의 생산되지 않고 있다.

핵심 적중

01 소화약제에 대한 설명 중 옳은 것은?

① 침투제가 첨가된 물을 Thick water라고 한다.
② 강화액은 추운 지방에서도 사용이 가능하다.
③ 산림화재에 Wetting agent를 사용하는 것이 좋다.
④ 침투제는 물의 표면장력을 증가시키는 원리를 가진다.

정답 ②

02 다음은 강화액소화약제에 대한 설명이다. 빈칸에 알맞은 것은? 18. 상반기 공채

> 강화액소화약제는 물과 탄산칼륨을 혼합하여 만든 소화약제로 냉각소화작용이 있다. 그리고 물과 탄산칼륨의 (   )에 의하여 많은 효과는 아니지만 부촉매효과도 가지고 있다.

① K^+　② CO_3^{2-}
③ H^+　④ OH^-

정답 ①

포소화약제혼합장치 등의 성능인증 및 제품검사의 기술기준

1. **포소화약제**: 주원료에 포 안정제, 그 밖의 약제를 첨가한 액상의 것으로 물(바다물을 포함)과 일정한 농도로 혼합하여 공기 또는 불활성기체를 기계적으로 혼입함으로써 거품을 발생시켜 소화에 사용하는 약제로서 소화약제의 형식승인 및 제품검사의 기술기준에 적합한 것
2. **포수용액**: 포소화약제에 물을 가한 수용액
3. **공기포비**: 포수용액과 가압공기를 혼합한 경우의 비율(포수용액의 양에 대한 공급 공기량을 배수로 표시한 것)
4. **습식포**: 공기포비가 10배 이하의 압축공기포
5. **건식포**: 공기포비가 10배를 초과하는 압축공기포

단친매성과 양친매성

1. **단친매성**: 불소를 함유하고 있는 물질로서 물하고만 친하므로 유동성이 좋고 내유성이 좋습니다(SSI 적응성이 있습니다).
2. **양친매성**: 물과 기름 모두 친하므로 접착력이 좋아 환원시간이 길고 입체적 화재에 효과적입니다(SSI 적응성이 없습니다).

2 포소화약제 A

1. 개요

(1) 정의

① **물에 약간의 포소화약제(첨가제)를 혼합한 후 여기에 공기를 주입하면 포(Foam)가 발생**한다. 생성된 포는 유류보다 가벼운 미세한 기포의 집합체로 연소물의 표면을 덮어 공기와의 접촉을 차단하여 질식 효과를 나타내며, 사용된 물에 의하여 냉각 효과도 나타난다. 포소화약제는 포가 유류의 표면을 덮어서 질식시키기 때문에 유류화재의 소화에 가장 효과적이나 일반화재에도 사용할 수 있다.

② **포의 발포방법에 따라 화학포와 기계포로 구분**할 수 있다. **화학포**는 두 가지 약제의 혼합 시 화학반응으로 발생하는 이산화탄소를 핵으로 하는 포소화약제이다. **기계포는 포 원액을 물에 섞은 다음 공기를 기계적인 방법으로 혼합하여 공기거품을 발생시키는 기계포(공기포)가 있다.** 현재 화학포는 사용되지 않으며 일반적으로 포소화약제는 기계포를 의미한다.

(2) 특징

① 유류화재에 매우 효과적이다.
② 개방된 옥외공간에서 발생한 화재에도 소화효과가 우수하다.
③ 일반적으로 인체에 무해하며, 화재 시 열분해에 의한 독성가스의 발생이 많지 않다.
④ 소화 후 물로 인한 피해가 발생한다.
⑤ 단백포의 경우 부패의 우려가 있다.

(3) 포소화약제의 구비조건

① 내유성
㉠ **포의 유류에 오염되지 않는 능력**이고, 불화단백포는 내유성이 강하다.
㉡ 내유성이 낮은 포소화약제는 표면하 주입방식을 적용하기 어렵다.

② 유동성
㉠ 포가 연소면에서 확산되는 능력을 말한다.
㉡ 단백포는 표면에 두껍고 점성이 있는 막을 형성하는 반면, 수성막포는 점성이 훨씬 낮아 가연물 표면 위에서 급속하게 퍼져 나가는 유동성이 좋다.

③ 내열성
㉠ 화재발생에 따른 화염에 대한 내력으로, 내열성이 우수하면 화재 시 포가 파괴되는 것이 작아진다.
㉡ 포가 소멸되지 않기 위해서는 내열성이 우수한 단백포를 사용한다.

④ 점착성
㉠ 포의 유면에 대한 흡착능력으로 질식효과에 큰 영향을 주는 성질이다.
㉡ 점착성이 좋지 않으면 기류나 바람에 쉽게 날아가 버린다.

2. 포소화약제의 분류

(1) 포의 팽창비에 의한 분류

① 팽창비

$$\text{포팽창비} = \frac{\text{발포 후 포의 체적}}{\text{방출 전 포수용액*의 체적}}$$

* 포수용액: 포소화약제에 물을 가한 수용액

② 저발포와 고발포

포의 명칭		포의 팽창비율
저발포		20배 이하
고발포	제1종 기계포	80배 이상 250배 미만
	제2종 기계포	250배 이상 500배 미만
	제3종 기계포	500배 이상 1,000배 미만

③ **팽창비 · 환원시간 · 유동성 · 내열성의 상관관계**

㉠ **팽창비에 따른 포의 환원시간:** 팽창비가 커지면 환원시간이 짧아진다.

㉡ **팽창비에 따른 포의 유동성:** 팽창비가 커지면 포의 유동성이 증가한다.

㉢ **팽창비 따른 포의 내열성:** 팽창비가 커지면 함수율이 적어져 내열성이 감소한다.

㉣ 환원시간이 길면 내열성이 좋아진다.

(2) 발포방법에 의한 분류

① 화학포

㉠ 산성액과 알칼리성액의 두 액체의 화학반응에 의하여 형성되는 이산화탄소를 핵으로 한 포를 말한다.

㉡ 소화약제의 변질 · 부패 및 기능의 저하현상이 발생되어 소화설비 및 소화기용 소화약제로의 사용이 제한되었으며, 국내에서는 화학소화약제가 생산되지 않고 있다.

$$6NaHCO_3 + Al_2(SO_4)_3 \cdot 18H_2O \rightarrow 6CO_2 + 3Na_2SO_4 + 2Al(OH)_3 + 18H_2O$$

② 공기포(기계포)

㉠ 일반적으로 단백계(단백포 · 불화단백포)와 계면활성제계(수성막포 · 알코올포 · 합성계면활성제포)로 분류할 수 있다.

㉡ 포수용액을 발포기 등으로 이송시켜 기계적 방법에 의하여 공기를 혼입시키고 압력을 가하여 특정 발포기구로 거품을 발생시키기 때문에 공기포(기계포)라고 한다.

㉢ 소화약제를 장기간 저장 및 보존할 수 있고, 빠른 시간 내에 대규모의 화재를 소화할 수 있다.

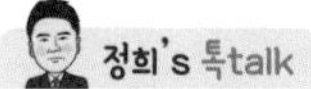

팽창비에 따른 포소화약제

1. **단백포소화약제:** 3% · 6%형(저발포형)
2. **합성계면활성제포소화약제:** 1.0% · 1.5% · 2.0%형(고발포형)
3. **합성계면활성제포소화약제:** 3% · 6%형(저발포형)
4. **수성막포소화약제:** 3% · 6%형(저발포형)
5. **알코올형(수용성액체용)포소화약제:** 3% · 6%형(저발포형)
6. **불화단백포소화약제:** 3% · 6%형(저발포형)

25(%) 환원시간

1. **포의 배수성질:** 포는 거품속에 함유된 물이 시간 경과에 따라 소화약제와 분리되어 아래로 흘러내리는 배수 성질로 발생되는 현상입니다.
2. **25(%) 환원시간:** 방사된 포 중량의 25%가 수용액으로 환원되어 물이 배수되는 시간을 말합니다.
3. 25(%) 환원시간이 긴 포소화약제는 거품 지속시간이 길어 소화성능이 우수하다고 볼 수 있습니다.
4. 채취된 포의 25%가 환원되는 시간은 다음과 같습니다.

포소화약제	25% 환원시간
단백포소화약제	60초 이상
수성막포소화약제	60초 이상
합성계면활성제포 소화약제	3분 이상

핵심 적중

고발포 2종에 해당하는 팽창비는?

① 80배 이상 200배 미만
② 80배 이상 250배 미만
③ 250배 이상 500배 미만
④ 250배 이상 750배 미만

정답 ③

3. 공기포소화약제

물과 일정한 혼합비로 포수용액 상태로 한 다음 외부로부터 공기를 혼입시켜 강제적으로 방사시킴으로써 포를 생성하는 소화약제를 말한다.

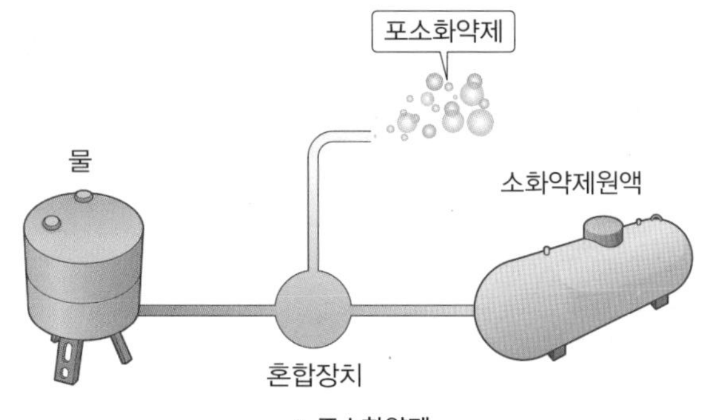

▲ 포소화약제

(1) 단백포소화약제(Protein foaming agents)

① 동물의 뿔, 발톱 등을 알칼리로 가수분해한 생성물에 금속염인 염화철과 그 밖의 첨가제 등을 혼합·제조하여 사용한다.

② 신속하게 다량의 포가 연소유면에 전개되면 단백질과 안정제가 결합하여 내열성이 우수한 포가 유면을 질식소화한다.

③ **포의 유동성이 좋지 않아 유면을 신속하게 덮지 못하므로 소화 속도가 느리다.**

④ 부패의 우려가 있어 저장기간이 길지 않다.

⑤ 단백포는 점성이 있어 안정되고 두꺼운 포막을 형성하기 때문에 인화성·가연성 액체의 위험물 저장탱크, 창고, 취급소 등의 포소화설비에 사용된다.

⑥ 분말소화약제와 병용할 수 없다는 단점이 있다.

요약NOTE 단백포소화약제의 장점·단점

장점	· 내열성이 우수함 · 봉쇄성 및 내화성이 우수함 · 윤화(Ring fire)의 발생 위험이 없음
단점	· 유동성이 좋지 않아서 소화속도가 느림 · 소화약제의 저장기간이 짧음(3년 이내) · 분말과 병용할 수 없으며, 유류를 오염시킴

(2) 불화단백포소화약제(Fluoroprotein foaming agents)

① **단백포소화약제에 불소계 계면활성제를 첨가하여 단백포와 수성막포의 단점을 보완한 약제이다. 유동성이 나쁜 단백포의 단점과 표면에 형성된 수성막이 적열된 탱크벽에 약한 수성막포의 단점을 개선한 것이다.**

② 불화단백포소화약제는 유류에 오염되지 않기 때문에 수성막포와 같이 저장탱크의 하부에서 방출시켜 주는 표면하 주입식 방출방식으로 사용할 수 있다. **불화단백포는 수성막포와 함께 표면하 주입방식(Subsurface injection system)에 적합한 포소화약제로 알려져 있다.**

핵심기출

기계포 소화약제 중 단백포 소화약제에 관한 설명으로 옳은 것만을 〈보기〉에서 있는 대로 고른 것은? 24. 소방간부

〈보기〉
ㄱ. 유동성이 좋다.
ㄴ. 내열성이 나쁘다.
ㄷ. 유류를 오염시킨다.
ㄹ. 유면 봉쇄성이 좋다.

① ㄱ, ㄷ ② ㄷ, ㄹ
③ ㄱ, ㄴ, ㄹ ④ ㄴ, ㄷ, ㄹ
⑤ ㄱ, ㄴ, ㄷ, ㄹ

정답 ②

단백포소화약제

단백포소화약제는 양친매성으로 물과 기름 모두 친하므로 점착력이 좋고 유동성이 작아 소화시간이 길어집니다. 또한 환원시간이 길어져 포의 안전성이 커지므로 내열성이 좋습니다.

핵심기출

포 소화약제에 관한 설명으로 옳지 않은 것은? 24. 공채·경채

① 불화단백포 소화약제는 불소계 계면활성제를 첨가하여 단백포 소화약제의 단점인 유동성을 보완하였다.
② 알콜형포 소화약제는 케톤류, 알데히드류, 아민류 등 수용성 용제의 소화에 사용할 수 있다.
③ 단백포 소화약제는 단백질을 가수분해 한 것을 주원료로 하며 내유성이 뛰어나 소화속도가 빠르다.
④ 합성계면활성제포 소화약제는 유동성과 저장성이 우수하며 저팽창포부터 고팽창포까지 사용할 수 있다.

정답 ③

불화단백포소화약제

불화단백포소화약제는 단친매성으로 물하고만 친하므로 유동성이 좋습니다. 또한 내유성이 좋아 기름에 오염이 되지 않으므로 표면하 주입방식에 효과적입니다.

③ 표면포 방출방식은 포 방출구가 탱크의 윗부분에 설치되어 있기 때문에 화재 시 폭발이나 화열에 의하여 파손되기 쉽지만, **표면하 포주입방식은 포 방출구가 탱크 하부에 설치되어 있어 파손 가능성이 적으므로 설비에 대한 안정성이 크다.**

④ 포의 유동성이 우수하여 방출된 포는 신속하게 유류표면을 덮어 공기 중의 산소의 공급을 차단시켜 주는 질식소화작용을 한다.

⑤ 유류저장탱크 화재 시 윤화현상이 발생하지 않는다.

요약NOTE 불화단백포소화약제의 장점 · 단점

구분	내용
적응화재	무상으로 방사하는 경우에는 전기화재에도 적합함
장점	· 내화성이 우수하여 대형의 유류저장탱크 시설에 적합함 · 내유성이 다른 포소화약제에 비하여 우수함 · 표면하 주입식 포방출방식에 적합함 · 소화약제의 저장기간이 길(8 ~ 10년)
단점	· 단백포소화약제에 비하여 구입가격이 비쌈 · 내한용 · 초내한용으로의 사용이 어려움

(3) 수성막포소화약제(Aqueous film foaming agents)

① **수성막포는 내유성이 강하여 표면하 주입방식**에 효과적이며, 내약품성으로 **분말소화약제와** Twin Agent System이 가능하다. 반면, 내열성이 약해 탱크 내벽을 따라 잔불이 남게 되는 윤화현상이 일어날 우려가 있다.

② 수성막포소화약제는 유류표면에 도달하면 **불소계 계면활성제수용액**이 유류표면에 물과 유류의 중간 성질을 가지는 **수성막**을 형성한다.

③ 방출 시 **유면에서 얇은 물의 막인 수성막을 형성하여 가연성 증기의 발생을 억제한다.**

④ 유류표면 위에 뜨는 가벼운 수성의 막(Aqueous film)을 형성하기 때문에 질식과 냉각작용이 우수하다. 대표적으로 미국 3M사의 라이트 워터(Light water)라는 상품명의 제품이 많이 팔리고 있는데 유면상에 형성된 수성막이 기름보다 가벼운 것처럼 보이기 때문에 만들어진 상품명이다.

⑤ 수성막포소화약제는 유류화재에 대하여 질식소화작용 · 냉각소화작용을 가지며, **분말과 겸용하면** 7 ~ 8**배 소화효과**가 있다.

⑥ 수성막포소화약제는 소화성능이 우수하여 기계포소화기의 소화약제로의 사용이 가능하다.

⑦ **소화성능은 단백포소화약제에 비하여 5배 정도되며, 소화에 사용되는 소화약제의 양도 1/3밖에 되지 않는다.**

⑧ 일반적으로 25% 환원시간(포가 깨져 원래의 포수용액으로 돌아가는 시간)이 수성막포는 60초 이상이다.

핵심기출

01 다음 그림의 주입 방식에 가장 적합한 포소화약제로만 짝지어진 것은? 23. 공채

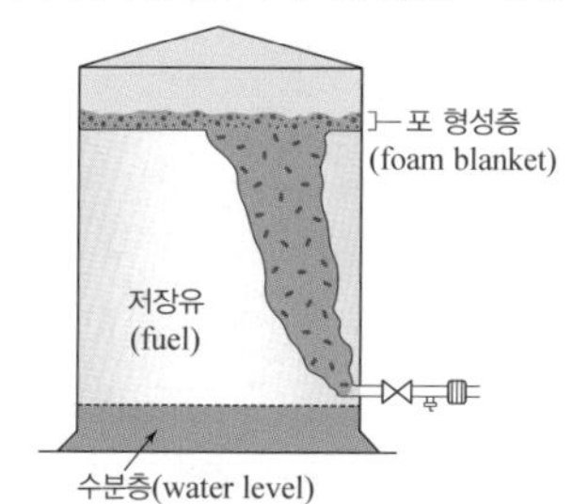

① 단백포, 불화단백포
② 수성막포, 불화단백포
③ 합성계면활성제포, 수성막포
④ 단백포, 수성막포

정답 ②

02 수성막포소화약제에 관한 내용으로 옳은 것만을 〈보기〉에서 있는 대로 고른 것은? 23. 소방간부

〈보기〉
ㄱ. 불소계 계면활성제를 주성분으로 한 것으로 안정성이 좋아 장기보존이 가능하다.
ㄴ. 알코올류, 케톤류, 에스테르류 등과 같은 수용성 위험물 화재에 소화적응성이 아주 우수하다.
ㄷ. 내유성이 있어 탱크 하부에서 발포하는 표면하주입방식이 가능하며 분말소화약제와 함께 사용 시 소화능력이 강화된다.
ㄹ. 유류의 표면에 거품과 수성막을 형성함으로써 질식과 냉각 소화 작용이 우수하며 '라이트워터(Light Water)'라고도 불린다.

① ㄱ
② ㄴ, ㄷ
③ ㄱ, ㄴ, ㄹ
④ ㄱ, ㄷ, ㄹ
⑤ ㄴ, ㄷ, ㄹ

정답 ④

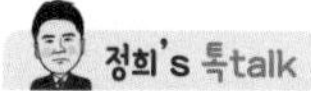

수성막포소화약제
1. 수성막포소화약제는 단친매성으로 유동성이 좋은 거품과 수성막이 형성되어 초기소화가 빨라서 유출화재에 적합합니다.
2. 수성막포란 물의 표면장력을 낮춰 유류표면에 얇은 수성의 막을 형성하여 소화하는 소화약제를 말합니다.

핵심기출

01 불소계 계면활성제이며, 분말과 겸용하면 7~8배 소화효과가 있는 포소화약제는?

17. 상반기 공채

① 단백포
② 합성계면활성제포
③ 수성막포
④ 내알코올포

정답 ③

02 다음은 수성막포에 관한 설명이다. ( ) 안에 들어갈 내용으로 옳은 것은?

22. 소방간부

> 수성막포는 (ㄱ)이 강하여 표면하 주입방식에 효과적이며, 내약품성으로 (ㄴ)소화약제와 Twin Agent System이 가능하다. 반면에 내열성이 약해 탱크 내벽을 따라 잔불이 남게 되는 (ㄷ)현상이 일어날 우려가 있으며, 대형화재 또는 고온화재 시 수성막 생성이 곤란한 단점이 있다.

	ㄱ	ㄴ	ㄷ
①	점착성	강화액	윤화
②	점착성	분말	선화
③	내유성	분말	선화
④	내유성	강화액	선화
⑤	내유성	분말	윤화

정답 ⑤

파포현상

1. 포수용액은 94% 또는 97%가 물로 되어 있습니다.
2. 수용성 액체에 포가 접촉하면 포의 수분(물)이 급속히 수용성 액체에 녹아버리게 됩니다. 포의 물이 수용성 액체에 녹아 순간적으로 소멸되는 현상을 파포현상이라고 합니다.
3. 이와 동시에 수용성 액체는 거꾸로 포 쪽으로 이동하여 수분과 수용성 액체가 서로 자리바꿈하는 치환현상이 일어나고 포 쪽으로 이동된 수용성 액체는 포를 이루고 있는 유기물질을 응고시켜 결국 포는 깨지고 맙니다.
4. 이러한 현상을 방지하려면 수분과 수용성 액체와의 치환현상을 막아야 합니다.

요약NOTE 수성막포소화약제의 장점·단점

구분	내용
장점	· 유동성이 우수함 · 분말소화약제와 병용하면 7~8배 소화효과가 있음 · 수성막이 장기간 지속되므로 재착화 방지에 효과가 있음 · 유류에 오염되지 않으므로 표면하 주입방식에 의한 설비를 할 수 있음 · 초기 소화속도가 빨라 우수함 · 불화단백포소화약제 및 ABC분말소화약제와 함께 사용이 가능 · 소화약제의 보존기간이 반영구적
단점	· 내열성이 약하여 탱크 벽면을 따라 잔화가 남는 열화현상(Ring fire)이 발생함 · 구입가격이 높음 · 수성막은 한정된 조건이 아니면 형성되지 않는 단점이 있음 · C급 화재에는 사용이 곤란함

(4) 알코올형포소화약제(Alcohol-type foaming agents)

① **알코올과 같은 수용성액체의 화재**에 보통의 포소화약제를 사용하면 수용성 액체가 포 속의 물을 탈취하여 포가 파괴되기 때문에 소화효과를 잃게 된다.

② **수용성 가연물질에 용해되지 않는 성질**을 가진 포소화약제에는 금속비누형 알코올포소화약제·고분자겔(Gell) 생성형 알코올형포소화약제·불화단백형 알코올형포소화약제 등이 있다.

㉠ **불화단백형 알코올형포소화약제:** 단백포소화약제에 알코올성이 높은 **불소계 계면활성제**를 결속시킨 포소화약제로서 알코올류와 같은 수용성의 액체 가연물질의 화재에 대해 소화성능이 우수하다.

㉡ **금속비누형 알코올형포소화약제:** 초기에는 단백질의 가수분해물에 금속비누를 계면활성제로 사용하여 유화·분산시킨 것을 사용하였다.

㉢ **고분자겔 생성형 알코올형포소화약제:** 금속비누형 알코올형포소화약제의 단점을 보완한 것으로 탄화수소계 계면활성제계에 고분자겔 생성물을 첨가한 것이다.

③ 메탄올·에탄올과 같이 극성이 크고 탄소수가 작은 것은 소화가 가능하다. 반면 부탄올 이상의 고급 알코올은 극성이 작고 연소열이 크기 때문에 소화가 곤란할 수 있다. 모든 수용성 액체에 소화적응성이 있는 내알코올포소화약제는 없는 실정이다.

요약NOTE 알코올형포소화약제의 장점·단점

구분	내용
장점	· 수용성 액체 가연물질과 유류화재의 양용형에 해당함 · 유류에 오염되지 않음 · 대형의 유류저장탱크에 사용하여도 윤화(Ring fire)가 발생하지 않음 · 소화약제의 보존기간이 길(8~10년)
단점	구입가격이 높음

(5) 합성계면활성제포소화약제(Synthetic foaming agents)

① 유동성은 좋은 반면 내열성 · 유면 봉쇄성이 좋지 않기 때문에 다량의 유류화재에는 효과적이지 못하다.

② 3%, 4%, 6%의 여러 가지 형이 있으나 3%형과 6%형이 가장 많이 사용된다.

③ 대부분의 소화약제가 팽창비 10 이하의 저팽창포로 사용되나, 이 약제는 저팽창포로부터 고팽창포까지 넓게 사용되고 있다.

④ 계면활성제❶에 안정제 · 방청제 등을 첨가한 약제이다. 불소계 계면활성제를 사용한 수성막포 소화약제는 따로 분류한다.

⑤ 고팽창포로 사용하는 경우는 포의 방출구에서 화재지점까지 포를 도달시키는 사정거리❷가 짧은 것이 단점이다.

⑥ 유류저장탱크의 화재 시 이용하는 경우 윤화현상이 발생될 우려가 있다.

⑦ 저발포 · 고발포로의 사용이 가능하다.

요약NOTE 합성계면활성제포소화약제의 장점 · 단점

구분	내용
장점	· 유류표면에 대해 유동성이 양호하여 소화속도가 빠름 · 저발포 · 고발포로 사용 가능 · 일반화재 · 유류화재에 모두 적용 · 소화약제의 보존기간이 반영구적
단점	· 단열성 · 내유성이 약하고, 윤화가 발생될 우려가 있음 · 유류저장탱크의 시설에 부적합함 · 환경오염 우려가 있고 사정거리가 비교적 짧음

요약NOTE 발포배율(팽창비), 환원시간, 유동성, 내열성

구분	내용
발포배율	· 팽창비 = $\frac{\text{발포 후 포의 체적}}{\text{방출 전 포수용액의 체적}}$ · 작은 팽창비는 내열성이 높아지는 경향이 있다. · 팽창비가 커질수록 유동성은 좋아지지만 내열성은 감소한다.
환원시간	· 발포된 포가 깨져서 원래의 포수용액으로 환원되는 시간을 말한다. · 환원시간이 길면 내열성이 증가하며, 유동성은 불량해진다.
유동성	· 포가 연소하는 유면 상을 자유롭게 유동하여 확산되어야 소화가 가능해지는 특성이다. · 환원시간이 길면 안정성과 내열성이 증가하지만 유동성은 떨어진다.
내열성	· 화염 및 화열에 대한 저항성이다. · 팽창비가 낮을수록, 환원시간 길수록 내열성이 좋다.

용어사전

❶ 계면활성제: 기체와 액체, 액체와 액체, 액체와 고체 간의 계면(표면)에 흡착 · 배열되어 그 계면(표면)의 성질을 현저하게 변화시키는 물질이다. 계면활성제는 비누로부터 시작되어 합성세제, 기포제, 침투제 등 산업 전반에 걸쳐 넓게 이용되고 있다.

❷ 사정거리: 포의 방출구에서 화재 지점까지 포를 도달시키는 거리를 말한다.

CHAPTER 3 비수계 소화약제

1 이산화탄소소화약제 A

1. 개요

(1) 이산화탄소소화약제의 사용

① 이산화탄소는 탄소의 최종산화물로 더 이상 연소 반응을 일으키지 않기 때문에 할론, 아르곤, 질소 등의 불활성기체와 함께 소화약제로 많이 사용되고 있다.

② 이산화탄소를 소화약제로 이용하는 주된 목적은 소화약제로 인하여 연소되지 아니한 **피연소 물질에 물리적·화학적 피해를 주지 않기 때문이다.**

③ **질식소화작용**과 **냉각소화작용이 우수**하여 정밀화학, 전기·전자기기실, 의료장비 시설분야의 화재방지용 소화약제로 많이 이용되고 있다.

④ 이산화탄소소화약제는 산소농도의 희석에 의한 질식소화를 주목적으로 하므로 **개방된 장소에서의 일반가연물화재의 소화에는 부적합하다.** 그러나 개구부에 자동폐쇄장치가 설치된 전역방출 방식인 경우 일반 **가연물질에 대하여 가연물질의 내부까지 침투하여 심부화재에도 소화효과가 있다.**

⑤ 이산화탄소를 소화약제로 사용하기 위해서는 소화기 또는 저장용기에 고압으로 충전하여야 하므로 저장·취급 시 특별한 주의가 요구되며, 대기로의 방출 시에는 급격한 온도하강으로 인한 인체의 동상이 우려되므로 피부에 접촉되지 않도록 안전관리에 최선을 다하여야 한다.

(2) 이산화탄소의 특성

① 이산화탄소는 유기물의 연소에 의하여 생기는 가스로 공기보다 **약 1.5배 정도 무거운 기체**이다. 상온에서는 기체이지만 압력을 가하면 액화되기 때문에 고압가스 용기 속에 액화시켜 보관한다.

② 방출 시에는 배관 내를 액상으로 흐르지만 분사 헤드에서는 기화되어 분사된다. 가장 큰 소화효과는 질식효과이며 약간의 냉각효과도 있다.

③ 액체이산화탄소는 자체 증기압이 21℃에서 $57.8kg/cm^2$·G(-18℃에서 $20.4kg/cm^2$·G)정도로 매우 높기 때문에 **다른 가압원의 도움 없이 자체 압력으로도 방사가 가능하다.**

④ **이산화탄소의 임계온도는** 31.35℃로 상온에 가깝기 때문에 하절기의 경우 액화이산화탄소의 온도가 임계점❶을 넘으면 용기 내의 압력이 급격히 상승되어 위험하다.

⑤ 액체이산화탄소는 압축가스와 달리 기화 팽창률이 크므로 대기 중에 방출하게 되면 큰 체적의 기체이산화탄소로 변하게 된다.

핵심기출

다음 특성에 해당하는 소화약제는? 19. 공채

- 소화 후 소화약제에 의한 오손이 없고, 비전도성이다.
- 장기보존이 용이하고, 추운 지방에서도 사용 가능하다.
- 자체 압력으로 방출이 가능하고, 불연성 기체로서 주된 소화효과는 질식효과이다.

① 이산화탄소소화약제
② 산알칼리소화약제
③ 포소화약제
④ 할로겐화합물 소화약제

정답 ①

용어사전

❶ 임계점: 열역학적으로 온도·압력·부피를 변화시키면 기체의 액화, 액화의 기화 등의 변화가 일어나지만, 특정 온도 이상이 되면 더 이상 압력에 따른 상태변화가 일어나지 않는데, 액체상과 기체상의 상전이가 더 이상 일어나지 않는 영역을 임계점이라 한다. 임계점이 나타내는 압력을 임계압력, 임계온도라고 한다. 임계온도 이상의 영역에서는 두 상이 서로 나뉘지 않는 초임계유체상태가 된다.

⑥ 삼중점(Triple point)에서는 세 가지 상이 평형이 되어 기체 · 액체 · 고체가 공존할 수 있다. 이산화탄소는 삼중점인 5.1kg/cm^2, 약 -56.7℃에서 기체 · 액체 · 드라이아이스가 공존한다. 일반적으로 고체이산화탄소는 녹기보다는 승화가 쉽게 발생하는데, **이것은 대기압이 삼중점의 압력보다 낮기 때문이다.**

⑦ 고체에서 기체로 변하는 승화점은 1atm에서 -78.5℃이고 그 이상의 온도에서는 기체로 존재한다. 임계온도는 31.35℃이며, 임계압력은 72.75atm이다.

■ **이산화탄소 물성치**

명칭	물성치	명칭	물성치
증기비중	1.529(공기=1)	기체밀도 (0℃, 1atm)	1.977g/ℓ
승화점(1atm)	-78.50℃	임계온도❶	31.35℃
열전도도(20℃)	3.60×10^{-5}cal/cm · s · ℃	임계압력❷	75.2kgf/cm^2 (72.75atm)
증발잠열(0℃, 35.54kg/cm^2)	56.13cal/g · ℃	삼중점	5.1kg/cm^2 (약 -57℃)

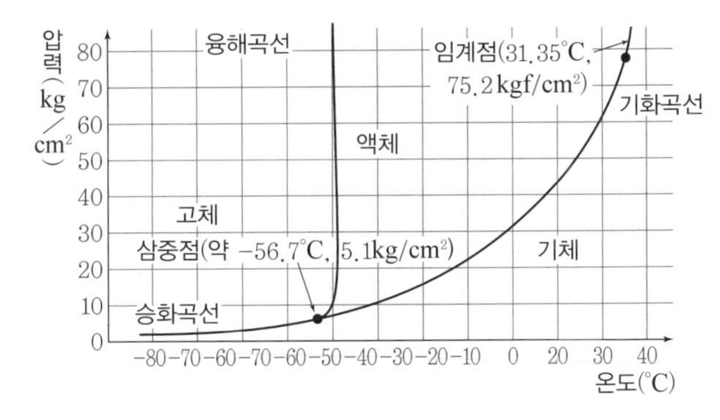

▲ 이산화탄소의 상평형 그래프

2. 적응화재 및 사용제한장소

(1) 적응화재

① 일반화재, 유류화재, 전기화재 모두 적응성이 있으나 주로 B급 · C급 화재에 사용되고 A급은 밀폐된 경우에 유효하다. 밀폐되지 않은 경우에는 이산화탄소가 쉽게 분산되고 가연물에 침투되기가 어렵기 때문에 효과가 아주 미약하다.

② 이산화탄소는 표면화재에는 우수한 효과를 나타내나 심부화재에 사용하는 경우에는 재발화의 위험성이 있다. 그러므로 심부화재의 경우에는 고농도의 이산화탄소를 방출시켜 소요 농도의 분위기를 비교적 장시간 유지시켜야 한다.

③ 사용 후 소화제에 의한 오손이 없기 때문에 통신기기실, 전산기기실, 변전실 등의 전기 설비, 물에 의한 오손이 걱정되는 도서관이나 미술관 등에 유용하다.

④ 주차장 등에도 사용되나, 인명에 대한 위험 때문에 무인의 기계식 주차탑 이외에는 사용하지 않는 것이 바람직하다.

1atm
1. 101,325Pa
2. 0.101325MPa
3. 1.033227kgf/cm^2
4. 760mmHg
5. 10,332.275mmH_2O

용어사전

❶ 임계온도: 액화가 가능한 최고의 온도이다. 이 온도보다 높을 경우 액화되지 않는다.

❷ 임계압력: 임계온도에서 액화 가능한 최저의 압력. 임계온도 이상에서는 압력을 변화시켜도 상(액화)이 변하지 않는다.

(2) 사용제한장소

① 방재실·제어실 등 사람이 상시 근무하는 장소

② 소화약제에 의해 질식 또는 인체의 위해가 발생할 우려가 있는 밀폐장소

③ 제5류 위험물을 저장·취급하는 장소

④ 이산화탄소를 분해시키는 반응성이 큰 금속(Na, K, Mg, Ti, Zr 등)과 금속수소화물(LiH, NaH, CaH_2)

3. 소화효과

(1) 질식소화작용

① 이산화탄소의 가장 큰 소화효과는 질식효과이다. 질식효과는 앞에서 설명한 것처럼 대기 중의 산소 농도가 어느 정도 이하로 떨어지면 소화되는 효과로 소화에 필요한 이산화탄소의 농도는 가연물의 종류에 따라 달라진다.

② 일반적으로 소화를 위한 이산화탄소의 농도는 대개 34vol% 이상으로 설계되며, 이때 산소의 농도는 14vol% 정도가 된다.

③ 이산화탄소는 비중이 1.52로 공기 또는 산소보다 무거워 가연물질에 방출되면 가연물질의 표면에 불연층을 형성하거나 둘러싸 산소의 공급을 차단시켜, 화재를 소화하는 질식소화작용이 다른 소화약제에 비하여 우수하다.

④ CO_2 1kg을 15℃에서 방사 시 534ℓ로 체적팽창하여 질식효과가 크다.

(2) 냉각소화작용

① 이산화탄소는 상온·상압에서 기체상태로 존재하는 불연성 가스로서 활성을 가지지 아니하는 물질이며, 「고압가스 안전관리법」에서 액화가스로 취급되고 있다. 고압용기에 액상으로 저장한 뒤 화재 시 방출하면 액상의 이산화탄소가 기체상의 이산화탄소로 기화하면서 화재발생 장소의 주위로부터 많은 열을 흡수하므로 화재를 발화점 이하로 냉각시켜 소화시키는 기능을 한다.

② 냉각효과는 유류탱크 화재에서처럼 불타는 물질에 직접 방출하는 경우에 가장 효과적으로 나타난다. 산소 농도 저하에 따른 질식 효과가 사라진 후에도 냉각된 액체는 연소에 필요한 가연성 기체를 증발시키지 못하기 때문에 재연소를 방지할 수 있다. 특히 방출되는 이산화탄소에 미세한 드라이아이스 입자가 존재하는 경우에는 냉각효과가 한층 더 커지게 된다.

③ 이산화탄소소화약제를 제4류 위험물인 가솔린·등유 등의 저장탱크 화재 시 방출하는 경우 효율적인 냉각소화효과를 얻을 수 있다.

④ 이산화탄소의 기화열은 액화이산화탄소 1g에 대하여 56.31cal이며, 다른 소화약제에 비하여 냉각소화기능이 우수한 편이다.

(3) 피복소화작용

① 이산화탄소소화약제의 질식소화작용의 원리처럼 이산화탄소의 비중이 공기 또는 순수한 산소보다 무거워 화재발생 시 가연물질에 방출하면 미연소된 가연물질의 표면뿐만 아니라 내부의 구석구석까지 침투한다.

② 즉, 심부화재에도 적합하다.

핵심기출

이산화탄소 소화약제의 특징으로 옳은 것은?

24. 공채·경채

① 무색, 무취로 전도성이며 독성이 있다.
② 질식소화 효과와 기화열 흡수에 의한 냉각효과가 있다.
③ 제3류 위험물, 제5류 위험물의 소화에 사용한다.
④ 자체 증기압이 매우 낮아 별도의 가압원이 필요하다.

정답 ②

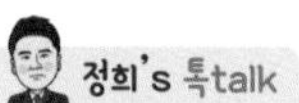

줄-톰슨효과

기체 및 액체가 관경이 작은 관을 빠른 속도로 통과할 때 온도가 급강하하는 현상을 말합니다.

4. 이산화탄소의 소화농도 및 독성

(1) 개념

① 이산화탄소의 주된 소화효과는 산소농도 저하에 의한 질식효과이다. 소화에 필요한 이산화탄소의 농도는 가연성 기체와 액체의 종류에 따라 다르다.

물질명	최소 소화농도(vol%)	최소 설계농도(vol%)	한계산소농도(vol%)
아세틸렌	55	66.0	9.45
부탄	28	33.6	15.12
일산화탄소	53	63.3	9.87
에틸렌	41	49.2	12.39
메탄	24	34(28.8)	15.96
수소	62	74.4	7.98

② 최소 설계농도는 이론적으로 구한 최소 소화농도에 일정량의 여유분(최소 소화농도의 20%)을 더한 값이다.

㉠ 이산화탄소의 최소 소화농도(Theoretical minimum CO_2 concentration)

$$CO_2(\%) = \frac{21 - O_2}{21} \times 100 \cdots\cdots [\text{식}1]$$

㉡ 이산화탄소의 최소 설계농도(Minimum design CO_2 concentration)

$$\text{최소 설계농도} = \text{최소 소화농도} \times 1.2 \cdots\cdots [\text{식}2]$$

③ 이산화탄소의 최소 설계농도는 보통 34vol% 이상으로 설계하기 때문에 [식1]과 [식2]와 같이 구한 최소 설계농도가 34vol% 이하일 때에도 34vol%로 설계해야 한다.

④ 공기 중에는 산소가 21vol% 존재하지만 이것이 희석되어 농도가 개략적으로 15vol% 이하가 되면 연소는 중단된다. 가연물질에 따라 산소농도가 15vol% 이하가 되어도 소화되지 않는 경우도 있다. 이산화탄소의 최소 설계농도를 34vol%로 하는 경우 산소의 농도를 [식1]로부터 구해 보면 약 14vol%가 된다.

(2) 이산화탄소의 최소 소화농도 계산

예제

공기 중 산소농도가 20%일 때, 이산화탄소를 방사해서 산소농도 10%가 되었다면 이때 이산화탄소의 최소 소화농도는?

풀이식

$$CO_2(\%) = \frac{21 - O_2}{21} \times 100(\%)$$ (단, 공기 중의 산소의 농도 21%일 경우)

$$CO_2(\%) = \frac{20 - 10}{20} \times 100(\%) = 50(\%)$$

따라서 이산화탄소의 최소 소화농도는 50(%)이다.

정답 50%

핵심 적중

01 공기 중 산소의 농도가 20%라고 가정한다면 산소농도를 10%로 하기 위한 이산화탄소의 농도%는? 18. 상반기 공채

① 50 ② 25
③ 20 ④ 15

정답 ①

02 밀폐된 구획공간에서 이산화탄소 방사 시 산소농도를 10%로 설계할 때 방사하는 이산화탄소의 농도는? (단, 소수점은 올림 처리한다) 21. 소방간부

① 15% ② 24%
③ 35% ④ 45%
⑤ 53%

정답 ⑤

03 이산화탄소를 방사해서 산소농도가 18vol%가 되었다면 이때 사용한 이산화탄소의 농도는 얼마인가?

① 약 14% ② 약 23%
③ 약 32% ④ 약 45%

정답 ①

정희's 톡talk

이산화탄소의 약제 계산식

1. CO_2의 %

$$CO_2\text{의 \%} = \frac{21-O_2}{21} \times 100$$

2. CO_2의 기화체적(m^3)

$$CO_2\text{의 기화체적} = \frac{21-O_2}{O_2} \times V$$

(3) 이산화탄소의 독성

① 이산화탄소는 자체의 독성은 무시할 만하나, 다량 발생 시 공기 중의 산소량을 저하시켜 질식의 위험이 있다.

② **이산화탄소의 경우 독성을 나타내는 수치의 하나인 TLV는 5,000ppm으로 일산화탄소의 50ppm, 암모니아의 25ppm에 비하면 자체의 유독성보다는 상대적인 산소농도에 기인하여 위험을 초래하는 기체라 할 수 있다.**

③ 전역 방출 방식으로 이산화탄소 소화설비를 작동시킬 경우 실내의 이산화탄소 농도는 약 1분 후에 20%를 초과하여 치사량에 도달한다. 이때 산소의 농도는 16.8vol%로 떨어지고 중추신경 마비로 사망할 수 있다. 따라서 방출 전에 음향경보 등에 의한 피난 경보를 발하여 인원을 피난시키고, 방출과 동시에 출입 금지의 표시를 하여야 한다.

심화학습 이산화탄소가 인체에 미치는 영향

이산화탄소의 농도(vol%)	증상	처치
1.0(20.79*)	공중 위생상의 허용 농도	무해
2.0(20.58)	· 수 시간의 흡입으로도 큰 증상은 없음 · 불쾌함이 있음	무해
3.0(20.37)	· 호흡수가 늘어남 · 호흡이 깊어짐	· 장시간 흡입하는 것은 바람직하지 않음 · 환기를 필요로 함
4.0(20.16)	· 눈, 목의 점막에 자극이 있음 · 두통, 귀울림, 어지러움, 혈압 상승 등이 일어남	빨리 신선한 공기를 호흡할 것
6.0(19.74)	호흡수가 현저히 증가함	빨리 신선한 공기를 호흡할 것
8.0(19.32)	호흡이 곤란해짐	빨리 신선한 공기를 호흡할 것
10.0(18.90)	· 시력장애 · 몸이 떨리며 2 ~ 3분 이내에 의식을 잃으며 그대로 방치하면 사망	30분 이내에 인공호흡, 의사의 조치 필요
20.0(16.80)	중추신경이 마비되어 사망	즉시 인공호흡, 의사의 조치 필요

* ( ) 안의 숫자는 공기 중의 산소의 농도(vol%)를 나타냄

2 할론(Halon)소화약제 B

1. 개요

(1) 정의

① 할론소화약제는 **할로겐족 원소인 불소(F)·염소(Cl)·브롬(Br, 취소)·요오드(I)를** 탄화수소인 메탄(CH_4)·에탄(C_2H_6)의 수소원자와 치환시켜 제조된 물질이다.

② 대부분 상온·상압에서 기체상으로 존재하며, 전기의 절연성이 우수하고 피연소물질에 물리·화학적 변화를 초래하지 않는다.

③ 할로겐족 원소인 브롬·염소 등이 가연물질 내에 함유되어 있는 활성유리기인 수소기(H)·수산기(OH)와 반응하여 가연물질의 연쇄반응 또는 화재의 진행을 차단·억제하는 **부촉매소화효과가 우수하다.**

(2) 종류

할론소화약제의 종류는 매우 다양하나 현재는 할론 1301·할론 1211·할론 2402 소화약제가 가장 많이 사용되고 있다.

(3) 대표 할론소화약제의 종류별 특성

① **할론** 1301 **소화약제**(CF_3Br): 일취화삼불화메탄

㉠ 공기보다 5.1배 무거우며, 비점(bp)이 영하 57.75℃이다.

㉡ 모든 할론소화약제 중 **소화성능이 가장 우수하다.**

㉢ 오존층을 구성하는 오존(O_3)과의 반응성이 강하여 **오존파괴지수**(ODP; Ozone Depletion Potential)**가 가장 높다.**

㉣ 상온·상압에서 기체로 존재하며, 무색·무취 비전도성이다.

㉤ 전역방출방식 등 고정식소화설비에 주로 사용한다.

② **할론** 1211 **소화약제**(CF_2ClBr): 일취화일염화이불화메탄

㉠ 공기보다 5.7배 무거우며, 상온에서 기체이고 방출 시 액체로 방출된다.

㉡ 소화약제로 사용되는 할론 중 오존파괴지수가 가장 낮다.

㉢ 할론 1211 소화약제는 소화기용 소화약제로 사용하는 경우 일반가연물화재·유류화재·전기화재 및 가스화재에 적응되는 유일한 소화약제이다.

㉣ 상온·상압에서 기체로 존재하며, 무색·무취 비전도성이다.

㉤ 증기압이 낮아 낮은 압력(25℃에서 약 0.2MPa)에도 쉽게 액화시켜 저장할 수 있다.

③ **할론** 2402 **소화약제**($C_2F_4Br_2$): 이취화사불화에탄

㉠ 공기보다 9배 무거우며, 비점이 영상 47.5℃이다.

㉡ 1974년에는 상온·상압에서 액체인 할론 2402를 사용한 소화기가 등장하게 되었으나 **독성 때문에 소화기용으로는 사용하지 않는다.**

㉢ 독성이 있기 때문에 주로 사람이 없는 옥외시설물 등에 국한되어 사용한다.

㉣ 주로 국소방출방식으로 사용한다.

할론소화약제의 오존층 파괴

1987년 9월 16일 캐나다 몬트리올에서 조인되어 1989년 1월 1일부터 발효된 몬트리올 의정서에는 오존층을 파괴하는 할로겐화합물로 알려진 CFCs(일반적으로 Freon 가스라고도 함), 할론소화약제, 사염화탄소, 메틸클로로포름 등을 대부분 금세기 내에 전폐하기로 하는 강제규정과 이를 지키지 않을 경우에 대한 강력한 제재조항이 포함되어 있습니다.

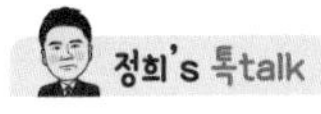

오존파괴지수(ODP)

1. 어떤 화합물질의 오존파괴 정도를 숫자로 표현한 것으로써 숫자가 클수록 오존파괴 정도가 큽니다. 삼염화불화탄소($CFCl_3$)의 오존파괴능력을 1로 보았을 때 상대적인 파괴능력을 나타내는 지수로서 몬트리올의정서에서 규정한 모든 오존층파괴물질에 대해 오존층파괴지수가 산정되어 있습니다.
2. 할론 1301의 ODP는 14.1, 할론 1211은 2.4, 할론 2402는 6.6으로 CFC-11에 비해 훨씬 높은 값을 가지고 있습니다. CFC-11의 ODP는 1입니다.

2. 소화약제의 명명(命名) 및 분류

(1) 소화약제의 명명법

① 할론소화약제에 대한 할론 명명은 '미육군화학연구소'의 창안으로 사용하여 오던 중 '미국방화협회(NFPA)'의 공식 인정으로 국제적으로 공용화되었다.

② 할론소화약제에 대한 명명은 탄화수소인 메탄(CH_4) · 에탄(C_2H_6)의 수소원자와 치환되는 할로겐족 원소의 종류와 치환되는 위치 및 수에 따라 부여되고 있다.

③ 첫 번째 번호는 할론 번호의 주체가 되는 탄소의 수를 나타내고, 그 다음 번호는 불소의 수, 세 번째는 염소의 수, 마지막은 부촉매소화(화학소화) 기능이 가장 양호한 브롬(취소)의 수이다.

할론	W	X	Y	Z
	↓	↓	↓	↓
	탄소	불소	염소	브롬

④ 메탄(CH_4)에 불소 3분자 · 브롬 1분자가 치환반응하여 생성된 1브롬화3불화메탄(CF_3Br)은 탄소원자 1개, 불소원자 3개, 브롬원자 1개이고 염소원자가 없으므로 할론 명명법에 따라 할론 번호를 부여하면 할론 1301이 된다.

참고 할론 명명법

1. 제일 앞에 할론(Halon)이라는 명칭을 쓴다.
2. 그 뒤에 구성 원소들의 개수를 C, F, Cl, Br, I의 순서대로 쓰되 해당 원소가 없는 경우는 0으로 표시한다.
3. 맨 끝의 숫자가 0으로 끝나면 0을 생략한다(즉, I의 경우가 없어도 0을 표시하지 않는다).

(2) 할로겐원소로 치환되지 않은 수소 원자의 개수가 있는 경우

① 포화탄화수소가 가지고 있는 수소의 수[(탄소수×2)+2]에서 치환된 할로겐족 원소의 합인 나머지 숫자를 빼면 된다.

② 수소 원자의 수 = (첫 번째 숫자×2) + 2 - 나머지 숫자의 합

③ 할론 1001(CH_3Br)에서 치환되지 않은 수소 원자의 수는 $(1\times2)+2-1=3$이다.

참고 대표적인 할론소화약제와 할론 번호

명칭	분자식	할론 번호
Methylbromide	CH_3Br	1001
Methyliodide	CH_3I	10001
Bromochloromethane	CH_2BrCl	1011
Dibromodifluoromethane	CF_2Br_2	1202
Bromochlorodifluoromethane	CF_2BrCl	1211
Bromotrifluoromethne	CF_3Br	1301
Carbontetrachloride	CCl_4	104
Dibromotetrafluoroethane	$C_2F_4Br_2$	2402

3. 적응화재

(1) 일반적으로 유류화재(B급 화재), 전기화재(C급 화재)에 적합하나 전역 방출과 같은 밀폐 상태에서는 일반화재(A급 화재)에도 사용할 수 있다.
① 컴퓨터실, 통신기기실, 변압기, 변전소 등과 같은 전기 위험물
② 가솔린 또는 다른 인화성 연료를 사용하는 기계
③ 종이, 목재, 섬유 등 일반적인 가연물질
④ 도서관, 박물관 등

(2) 할론소화약제는 연소의 4요소 중의 하나인 연쇄반응을 차단시켜 화재를 소화한다. 이러한 소화를 부촉매소화 또는 억제소화라 하며 이는 화학적 소화에 해당한다.

(3) 사용이 제한되는 소방대상물
① 셀룰로오스, 질산염 등과 같은 자기 반응성 물질 또는 이들의 혼합물
② Na, K, Mg, Ti, Pu(플루토늄) 같은 반응성이 큰 금속
③ 금속의 수소 화합물(LiH, NaH, CaH_2, $LiAH_4$ 등)
④ 유기과산화물, 히드라진(N_2H_4) 등과 같이 스스로 발열 분해하는 화학제품

4. 할로겐원소의 역할

(1) 할론은 지방족 탄화수소인 메탄(CH_4)이나 에탄(C_2H_6) 등의 수소 원자 일부 또는 전부가 할로겐원소(F, CI, Br, I)로 치환된 화합물로 이들의 물리적 · 화학적 성질은 메탄이나 에탄과는 판이하게 다르다.

(2) 특성
① **전기음성도가 크다는 것은 다른 원소를 산화시키는 힘이 크다는 것**을 의미한다. 따라서 불소는 모든 원소 중에서 산화력이 가장 크다.
② **불소가 함유되어 있는 할론은 연료로 사용되는 메탄과는 정반대로 중심 탄소가 산화되어 있는 상태이기 때문에 불연성이며 대기 중에서도 잘 분해되지 않는 안정된** 물질이다.
③ 할론의 중요한 특징 중의 하나는 독성이 적다는 것인데 이는 탄소 - 불소 사이의 결합력이 강해 다른 물질과의 상호 작용이 적어지기 때문이다. 그러나 염소나 브롬이 이 분자 내에 들어오면 탄소 - 염소, 탄소 - 브롬 사이의 결합력은 그다지 크지 않지만 불소의 강한 힘이 염소와 브롬을 끌어당겨 이분자의 독성을 작게 한다.
④ 일반적으로 할로겐화합물 중에 불소는 불활성과 안전성을 높여 주고 브롬은 소화 효과를 높여 준다. 또한 할론은 분자 내의 결합력은 강한 반면, **분자 간의 결합력은 약하기 때문에 쉽게 기화되어 소화 후 잔해물이 남지 않는다는 장점도 지니고 있다.**
⑤ 할론소화약제에서 염소와 브롬은 거의 같은 역할을 하지만 브롬이 염소보다 소화효과가 크다.

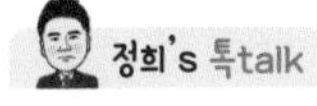

원소의 전기음성도
원소의 전기음성도란 화학적 반응에서 분자 내의 전자가 원자와 결합하는 척도를 말합니다. [F(4.0), Cl(3.0), Br(2.8), I(2.5)]

요약NOTE 할론소화약제에서 할로겐원소의 역할

특징	불소	염소	브롬
독성	감소	강화	강화
안정성	강화	-	-
소화효과	-	강화	강화
비점	감소	강화	강화

참고 할론소화약제의 특성

1. 전기음성도는 불소, 염소, 취소, 옥소 순이다.
2. 소화효과는 옥소, 취소, 염소, 불소 순이다.
3. 소화효과는 1301, 1211, 2402, 1011, 1040 순이다.
4. 오존층파괴지수는 1301, 2402, 1211 순이다.
5. $\text{ODP(오존파괴지수)} = \dfrac{\text{어떤 물질 1kg에 의해 파괴되는 오존량}}{\text{CFC-11 1kg에 의해 파괴되는 오존량}}$
6. $\text{GWP(지구온난화지수)} = \dfrac{\text{어떤 물질 1kg에 의한 지구온난화 정도}}{CO_2\text{ 1kg에 의한 지구온난화 정도}}$

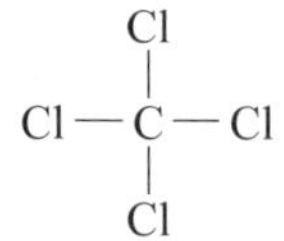

Halon
(Carbon tetra chloride)

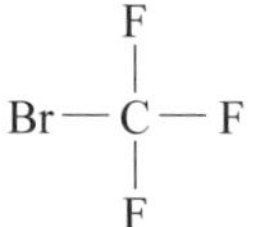

Halon 1301
(Bromo trifluoro methane)

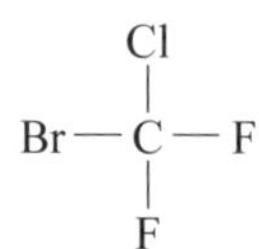

Halon 1211
(Bromo chloro difluoro methane)

F F
Br — C — C — Br
F F

Halon 2402
(Dibromo tetra fluoro ethane)

▲ 할론소화약제의 구조식

특성	할론 1301	할론 1211	할론 2402
분자식	CF_3Br	CF_2BrCI	$C_2F_4Br_2$
분자량	148.9	165.4	259.8
비점(℃, 1atm)	-57.8	-3.4	47.3
임계온도(℃)	67.0	153.8	214.5
액체비중(20℃)	1.57	1.83	2.18
기체비중(공기=1)	5.1	5.7	9.0
상태(상온·상압)	기체	기체	액체

핵심기출

01 어떤 물질이 지구온난화에 기여하는 능력을 상대적으로 나타내는 오존파괴지수(ODP; Ozone Depletion Potential)의 기준물질은? 16. 소방간부

① CFC-11 ② CFC-12
③ CFC-111 ④ CFC-112
⑤ CFC-1301

정답 ①

02 표준 상태에서 할론 1301 소화약제가 공기 중으로 방사되어 균일하게 혼합되어 있을 때 할론 1301의 기체 비중은 얼마인가? (단, 공기의 분자량은 29, F의 원자량은 19, Br의 원자량은 80이다. 소수점 셋째자리에서 반올림할 것) 17. 하반기 공채

① 2.76 ② 4.92
③ 5.14 ④ 9.34

정답 ③

정희's 톡talk

Halon 1301
I(요오드)화합물은 소화의 강도가 가장 강합니다. 하지만 다른 물질과 쉽게 결합하여 많은 분해생성물을 발생시켜 독성이 많아지게 됩니다. 따라서 부촉매소화효과가 가장 높은 것으로 사용되는 화합물이 I(요오드)화합물 다음인 Br(브롬)화합물로서 Halon 1301은 Br을 주체로 한 소화약제입니다.

5. 소화효과

(1) 냉각소화작용

① 할론소화약제는 비점이 낮고 액상에서 기체상으로 기화하는 과정에서 주위의 열을 흡수하여 화재를 발화점 이하로 냉각시켜 소화하는 냉각소화작용을 한다.

② 냉각소화능력은 물소화약제에 비해 10% 정도밖에 되지 않는다.

(2) 질식소화작용

① 할론소화약제는 그 자체가 열에 연소하지 않는 물질로서 대기에 방출되면 비중이 공기보다 무겁고 전기의 절연성이 높아 가연물질의 연소에 필요한 공기 중의 산소의 공급을 차단한다.

② 열에 의하여 발생된 열분해 생성가스도 비중이 산소보다 무거워 가연물질에 공급되는 산소를 차단하여 일정한 농도를 형성하므로 화재를 질식시켜 소화한다.

③ 질식소화를 하려면 많은 양을 방출시켜야 하므로 질식소화가 이루어지기 전에 부촉매소화작용에 의하여 소화가 먼저 이루어지기 때문에 할론소화약제의 질식소화는 그 효과를 기대하기 어려운 실정이다.

(3) 부촉매소화작용

① 할론소화약제가 가지고 있는 **할로겐족 원소인 불소·염소 및 브롬이 가연물질을 구성하고 있는 수소(H)·산소(O)로부터 활성화되어 생성된 수소기(H)·수산기(OH)와 작용하여 가연물질의 연쇄반응을 차단·억제시켜 더 이상 화재를 진행하지 못하게 하는 소화작용을 한다.**

② **할론 1301과 메탄의 반응**

㉠ 가열되면 $CF_3Br \rightarrow CF_3^* + Br^*$으로 분리된다.

㉡ Br^*은 수소원자(H)와의 강한 결합력이 발생한다.

$$CH_4 + Br^* \rightarrow CH_3^* + HBr^*$$
$$CH_3^* + Br^* \rightarrow CH_2^* + HBr^*$$
$$CH_2^* + Br^* \rightarrow CH^* + HBr^*$$
$$CH^* + Br^* \rightarrow C^* + HBr^*$$
$$HBr^* + OH^* \rightarrow H_2O + Br^*$$

㉢ Br^*은 OH^*와 반응하며 강한 친화력으로 수소원자와 Br의 반응은 계속된다.

③ 할론소화약제는 이들 할로겐족 원소의 부촉매소화작용에 의하여 화재를 소화하므로 신속하게 화재를 소화할 수 있는 장점을 가지고 있으며, 현재 사용하고 있는 소화약제(할로겐화합물 및 불활성기체 소화약제 제외) 중 부촉매소화작용이 가장 우수하다.

④ 일반적으로 할론소화약제 중 브롬을 함유한 물질이 브롬을 함유하지 아니한 물질보다 활성유리기로의 전환이 용이하기 때문에 부촉매소화성능이 우수하다.

정희's 톡talk

할론소화약제 소화농도

1. 이산화탄소(CO_2)는 질식 효과에 의해 소화하기 때문에 소화에 필요한 농도가 매우 높은 편이나[소화에 필요한 이산화탄소(CO_2)의 설계농도: 34 ~ 75vol% 정도] 할론의 경우는 화학적 억제효과에 의해 소화하기 때문에 소화에 필요한 최소 농도는 이산화탄소(CO_2)에 비해 상당히 작은 편입니다.
2. 불꽃 소화에 필요한 Halon의 실험적 최소 소화농도는 이황화탄소(CS_2)나 수소를 제외하고는 개략적으로 10vol% 이하(이때 공기 중의 산소농도는 약 18.9%가 된다)입니다. 일반적으로 가연물의 MOC를 15vol% 이하로 본다면 산소 농도 저하에 의한 질식소화효과는 없다고 볼 수 있습니다.

3 할로겐화합물 및 불활성기체 소화약제 A

1. 개요

(1) 할로겐화합물 및 불활성기체소화약제란 할로겐화합물(할론 1301, 할론 2402, 할론 1211 제외) 및 불활성기체로서 전기적으로 비전도성이며 휘발성이 있거나 증발 후 잔여물을 남기지 않는 소화약제를 말한다.

(2) **할로겐화합물 및 불활성기체 소화약제**는 불소 · 염소 · 브롬 · 요오드 중 하나 이상 원소를 포함하고 있는 유기화합물을 기본 성분으로 하는 '**할로겐화합물 소화약제**'와 헬륨 · 네온 · 아르곤 · 질소 중 하나 이상의 원소를 기본 성분으로 하는 '**불활성기체 소화약제**'로 구분된다.

(3) 오존파괴지수(ODP)와 지구의 온도를 상승시켜 지구를 온실화하는 지구온난화지수(GWP)가 할론 물질과 이산화탄소(CO_2)에 비하여 무시할 정도로 낮다.

2. 불활성기체 소화약제

불활성기체 소화약제는 헬륨, 네온, 아르곤, 질소 중 하나 이상의 원소를 기본성분으로 하는 소화약제를 말한다.

(1) IG-541(불연성 · 불활성기체 혼합가스)

① 질소 52%, 아르곤 40%, 이산화탄소 8%로 이루어진 혼합소화약제로 A급 및 B급 화재의 소화에 적합하다.

② 할론이나 분말소화약제와 같이 **화학적 소화특성을 지니고 있는 것은 아니고 주로 밀폐된 공간에서 산소농도를 낮추는 것에 의해 소화한다.**

③ 소화성능을 발휘할 수 있는 약제의 농도에서도 사람의 호흡에 문제가 없으므로 사람이 있는 곳에서도 사용할 수 있다는 것이 장점이다.

(2) IG-01 · IG-55 · IG-100(불연성 · 불활성기체 혼합가스)

① IG-01은 아르곤이 99.9vol% 이상이다.

② IG-55는 질소가 50vol%, 아르곤이 50vol%인 성분으로 되어 있다.

③ IG-100은 질소가 99.9vol% 이상이다.

(3) 불연성 · 불활성기체 혼합가스 소화약제의 특징

① 대기 잔존지수와 GWP가 0이며 ODP도 0이다.

② 할론이나 분말소화약제와 같이 **화학적 소화특성을 지니고 있는 것은 아니고 주로 밀폐된 공간에서 산소농도를 낮추는 것에 의해 소화한다.**

불활성기체 소화약제의 종류	화학식	NOAEL(%)
IG-01	Ar	43
IG-100	N^2	43
IG-541	N_2: 52%, Ar: 40%, CO_2: 8%	43
IG-55	N_2: 50%, Ar: 50%	43

핵심기출

01 할로겐화합물 및 불활성기체 소화약제에 대한 설명으로 옳지 않은 것은? 16. 소방간부

① 전기적으로 비전도성이며 휘발성이 있거나 증발 후 잔여물을 남기지 않는 소화약제이다.
② 오존파괴지수와 지구온난화지수가 할론과 이산화탄소에 비해 무시할 정도로 낮다.
③ 화재에 대하여 질식·냉각소화기능 및 부촉매소화기능이 우수하다.
④ 화재를 소화하는 동안 피연소물질에 물리적·화학적 변화나 재산상의 피해를 주지 않으며, 소화가 완료된 후 특별한 물질이나 지방성 부산물을 발생시키는 단점이 있다.
⑤ 소화약제 방출 시 할론이나 이산화탄소와 같이 산소의 농도를 급격하게 저하시키지 않는다.

정답 ④

02 할로겐화합물 및 불활성기체 소화약제 중 불활성기체 소화약제를 구성할 수 있는 물질에 해당하지 않는 것은? 21. 소방간부

① 헬륨 ② 네온
③ 염소 ④ 질소
⑤ 아르곤

정답 ③

03 할로겐화합물 및 불활성기체 소화약제 중 IG-541에 대한 설명으로 옳지 않은 것은? 18. 상반기 공채

① 사람이 있는 곳에서 사용할 수 있다.
② 할론이나 분말소화약제와 같은 화학적 작용에 의한 소화효과가 있다.
③ 오존파괴지수(ODP)가 영(0)이다.
④ 성분은 질소(N_2) 52%, 아르곤(Ar) 40%, 이산화탄소(CO_2) 8%이다.

정답 ②

04 불활성기체 소화약제의 표기와 화학식의 연결이 옳지 않은 것은? 19. 공채

① IG-01-Ar
② IG-100-N_2
③ IG-541-N_2: 52%, Ar: 40%, Ne: 8%
④ IG-55-N_2: 50%, Ar: 50%

정답 ③

3. 할로겐화합물 소화약제

할로겐화합물 소화약제는 순도가 99% 이상이고 불소, 염소, 브롬, 요오드 중 하나 이상의 원소를 포함하고 있는 유기화합물을 기본성분으로 하는 소화약제이다.

(1) FC-3-1-10(플루오르부탄)

① 화학식은 C_4F_{10}이고 끓는점이 -2.2℃로 전역방출방식에 사용되며 소화농도가 5.0 ~ 5.9vol%로 비교적 소화성능도 우수하다.

② NOAEL이 40vol%로 소화농도보다 훨씬 높기 때문에 거실에서도 사용할 수 있는 장점이 있다.

③ FC-3-1-10은 할론 1301에 비해 무게비로 약 2배의 양을 사용하여야 소화된다.

(2) HCFC BLEND A(하이드로클로로 플루오르카본 혼합제)

① HCFC BLEND A는 HCFC-123, HCFC-22, HCFC-124와 $C_{10}H_{16}$의 혼합물로 이루어진 소화약제이다.

② 소화농도가 7.2vol%이고, LC50이 64vol%, NOAEL이 10vol%로 사람이 있는 거실에서 사용이 가능하다. ODP는 0.044이다.

③ 이 소화약제의 HCFC 물질은 오존층 보호를 위한 몬트리올 의정서에서 경과물질로 규정되어 있어 2030년에는 생산이 금지된다.

(3) HCFC-124(클로로테트라 플루오르에탄)

① HCFC-124는 HCFC계 물질로 끓는점이 -11.0℃이며 전역방출방식 및 휴대용 소화약제의 후보물질이다.

② 독성은 LC50이 23 ~ 29vol%, NOAEL이 1.0vol%, LOAEL이 2.5vol%이다. 할론 1301과 비교할 때 무게비로 1.6배 부피비로 2.3배를 투입하여야 효과적으로 소화할 수 있다.

③ 설계농도가 NOAEL보다 훨씬 높으므로 사람이 있는 곳에서 사용할 수 없다.

(4) HFC-125(펜타플루오르에탄)

① HFC-125는 할론 1301과 아주 유사한 물성을 지니고 있다. 다만, 밀도는 1.249g/ml로 할론 1301의 1.548g/ml보다 낮고 임계온도도 비교적 낮기 때문에 용기에 대한 소화약제의 저장비율이 다소 떨어진다.

② NOAEL은 7.5%, LOAEL은 10.0%이고 LC50은 70% 이상으로 독성이 비교적 적다.

③ 불꽃의 소화농도는 8.1 ~ 9.4vol%로 할론1301에 비해 높으며 증발잠열은 27.1cal/g으로 할론1301의 19.7cal/g에 비해 훨씬 크므로 완전히 기화시켜 배출하는 데 어려움이 있다. NOAEL은 설계농도보다 낮기 때문에 거실에서는 사용할 수 없다.

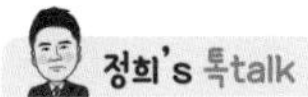

소화성능

1. 소화성능이란 말은 절대적 소화성능과 상대적 소화성능 등 크게 두 가지로 나누어 집니다. 절대적 소화성능이란 어떤 소화약제나 소화시스템이 한 특정화재를 소화할 수 있는지의 여부를 뜻하는 것이고 상대적 소화성능이란 기준이 되는 소화약제나 소화시스템에 비해 상대적으로 소화효율이 높은지 또한 낮은지를 나타내는 말입니다.
2. 절대적 소화성능을 측정하는 것은 실질적으로 매우 어렵기 때문에 어떤 소화약제의 소화성능을 측정하기 위해서는 대개 상대적 소화성능을 측정합니다.
3. 상대적 소화성능을 측정하는 실험실적 방법으로는 두 가지 방법이 있는데 하나는 공기와 연료가 섞여있는 가연성 혼합물을 불연성 혼합물로 만드는 데 필요한 소화약제의 양을 측정하는 불활성 소화법(Inerting fire Test)이고 또 다른 하나는 불꽃에 소화약제가 확산되어 불을 끄는 데 필요한 소화약제의 농도를 측정하는 불꽃 소화방법(Flame ExtinguishmentTest)입니다.

핵심 적중

01 할로겐화합물 소화약제 중 'HCFC BLEND A'의 구성 요소가 아닌 것? 22. 소방간부

① HCFC-123
② C_3HF_7
③ HCFC -22
④ HCFC -124
⑤ $C_{10}H_{16}$

정답 ②

02 할로겐화합물 및 불활성기체 소화약제에 대한 설명으로 옳은 것은?

① 전기전도성이 우수하여 전기화재에 적응성이 있다.
② 증거보존이 용이하다.
③ 소화약제 가격이 매우 저렴하다.
④ 지구온난화를 전혀 일으키지 않는 소화약제이다.

정답 ②

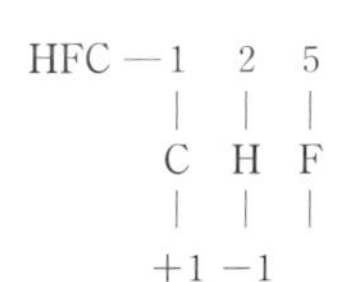

▲ 할로겐화합물 소화약제 명명법

✎ **핵심기출**

할로겐화합물 및 불활성기체 소화약제에 관한 설명으로 옳지 않은 것은? 23. 공채

① IG-01, IG-55, IG-100, IG-541 중 질소를 포함하지 않은 약제는 IG-100이다.
② 할로겐화합물 소화약제 중 HFC-23(트리플루오르메탄)의 화학식은 CHF_3이다.
③ 부촉매 소화효과는 불활성기체 소화약제에는 없으나 할로겐화합물 소화약제는 있다.
④ 할로겐화합물 소화약제는 불소, 염소, 브롬 또는 요오드 중 하나 이상의 원소를 포함하고 있는 유기화합물을 기본성분으로 하는 소화약제를 말한다.

정답 ①

(5) HFC-227ea(헵타플루오르프로판)

① ODP가 0이며 끓는점이 -16.4℃로 전역방출방식에 적합하다.

② 이 소화약제의 불꽃 소화농도는 5.8 ~ 6.6vol%로 비교적 소화성능이 우수한 편이다.

③ 소화능력, ODP, GWP, 독성 등을 종합적으로 판단할 때 현재 개발된 HFC계 소화약제 중에서는 가장 우수한 것으로 판단되지만 가격이 약간 높은 것이 단점이다.

(6) HFC-23(트리플루오르메탄)

① HFC계 물질은 브롬과 염소도 함유하지 않아 ODP가 0이며 독성도 낮다.

② LC50은 65vol% 이상이고 NOAEL도 50vol%으로 독성이 낮다.

참고 할로겐화합물 및 불활성기체 소화약제와 할론 1301의 물성 및 특성

종류 / 항목	할로겐화합물 및 불활성기체 소화약제							할론 1301
	FC-3-1-10	HCFC BLEND A	HCFC-124	HFC-125	HFC-227ea	HFC-23	IG-541	
분자량	238.03	92.90	136.50	120.02	170.03	70.01	34.0	148.9
끓는점(℃)	-2.0	-38.3	-11.0	-48.5	-16.4	-82.1	-19.6	-57.8
어는점(℃)	-128.2	< -107.2	-198.9	-102.8	-131	-155.2	-78.5	-168.0
임계온도(℃)	118.2	124.4	122.2	66.0	101.7	25.9	-	67.0
임계압력(kPa)	2,323	6,647	3,614	3,595	2,912	4,836	-	4,010
임계체적(cc/mole)	371	162	242	210	274	133	-	-
임계밀도(kg/m^3)	629	577	565	571	621	525	-	745
기화열, 비점(cal/g)	23.0	53.9	46.4	39.4	31.7	57.3	52.6	28.4
최소 소화농도(vol%) (불꽃 소화농도)	5.9	7.2	8.0	10.1	5.8	13.0	29.1	4.1
ODP	0	0.04	0.02	0	0	0	0	10.0
GWP	18.2	0.1	-	-	0.6	13	-	0.8
ALC(vol%)	> 80	64	21	> 70	> 80	> 65	-	83
NOAEL(vol%)	40	10	1.0	11.5	10.5	50	43	5
LOAEL(vol%)	> 40	> 10	2.5	10	10.5	> 50	52	7.5
대기잔존 기간(년)	> 500	7	-	-	42	400	0	107

4. 할로겐화합물 및 불활성기체 소화약제의 소화작용 및 적응화재

(1) 냉각소화작용

할론 대체물질인 할로겐화합물 및 불활성기체 소화약제도 할론소화약제와 같이 화재의 소화과정에서 주위로부터 많은 기화열을 흡수하며 냉각소화작용을 한다.

(2) 질식소화작용

할론 대체물질인 할로겐화합물 및 불활성기체 소화약제가 일정한 방호구역 또는 방호대상물에 방출되어 공기 중의 산소의 농도를 낮게 하여 화재를 소화하는 소화작용을 말한다.

(3) 부촉매소화작용

① 할론의 대체물질인 할로겐화합물 및 불활성기체 소화약제도 할론소화약제처럼 화재의 열에 의해서 가연물질로부터 활성화된 활성유리기인 수소기(H) 또는 수산기(OH)와 반응하여 가연물질의 연속적인 연쇄반응을 차단·방해하는 부촉매소화작용이 우수하다.

② 제2세대 할론 대체물질인 FIC-13I1(CF_3I)의 경우 대체소화약제(할로겐화합물 및 불활성기체 소화약제) 내에 함유되어 있는 요오드(Iodine)가 활성화되어 가연물질로부터 활성화된 활성유리기인 수소기(H) 또는 수산기(OH)와 반응하며, 부촉매소화반응이 신속하게 이루어짐으로써 부촉매에 의한 소화성능이 상승된다.

(4) 불활성기체 소화약제

불활성기체 소화약제는 주로 질소, 아르곤, 이산화탄소로 되어 있으므로 화학소화보다는 질식소화가 주소화이다.

5. 할로겐화합물 소화약제 요구조건

(1) 독성이 적을수록 좋다.

(2) 지구 온난화에 끼치는 영향이 적을수록 좋다.

(3) 대기 중에 잔존 시간이 짧을수록 좋다.

(4) 오존층 파괴에 끼치는 영향이 적을수록 좋다.

정희's 톡talk

소화약제별 소화작용

1. **할로겐화합물 소화약제**: 억제소화, 냉각소화, 질식소화
2. **불활성기체 소화약제**: 질식소화, 냉각소화

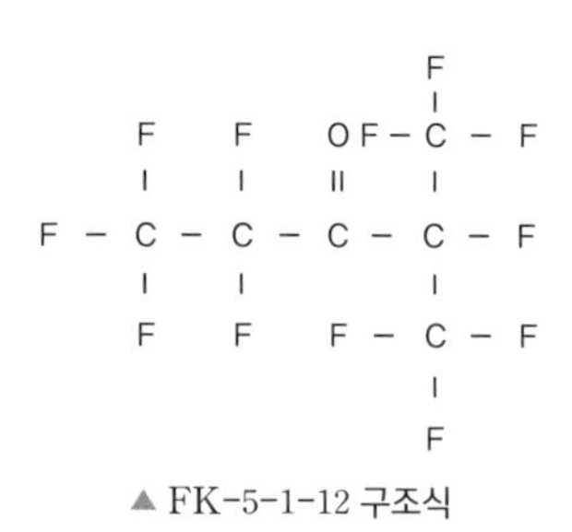

▲ FK-5-1-12 구조식

심화학습 할로겐화합물 소화약제의 종류

소화약제	화학식	NOAEL(%)
FC-3-1-10	C_4F_{10}	40
FK-5-1-12	$CF_3CF_2C(O)CF(CF_3)_2$	10
HFC-23	CHF_3	50
HFC-125	CHF_2CF_3	11.5
HFC-227ea	CF_3CHFCF_3	10.5
HFC-236fa	$CF_3CH_2CF_3$	12.5
FIC-13I1	CF_3I	0.3
HCFC-124	$CHClFCF_3$	1.0
HCFC BLEND A	HCFC-123($CHCl_2CF_3$): 4.75% HCFC-22($CHClF_2$): 82% HCFC-124($CHClFCF_3$): 9.5% $C_{10}H_{16}$: 3.75%	10

참고 할로겐화합물 및 불활성기체 소화약제의 종류별 특성

1. IG-541(Inergen)
   - 불활성 가스의 혼합물이다(질소 52%, 아르곤 40%, 탄산가스 8%).
   - ODP = 0, GWP = 0, ALT = 무시할 수 있는 정도이다.
   - NOAEL 43%, LOAEL 52%이다.
   - 탄산가스농도가 낮기 때문에 사람이 거주하는 곳에 사용할 수 있으나, 화재 시 질식사를 피하기 위하여 사람들을 30초 이내에 대피시켜야 한다.
   - 설비비가 고가이며, 저장공간이 많이 소요되고 고압배관이 사용된다.
   - 설계농도는 37.5%이다.
2. HCFC Blend A(NAF S-III)
   - HCFC 계열 물질의 혼합물로 할론 1301의 대체물질로 수용 가능하나 사용조건의 제한을 받는다.
   - 소화농도 7.2%, 설계농도 8.6%이다.
   - NOAEL 10%, LOAEL 10%이다.
   - GWP = 1,600, ALT = 16년이다.
   - 최대 구성 물질인 HCFC-22는 ODP = 0.05이다.
3. HCFC-124(FE-241)
   - ODP = 0.022, ALT = 7년이다.
   - NOAEL 1.0%, LOAEL 2.5%이다.
   - 소화농도 7%, 설계농도 8.4%이다.
   - 설계농도가 NOAEL보다 훨씬 높으므로 사람이 있는 곳에는 사용할 수 없다.
4. HFC-23(FE-13)
   - NOAEL 50% 이상, LOAEL 50% 이상이다.
   - 설계농도는 14.4%(15.6%)이다.
   - 할론 1301에 비해 무게비로 1.6배, 부피비로 2.6배를 투입해야 교체 가능하다.
   - ODP = 0, ALT = 260년이다.
   - GWP = 9,000이나 되므로 Green House Gas이다.

심화학습 관련 용어

1. NOAEL(No Observed Adverse Effect Level)
   - 심장에 악영향이 나타나지 않는 최고 농도이다.
   - 주공간에서의 사용을 제한하기 위한 소화약제의 농도로 인체에 부작용이 없고 아무런 악영향을 미치지 않는 최고의 농도를 의미한다.
   - NOAEL은 낮을수록 독성이 크다.
2. LOAEL(Lowest Observed Adverse Effect Level)
   - 심장에 악영향이 나타나는 최저 농도이다.
   - 거주공간에서의 사용을 제한하기 위한 소화약제의 농도로 인체에 부작용이 있고 악영향을 미치는 최저의 농도를 의미한다.
   - LOAEL은 낮을수록 독성이 크다.
3. 지구온난화지수(GWP; Global warming potential)
   - 일정무게의 이산화탄소(CO_2)가 대기 중에 방출되어 지구온난화에 기여하는 정도를 1로 정하였을 때 같은 무게의 어떤 물질이 기여하는 정도를 GWP로 나타낸다.
   - $\text{GWP(지구온난화지수)} = \dfrac{\text{물질 1kg에 의한 지구온난화 정도}}{CO_2\text{ 1kg에 의한 지구온난화 정도}}$
4. 오존파괴지수(ODP; Ozone Depletion Potential)
   - 대체물질의 오존파괴능력을 상대적으로 나타내는 지표가 정의되었는데 이를 ODP라 한다.
   - 기준물질인 CFC-11($CFCl_3$)의 ODP를 1로 정하고 상대적으로 어떤 물질의 대기권에서의 수명, 물질의 단위질량당 염소나 브롬질량의 비, 활성염소와 브롬의 오존파괴능력 등을 고려하여 물질의 ODP가 정해진다.
   - $\text{ODP(오존파괴지수)} = \dfrac{\text{물질 1kg에 의해 파괴되는 오존량}}{\text{CFC-11 1kg에 의해 파괴되는 오존량}}$
5. 불활성기체 소화약제
   - NEL: 저산소 분위기에서 인체에 영향을 주지 않는 최대농도(설계농도 12% O_2)
   - LEL: 저산소 분위기에서 인체에 생리적 영향을 주는 최소농도
6. 기타
   - ALT(Atmospheric Life Time)은 온실가스가 발사된 후 대기권에서 분해되지 않고 체류하는 잔류기간이다.
   - LC50(50% Lethal Concentation)은 반수 치사농도(ppm)이다.
   - ALC(Approximate Lethal Concentration)는 실험용 쥐의 2분의 1이 15분 이내에 사망하는 농도로 ALC값이 클수록 물질의 독성이 낮다.

정희's 톡talk

NOAEL · LOAEL

1. NOAEL은 농도를 증가시킬 때 악영향을 감지할 수 없는 최대농도를 말합니다.
2. LOAEL은 농도를 감소시킬 때 악영향을 감지할 수 있는 최소농도를 말합니다.

4 분말소화약제 A

1. 개요

(1) 정의

① 화재발생 시 온도나 습도가 높은 여름이나 온도가 낮은 겨울철 소화약제의 저장·취급 및 유지관리가 원활하지 못하여 이들의 단점을 보완하기 위하여 연구·개발된 소화약제가 분말소화약제이다.

② 분말의 구비조건으로는 유동성, 무독성, 비고화성, 내부식성, 내습성, 작은 비중, 경제성, 경년기간, 미세도가 있다.

③ 사용되는 분말의 입자는 보통 10 ~ 70μm 정도로, 분말의 입도는 너무 크거나 너무 미세하면 안 된다. 20 ~ 25μm **정도에서 최적의 소화효과를 얻을 수 있다.**

(2) 분류

분말소화약제는 소화분말을 구성하는 주성분·첨가제·코팅처리제 및 적응하는 화재의 종류 등에 따라 제1종 ~ 제4종 소화분말의 4가지로 분류되고 있다.

종별	주성분	색상	충전비	소화대상	소화성능	비중
제1종	탄산수소나트륨 ($NaHCO_3$)	백색	0.8	B급·C급	60	2.18
제2종	탄산수소칼륨 ($KHCO_3$)	담자색 (보라색, 담회색)	1.0	B급·C급	118	2.14
제3종	제1인산암모늄 ($NH_4H_2PO_4$)	담홍색 (황색)	1.0	A급·B급·C급	100	1.82
제4종	탄산수소칼륨 + 요소 [$KHCO_3 + (NH_2)_2CO$]	회색	1.25	B급·C급	150	-

(3) 장점·단점

① 장점

㉠ 유류화재나 전기화재 시 소화성능이 우수하다.

㉡ 화재의 확대 및 급속한 인화성 액체의 소화에 적합하다.

㉢ 전기절연성이 높아 고전압의 전기화재에도 적합하다.

㉣ **분말소화기의 내용연수는 10년이다.**

② 단점

㉠ **피연소물질에 피해를 끼친다.**

㉡ 소화약제 자체는 무해하나 열분해 시에 유해성 가스를 발생하는 것도 있다.

㉢ 유체가 아니므로 배관 내의 흐름 시 고압을 필요로 한다.

㉣ 습기의 흡입에 주의하여야 한다.

핵심 적중

01 식용유화재에 적합한 분말소화약제는?

① 제1종 분말소화약제
② 제2종 분말소화약제
③ 제3종 분말소화약제
④ 제4종 분말소화약제

정답 ①

02 다음이 설명하는 소화약제로 옳은 것은? 17. 상반기 공채

> A급, B급, C급 화재에 적응성이 있으며, 담홍색으로 착색되어 있다. 주성분은 제1인산암모늄이다.

① 제1종 분말소화약제
② 제2종 분말소화약제
③ 제3종 분말소화약제
④ 제4종 분말소화약제

정답 ③

03 분말소화약제에 대한 일반적인 설명으로 옳지 않은 것은? 18. 소방간부

① 피연소 물질에 영향을 끼치는 단점을 가지고 있다.
② 전기절연성이 높아 고전압의 전기화재에도 적합하다.
③ 제3종 분말소화약제의 착색은 담홍색이다.
④ 자기연소성 물질의 화재에 강한 소화력을 가지고 있다.
⑤ 습기의 흡입에 주의하여야 한다.

정답 ④

(4) 분말의 미세한 정도 및 잔량

① 분말의 미세한 정도(「소화약제의 형식승인 및 제품검사의 기술기준」)

표준체의 크기(μm)	BC용 분량(잔량 wt%)		ABC용 분량(잔량 wt%)	
	최소	최대	최소	최대
425	0	0.5	0	0
150	0	1	0	10
75	5	30	12	25
45	×	×	12	25
받침판	70	95	50	70

② 분말의 성분비

㉠ 주성분이 중탄산나트륨인 소화약제는 중탄산나트륨($NaHCO_3$)이 90wt% 이상이어야 한다.

㉡ 주성분이 중탄산칼륨인 소화약제는 중탄산칼륨($KHCO_3$)이 92wt% 이상이어야 한다.

㉢ 주성분이 인산염류등인 소화약제는 제1인산암모늄($NH_4H_2PO_4$) 등 함량이 최소 75wt% 이상이어야 하며 설계값의 -5%~+15%이어야 한다.

(5) CDC(Compatible Dry Chemical)분말소화약제

① 분말소화약제는 유류화재에 대한 신속한 소화능력은 있으나, 소화한 후 재착화할 우려가 있어 위험성이 있는 것이 단점이다. 이를 보완하기 위하여 유류화재에 대한 소화능력이 우수하며, 유류의 화재표면을 방출된 포로 완전히 덮어 소화시켜 재착화의 위험이 없는 수성막포소화약제를 겸용하여 제조된 것으로서 일반화재에도 적용된다.

② 주로 비행장에서 사용되며, '소포성이 적은 분말소화약제' 또는 '겸용성이 있는 분말소화약제'라고도 한다. 성분은 나트륨(Na)·칼륨(K)·제1인산암모늄($NH_4H_2PO_4$)·수성막포소화약제 등으로 되어 있다.

(6) 금속화재용 분말소화약제(Dry powder)

① 금속화재란 알루미늄(Al)·마그네슘(Mg)·칼륨(K)·나트륨(Na) 등의 금속 또는 티탄(Ti)·지르코늄(Zr)·아연(Zn) 등의 금속분말에 의하여 발생하는 화재로서 금속을 가공·용접하거나 공기 중에 금속분말 입자가 부유하여 일정한 농도를 형성하여 분진폭발을 일으킬 경우의 화재를 말한다.

② 이러한 화재를 소화하기 위해서는 기체·액체상의 소화약제가 아닌 금속화재의 표면을 덮어 공기 중의 산소의 공급을 차단시키거나 냉각소화기능을 가진 탄산나트륨(Na_2CO_3)을 주성분으로 하는 물질 또는 염화나트륨(NaCl)을 주성분으로 하는 물질 등이 사용된다.

핵심 기출

분말소화약제에 관한 설명으로 옳지 않은 것은? 23. 공채

① 제2종 분말소화약제의 주성분은 $KHCO_3$이다.
② 제1·2·3종 분말소화약제는 열분해 반응에서 CO_2가 생성된다.
③ $NaHCO_3$이 주된 성분인 분말소화약제는 B·C급 화재에 사용하고 분말 색상은 백색이다.
④ $NH_4H_2PO_4$이 주된 성분인 분말소화약제는 A·B·C급 화재에 유효하고 비누화현상이 일어나지 않는다.

정답 ②

정희's 톡talk

CDC분말소화약제
1. TWIN 20/20: 제3종분말소화약제 20kg+수성막포 20L
2. TWIN 40/40: 제3종분말소화약제 40kg+수성막포 40L

금속화재용 분말소화약제 종류
1. G-1: 코크스를 주성분으로 하고 여기에 유기 인산염을 첨가한 약제입니다.
2. Met-L-X: 염화나트륨을 주성분으로 하고 분말의 유동성을 높이기 위해 제3인산칼슘과 가열되었을 때 염화나트륨 입자들을 결합하기 위하여 열가소성 고분자 물질을 첨가한 약제입니다.
3. Na-X: Na 화재를 위해서 특별히 개발된 것입니다. 탄산나트륨을 주성분으로 하고 여기에 비흡수성과 유동성을 향상시킬 수 있는 첨가제를 더한 약제입니다.

핵심 적중

금속화재용 분말소화약제를 나타내는 것으로 옳은 것은?

① Dry chemical
② Dry powder
③ Dry sand
④ CDC분말소화약제

정답 ②

2. 적응화재

분말소화약제는 일반적으로 유류화재에 사용되며 전기 전도성이 없기 때문에 전기화재에도 유효하다. 또한 빠른 소화 성능을 이용하여 분출되는 가스나 일반화재를 포함한 표면화재에도 사용되고 있다. 특히 제3종(ABC) 분말소화약제의 경우는 메타인산의 방진 효과 때문에 A급 화재에도 적응이 가능하다.

(1) 분말소화설비의 적응대상물

① 인화성 액체를 취급하는 장소

② 인화성 액체 또는 가스 등의 분출로 인한 화재 발생의 위험이 있는 장소

③ 전기화재가 일어날 수 있는 장소(변압기, 유입 차단기, 전기실 등)

④ 종이, 직물류 등의 일반 가연물로 표면 연소가 일어나는 경우

(2) 사용이 제한되는 소방대상물

① 정밀한 전기 · 전자 장비가 설치되어 있는 장소

② 자체적으로 산소를 함유하고 있는 자기 반응성 물질

③ 가연성 금속(Na, K, Mg, AI, Ti, Zr 등)

④ 소화약제가 도달될 수 없는 일반 가연물의 심부 화재

3. 제1종 분말소화약제

(1) 개요

① 분말의 유동성을 위한 탄산마그네슘($MgCO_3$), 인산삼칼슘[$Ca_3(PO_4)_2$] 등의 분산제를 첨가한 약제로 백색으로 착색되어 있다.

② 제1종 소화분말의 주성분은 **탄산수소나트륨**이다.

(2) 소화작용

① **질식소화작용**: 탄산수소나트륨의 열분해과정에서 발생되는 기체상태의 이산화탄소(CO_2) · 수증기(H_2O)가 가연물질의 산소량의 부족으로 인하여 소화되게 하는 작용을 한다.

② **냉각소화작용**: 탄산수소나트륨과 같은 물질이 열분해할 때 주위로부터 반응에 필요한 열을 흡수함으로써 가연물질의 연소온도를 발화점 이하로 낮게 하여 **냉각소화작용**을 한다.

③ **부촉매소화작용**: 화학적으로 활성을 가진 물질이 가연물질 연소의 연쇄반응을 더 이상 진행하지 않도록 억제 · 차단하여 소화시키는 역할을 한다.

④ **그 밖의 소화작용**: 제1종 소화분말인 탄산수소나트륨으로부터 열분해 시 발생된 이산화탄소와 수증기가 화재로부터 발생되는 열의 전달을 차단시켜 화재의 전파를 방지하게 함으로써 열전달방지 소화작용을 하며, 특히 **식용유화재에서 나트륨을 가하면 지방을 가수분해하는 비누화작용을 일으켜서 질식소화한다.**

⑤ **탄산수소나트륨의 열분해 반응**

㉠ 270℃에서 $2NaHCO_3 \rightarrow Na_2CO_3 + H_2O + CO_2 - Qkcal$

㉡ 850℃에서 $2NaHCO_3 \rightarrow Na_2O + H_2O + 2CO_2 - Qkcal$

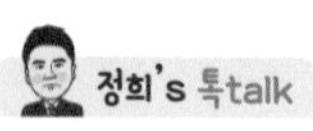

비누화작용

가연성 액체 중에서도 요리용 기름이나 지방질 기름은 화재 시에 이들 물질과 결합하여 에스테르가 알칼리의 작용으로 가수분해되어 알코올과산의 알칼리염이 되는 반응인 비누화반응을 일으킵니다. 이때 생성된 비누 상물질은 가연성 액체의 표면을 덮어서 질식소화효과와 재발화 억제효과를 나타냅니다.

4. 제2종 분말소화약제

(1) 개요

① 제2종 소화분말의 주성분은 **탄산수소칼륨**으로 적응화재에 대하여 가지는 소화 성능의 값이 제1종 분말소화약제보다 우수하다.

② 분말의 색상은 담회색(담자색)이다.

(2) 소화작용

① **질식소화작용**: 요리용 기름이나 지방질 기름과 비누화 반응을 일으키지 않기 때문에 이 경우에는 제1종 분말소화약제보다 소화력이 떨어진다.

② **냉각소화작용**: 탄산수소칼륨은 탄산수소나트륨보다 낮은 온도에서 열분해를 하며, 금속칼륨이 금속나트륨에 비하여 반응성이 크므로 냉각소화작용이 우수하다.

③ **부촉매소화작용**: 제2종 분말소화약제가 제1종 분말소화약제보다 소화 능력이 우수한 이유는 칼륨이 나트륨보다 반응성이 더 크기 때문이다. 칼륨 이온(K+)이 나트륨 이온(Na+)보다 화학적 소화효과가 크다.

④ 열전달방지 소화작용

⑤ **탄산수소칼륨의 열분해반응**

㉠ 190℃에서 $2KHCO_3 \rightarrow K_2CO_3 + H_2O + CO_2 - Qkcal$

㉡ 590℃에서 $2KHCO_3 \rightarrow K_2O + H_2O + 2CO_2 - Qkcal$

5. 제3종 분말소화약제

(1) 개요

① 분말소화약제는 불꽃 연소에는 소화적응성 있지만 작열 연소의 소화에는 큰 소화력을 발휘하지 못하는 단점이 있다. 이를 개선하기 위해 개발한 소화약제가 제3종 분말소화약제이다.

② 제3종 분말소화약제는 A급 · B급 · C급의 어떤 화재에도 사용할 수 있기 때문에 일명 **ABC분말소화약제라고도 한다.**

③ 주성분은 알칼리성의 제1인산암모늄($NH_4H_2PO_4$)이며, 착색은 담홍색이다.

(2) 인산의 종류

인산은 물과의 결합 정도에 따라 메타 - 인산, 파이로 - 인산 및 오쏘 - 인산으로 구분한다.

① $P_2O_5 + H_2O \rightarrow 2HPO_3$(메타 - 인산)

② $P_2O_5 + 2H_2O \rightarrow H_4P_2O_7$(파이로 - 인산)

③ $P_2O_5 + 3H_2O \rightarrow 2H_3PO_4$(인산 또는 오쏘 - 인산)

핵심기출

제3종 분말소화약제에 대한 설명으로 옳지 않은 것은? 18. 하반기 공채

① 백색으로 착색되어 있다.

② ABC급 분말소화약제라고도 부른다.

③ 주성분은 제1인산암모늄($NH_4H_2PO_4$)이다.

④ 현재 생산되고 있는 분말소화약제의 대부분을 차지하고 있다.

정답 ①

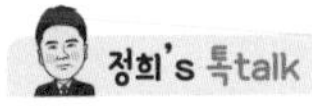

인산암모늄의 종류

1. $H_3PO_4 + NH_3 \rightarrow NH_4H_2PO_4$ (제1인산암모늄)
2. $H_3PO_4 + 2NH_3 \rightarrow (NH_4)_2HPO_4$ (제2인산암모늄)
3. $H_3PO_4 + 3NH_3 \rightarrow (NH_4)_3PO_4$ (제3인산암모늄)

(3) 소화작용

① **질식소화작용**: 제1인산암모늄으로부터 열분해되어 나온 기체상의 암모니아·수증기 등이 공기 중의 산소의 공급을 차단하는 질식소화작용을 한다.

② **냉각소화작용**: 열분해 시 흡열반응에 의한 냉각소화작용을 한다.

③ **부촉매소화작용**: 제1인산암모늄으로부터 유리된 암모늄이온(NH_4^+)이 가연물질 내부에 함유되어 있는 활성화된 수산이온(OH)과 반응하여 **부촉매소화효과**가 있다.

④ **방진소화작용**: 제1인산암모늄으로부터 360℃ 이상의 온도에서 열분해하는 과정에서 생성되는 액체상태의 점성을 가진 **메타-인산**(HPO_3)이 일반가연물질인 나무·종이·섬유 등의 연소과정인 잔진상태의 숯불표면에 유리(Glass)상의 피막을 이루어 공기 중의 산소의 공급을 차단시키는 방진소화작용을 한다.

⑤ 탈수탄화작용

㉠ 제1인산암모늄이 열분해될 때 생성되는 **오쏘-인산**이 목재, 섬유, 종이 등을 구성하고 있는 섬유소를 탈수·탄화시켜 난연성의 탄소와 물로 변화시키기 때문에 연소반응이 중단된다.

㉡ 섬유소를 탈수·탄화시킨 오쏘-인산은 다시 고온에서 아래 반응식과 같이 열분해되어 최종적으로 가장 안정된 유리상의 메타-인산(HPO_3)이 된다. 이 메타인산은 가연물의 표면에 유리상의 피막을 형성하여 연소에 필요한 산소의 유입을 차단하기 때문에 연소가 중단된다.

$$C_6H_{12}O_6 \xrightarrow{H_3PO_4} 6C + 6H_2O\text{(탈수작용)}$$

⑥ 인산이수소암모늄의 열분해반응

$$NH_4H_2PO_4 \rightarrow HPO_3 + NH_3 + H_2O$$

✎ 핵심기출

01 제3종 분말소화약제가 열분해될 때 생성되는 물질로써 방진작용을 하는 물질은? 22. 소방간부

① N_2(질소)
② H_2O(수증기)
③ K_2CO_3(탄산칼륨)
④ HPO_3(메타인산)
⑤ Na_2CO_3(탄산나트륨)

정답 ④

02 다음 중 HPO_3가 일반 가연물질인 나무, 종이 등의 표면에 피막을 이루어 공기 중의 산소를 차단하는 방진작용과 관련이 있는 것은? 19. 공채

① 제1종 분말소화약제
② 제2종 분말소화약제
③ 제3종 분말소화약제
④ 제4종 분말소화약제

정답 ③

6. 제4종 분말소화약제

(1) 개요

① 제2종 분말을 개량한 것으로 **탄산수소칼륨**($KHCO_3$)과 **요소**[$(NH_2)_2CO$]와의 반응물($KC_2N_2H_3O_3$)을 주성분으로 한다.

② 약제는 회색으로 착색되어 있다.

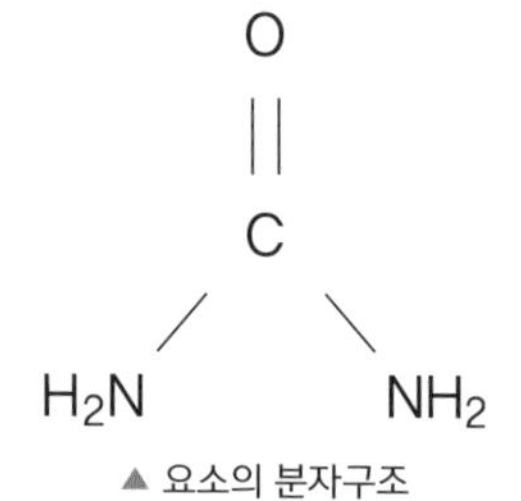

▲ 요소의 분자구조

(2) 소화작용

① 소화력이 큰 탄산수소칼륨에 요소를 결합시킨 것으로 입자는 보통 크기이나, 이것이 화염과 만나면 산탄처럼 미세한 입자가 분해되어 커다란 비표면적을 가지기 때문에 큰 소화작용을 발휘하게 된다.

② **소화력은 분말소화약제 중 가장 우수하다.** 특히 B급·C급 화재에는 소화효과가 우수하나 A급 화재에는 큰 효과가 없다.

$$2KHCO_3 + (NH_2)_2CO \rightarrow K_2CO_3 + 2NH_3 + 2CO_2$$
$$\rightarrow K_2O + 2NH_3 + 3CO_2$$

MEMO

PART 5

소방시설

CHAPTER 1 소방시설 개론

정희's 톡talk

정의

소방시설	· 소화설비 · 경보설비 · 피난구조설비 · 소화용수설비 · 소화활동설비
소방시설 등	· 소방시설 · 비상구 · 방화문 및 방화셔터
특정소방대상물	건축물 등의 규모·용도 및 수용인원 등을 고려하여 소방시설을 설치하여야 하는 소방대상물
소방용품	소방시설 등을 구성하거나 소방용으로 사용되는 제품 또는 기기

핵심기출

01 소방시설의 분류와 해당 소방시설의 종류가 옳게 연결된 것은? 20. 공채

① 소화설비 - 옥내소화전설비, 포소화설비, 간이스프링클러설비
② 경보설비 - 자동화재속보설비, 자동화재탐지설비, 제연설비
③ 소화용수설비 - 상수도소화용수설비, 소화수조, 연결살수설비
④ 소화활동설비 - 시각경보기, 연결송수관설비, 무선통신보조설비

정답 ①

02 「소방시설 설치 및 관리에 관한 법률」상 소방시설에 관한 내용이다. 소방시설 중 소화설비에 해당되지 않는 것은? 15. 중앙통합

① 소화수조
② 간이소화용구
③ 자동확산소화기
④ 자동확산소화장치

정답 ①

1 소방시설 A

1. 개요

(1) 관계인은 소방대상물에 화재, 재난·재해, 그 밖의 위급한 상황이 발생한 경우에는 소방대가 현장에 도착할 때까지 경보를 울리거나 대피를 유도하는 등의 방법으로 사람을 구출하는 조치 또는 불을 끄거나 불이 번지지 아니하도록 필요한 조치를 하여야 한다(「소방기본법」 제20조).

(2) 화재발생 시의 일반적인 조치사항으로 사람 또는 기계·전기설비에 의한 화재사실 전파하는 경보와 화재를 발견한 사람이 인근에 있는 소화기구를 활용한 초기 소화 등이 있다. 또한 특정소방대상물의 관계인은 거주자 및 출입자 등의 대피를 원활하게 하기 위한 피난구조설비와 소방대가 현장에 도착하여 본격적인 화재진압을 위한 소화활동설비 등을 갖추어야 할 필요성이 있다.

2. 소방시설

소방시설이란 **소화설비, 경보설비, 피난구조설비, 소화용수설비**, 그 밖에 **소화활동설비**로서 대통령령으로 정하는 것을 말한다(「소방시설 설치 및 관리에 관한 법률」 제2조).

구분	정의
소화설비	물, 그 밖의 소화약제를 사용하여 소화하는 기계·기구 또는 설비
경보설비	화재발생 사실을 통보하는 기계·기구 또는 설비
피난구조설비	화재가 발생할 경우 피난하기 위하여 사용하는 기구 또는 설비
소화용수설비	화재를 진압하는 데 필요한 물을 공급하거나 저장하는 설비
소화활동설비	화재를 진압하거나 인명구조활동을 위하여 사용하는 설비

(1) 소화설비

물 또는 그 밖의 **소화약제**를 사용하여 소화하는 기계·기구 또는 설비를 말한다.

① 소화기구

㉠ 소화기

㉡ **간이소화용구**

ⓐ 에어로졸식 소화용구

ⓑ 투척용 소화용구

ⓒ 소공간용 소화용구

ⓓ 소화약제 외의 것을 이용한 간이소화용구

㉢ 자동확산소화기

② 자동소화장치

㉠ 주거용 주방자동소화장치

㉡ 상업용 주방자동소화장치

㉢ 캐비닛형 자동소화장치

㉣ 가스자동소화장치

㉤ 분말자동소화장치

㉥ 고체에어로졸자동소화장치

③ 옥내소화전설비(호스릴옥내소화전설비 포함)

④ 스프링클러설비등

㉠ 스프링클러설비

㉡ 간이스프링클러설비(캐비닛형 간이스프링클러설비 포함)

㉢ 화재조기진압용 스프링클러설비

⑤ 물분무등소화설비

㉠ 물분무소화설비

㉡ 미분무소화설비

㉢ 포소화설비

㉣ 이산화탄소소화설비

㉤ 할론소화설비

㉥ 할로겐화합물 및 불활성기체(다른 원소와 화학반응을 일으키기 어려운 기체) 소화설비

㉦ 분말소화설비

㉧ 강화액소화설비

㉨ 고체에어로졸소화설비

⑥ 옥외소화전설비

(2) 경보설비

화재발생 사실을 통보하는 기계·기구 또는 설비이다.

① 단독경보형 감지기

② 비상경보설비

㉠ 비상벨설비

㉡ 자동식사이렌설비

③ 자동화재탐지설비

④ 시각경보기

⑤ 화재알림설비

⑥ 비상방송설비

⑦ 자동화재속보설비

⑧ 통합감시시설

⑨ 누전경보기

⑩ 가스누설경보기

핵심 기출

01 「소방시설 설치 및 관리에 관한 법률 시행령」상 소방시설의 연결이 옳은 것만을 〈보기〉에서 있는 대로 고른 것은? 22. 소방간부

〈보기〉
ㄱ. 소화설비: 자동소화장치, 옥내소화전설비, 물분무등소화설비
ㄴ. 경보설비: 통합감시시설, 시각경보기, 단독경보형 감지기
ㄷ. 피난구조설비: 피난기구, 인명구조기구, 제연설비
ㄹ. 소화활동설비: 연결송수관설비, 비상콘센트설비, 무선통신보조설비

① ㄱ, ㄴ ② ㄷ, ㄹ
③ ㄱ, ㄴ, ㄹ ④ ㄴ, ㄷ, ㄹ
⑤ ㄱ, ㄴ, ㄷ, ㄹ

정답 ③

02 소방시설은 소화설비, 경보설비, 피난구조설비, 소화용수설비, 소화활동설비로 분류된다. 다음 정의로 분류되는 소방시설로 옳지 않은 것은? 23. 공채

화재를 진압하거나 인명구조활동을 위하여 사용하는 설비

① 제연설비
② 인명구조설비
③ 연결살수설비
④ 무선통신보조설비

정답 ②

03 「소방시설 설치 및 관리에 관한 법률 시행령」상 소방시설의 내용으로 옳은 것만을 〈보기〉에서 고른 것은? 24. 소방간부

〈보기〉
ㄱ. 소화설비: 소화기구, 스프링클러설비등, 연소방지설비 등
ㄴ. 경보설비: 자동화재속보설비, 누전경보기, 가스누설경보기 등
ㄷ. 피난구조설비: 유도등, 비상조명등 및 휴대용비상조명등, 비상방송설비 등
ㄹ. 소화용수설비: 상수도소화용수설비, 소화수조·저수조, 그 밖의 소화용수설비
ㅁ. 소화활동설비: 비상콘센트설비, 제연설비, 연결살수설비 등

① ㄱ, ㄴ, ㄷ ② ㄱ, ㄴ, ㄹ
③ ㄱ, ㄷ, ㅁ ④ ㄴ, ㄷ, ㅁ
⑤ ㄴ, ㄹ, ㅁ

정답 ⑤

(3) 피난구조설비

화재가 발생할 경우 피난하기 위하여 사용하는 기구 또는 설비이다.

① 피난기구

㉠ 피난사다리

㉡ 구조대

㉢ 완강기

㉣ 간이완강기

㉤ 그 밖에 '화재안전기준'으로 정하는 것

② 인명구조기구

㉠ 방열복, 방화복(안전모, 보호장갑 및 안전화 포함)

㉡ 공기호흡기

㉢ 인공소생기

③ 유도등

㉠ 피난유도선

㉡ 피난구유도등

㉢ 통로유도등

㉣ 객석유도등

㉤ 유도표지

④ 비상조명등 및 휴대용비상조명등

(4) 소화용수설비

화재를 진압하는 데 필요한 물을 공급하거나 저장하는 설비이다.

① 상수도소화용수설비

② 소화수조·저수조, 그 밖의 소화용수설비

(5) 소화활동설비

화재를 진압하거나 인명구조활동을 위하여 사용하는 설비이다.

① 제연설비

② 연결송수관설비

③ 연결살수설비

④ 연소방지설비

⑤ 무선통신보조설비

⑥ 비상콘센트설비

3. 소방시설등

(1) 소방시설과 비상구, 소방 관련 시설로서 대통령령으로 정하는 것이다.

(2) 소방 관련 시설로서 대통령령으로 정하는 것으로, 방화문 및 자동방화셔터를 말한다.

핵심 적중

01 「소방시설 설치 및 관리에 관한 법률」상 피난구조설비 중 인명구조기구에 해당하지 않는 것은?

① 안전헬멧
② 인공소생기
③ 구조대
④ 보호장갑

정답 ③

02 「소방시설 설치 및 관리에 관한 법률 시행령」상 피난구조설비 중 인명구조기구로 옳지 않은 것은?

① 구조대
② 방열복
③ 공기호흡기
④ 인공소생기

정답 ①

03 「소방시설 설치 및 관리에 관한 법률 시행령」상 소방시설의 설비 분류가 다른 것은? 21. 소방간부

① 상수도소화용수설비
② 연결송수관설비
③ 연결살수설비
④ 연소방지설비
⑤ 무선통신보조설비

정답 ①

04 「소방시설 설치 및 관리에 관한 법률」상 소화활동설비에 해당하지 않는 것은?

① 연결송수관설비
② 통합감시시설
③ 비상콘센트설비
④ 연소방지설비

정답 ②

05 소방시설의 종류에 따른 분류가 옳게 짝지어진 것은? 19. 공채

① 경보설비 - 비상조명등
② 소화설비 - 연소방지설비
③ 피난구조설비 - 비상방송설비
④ 소화활동설비 - 비상콘센트설비

정답 ④

4. 소방용품

소방시설 등을 구성하거나 소방용으로 사용되는 제품 또는 기기로서 대통령령으로 정하는 것이다.

(1) 소화설비를 구성하는 제품 또는 기기

① 소화기구(소화약제 외의 것을 이용한 간이소화용구 제외)

② 자동소화장치

③ 소화설비를 구성하는 소화전, 관창(菅槍), 소방호스, 스프링클러헤드, 기동용 수압개폐장치, 유수제어밸브 및 가스관선택밸브

(2) 경보설비를 구성하는 제품 또는 기기

① 누전경보기 및 가스누설경보기

② 경보설비를 구성하는 발신기, 수신기, 중계기, 감지기 및 음향장치(경종만 해당)

(3) 피난구조설비를 구성하는 제품 또는 기기

① 피난사다리, 구조대, 완강기(간이완강기 및 지지대 포함)

② 공기호흡기(충전기 포함)

③ 피난구유도등, 통로유도등, 객석유도등 및 예비 전원이 내장된 비상조명등

(4) 소화용으로 사용하는 제품 또는 기기

① 소화약제

㉠ 자동소화장치: 상업용자동소화장치, 캐비닛형자동소화장치

㉡ 소화설비: 포소화설비, 이산화탄소소화설비, 할론소화설비, 할로겐화합물 및 불활성기체 소화설비, 분말소화설비, 강화액소화설비, 고체에어로졸소화설비

② 방염제(방염액, 방염도료 및 방염성물질)

(5) 행정안전부령으로 정하는 소방 관련 제품 또는 기기

5. 무창층

(1) 지상층 중 개구부 면적의 합계가 해당 층 바닥면적의 30분의 1 이하가 되는 층이다.

(2) 무창층의 개구부의 요건

① 크기는 지름 50cm 이상의 원이 통과할 수 있을 것

② 해당 층의 바닥면으로부터 개구부 밑부분까지 높이가 1.2m 이내일 것

③ 도로 또는 차량이 진입할 수 있는 빈터를 향할 것

④ 화재 시 건축물로부터 쉽게 피난할 수 있도록 창살이나 그 밖의 장애물이 설치되지 아니할 것

⑤ 내부 또는 외부에서 쉽게 부수거나 열 수 있을 것

6. 피난층

곧바로 지상으로 갈 수 있는 출입구가 있는 층을 말한다.

핵심 적중

「소방시설 설치 및 관리에 관한 법률」상 소방용품 중 경보설비를 구성하는 제품 또는 기기에 해당하지 않는 것은?

① 중계기
② 가스누설경보기
③ 누전경보기
④ 공기호흡기

정답 ④

핵심 기출

「소방시설 설치 및 관리에 관한 법률 시행령」상 무창층이 되기 위한 개구부의 요건 중 일부를 나타낸 것이다. ( ) 안의 내용으로 옳은 것은? 19. 경채(4월)

· 크기는 지름 (가)센티미터 이상의 원이 (나)할 수 있는 크기일 것
· 해당 층의 바닥면으로부터 개구부 (다)까지의 높이가 (라)미터 이내일 것

	(가)	(나)	(다)	(라)
①	50	내접	윗부분	1.2
②	50	내접	밑부분	1.2
③	50	외접	밑부분	1.5
④	60	내접	밑부분	1.2

정답 ②

관계법규 소방시설(제3조 관련)

시행령

[별표 1] 소방시설

1. 소화설비: 물 또는 그 밖의 소화약제를 사용하여 소화하는 기계 · 기구 또는 설비
   가. 소화기구
      1) 소화기
      2) 간이소화용구: 에어로졸식 소화용구, 투척용 소화용구, 소공간용 소화용구 및 소화약제 외의 것을 이용한 간이소화용구
      3) 자동확산소화기
   나. 자동소화장치
      1) 주거용 주방자동소화장치
      2) 상업용 주방자동소화장치
      3) 캐비닛형 자동소화장치
      4) 가스자동소화장치
      5) 분말자동소화장치
      6) 【 ① 】
   다. 옥내소화전설비(호스릴옥내소화전설비를 포함한다)
   라. 스프링클러설비등
      1) 스프링클러설비
      2) 간이스프링클러설비(캐비닛형 간이스프링클러설비를 포함한다)
      3) 화재조기진압용 스프링클러설비
   마. 물분무등소화설비
      1) 물분무소화설비
      2) 미분무소화설비
      3) 포소화설비
      4) 이산화탄소소화설비
      5) 할론소화설비
      6) 할로겐화합물 및 불활성기체 소화설비
      7) 【 ② 】
      8) 강화액소화설비
      9) 고체에어로졸 소화설비
   바. 옥외소화전설비
2. 경보설비: 화재발생 사실을 통보하는 기계 · 기구 또는 설비
   가. 단독경보형 감지기
   나. 비상경보설비
      1) 비상벨설비
      2) 자동식사이렌설비
   다. 자동화재탐지설비
   라. 시각경보기
   마. 화재알림설비
   바. 비상방송설비
   사. 자동화재속보설비
   아. 【 ③ 】
   자. 누전경보기
   카. 가스누설경보기
3. 【 ④ 】: 화재가 발생할 경우 피난하기 위하여 사용하는 기구 또는 설비
   가. 피난기구
      1) 피난사다리
      2) 구조대
      3) 완강기
      4) 간이완강기
      5) 그 밖에 법 제9조 제1항에 따라 소방청장이 정하여 고시하는 화재안전기준(이하 "화재안전기준"이라 한다)으로 정하는 것
   나. 인명구조기구
      1) 방열복, 방화복(안전모, 보호장갑 및 안전화 포함)
      2) 공기호흡기
      3) 【 ⑤ 】
   다. 유도등
      1) 피난유도선
      2) 피난구유도등
      3) 【 ⑥ 】
      4) 객석유도등
      5) 유도표지
   라. 비상조명등 및 휴대용비상조명등
4. 소화용수설비: 화재를 진압하는 데 필요한 물을 공급하거나 저장하는 설비
   가. 상수도소화용수설비
   나. 소화수조 · 저수조, 그 밖의 소화용수설비
5. 소화활동설비: 화재를 진압하거나 인명구조활동을 위하여 사용하는 설비
   가. 【 ⑦ 】
   나. 연결송수관설비
   다. 연결살수설비
   라. 비상콘센트설비
   마. 【 ⑧ 】
   바. 연소방지설비

① 고체에어로졸자동소화장치 ② 분말소화설비 ③ 통합감시시설 ④ 피난구조설비 ⑤ 인공소생기 ⑥ 통로유도등 ⑦ 제연설비 ⑧ 무선통신보조설비

2 화재의 분류 B

1. 개요

화재는 가연물의 종류에 따라 다양한 양상을 보이며 소화에 대한 적응성을 판단하기 위하여 가연물에 따라 화재를 분류한다. 국내의 화재분류는 A급 · B급 · C급 및 K급 화재로 구분한다(「소화기구 및 자동소화장치의 화재안전기준(NFSC 101)」 제3조).

(1) 일반화재(A급 화재)

① 나무, 섬유, 종이, 고무, 플라스틱류와 같은 일반 가연물이 탄 이후 재가 남는 화재를 말한다.

② 일반화재에 대한 소화기의 적응 화재별 표시는 'A'로 표시한다.

(2) 유류화재(B급 화재)

① 인화성 액체, 가연성 액체, 석유 그리스, 타르, 오일, 유성도료, 알코올 및 인화성 가스와 같은 유류가 탄 이후 재가 남지 않는 화재를 말한다.

② 유류화재에 대한 소화기의 적응 화재별 표시는 'B'로 표시한다.

(3) 전기화재(C급 화재)

① 전류가 흐르고 있는 전기기기, 배선과 관련된 화재를 말한다.

② 전기화재에 대한 소화기의 적응 화재별 표시는 'C'로 표시한다.

(4) 주방화재(K급 화재)

① 주방에서 동식물유를 취급하는 조리기구에서 일어나는 화재를 말한다.

② 주방화재에 대한 소화기의 적응 화재별 표시는 'K'로 표시한다.

2. 화재분류

(1) 국내 · 외 화재분류

국내기준		국제표준화기구(ISO 7165)		미국방화협회(NFPA10)	
A급	나무, 고무, 종이	A급	연소 시 불꽃을 발생하는 물질	A급	나무, 고무, 종이
B급	인화성 액체, 유류화재	B급	액체, 액화하는 고체의 화재	B급	인화성 액체, 유류화재
C급	통전 중인 전기 등	C급	가스	C급	통전 중인 전기 등
D급	금속	D급	금속	D급	Mg, Na, K 등 금속화재
E급	가스				
K급	주방화재	F급	가연성 튀김기름	K급	가연성 튀김기름

(2) 국제표준화기구(ISO 7165)의 화재분류

① 가스화재는 C급 화재로 분류한다. Mg, Na, K 등의 금속성 물질은 연소 시 폭발성질을 가지므로 금속화재로 분류하고 있다.

② 가연성 튀김기름을 포함한 식용유 등은 화재양상과 소화방법이 일반가연물과는 다르기 때문에 F급 화재로 구분하고 있다.

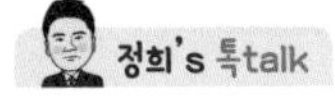

화재분류

「소화기구 및 자동소화장치의 화재안전기술기준(NFTC 101)」은 A급, B급, C급, K급 화재로 분류합니다. 한국산업규격(KS) 기준에서는 금속화재를 D급으로, 「고압가스안전관리법 시행규칙」에서는 가스화재를 E급으로 규정하고 있습니다.

정희's 톡talk

식용유화재

미국방화협회(NFPA10)는 K급 화재로 분류합니다. 식용유는 발화온도가 288 ~ 385℃로, 발화점과 인화점의 차이가 작아서 유면상의 화염을 제거하여도 기름의 온도가 발화점 이상이기 때문에 쉽게 재발화 가능성이 있습니다. 따라서 분말소화약제 중에서도 비누화효과가 있는 1종 분말소화약제($NaHCO_3$)만이 화재에 적응성이 있습니다.

CHAPTER 2 소화설비

1 소화기구 및 자동소화장치 B

1. 정의

(1) 소화약제

소화기구 및 자동소화장치에 사용되는 소화성능이 있는 고체·액체 및 기체의 물질을 말한다.

(2) 거실

거주·집무·작업·집회·오락 그 밖에 이와 유사한 목적을 위하여 사용하는 방을 말한다.

(3) 소화약제 외의 것을 이용한 간이소화용구의 능력단위([별표 2])

소화기 및 소화약제에 따른 간이소화용구에 있어서는 법 제37조 제1항에 따라 형식승인된 수치를 말하며, 소화약제 외의 것을 이용한 간이소화용구에 있어서는 다음의 표에 따른 수치를 말한다.

간이소화용구		능력단위
마른 모래	삽을 상비한 50L 이상의 것 1포	0.5 단위
팽창질석·팽창진주암	삽을 상비한 80L 이상의 것 1포	

2. 소화기구

(1) 소화기

소화약제를 압력에 따라 방사하는 기구로서 사람이 수동으로 조작하여 소화하는 것을 말한다.

▲ 대형소화기

▲ 골목길 보이는 소화기

① **소형소화기**: 능력단위가 1단위 이상이고 대형소화기의 능력단위 미만인 소화기를 말한다.

② **대형소화기**: 화재 시 사람이 운반할 수 있도록 운반대와 바퀴가 설치되어 있고 능력단위가 A급 10단위 이상, B급 20단위 이상인 소화기를 말한다.

③ **가압식소화기 및 축압식소화기(「소화기의 형식승인 및 제품검사의 기술기준」)**

㉠ **가압식소화기**: 소화약제의 방출원이 되는 가압가스를 소화기 본체용기와는 별도의 전용용기(소화기가압용가스용기)에 충전하여 장치하고 소화기가압용가스용기의 작동봉판을 파괴하는 등의 조작에 의하여 방출되는 가스의 압력으로 소화약제를 방사하는 방식의 소화기를 말한다.

㉡ **축압식소화기**: 본체용기 중에 소화약제와 함께 소화약제의 방출원이 되는 압축가스(질소 등)를 봉입한 방식의 소화기를 말한다.

▲ 축압식분말소화기(모양)

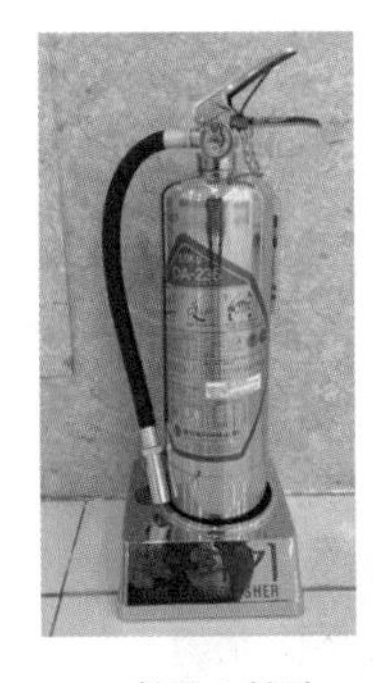
▲ 할론소화기

▲ 소화기

(2) 간이소화용구

① 에어로졸식 소화용구

② 투척용 소화용구

③ 소공간용 소화용구

④ 소화약제 외의 것을 이용한 간이소화용구

(3) 자동확산소화기

화재를 감지하여 자동으로 소화약제를 방출·확산시켜 국소적으로 소화하는 소화기를 말한다.

3. 자동소화장치

소화약제를 자동 방사하는 고정된 소화장치로, 형식승인이나 성능인증을 받은 유효설치범위(설계방호체적, 최대설치높이, 방호면적 등) 내에 설치하여 소화하는 것을 말한다.

(1) 주거용 주방자동소화장치

① 주거용 주방에 설치된 열발생 조리기구의 사용으로 인한 화재 발생 시 열원을 자동으로 차단하며 소화약제를 방출하는 소화장치를 말한다.

② 일반적으로 주거용 주방자동소화장치는 아파트의 각 세대별 주방 및 오피스텔의 각 실별 주방에 설치한다. 가스가 누설될 경우에는 누설가스를 탐지하여 자동경보를 하고, 수신반에 가스누설표시등이 점등되며, 가스밸브를 자동으로 차단할 수 있도록 되어 있다.

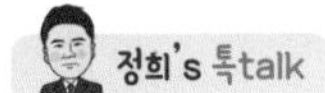

능력단위
1. 소형소화기: A급, B급 1단위 이상
2. 대형소화기
   - A급 화재: 10단위 이상
   - B급 화재: 20단위 이상

소화기가압용가스용기의 성능인증 및 제품검사의 기술기준

제2조【용어의 정의】 이 기준에서 사용하는 용어의 정의는 다음과 같다.
1. 소화기가압용가스용기란 가압식 소화기의 압력원으로 사용하기 위하여 가스를 충전하는 용기로서 작동봉판 등에 의하여 밀봉 또는 밀폐된 용기를 말한다.
2. 작동봉판이란 소화기가압용 가스용기에 충전된 가스를 밀봉 또는 밀폐하기 위하여 용접 또는 조임금구 등에 의하여 부착된 얇은 판으로서 소화기를 조작할 때 작동축에 의하여 파괴되는 판을 말한다.

(2) 상업용 주방자동소화장치

상업용 주방에 설치된 열발생 조리기구의 사용으로 인한 화재 발생 시 열원(전기 또는 가스)을 자동으로 차단하며 소화약제를 방출하는 소화장치를 말한다.

(3) 캐비닛형 자동소화장치

열, 연기 또는 불꽃 등을 감지하고 소화약제를 방사하여 소화하는 캐비닛형태의 소화장치를 말한다.

(4) 가스자동소화장치

열, 연기 또는 불꽃 등을 감지하고 가스계 소화약제를 방사하여 소화하는 소화장치를 말한다.

(5) 분말자동소화장치

열, 연기 또는 불꽃 등을 감지하고 분말의 소화약제를 방사하여 소화하는 소화장치를 말한다.

(6) 고체에어로졸 자동소화장치

열, 연기 또는 불꽃 등을 감지하고 에어로졸의 소화약제를 방사하여 소화하는 소화장치를 말한다.

▲ 캐비닛형 자동소화장치

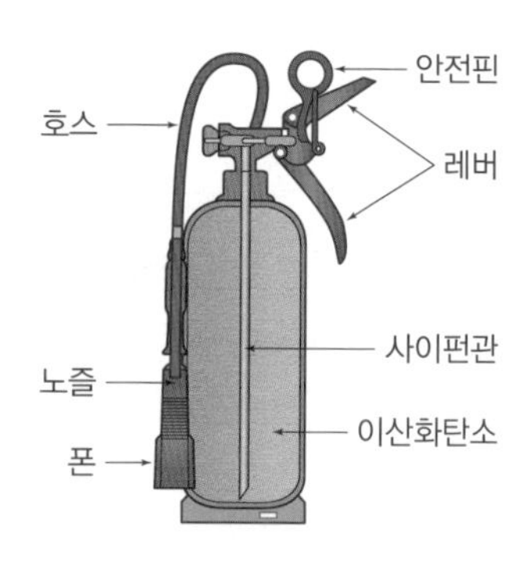

▲ 이산화탄소소화기

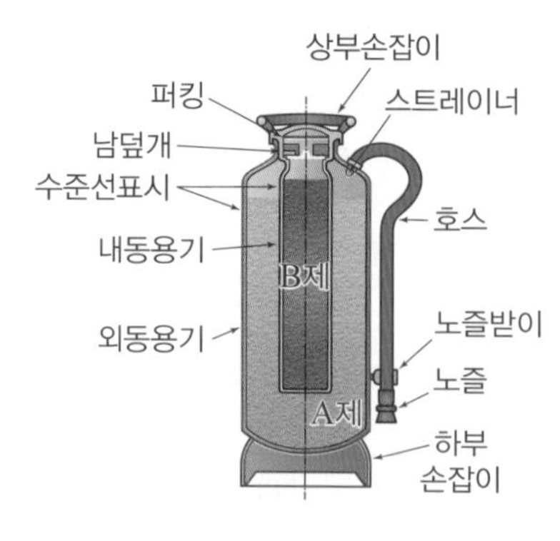

▲ 강화액소화기

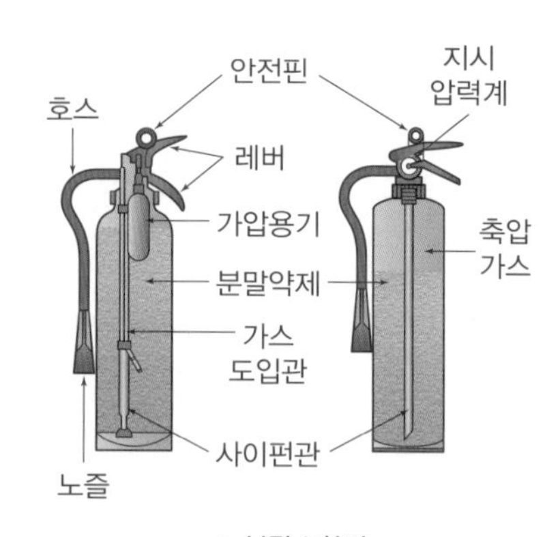

▲ 분말소화기

4. 설치기준

(1) 소화기구의 소화약제별 적응성(NFTC 101 표 2.1.1.1)

소화기구는 특정소방대상물의 설치장소에 따라 다음의 표에 적합한 종류의 것으로 설치하여야 한다.

구분		일반화재 (A급화재)	유류화재 (B급화재)	전기화재 (C급화재)	주방화재 (K급화재)
가스	이산화탄소	-	○	○	-
	할론	○	○	○	-
	할로겐화합물 및 불활성기체	○	○	○	-
분말	인산염류소화약제	○	○	○	-
	중탄산염류소화약제	-	○	○	*
액체	산알칼리소화약제	○	○	*	-
	강화액소화약제	○	○	*	*
	포소화약제	○	○	*	*
	물·침윤소화약제	○	○	*	*
기타	고체에어로졸화합물	○	○	○	-
	마른 모래	○	○	-	-
	팽창질석·팽창진주암	○	○	-	-
	그 밖의 것	-	-	-	*

주) "*"의 소화약제별 적응성은 「소방시설 설치 및 관리에 관한 법률」 제37조에 의한 형식승인 및 제품검사의 기술기준에 따라 화재 종류별 적응성에 적합한 것으로 인정되는 경우에 한한다.

(2) 특정소방대상물별 소화기구의 능력단위기준(NFTC 101 표 2.1.1.2)

특정소방대상물에 따라 소화기구의 능력단위는 다음 표의 기준에 따른다.

특정소방대상물	소화기구의 능력단위
위락시설	해당 용도의 바닥면적 $30m^2$마다 능력단위 1단위 이상
공연장·집회장·관람장·문화재·장례식장 및 의료시설	해당 용도의 바닥면적 $50m^2$마다 능력단위 1단위 이상
근린생활시설·판매시설·운수시설·숙박시설·노유자시설·전시장·공동주택·업무시설·방송통신시설·공장·창고시설·항공기 및 자동차 관련 시설 및 관광휴게시설	해당 용도의 바닥면적 $100m^2$마다 능력단위 1단위 이상
그 밖의 것	해당 용도의 바닥면적 $200m^2$마다 능력단위 1단위 이상

주) 소화기구의 능력단위를 산출함에 있어서 건축물의 주요구조부가 내화구조이고, 벽 및 반자의 실내에 면하는 부분이 불연재료·준불연재료 또는 난연재료로 된 특정소방대상물에 있어서는 위 표의 기준면적의 2배를 해당 특정소방대상물의 기준면적으로 한다.

핵심 적중

ABC급 화재에 모두 적응성이 있는 소화기로 가장 먼 것은?

① 제3종 분말소화기
② 할론 1211 할론소화기
③ 강화액소화기
④ 제1종 분말소화기

정답 ④

핵심 기출

소화기구의 능력단위를 바닥면적 100제곱미터마다 1단위 이상으로 해야 할 특정소방대상물은? 23. 소방간부

① 문화재
② 판매시설
③ 의료시설
④ 장례식장
⑤ 위락시설

정답 ②

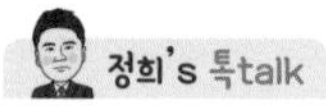

소화기 설치기준
1. **소형소화기:** 보행거리 20m 이내
2. **대형소화기:** 보행거리 30m 이내

2 이상의 거실로 구획된 경우
1. 각 층마다 설치
2. 바닥면적 $33m^2$ 이상으로 구획된 각 거실에 배치

핵심기출

소화기의 설치기준에 대한 설명 중 옳지 않은 것은? 16. 소방간부

① 각 층마다 설치하되 특정소방대상물의 각 부분으로부터 1개의 소화기까지 보행거리가 소형소화기의 경우 20m 이내, 대형소화기의 경우에는 30m 이내가 되도록 배치한다.
② 지하구의 경우에는 화재발생의 우려가 있거나 사람의 접근이 어려운 장소에 한하여 설치할 수 있다.
③ 특정소방대상물의 각 층이 2 이상의 거실로 구획된 경우에는 각 층마다 설치하는 것 외에 바닥면적이 $33m^2$ 이상으로 구획된 각 거실에도 배치한다.
④ 능력단위가 2단위 이상이 되도록 소화기를 설치하여야 할 특정소방대상물에는 간이소화용구의 능력단위가 전체 능력단위의 2분의 1을 초과하지 않도록 한다.
⑤ 대형소화기는 A급 10단위 이상, B급 20단위 이상으로 운반대와 바퀴가 설치된 것이다.

정답 ②

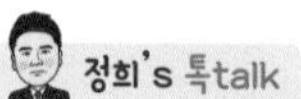

소형소화기의 감소
다만, 층수가 11층 이상인 부분, 근린생활시설, 위락시설, 문화 및 집회시설, 운동시설, 판매시설, 운수시설, 숙박시설, 노유자시설, 의료시설, 아파트, 업무시설(무인변전소 제외), 방송통신시설, 교육연구시설, 항공기 및 자동차관련 시설, 관광 휴게시설은 그렇지 않습니다.

(3) 소화기의 설치기준

① 특정소방대상물의 각 층마다 설치하되, 각층이 2 이상의 거실로 구획된 경우에는 각 층마다 설치하는 것 외에 바닥면적이 $33m^2$ 이상으로 구획된 각 거실(아파트의 경우에는 각 세대를 말한다)에도 배치할 것

② 특정소방대상물의 각 부분으로부터 1개의 소화기까지의 **보행거리**가 **소형소화기**의 경우에는 20m 이내, **대형소화기**의 경우에는 30m 이내가 되도록 배치할 것. 다만, 가연성물질이 없는 작업장의 경우에는 작업장의 실정에 맞게 보행거리를 완화하여 배치할 수 있다.

③ 능력단위가 2단위 이상이 되도록 소화기를 설치해야 할 특정소방대상물 또는 그 부분에 있어서는 간이소화용구의 능력단위가 전체 능력단위의 2분의 1을 초과하지 않게 할 것. **다만, 노유자시설의 경우에는 그렇지 않다.**

(4) 자동확산소화기의 설치기준

① 방호대상물에 소화약제가 유효하게 방사될 수 있도록 설치할 것

② 작동에 지장이 없도록 견고하게 고정할 것

(5) 소화기구 설치 위치

① 거주자 등이 손쉽게 사용할 수 있는 장소에 바닥으로부터 높이 1.5m **이하**의 곳에 비치할 것

② 소화기에 있어서는 '소화기', 투척용 소화용구에 있어서는 '투척용 소화용구', 마른 모래에 있어서는 '소화용 모래', 팽창질석 및 팽창진주암에 있어서는 '소화질석'이라고 표시한 표지를 보기 쉬운 곳에 부착할 것

③ 다만, 소화기 및 투척용소화용구의 표지는 「축광표지의 성능인증 및 제품검사의 기술기준」에 적합한 축광식표지로 설치하고, 주차장의 경우 표지를 바닥으로부터 1.5m 이상의 높이에 설치할 것

(6) 소화기의 감소

① **소형소화기의 감소:** 옥내소화전설비 · 스프링클러설비 · 물분무등소화설비 · 옥외소화전설비 또는 대형소화기를 설치한 경우에는 해당 설비의 유효범위의 부분에 대하여는 **소화기의 3분의 2(대형소화기를 둔 경우에는 2분의 1)를 감소**할 수 있다.

② **대형소화기의 감소:** 대형소화기를 설치하여야 할 특정소방대상물 또는 그 부분에 옥내소화전설비 · 스프링클러설비 · 물분무등소화설비 또는 옥외소화전설비를 설치한 경우에는 해당 설비의 유효범위 안의 부분에 대하여는 대형소화기를 설치하지 않을 수 있다.

(7) 이산화탄소 또는 할로겐화합물을 방사하는 소화기구(자동확산소화기 제외)

① 지하층이나 무창층 또는 밀폐된 거실로서 그 바닥면적이 $20m^2$ 미만인 장소에는 설치할 수 없다.

② 다만, 배기를 위한 유효한 개구부가 있는 장소에는 그러하지 아니하다.

 **관계법규** **소화기구 및 자동소화장치 요약(참고)**

<table>
<tr><th colspan="5">소화기구 및 자동소화장치의 화재안전기술기준(NFTC 101 표 2.1.1.3)</th></tr>
</table>

부속용도별로 추가하여야 할 소화기구 및 자동소화장치

<table>
<tr><th colspan="4">용도별</th><th>소화기구의 능력단위</th></tr>
<tr><td colspan="4">1. 다음 각 목의 시설. 다만, 스프링클러설비 · 간이스프링클러설비 · 물분무등소화설비 또는 상업용 주방자동소화장치가 설치된 경우에는 자동확산소화기를 설치하지 아니할 수 있다.
가. 보일러실(아파트의 경우 방화구획된 것을 제외한다) · 건조실 · 세탁소 · 대량화기취급소
나. 음식점(지하가의 음식점을 포함한다) · 다중이용업소 · 호텔 · 기숙사 · 노유자 시설 · 의료시설 · 업무시설 · 공장 · 장례식장 · 교육연구시설 · 교정 및 군사시설의 주방 다만, 의료시설 · 업무시설 및 공장의 주방은 공동취사를 위한 것에 한한다.
다. 관리자의 출입이 곤란한 변전실 · 송전실 · 변압기실 및 배전반실(불연재료로된 상자안에 장치된 것을 제외한다)</td><td>1. 해당 용도의 바닥면적 25m²마다 능력단위 1단위 이상의 소화기로 하고, 그 외에 자동확산소화기를 바닥면적 10m² 이하는 1개, 10m² 초과는 2개를 설치할 것
2. 나목의 주방의 경우, 1호에 의하여 설치하는 소화기 중 1개 이상은 주방화재용 소화기(K급)를 설치하여야 한다.</td></tr>
<tr><td colspan="4">2. 발전실 · 변전실 · 송전실 · 변압기실 · 배전반실 · 통신기기실 · 전산기기실 · 기타 이와 유사한 시설이 있는 장소. 다만, 제1호 다목의 장소를 제외한다.</td><td>해당 용도의 바닥면적 50m²마다 적응성이 있는 소화기 1개 이상 또는 유효설치방호체적 이내의 가스 · 분말 · 고체에어로졸 자동소화장치, 캐비닛형자동소화장치(다만, 통신기기실 · 전자기기실을 제외한 장소에 있어서는 교류 600V 또는 직류750V 이상의 것에 한한다)</td></tr>
<tr><td colspan="4">3. 「위험물안전관리법 시행령」 별표 1에 따른 지정수량의 1/5 이상 지정수량 미만의 위험물을 저장 또는 취급하는 장소</td><td>능력단위 2단위 이상 또는 유효설치방호체적 이내의 가스 · 분말 · 고체에어로졸 자동소화장치, 캐비닛형자동소화장치</td></tr>
<tr><td colspan="2" rowspan="2">4. 「소방기본법 시행령」 별표 2에 따른 특수가연물을 저장 또는 취급하는 장소</td><td colspan="2">「소방기본법 시행령」 별표 2에서 정하는 수량 이상</td><td>「소방기본법 시행령」 별표 2에서 정하는 수량의 50배 이상마다 능력단위 1단위 이상</td></tr>
<tr><td colspan="2">「소방기본법 시행령」 별표 2에서 정하는 수량의 500배 이상</td><td>대형소화기 1개 이상</td></tr>
<tr><td colspan="2" rowspan="2">5. 「고압가스안전관리법」 · 「액화석유가스의 안전관리 및 사업법」 및 「도시가스사업법」에서 규정하는 가연성 가스를 연료로 사용하는 장소</td><td colspan="2">액화석유가스 기타 가연성 가스를 연료로 사용하는 연소기기가 있는 장소</td><td>각 연소기로부터 보행거리 10m 이내에 능력단위 3단위 이상의 소화기 1개 이상. 다만, 상업용 주방자동소화장치가 설치된 장소는 제외한다.</td></tr>
<tr><td colspan="2">액화석유가스 기타 가연성 가스를 연료로 사용하기 위하여 저장하는 저장실(저장량 300kg 미만은 제외한다)</td><td>능력단위 5단위 이상의 소화기 2개 이상 및 대형소화기 1개 이상</td></tr>
<tr><td rowspan="6">6. 「고압가스안전관리법 · 액화석유가스의 안전관리 및 사업」법 또는 「도시가스사업법」에서 규정하는 가연성 가스를 제조하거나 연료외의 용도로 저장 · 사용하는 장소</td><td rowspan="6">저장하고 있는 양 또는 1개월 동안 제조 · 사용하는 양</td><td rowspan="2">200kg 미만</td><td>저장하는 장소</td><td>능력단위 3단위 이상의 소화기 2개 이상</td></tr>
<tr><td>제조 · 사용하는 장소</td><td>능력단위 3단위 이상의 소화기 2개 이상</td></tr>
<tr><td rowspan="2">200kg 이상 300kg 미만</td><td>저장하는 장소</td><td>능력단위 5단위 이상의 소화기 2개 이상</td></tr>
<tr><td>제조 · 사용하는 장소</td><td>바닥면적 50m²마다 능력단위 5단위 이상의 소화기 1개 이상</td></tr>
<tr><td rowspan="2">300kg 이상</td><td>저장하는 장소</td><td>대형소화기 2개 이상</td></tr>
<tr><td>제조 · 사용하는 장소</td><td>바닥면적 50m²마다 능력단위 5단위 이상의 소화기 1개 이상</td></tr>
</table>

5. 소화기의 형식승인 및 제품검사의 기술기준

(1) 소화기의 일반구조

① 작동방식이 확실하고 취급 · 점검 및 정비가 용이하여야 한다.

② 소화기는 한 사람이 쉽게 사용할 수 있어야 하며 조작 시 인체에 부상을 유발하지 아니하는 구조이어야 한다.

③ 소화기에 충전하는 소화약제는 소화약제 중량을 100g 단위로 구분하여야 한다.

④ **축압식소화기**(이산화탄소 및 할론 1301 소화약제를 충전한 소화기와 한번 사용한 후에는 다시 사용할 수 없는 형의 소화기는 제외)는 **지시압력계를 설치하여야 한다.**

⑤ 지시압력계는 충전압력값이 소화기의 축심과 일직선상에 위치하도록 부착하여야 한다.

⑥ 소화기 본체용기의 외부에 부착하는 소화기가압용가스용기는 외부의 충격으로부터 보호될 수 있는 구조이어야 한다.

(2) 능력단위

① A급 화재용 소화기 또는 B급 화재용 소화기는 능력단위의 수치가 1 이상이어야 한다.

② 대형소화기의 능력단위의 수치는 A급 **화재**에 사용하는 소화기는 **10단위 이상**, B급 **화재**에 사용하는 소화기는 **20단위 이상**이어야 한다.

③ **C급 화재용 소화기는 전기전도성시험에 적합하여야 하며 C급 화재에 대한 능력단위는 지정하지 아니한다.**

④ **K급 화재용 소화기는 K급 화재용 소화기의 소화성능시험에 적합하여야 하며, K급 화재에 대한 능력단위는 지정하지 아니한다.**

핵심 적중

대형소화기의 능력단위는?

① A급 10단위 이상, B급 10단위 이상
② A급 10단위 이상, B급 20단위 이상
③ A급 20단위 이상, B급 10단위 이상
④ A급 20단위 이상, B급 30단위 이상

정답 ②

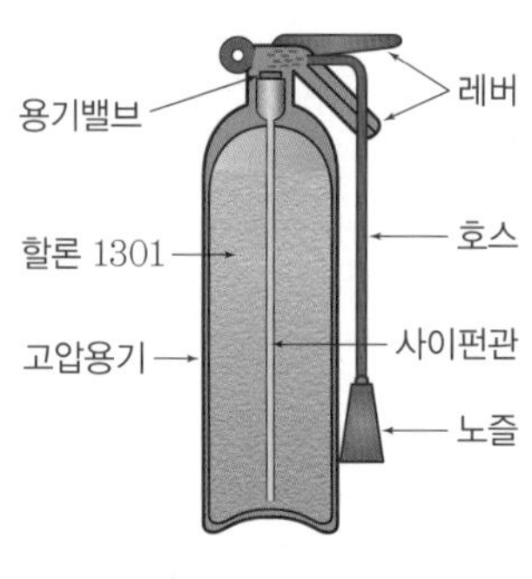

▲ 할론 1301 소화기

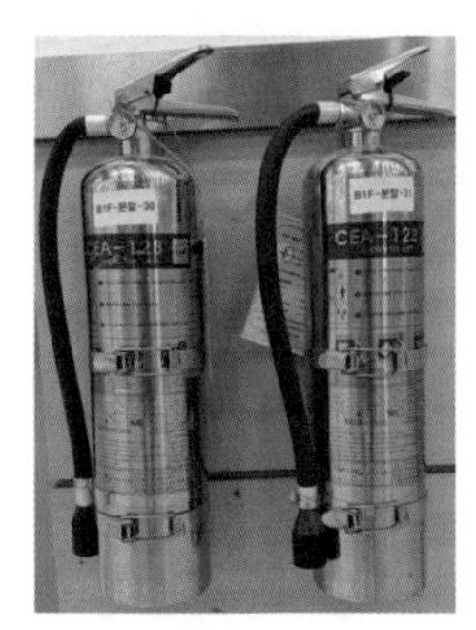
▲ 할론소화기

(3) 소화약제

① 이산화탄소소화기에 충전하는 이산화탄소는 순도가 99.5% **이상**인 것이어야 한다.

② 물소화기에 충전하는 물은 부식성이나 독성이 없어야 하며, 부식성이나 독성이 있는 가스를 발생하지 아니하는 양질의 것이어야 한다.

③ 소화기에 충전하는 분말소화약제는 방습가공을 한 나트륨 및 칼륨의 중탄산염 기타의 염류 또는 인산염류 · 황산염류 그 밖의 방염성을 가진 염류(인산염류 등)로서 기준에 적합하여야 한다.

(4) 자동차용소화기

자동차에 설치하는 소화기(자동차용소화기)는 강화액소화기(안개모양으로 방사되는 것에 한함), 할로겐화물소화기, 이산화탄소소화기, 포소화기 또는 분말소화기이어야 한다.

(5) 대형소화기의 소화약제량

대형소화기에 충전하는 소화약제의 양은 다음과 같아야 한다.

① **물소화기**: 80L 이상 ② **강화액소화기**: 60L 이상
③ **할로겐화물소화기**: 30kg 이상 ④ **이산화탄소소화기**: 50kg 이상
⑤ **분말소화기**: 20kg 이상 ⑥ **포소화기**: 20L 이상

(6) 사용온도범위

① 소화기는 그 종류에 따라 다음의 온도범위에서 사용할 경우 소화 및 방사의 기능을 유효하게 발휘할 수 있는 것이어야 한다.
㉠ **강화액소화기**: -20℃ 이상 40℃ 이하
㉡ **분말소화기**: -20℃ 이상 40℃ 이하
㉢ **그 밖의 소화기**: 0℃ 이상 40℃ 이하

② ①에도 불구하고 사용온도의 범위를 확대하고자 할 경우에는 10℃ 단위로 하여야 한다.

방사성능
1. 방사조작 완료 즉시 소화약제를 유효하게 방사할 수 있어야 합니다.
2. 소화기의 방사시간은 20 ±2℃ 온도에서 최소 8초 이상이어야 하고, 사용상한온도, 20 ±2℃의 온도, 사용하한온도에서 각각 설계값의 ±30% 이내이어야 합니다.
3. 방사거리가 소화에 지장 없을 만큼 길어야 합니다.
4. 충전된 소화약제의 용량 또는 중량의 90% 이상 방사되어야 합니다.

관계법규 소화기의 소화성능시험(참고)

소화기의 형식승인 및 제품검사의 기술기준 [별표 6]

[별표 6] K급 화재용 소화기의 소화성능시험
1. 공통사항
 가. 시험은 최소 6m × 6m × 4m(가로 × 세로 × 높이) 크기 이상의 실내에서 실시한다.
 나. 시험 조건은 주위온도 5 ~ 30℃, 무풍 상태에서 실시한다.
 다. 제2호 소화성능시험과 제3호 스플래시 시험에 모두 적합한 경우에만 적합한 것으로 판정한다.
2. 소화성능시험은 다음 각 목의 방법에 따른다.
 가. 모형은 다음 그림의 형상을 가진 것으로 사용하여 실시한다.
  1) 가스버너(전기적 가열장치 사용 가능) 지지대
  2) 화염가림막(자연발화 전 점화 방지용)
  3) 바닥으로부터 높이
  * X: 610mm, Y: 460mm

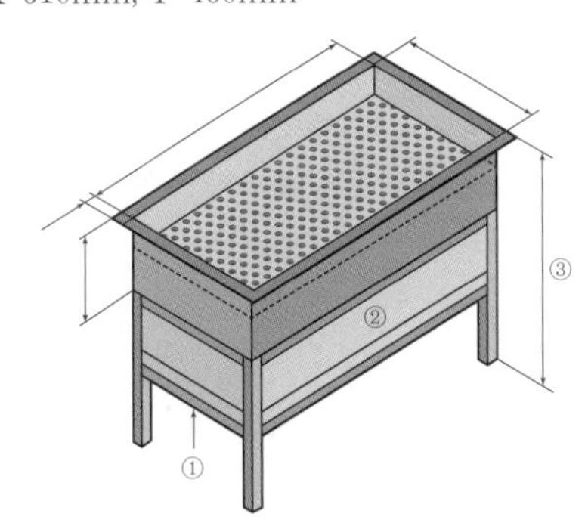

 나. 시험모형에 대두유를 모형 상단에서 기름 표면까지의 수직거리가 75mm가 되도록 붓고(대두유의 온도가 175 ~ 195℃일 때 75mm가 되도록 한다) 열원을 배치하여 가열하였을 때 260℃부터 자연발화될 때까지의 가열속도는 5±2℃/min 범위 이내이어야 한다. 이 경우 기름의 온도 측정을 위한 온도센서는 기름 표면으로부터 아래로 25mm 지점에 모형 벽면으로부터 75mm 이격하여 설치한다.
 다. 계속 가열하여 대두유를 자연발화시킨다. 자연발화가 되면 열원을 차단하고 2분간 자유연소시킨 후 소화기를 완전히 방출하여 소화한다.
 라. 소화시험 시 소화기를 작동하는 동안 연료 모형과 노즐 간의 거리가 최소 1m 이상 유지되도록 하여야 한다.
 마. 소화시험에 사용되는 소화기는 사용상한온도 및 사용하한온도에서 각각 16시간 이상 보존 후 시험하여야 하며 각각 2회 연속 시험하여 다음에 모두 적합한 경우 소화된 것으로 판정한다.
  1) 완전히 소화되어야 한다.
  2) 방사 종료 후 20분 동안 재연되지 않아야 한다.
  3) 대두유의 온도가 발화온도의 35℃ 이하로 내려갈 때까지 재연되지 않아야 한다.
3. 스플래시시험은 다음 각 목의 방법에 따른다.
- 중략 -

심화학습 소화기의 형식승인 및 제품검사의 기술기준 [별표 2](참고)

1. A급 화재용 소화기의 능력단위의 수치는 2.의 규정에 의한 제1소화시험에 의하여 측정한다.
2. 제1소화시험 측정은 다음의 방법에 의한다.
   - 다음 그림의 제1모형 또는 제2모형에 의하여 행하되, 제2모형은 이를 2개 이상 사용할 수 없다.

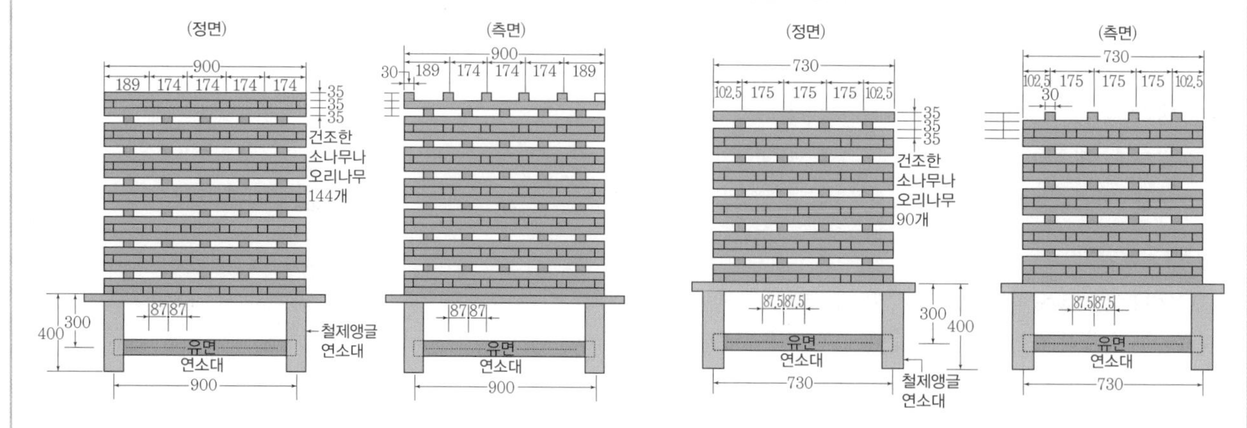

▲ 제1모형(2단위 모형)

▲ 제2모형(1단위 모형)

   - 모형의 배열방법은 다음과 같다.

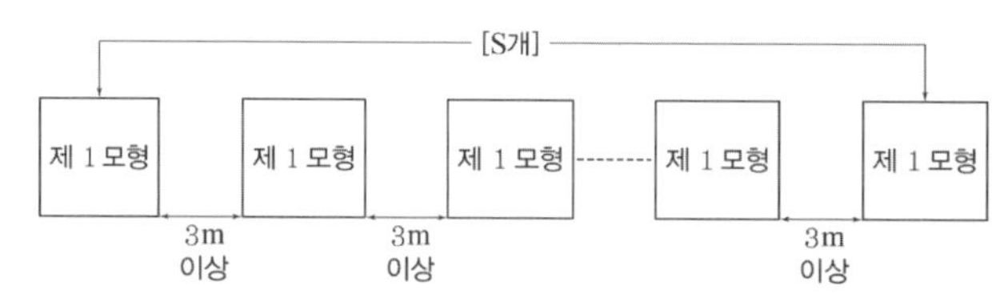

▲ S(임의의 수치를 말한다. 이하 같다)개의 제1모형을 사용할 경우의 배열

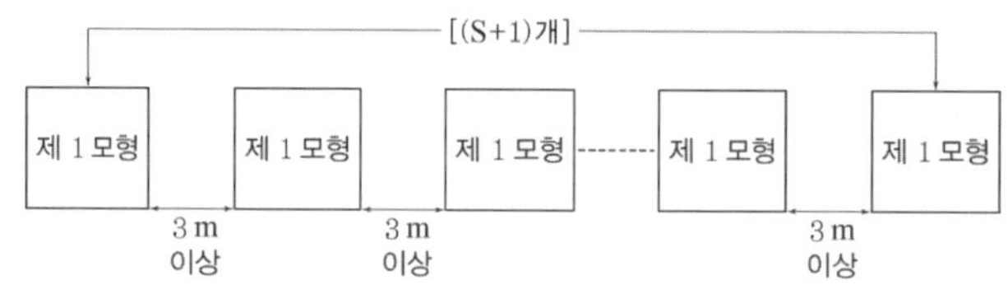

▲ S개의 제1모형 및 1개의 제2모형을 사용할 경우의 배열

   - 제1모형의 연소대에는 3L, 제2모형의 연소대에는 1.5L의 휘발유를 넣어 최초의 제1모형으로부터 순차적으로 불을 붙인다.
   - 소화는 최초의 모형에 불을 붙인 다음 3분 후에 시작하되, 불을 붙인 순으로 한다. 이 경우 그 모형에 잔염(불꽃을 알아볼 수 있는 상태를 말한다. 이하 같다)이 있다고 인정될 경우에는 다음 모형에 대한 소화를 계속할 수 없다.
   - 소화기를 조작하는 자는 적합한 작업복(안전모, 내열성의 얼굴가리개, 장갑 등)을 착용할 수 있다.
   - 소화는 무풍 상태(풍속이 0.5m/s 이하인 상태를 말한다. 이하 같다)와 사용 상태(휴대식은 손에 휴대한 상태, 멜빵식은 멜빵으로 착용한 상태, 차륜식은 고정된 상태를 말한다. 이하 같다)에서 실시한다.
   - 소화약제의 방사가 완료된 때 잔염이 없어야 하며, 방사완료 후 2분 이내에 다시 불타지 아니한 경우 그 모형은 완전히 소화된 것으로 본다.
3. 2.의 규정에 의하여 소화시험을 한 A급 화재용 소화기의 소화능력단위의 수치는 S개의 제1모형을 완전히 소화한 것은 2S로, S개의 제1모형과 1개의 제2모형을 완전히 소화한 것은 2S+1로 한다.

2	옥내소화전설비	A

1. 개요

(1) 옥내소화전설비는 소방대가 도착하기 전에 건축물의 관계인이 초기 화재진압을 위하여 사용하는 수동식 소화설비이다.

(2) 옥내소화전설비도 초기 화재진압 목적으로 설치하는 설비로서 사람이 직접조작에 의하여 사용할 수 있는 수동설비이며, 소화약제로 물을 사용하는 수계소화설비이다.

(3) 옥내소화전은 소화약제가 되는 수원, 소화수를 보내 주는 가압원(동력장치), 배관 및 밸브류, 소화전함과 호스, 그리고 이들 시스템을 전반적으로 감시하고 제어하는 동력제어반과 감시제어반 등으로 구성되어 있다.

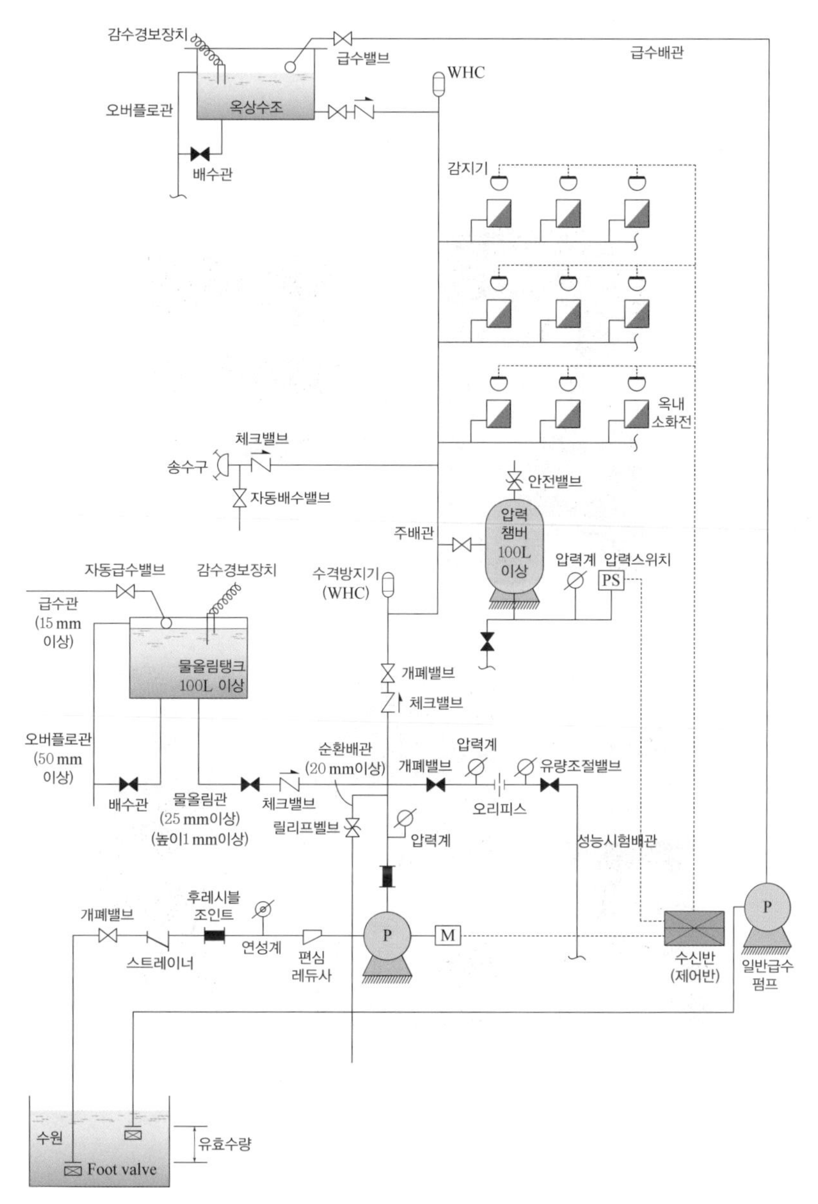

▲ 옥내소화전설비의 계통도

핵심 적중

다음 중 옥내소화전의 구성요소로 가장 옳지 않은 것은?

① 가압송수장치
② 소화전함
③ 경종
④ 비상전원

정답 ③

2. 수원

수원은 **고가수조, 지하수조, 옥상수조**로 구분할 수 있으며, 가압방식에 따라 수조가 구분되고 옥상수조는 예비수원으로서의 기능을 한다.

(1) 수원의 양

① 옥내소화전설비의 수원은 그 저수량이 옥내소화전의 설치개수가 가장 많은 층의 설치개수(**2개 이상 설치된 경우에는** 2개)에 $2.6m^3$**를 곱한 양 이상**이 되도록 하여야 한다.

$Q(m^3) = 2.6m^3 \times N$(최대 2개)
N: 소화전이 가장 많이 설치된 층의 소화전 개수(최대 2개)

② **고층건축물의 화재안전기준**(NFPC 604)**에 따른 옥내소화전설비의 수원:** 수원은 그 저수량이 옥내소화전의 설치개수가 가장 많은 층의 설치개수(**5개 이상 설치된 경우에는** 5개)에 $5.2m^3$(호스릴옥내소화전설비 포함)를 곱한 양 이상이 되도록 하여야 한다. 다만, **층수가** 50**층 이상인 건축물의 경우에는** $7.8m^3$**를 곱한 양 이상**이 되도록 하여야 한다.

정희's 톡talk

고층건축물

「건축법」 제2조의 정의에 따르면 고층건축물이란 층수가 30층 이상이거나 높이가 120m 이상인 건축물을 말합니다.

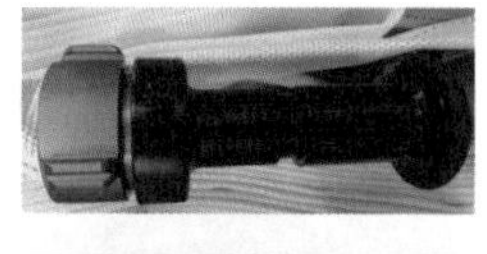

▲ 소방호스 및 관창

▲ 옥내소화전함

▲ 호스릴옥내소화전설비

▲ 호스릴소화전 내부

③ 수원의 저수량

구분	저수조	
	유효수량	옥상
옥내소화전설비(호스릴옥내소화전 포함)	· 일반건축물: $2.6m^3$×소화전 최대 설치 층의 설치개수(최대 2개) · 30층 이상 49층 미만: $5.2m^3$×소화전 최대 설치 층의 설치개수(최대 5개) · 50층 이상: $7.8m^3$×소화전 최대 설치 층의 설치개수(최대 5개)	유효수량×1/3 이상
옥외소화전설비	$7.0m^3$×소화전 개수 (최대 2개)	

(2) 옥상수조(예비수원)

① **옥상수조**에는 산출된 유효수량 외에 **유효수량의 3분의 1 이상**을 저장하여야 한다.

② 옥상수조는 이와 연결된 배관을 통하여 상시 소화수를 공급할 수 있는 구조인 특정소방대상물인 경우에는 둘 이상의 특정소방대상물이 있더라도 하나의 특정소방대상물에만 이를 설치할 수 있다.

(3) 전용수조

옥내소화전설비의 수원을 수조로 설치하는 경우에는 소방설비의 전용수조로 하여야 한다. 다만, 다음의 어느 하나에 해당하는 경우에는 그러하지 아니하다.

① 옥내소화전펌프의 후드밸브 또는 흡수배관의 흡수구를 다른 설비의 후드밸브 또는 흡수구보다 낮은 위치에 설치한 때

② 고가수조로부터 옥내소화전설비의 수직배관에 물을 공급하는 급수구를 다른 설비의 급수구보다 낮은 위치에 설치한 때

(4) 유효수량

저수량을 산정함에 있어서 다른 설비와 겸용하여 옥내소화전설비용 수조를 설치하는 경우에는 옥내소화전설비의 후드밸브 · 흡수구 또는 수직배관의 급수구와 다른 설비의 후드밸브 · 흡수구 또는 수직배관의 급수구와의 사이의 수량을 그 유효수량으로 한다.

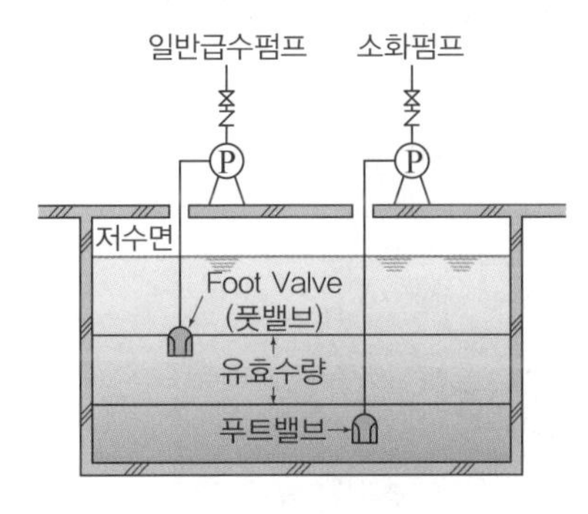

▲ 유효수량

▲ 일반급수펌프 및 물탱크

핵심 적중

3층 건물이 있다. 1층에는 옥내소화전이 3개, 2층에는 2개, 3층에는 7개의 옥내소화전이 설치되어 있다. 옥내소화전의 저수량은 얼마인가?

① $2.6m^3$ ② $2.6m^3×2$
③ $2.6m^3×3$ ④ $2.6m^3×5$

정답 ②

정희's 톡talk

옥상수조 설치 예외대상(NFTC 102)

1. 지하층만 있는 건축물
2. 고가수조를 가압송수장치로 설치한 옥내소화전설비
3. 수원이 건축물의 최상층에 설치된 방수구보다 높은 위치에 설치된 경우
4. 건축물의 높이가 지표면으로부터 10m 이하인 경우
5. 주펌프와 동등 이상의 성능이 있는 별도의 펌프로서 내연기관의 기동과 연동하여 작동되거나 비상전원을 연결하여 설치한 경우
6. 가압수조를 가압송수장치로 설치한 옥내소화전설비

옥내소화전설비용 수조의 설치기준(NFTC 102)

1. 점검에 편리한 곳에 설치할 것
2. 동결방지조치를 하거나 동결의 우려가 없는 장소에 설치할 것
3. 수조의 외측에 수위계를 설치할 것
4. 수조의 상단이 바닥보다 높은 때에는 수조의 외측에 고정식 사다리를 설치할 것
5. 수조가 실내에 설치된 때에는 그 실내에 조명설비를 설치할 것
6. 수조의 밑 부분에는 청소용 배수밸브 또는 배수관을 설치할 것
7. 수조의 외측의 보기 쉬운 곳에 '옥내소화전설비용 수조'라고 표시한 표지, 옥내소화전펌프의 흡수배관 또는 옥내소화전설비의 수직배관과 수조의 접속부분에는 '옥내소화전설비용 배관'이라고 표시한 표지를 할 것

3. 가압송수장치

(1) 전동기 또는 내연기관에 따른 펌프를 이용하는 가압송수장치

가장 일반적으로 사용되는 방식으로 전동기 또는 내연기관에 의하여 구동되는 볼류트 펌프 또는 터빈 펌프 등의 원심펌프가 주로 이용된다. **가압송수장치의 주펌프는 전동기에 따른 펌프로 설치하여야 한다.**

① 쉽게 접근할 수 있고 점검하기에 충분한 공간이 있는 장소로서 화재 및 침수 등의 재해로 인한 피해를 받을 우려가 없는 곳에 설치한다.

② 동결방지조치를 하거나 동결의 우려가 없는 장소에 설치한다.

③ **방수압력 및 방수량**

㉠ 특정소방대상물의 어느 층에 있어서도 해당 층의 옥내소화전(2개 이상 설치된 경우에는 2개의 옥내소화전)을 동시에 사용할 경우 각 소화전의 노즐선단에서의 **방수압력**이 0.17MPa(호스릴옥내소화전설비 포함) 이상이고, **방수량이** 130L/min(호스릴옥내소화전설비 포함) 이상이 되는 성능의 것으로 한다.

㉡ 다만, 하나의 옥내소화전을 사용하는 노즐선단에서의 방수압력이 0.7MPa을 초과할 경우에는 호스접결구의 인입 측에 감압장치를 설치하여야 한다.

④ **펌프의 토출량:** 옥내소화전이 가장 많이 설치된 층의 설치개수(옥내소화전이 2개 이상 설치된 경우에는 2개)에 130L/min를 곱한 양 이상이 되도록 한다.

⑤ 펌프는 전용으로 할 것. 다만, 다른 소화설비와 겸용하는 경우 각각의 소화설비의 성능에 지장이 없을 때에는 그러하지 아니하다.

▲ 소방펌프와 압력챔버

▲ 내연기관

 정희's 톡talk

방수압 측정에 의한 방수량 산정방법

$$Q = 0.653d^2\sqrt{P}$$

Q: 방수량(L/min)
P: 방수압력(kg/cm²)
d: 노즐구경(mm)

방수압력 및 방수량

구분	방수압력	방수량
옥내소화전 설비	0.17 ~ 0.7 MPa	130L/min
옥외소화전 설비	0.25 ~ 0.7 MPa	350L/min

핵심 적중

노즐방사압력이 4배가 되었고 관창의 구경이 2배로 늘어났다면, 이때 방수량 증가비로 옳은 것은?

① 10배 ② 8배
③ 4배 ④ 2배

정답 ②

⑥ **압력계**

㉠ **압력계:** 펌프의 토출측에는 압력계를 체크밸브 이전에 펌프토출측 플랜지에서 가까운 곳에 설치한다.

㉡ **연성계 또는 진공계:** 흡입측에는 연성계 또는 진공계를 설치할 것. 다만, 수원의 수위가 펌프의 위치보다 높거나 수직회전축 펌프의 경우에는 연성계 또는 진공계를 설치하지 아니할 수 있다.

⑦ **성능시험배관**

㉠ 가압송수장치에는 정격부하운전 시 펌프의 성능을 시험하기 위한 배관을 설치한다.

㉡ 펌프의 성능은 체절운전 시 정격토출압력의 140%를 초과하지 않고, 정격토출량의 150%로 운전 시 정격토출압력의 65% 이상이 되어야 하며, 펌프의 성능을 시험할 수 있는 성능시험배관을 설치할 것. 다만, **충압펌프**[1]의 경우에는 그렇지 않다.

⑧ **순환배관**

㉠ **가압송수장치에는 체절운전 시 수온의 상승을 방지하기 위한 순환배관을 설치한다.**

㉡ 다만, 충압펌프의 경우에는 그러하지 아니하다.

⑨ **기동장치**

㉠ **기동용수압개폐장치**[2] 또는 이와 동등 이상의 성능이 있는 것을 설치한다.

㉡ 다만, 학교·공장·창고시설(제4조 제2항에 따라 옥상수조를 설치한 대상은 제외한다)로서 동결의 우려가 있는 장소에 있어서는 기동스위치에 보호판을 부착하여 옥내소화전함 내에 설치할 수 있다.

㉢ **기동용수압개폐장치(압력챔버)**를 사용할 경우 그 **용적은** 100L **이상**의 것으로 한다.

⑩ **물올림장치:** 수원의 수위가 펌프보다 낮은 위치에 있는 가압송수장치에는 다음의 기준에 따른 물올림장치를 설치한다.

㉠ 물올림장치에는 전용의 탱크를 설치할 것

㉡ 탱크의 유효수량은 100L **이상**으로 하되, 구경 15mm 이상의 급수배관에 따라 해당 탱크에 물이 계속 보급되도록 할 것

⑪ **기동용수압개폐장치를 기동장치로 사용할 경우에는 다음의 기준에 따른 충압펌프를 설치한다.**

㉠ 펌프의 토출압력은 그 설비의 최고위 호스접결구의 자연압보다 적어도 0.2MPa이 더 크도록 하거나 가압송수장치의 정격토출압력과 같게 할 것

㉡ 펌프의 정격토출량은 정상적인 누설량보다 적어서는 안 되며, 옥내소화전설비가 자동적으로 작동할 수 있도록 충분한 토출량을 유지할 것

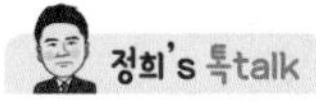

진공계와 연성계

1. 진공계: 대기압 이하의 압력을 측정합니다.
2. 연성계: 대기압 이상의 압력과 대기압 이하의 압력을 측정합니다.

용어사전

[1] **충압펌프:** 배관 내 압력손실에 따른 주펌프의 빈번한 기동을 방지하기 위하여 충압역할을 하는 펌프

[2] **기동용수압개폐장치:** 소화설비의 배관 내 압력변동을 검지하여 자동적으로 펌프를 기동 및 정지시키는 것으로서 압력챔버 또는 기동용압력스위치 등

핵심기출

옥내소화전설비 가압송수장치의 체절운전 시 수온의 상승을 방지하기 위해 설치하는 것은? 21. 소방간부

① 연성계
② 물올림장치
③ 압력챔버
④ 순환배관
⑤ 스트레이너

정답 ④

⑫ 내연기관을 사용하는 경우에는 다음의 기준에 적합한 것으로 한다.

㉠ 내연기관의 기동은 기동장치를 설치하거나 또는 소화전함의 위치에서 원격조작이 가능하고 기동을 명시하는 적색등을 설치할 것

㉡ 제어반에 따라 내연기관의 자동기동 및 수동기동이 가능하고, 상시 충전되어 있는 축전지설비를 갖출 것

㉢ **내연기관의 연료량은 펌프를 20분(층수가 30층 이상 49층 이하는 40분, 50층 이상은 60분) 이상 운전할 수 있는 용량일 것**

▲ 동력 제어반 전경

▲ 동력 제어반

▲ 중앙통제실 전경

▲ 수동조작함

⑬ 가압송수장치에는 '옥내소화전펌프'라고 표시한 표지를 할 것. 이 경우 그 가압송수장치를 다른 설비와 겸용하는 때에는 그 겸용되는 설비의 이름을 표시한 표지를 함께 하여야 한다.

⑭ **가압송수장치가 기동이 된 경우에는 자동으로 정지되지 아니하도록 하여야 한다.** 다만, 충압펌프의 경우에는 그러하지 아니하다.

(2) 고가수조의 자연낙차를 이용한 가압송수장치

고가수조방식은 건축물의 최상층보다 높게 설치된 수조에서 **자연낙차에 의하여 법정방수압을 공급하는 방식**을 말한다. 고가수조는 옥내소화전에 필요한 방수압(0.17MPa)을 자연낙차에 의하여 충족되어야 하므로 배관의 마찰손실을 무시하더라도 고가수조로부터 건축물 최상층의 옥내소화전 방수구까지의 높이가 최소 17m 이상이 되어야 한다. 따라서 일반건축물에 적용하기가 곤란한 점이 있으며, 보통 자연지형을 이용한 건축물에 사용된다.

① 고가수조란 구조물 또는 지형지물 등에 설치하여 자연낙차의 압력으로 급수하는 수조를 말한다.

② 고가수조의 자연낙차수두(수조의 하단으로부터 최고층에 설치된 소화전 호스 접결구까지의 수직거리를 말함)는 다음의 식에 따라 산출한 수치 이상이 되도록 하여야 한다.

$$H = h_1 + h_2 + 17\text{(호스릴옥내소화전설비 포함)}$$

H: 필요한 낙차(m)
h_1: 호스의 마찰손실 수두(m)
h_2: 배관의 마찰손실 수두(m)
17: 옥내소화전 노즐선단의 방수압력 환산수두

③ 고가수조에는 수위계 · 배수관 · 급수관 · 오버플로우관 및 맨홀을 설치하여야 한다.

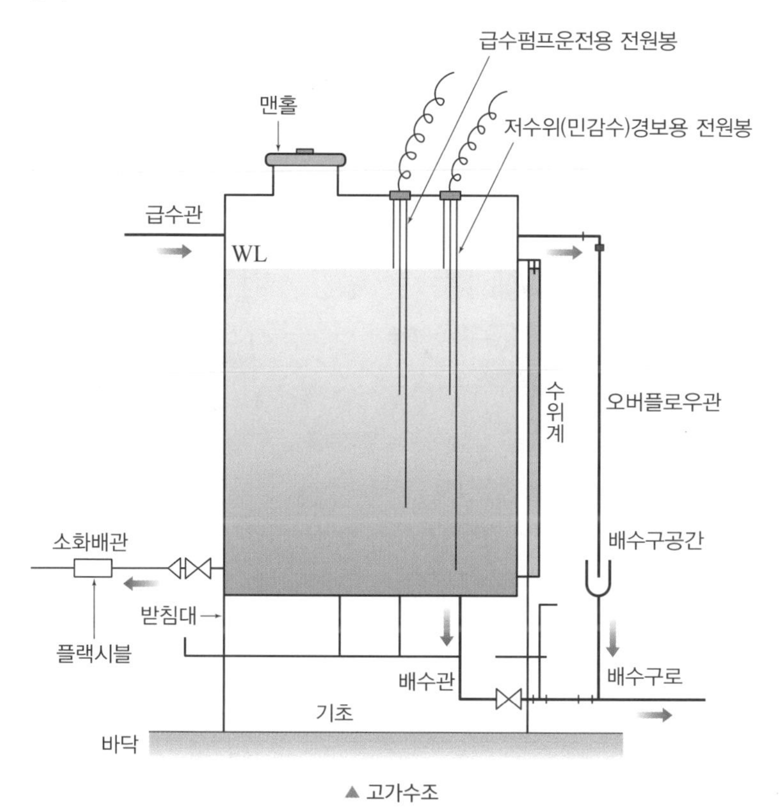

▲ 고가수조

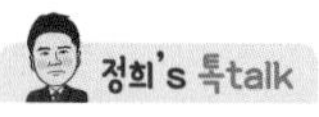

고가수조 · 압력수조 · 가압수조

고가수조	구조물 또는 지형지물 등에 설치하여 자연낙차의 압력으로 급수하는 수조
압력수조	소화용수와 공기를 채우고 일정압력 이상으로 가압하여 그 압력으로 급수하는 수조
가압수조	가압원인 압축공기 또는 불연성 고압기체에 따라 소방용수를 가압시키는 수조

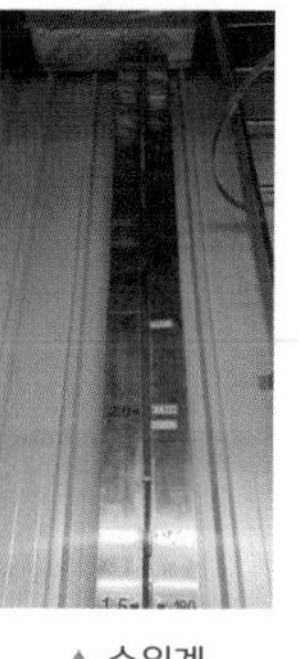
▲ 수위계

(3) 압력수조를 이용한 가압송수장치

밀폐된 물탱크 내에 물과 공기를 넣고 자동식 공기압축기를 이용하여 탱크 내를 가압하고 그 압력에 의하여 송수하는 방식이다.

① 압력수조를 이용한 가압송수장치를 설치하는 경우 압력수조의 압력은 (1)의 ③에 따른 방수압 및 방수량이 20분 이상 유지되도록 해야 한다.

② 압력수조란 **소화용수**와 **공기를 채우고 일정압력 이상**으로 가압하여 그 압력으로 급수하는 수조를 말한다.

③ 압력수조의 압력은 다음의 식에 따라 산출한 수치 이상으로 하여야 한다.

$$P = p_1 + p_2 + p_3 + 0.17MPa$$ (호스릴옥내소화전설비 포함)

P: 필요한 압력(MPa)
p_1: 호스의 마찰손실 수두압(MPa)
p_2: 배관의 마찰손실 수두압(MPa)
p_3: 낙차의 환산 수두압(MPa)
0.17MPa: 옥내소화전 노즐선단의 방수압력

④ 압력수조에는 수위계 · 급수관 · 배수관 · 급기관 · 맨홀 · 압력계 · 안전장치 및 압력저하 방지를 위한 자동식 공기압축기를 설치하여야 한다.

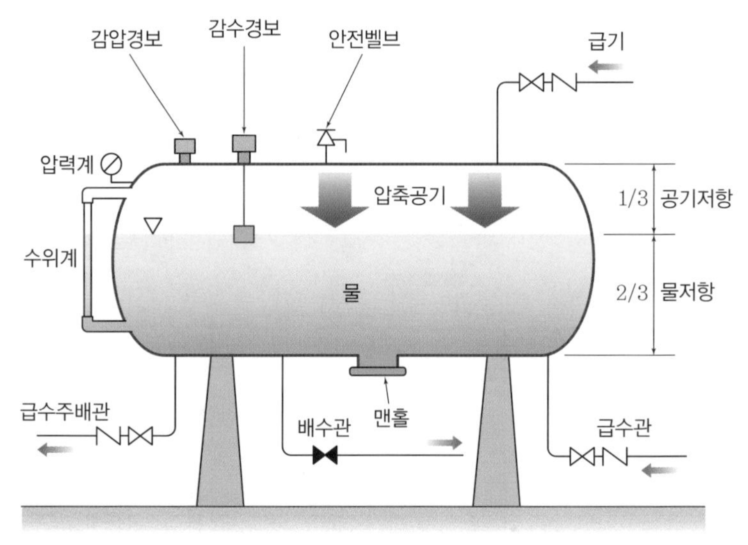

▲ 압력수조

(4) 가압수조를 이용한 가압송수장치

① 가압수조란 가압원인 **압축공기** 또는 **불연성 고압기체**에 따라 소방용수를 가압시키는 수조를 말한다.

② 가압수조를 이용한 가압송수장치는 소방청장이 정하여 고시한 「가압수조식 가압송수장치의 성능인증 및 제품검사의 기술기준」에 적합한 것으로 설치하되, 가압수조의 압력은 (1)의 ③에 따른 따른 방수압 및 방수량이 20분 이상 유지되도록 해야 한다.

③ 가압수조를 이용한 가압송수장치는 「가압수조식가압송수장치의 성능인증 및 제품검사의 기술기준」에 적합한 것으로 설치하여야 한다.

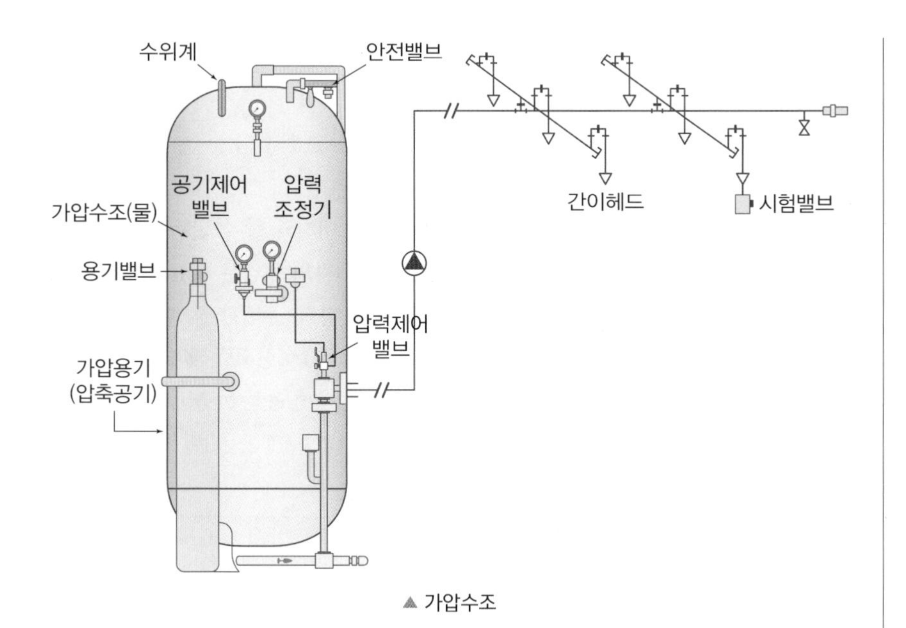

▲ 가압수조

4. 배관

(1) 배관과 배관이음쇠

① **배관 내 사용압력이 1.2메가파스칼 미만일 경우**

㉠ 배관용 탄소 강관(KS D 3507)

㉡ 이음매 없는 구리 및 구리합금관(KS D 5301). 다만, 습식의 배관에 한한다.

㉢ 배관용 스테인리스 강관(KS D 3576) 또는 일반 배관용 스테인리스 강관

㉣ 덕타일 주철관(KS D 4311)

② **배관 내 사용압력이 1.2메가파스칼 이상일 경우**

㉠ 압력 배관용 탄소 강관(KS D 3562)

㉡ 배관용 아크 용접 탄소강 강관(KS D 3583)

(2) 기타

① (1)에도 불구하고 화재 등의 재해로 인하여 배관의 성능에 영향을 받을 우려가 적은 경우에는 소방청장이 정하여 고시한 「소방용합성수지배관의 성능인증 및 제품검사의 기술기준」에 적합한 소방용 합성수지배관으로 설치할 수 있다.

② 급수배관은 전용으로 하여야 한다.

③ **펌프의 흡입 측 배관**

㉠ 공기 고임이 생기지 않는 구조로 하고 여과장치를 설치할 것

㉡ 배관용 아크 용접 탄소강 강관(KS D 3583)

④ 동결방지조치를 하거나 동결의 우려가 없는 장소에 설치해야 한다. 다만, 보온재를 사용할 경우에는 난연재료 성능 이상의 것으로 해야 한다.

⑤ 급수배관에 설치되어 급수를 차단할 수 있는 개폐밸브(옥내소화전방수구를 제외한다)는 개폐표시형으로 해야 한다. **이 경우 펌프의 흡입측 배관에는 버터플라이밸브 외의 개폐표시형밸브를 설치해야 한다.**

⑥ 배관은 다른 설비의 배관과 쉽게 구분이 될 수 있도록 해야 한다.

핵심기출

01 자동기동방식의 펌프가 수원의 수위보다 높은 곳에 설치된 옥내소화전설비의 구성요소를 있는 대로 모두 고른 것은? 22. 공채

> ㄱ. 기동용수압개폐장치
> ㄴ. 릴리프밸브
> ㄷ. 동력제어반
> ㄹ. 솔레노이드밸브
> ㅁ. 물올림장치

① ㄱ, ㄴ, ㅁ　② ㄷ, ㄹ, ㅁ
③ ㄱ, ㄴ, ㄷ, ㄹ　④ ㄱ, ㄴ, ㄷ, ㅁ

정답 ④

02 옥내소화전설비의 가압송수장치 펌프 성능시험에 관한 설명이다. ( ) 안에 들어갈 내용으로 옳은 것은? 23. 소방간부

> 펌프의 성능은 체절운전 시 정격토출압력의 (㉠)%를 초과하지 않고, 정격토출량의 (㉡)%로 운전 시 정격토출압력의 (㉢)% 이상이 되어야 하며, 펌프의 성능을 시험할 수 있는 성능시험배관을 설치할 것

	㉠	㉡	㉢
①	65	150	140
②	140	65	150
③	140	150	65
④	150	65	140
⑤	150	140	65

정답 ③

5. 주배관 및 가지배관 등

(1) 펌프의 토출 측 주배관 및 가지배관

① 펌프의 토출 측 주배관 및 가지배관의 구경은 소화수의 송수에 지장이 없는 크기 이상으로 해야 한다.

② **펌프의 토출 측 주배관의 구경은 유속이 4m/s 이하가 될 수 있는 크기 이상으로 해야 하고, 옥내소화전방수구와 연결되는 가지배관의 구경은 40mm(호스릴옥내소화전설비의 경우에는 25mm) 이상으로 해야 하며, 주배관 중 수직배관의 구경은 50mm(호스릴옥내소화전설비의 경우에는 32mm) 이상으로 해야 한다.**

③ 옥내소화전설비의 배관을 연결송수관설비와 겸용하는 경우 주배관은 구경 100밀리미터 이상, 방수구로 연결되는 배관의 구경은 65밀리미터 이상의 것으로 해야 한다.

종류	가지배관	주배관
일반	40mm 이상(호스릴: 25mm)	50mm 이상(호스릴: 32mm)
연결송수관 겸용	65mm 이상	100mm 이상

(2) 펌프의 성능시험배관

① **펌프의 성능은 체절운전 시 정격토출압력의 140%를 초과하지 아니하고, 정격토출량의 150%로 운전 시 정격토출압력의 65% 이상이 되어야 한다.**

② 펌프의 성능시험배관 설치기준

㉠ **성능시험배관은 펌프의 토출측에 설치된 개폐밸브 이전에서 분기하여 직선으로 설치하고, 유량측정장치를 기준으로 전단 직관부에 개폐밸브를 후단 직관부에는 유량조절밸브를 설치한다.**

㉡ 이 경우 개폐밸브와 유량측정장치 사이의 직관부 거리 및 유량측정장치와 유량조절밸브 사이의 직관부 거리는 해당 유량측정장치 제조사의 설치사양에 따르고, 성능시험배관의 호칭지름은 유량측정장치의 호칭지름에 따른다.

㉢ **유량측정장치는 성능시험배관의 직관부에 설치하되, 펌프의 정격토출량의 175% 이상 측정할 수 있는 성능이 있어야 한다.**

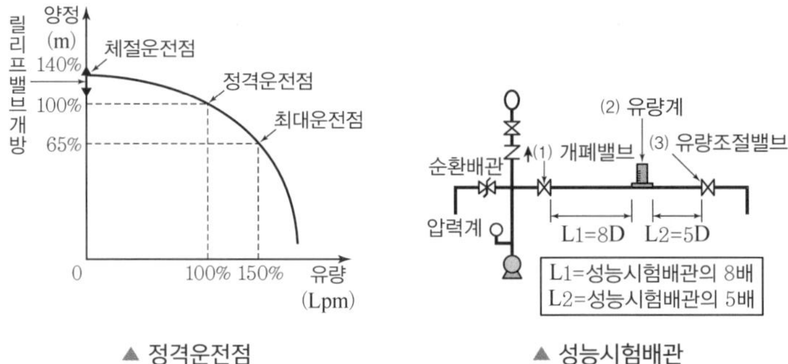

▲ 정격운전점　▲ 성능시험배관

(3) 순환배관

① 펌프가 정상적으로 회전한 상태에서 토출측에 물이 방출되지 않으면 체절운전 상태가 된다.

② 펌프 내에서는 물과 임펠러의 마찰로 수온이 상승하며, 기포가 발생한다.

③ 체절운전으로 인한 과압발생으로 배관파손의 영향을 줄 수도 있다.

④ 순환배관 및 릴리프밸브

㉠ 순환배관은 가압송수장치의 체절운전 시 수온의 상승을 방지하기 위하여 체크밸브와 펌프 사이에 20mm 이상의 배관으로 분기한다.

㉡ 순환배관에는 체절압력 미만에서 개방되는 릴리프밸브를 설치하여야 한다.

(4) 물올림장치

① 수조의 위치가 펌프보다 낮은 경우 펌프 흡입측 배관에는 항상 물이 채워져 있어야 한다.

② 물올림장치는 전용의 탱크를 설치하고 유효수량은 100L 이상으로 하되, 구경 15mm 이상의 급수배관을 설치하여 당해 펌프의 흡입배관에 상시 물이 채워지도록 하여야 한다.

③ 물올림탱크에는 항상 급수가 가능하도록 자동급수밸브를 설치하며, 넘침을 방지하기 위한 오버플로우관을 설치하고, 보수를 위한 배수밸브를 설치한다.

(5) 송수구의 설치기준

옥내소화전설비에는 소방자동차부터 그 설비에 송수할 수 있는 송수구를 다음의 기준에 따라 설치해야 한다.

NFPC 102	NFTC 102
1. 송수구는 송수 및 그 밖의 소화작업에 지장을 주지 않도록 설치할 것	2.3.12.1 소방차가 쉽게 접근할 수 있고 잘 보이는 장소에 설치하고, 화재층으로부터 지면으로 떨어지는 유리창 등이 송수 및 그 밖의 소화작업에 지장을 주지 않는 장소에 설치할 것
2. 송수구로부터 주배관에 이르는 연결배관에는 개폐밸브를 설치하지 않을 것	2.3.12.2 송수구로부터 옥내소화전설비의 주배관에 이르는 연결배관에는 개폐밸브를 설치하지 않을 것. 다만, 스프링클러설비·물분무소화설비·포소화설비·또는 연결송수관설비의 배관과 겸용하는 경우에는 그렇지 않다.
3. 지면으로부터 높이가 0.5미터 이상 1미터 이하의 위치에 설치할 것	2.3.12.3 지면으로부터 높이가 0.5m 이상 1 m 이하의 위치에 설치할 것
4. 구경 65밀리미터의 쌍구형 또는 단구형으로 할 것	2.3.12.4 송수구는 구경 65mm의 쌍구형 또는 단구형으로 할 것
5. 송수구의 가까운 부분에 자동배수밸브(또는 직경 5밀리미터의 배수공) 및 체크밸브를 설치할 것	2.3.12.5 송수구의 부근에는 자동배수밸브(또는 직경 5mm의 배수공) 및 체크밸브를 다음의 기준에 따라 설치할 것. 이 경우 자동배수밸브는 배관 안의 물이 잘 빠질 수 있는 위치에 설치하되, 배수로 인하여 다른 물건이나 장소에 피해를 주지 않아야 한다.
6. 송수구에는 이물질을 막기 위한 마개를 씌울 것	2.3.12.6 송수구에는 이물질을 막기 위한 마개를 씌울 것

▲ 쌍구형

▲ 단구형

(6) 수격방지기

① 펌프 운전 중 정전 등으로 펌프가 급히 정지하는 경우 관내의 운동에너지가 압력에너지로 변하여 소음과 진동을 수반하는 현상이 발생하는데 이를 수격작용이라 한다.

② 수격작용은 소화설비 시스템에 진동을 발생시켜 시스템을 손상시키는 원인이 되므로 수격방지기를 설치하여야 한다. 수격방지기는 진동과 충격을 흡수하여 설비를 안전하게 하는 역할을 한다.

> **참고** 수격현상
>
> 1. **발생원인:** 긴 수송관으로 액체를 수송 중 정전 등으로 펌프의 운전이 갑자기 멈춘 경우 송수관 내의 액체는 관성력에 의하여 유동하려 하지만 펌프 송출 구 직후의 액체는 흐름이 약해져 멈추려고 한다. 이에 따라 펌프의 와류실에는 압력강하가 발생하고, 펌프 송출 구로부터 와류실에의 역류가 발생하게 되면, 급격한 압력강하와 상승이 발생한다.
> 2. **수격현상 방지대책**
>   - **압력 강하 방지법**
>   - 펌프에 플라이휠(flywheel)을 붙여 관성효과를 이용하여 회전수와 관내 유속 변화를 느리게 한다.
>   - 서지탱크(surge tank) 즉 조압수조를 설치하여 축적된 에너지를 방출하거나 관내의 에너지를 흡수한다.
>   - 관 지름을 크게 하여 유체(물)의 유속을 줄이고 관성력을 떨어뜨린다.
>   - **압력 상승 방지법**
>   - check valve를 쓰지 않고 유체(물)를 역류시킨다.
>   - 역류가 발생 전에 강제적으로 밸브를 차단하여 압력 상승을 줄인다.
>   - 상승된 압력을 안전밸브로 직접 배출한다.
>   - 송출구에 설치된 메인 밸브를 정전과 동시에 자동으로 급속히 닫는다.

핵심기출

소방펌프 및 관로에서 발생되는 수격현상(water hammering)의 방지책으로 옳지 않은 것은? 23. 공채

① 수격을 흡수하는 수격방지기를 설치한다.
② 관로에 서지 탱크(surge tank)를 설치한다.
③ 플라이휠(flywheel)을 부착하여 펌프의 급격한 속도 변화를 억제한다.
④ 관경의 축소를 통해 유체의 유속을 증가시켜 압력 변동치를 감소시킨다.

정답 ④

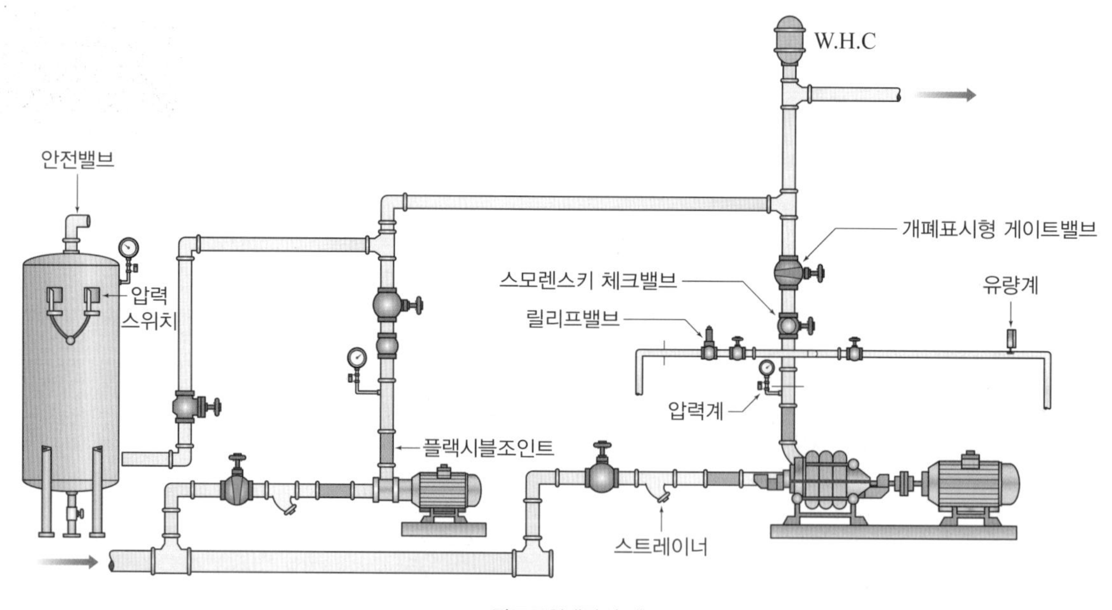

▲ 펌프주위배관의 예

참고 배관 구성요소

1. **체크밸브**: 체크밸브는 유수가 일방향으로 흐르게 하는 밸브를 말하며, 역류를 방지하기 위하여 설치한다.
2. **소방용스트레이너**: 소방용스트레이너란 소화설비의 배관에 설치하여 오물 등의 불순물을 여과시켜 원활하게 소화용수를 공급하는 장치(스트레이너)를 말한다(「소방용스트레이너의 성능인증 및 제품검사의 기술기준」).
3. **푸트밸브(Foot valve)**
   - 수조의 흡수구에 설치되는 밸브로서 여과기능과 체크밸브기능을 한다.
   - 체크밸브기능에 이상이 생기면 물올림장치의 물이 계속 수조로 흐르는 현상이 발생한다.
4. **플렉시블조인트(Flexible joint)**
   - 소화특성상 소화펌프는 갑작스러운 기동 시 진동이 많이 발생한다.
   - 갑작스러운 펌프의 작동으로 인한 충격이 배관에 전달되지 않도록 펌프의 흡입측과 토출측에 플렉시볼을 설치한다.
   - 펌프의 고정판에도 스프링을 설치하여 진동을 흡수한다.
5. **편심 레듀셔**
   - 펌프 흡입측의 배관의 구경을 달리할 경우에는 펌프 입구에서 공기고임을 방지하기 위하여 편심 레듀셔를 설치한다.
   - 만약 원심 레듀셔를 설치하면 상부에 빈 공간이 생겨 공기고임 현상이 발생하며, 흡입의 장애가 된다.
   - 또한 수조와 펌프의 높이가 너무 크거나 배관의 마찰이 클 경우에는 유효흡입양정[1]이 작아져 Cavitation 현상이 일어나기 쉽다.

요약NOTE 옥내소화전, 옥외소화전, 스프링클러 비교

구분	옥내소화전	호스릴옥내 소화전	옥외소화전	스프링클러
방수압력	0.17 ~ 0.7MPa ($1.7 \sim 7kg/cm^2$)	옥내소화전과 동일	0.25 ~ 0.7MPa ($2.5 \sim 7kg/cm^2$)	0.1 ~ 1.2MPa ($1 \sim 12kg/cm^2$)
방수량	130L/min 이상	옥내소화전과 동일	350L/min 이상	80L/min 이상
토출량	N × 130L/min (N: 최대 2개)	옥내소화전과 동일	N × 350L/min (N: 최대 2개)	N × 80L/min
저수량	$N \times 2.6m^3$	옥내소화전과 동일	$N \times 7m^3$	$N \times 1.6m^3$
호스 구경	40mm 이상	25mm 이상	65mm	-
기타	수평거리 25m 이하 노즐: 13mm	옥내소화전과 동일	수평거리 40m 이하 노즐: 19mm	-

용어사전

[1] 양정: 펌프가 물을 끌어 올리는 높이를 말한다. 흡입수면에서 펌프 중심높이까지를 '흡입양정', 펌프 중심높이에서 토출수면까지를 '토출양정', 흡입수면에서 토출수면까지의 실제양정을 '실양정'이라 하고, 여기에 기타 배관 내 마찰손실수두, 호스 마찰손실 등을 가한 전체양정을 '전양정'이라 하며, 배관이 꺾이는 길이까지이다.

▲ 유량계

▲ 기동용수압개폐장치 명판

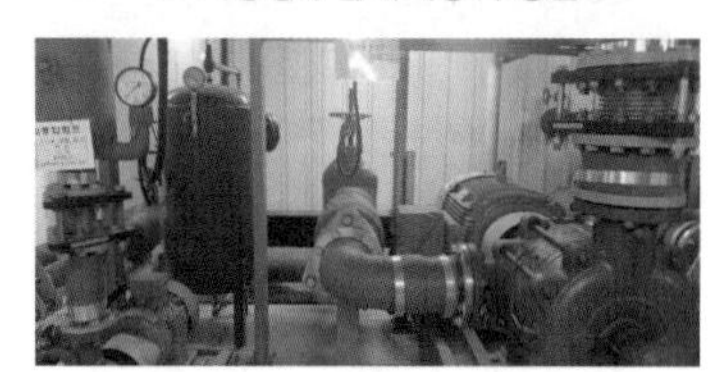
▲ 기동용수압개폐장치(압력챔버)

참고 소방용 펌프와 충압 펌프

1. 소방용 펌프

- 소방용 펌프로는 원심펌프를 주로 사용하며 원심펌프에는 볼류트 펌프와 터빈 펌프의 2종류가 있다.
- 소방용 펌프의 특성
  - 소방용 펌프는 일반공정용 펌프와 달리 펌프의 토출량이 항상 동일하지 않다.
  - 소화전의 사용 수량이 달라도 각각 규정압(0.17MPa)과 규정 방사량(130L/min)이 발생하여야 한다는 특징이 있다.
  - 소화설비용 펌프는 토출량의 큰 변화가 발생하며 이로 인하여 펌프의 방수량이 설계치 이상이 될 경우 펌프의 선정에 따라서는 과부하를 일으켜 펌프가 정지하는 현상이 발생할 수 있다.
- 볼류트 펌프와 터빈 펌프

구분	볼류트 펌프	터빈 펌프
임펠러의 안내날개	없음	있음
송출유량	많음	적음
송출압력	낮음	높음
특징	직접 물을 Casing으로 유도하는 펌프로서 저양정 펌프에 사용	안내날개가 있어 Impeller 회전운동 시 물을 일정하게 유도하여 속도에너지를 효과적으로 압력에너지로 변환시킬 수 있음
구조도	배출구, 임펠러(회전차), 케이싱(본체), 스파이어럴 케이싱, 달팽이 모양, 흡입구	안내날개, 임펠러(회전차), 스파이어럴 케이싱, 흡입구

2. 충압펌프

- 평상시 옥내소화전설비에서 발생되는 적은 양의 압력누수는 토출량이 적은 충압펌프를 사용하여 보충한다.
- 충압펌프는 주기능이 소화용이 아니므로 펌프성능시험배관도 설치하지 않는다.

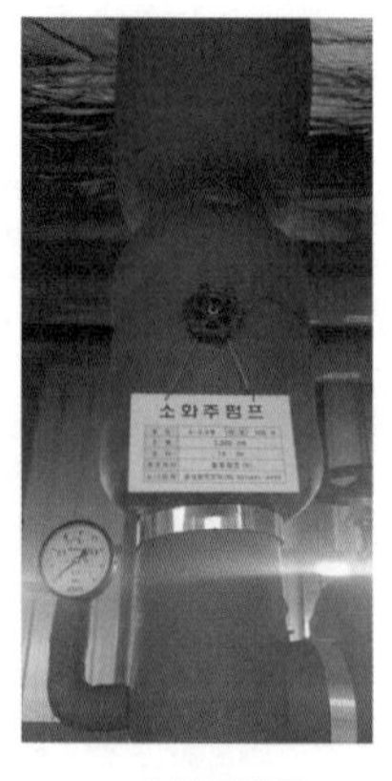

▲ 소화주펌프

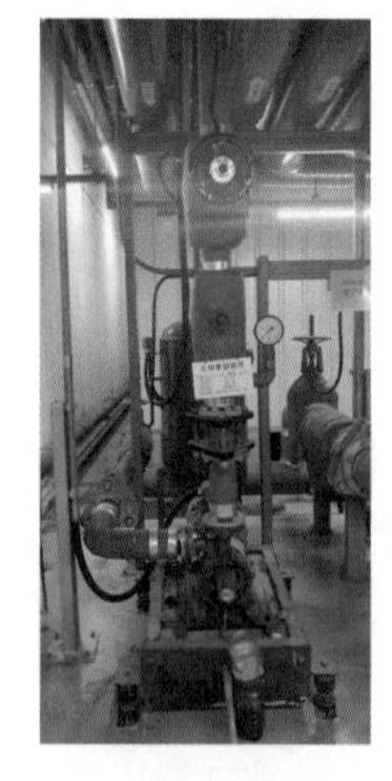
▲ 소화충압펌프

6. 옥내소화전함 및 방수구

옥내소화전설비의 함은 소방청장이 정하여 고시한 「소화전함의 성능인증 및 제품검사의 기술기준」에 적합한 것으로 설치하되 밸브의 조작, 호스의 수납 및 문의 개방 등 옥내소화전의 사용에 장애가 없도록 설치해야 한다.

(1) 재질 및 기준

① 함의 재질은 두께 1.5mm 이상의 강판 또는 두께 4mm 이상의 합성수지재이다.

② 함의 면적은 $0.5m^2$ 이상이고 정면에 '소화전'이라고 표시한다.

③ 소화전함의 내부폭은 180mm 이상이어야 한다.

(2) 표시등(위치표시등 기동표시등)

① 설치위치는 함의 상부이다.

② 설치각도는 부착면과 15도 **이상**이며, 10m의 거리에서 쉽게 식별할 수 있는 적색등으로 설치한다.

③ 기동표시등은 옥내소화전함 내부 또는 직근에 적색등으로 설치한다.

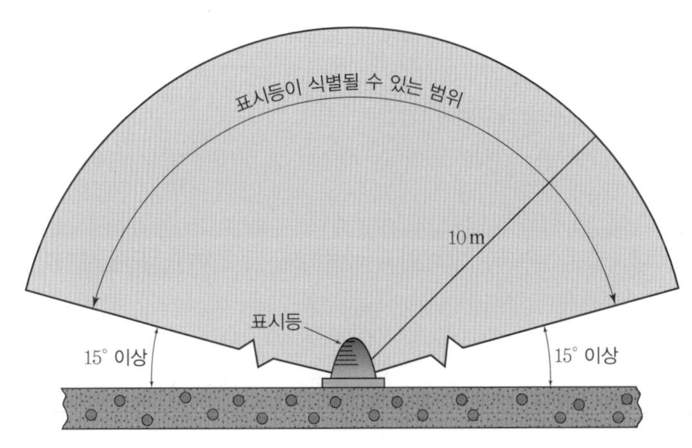

▲ 위치표시등

(3) 방수구

① 옥내소화전의 방수구는 소방대상물의 층마다 설치한다.

② 당해 소방대상물의 각 부분으로부터 하나의 옥내소화전 방수구까지의 **수평거리는 25m 이하**이다.

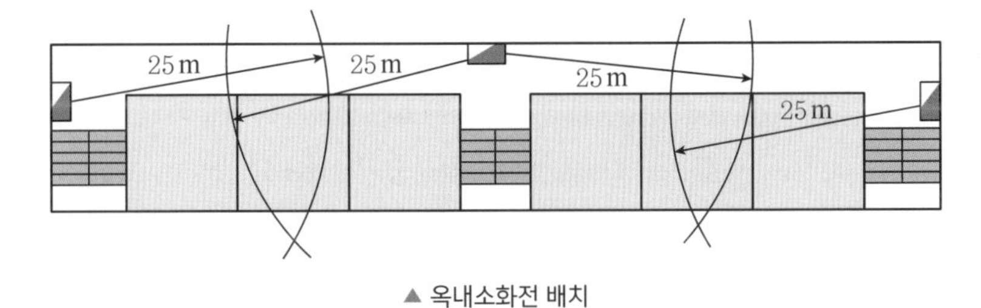

▲ 옥내소화전 배치

③ 방수구의 설치위치는 바닥으로부터 1.5m 이하이다.

④ 호스의 구경은 40mm **이상**(호스릴옥내소화전설비는 25mm 이상)이다.

⑤ 노즐의 구경은 13mm의 것으로 한다.

정희's 톡talk

표시등의 성능인증 및 제품검사의 기술기준

제8조【식별도 시험】 ① 표시등은 주위의 밝기가 300lx인 장소에서 정격전압 및 정격전압 ±20%에서 측정하여 앞면으로부터 3m 떨어진 위치에서 켜진 등이 확실히 식별되어야 한다. ② 표시등의 불빛은 부착면과 15° 이하의 각도로도 발산되어야 하며 주위의 밝기가 0lx인 장소에서 측정하여 10m 떨어진 위치에서 켜진 등이 확실히 식별되어야 한다.

7. 전원 등

(1) 전원

① 옥내소화전설비에 설치하는 상용전원회로의 배선은 상용전원의 상시공급에 지장이 없도록 전용배선으로 해야 한다.

② **비상전원 설치 대상**

㉠ 층수가 7층 이상으로서 연면적이 2,000제곱미터 이상인 것

㉡ ㉠에 해당하지 않는 특정소방대상물로서 지하층의 바닥면적의 합계가 3,000제곱미터 이상인 것

③ ②에 따른 비상전원은 자가발전설비, 축전지설비 또는 전기저장장치로서 다음의 기준에 따라 설치해야 한다.

㉠ 점검에 편리하고 화재 또는 침수 등의 재해로 인한 피해를 받을 우려가 없는 곳에 설치할 것

㉡ 옥내소화전설비를 유효하게 20분 이상 작동할 수 있어야 할 것

㉢ 상용전원으로부터 전력의 공급이 중단된 때에는 자동으로 비상전원으로부터 전력을 공급받을 수 있도록 할 것

㉣ 비상전원(내연기관의 기동 및 제어용 축전기를 제외한다)의 설치장소는 다른 장소와 방화구획 할 것

㉤ 비상전원을 실내에 설치하는 때에는 그 실내에 비상조명등을 설치할 것

(2) 제어반

① 옥내소화전설비에는 제어반을 설치하되, 감시제어반과 동력제어반으로 구분하여 설치해야 한다.

② 감시제어반은 가압송수장치, 상용전원, 비상전원, 수조, 물올림수조, 예비전원 등을 감시 · 제어 및 시험할 수 있는 기능을 갖추어야 한다.

③ **감시제어반 설치기준**

㉠ 화재 또는 침수 등의 재해로 인한 피해를 받을 우려가 없는 곳에 설치할 것

㉡ 감시제어반은 옥내소화전설비의 전용으로 할 것

㉢ 감시제어반은 다음의 기준에 따른 전용실 안에 설치하고, 전용실에는 특정소방대상물의 기계 · 기구 또는 시설 등의 제어 및 감시설비 외의 것을 두지 않을 것

ⓐ 다른 부분과 방화구획을 할 것

ⓑ 피난층 또는 지하 1층에 설치할 것

ⓒ 비상조명등 및 급 · 배기설비를 설치할 것

ⓓ 「무선통신보조설비의 화재안전성능기준(NFPC 505)」 제5조 제3항에 따라 유효하게 통신이 가능할 것

ⓔ 바닥면적은 감시제어반의 설치에 필요한 면적 외에 화재 시 소방대원이 그 감시제어반의 조작에 필요한 최소면적 이상으로 할 것

④ 동력제어반은 앞면을 적색으로 하고, 동력제어반의 외함은 두께 1.5밀리미터 이상의 강판 또는 이와 동등 이상의 강도 및 내열성능이 있는 것으로 한다.

정희's 톡talk

감시제어반을 지상 2층에 설치하거나 지하 1층 외의 지하층에 설치할 수 있는 경우

1. 「건축법 시행령」 제35조에 따라 특별피난계단이 설치되고 그 계단(부속실을 포함한다)출입구로부터 보행거리 5m 이내에 전용실의 출입구가 있는 경우
2. 아파트의 관리동(관리동이 없는 경우에는 경비실)에 설치하는 경우

(3) 배선 등

① 옥내소화전설비의 배선은 「전기사업법」 제67조에 따른 「전기설비기술기준」에서 정한 것 외에 다음의 기준에 따라 설치해야 한다.
  ㉠ 비상전원으로부터 동력제어반 및 가압송수장치에 이르는 전원회로의 배선은 내화배선으로 할 것
  ㉡ 상용전원으로부터 동력제어반에 이르는 배선, 그 밖의 옥내소화전설비의 감시 · 조작 또는 표시등회로의 배선은 내화배선 또는 내열배선으로 할 것

② ①에 따른 내화배선 및 내열배선은 "배선에 사용되는 전선의 종류 및 공사방법(NFTC 102, 표 2.7.2)"에 따른다.

③ 옥내소화전설비의 과전류차단기 및 개폐기에는 "옥내소화전설비용"이라고 표시한 표지를 해야 한다.

④ 옥내소화전설비용 전기배선의 양단 및 접속단자에는 식별이 용이하도록 표시 또는 표지를 해야 한다.

8. 옥내소화전설비를 설치하여야 하는 특정소방대상물 〈소방간부 출제범위〉

위험물 저장 및 처리 시설 중 가스시설, 지하구 및 방재실 등에서 스프링클러설비 또는 물분무등소화설비를 원격으로 조정할 수 있는 업무시설 중 무인변전소는 제외한다.

(1) 연면적 3,000m² 이상(지하가 중 터널은 제외)이거나 지하층 · 무창층(축사는 제외) 또는 층수가 4층 이상인 것 중 바닥면적이 600m² 이상인 층이 있는 것은 모든 층

(2) 지하가 중 터널로서 다음에 해당하는 터널
  ① 길이가 1,000m 이상인 터널
  ② 예상교통량, 경사도 등 터널의 특성을 고려하여 총리령으로 정하는 터널

(3) (1)에 해당하지 않는 근린생활시설, **판매시설**, 운수시설, 의료시설, 노유자시설, 업무시설, **숙박시설**, 위락시설, 공장, 창고시설, 항공기 및 자동차 관련 시설, 교정 및 군사시설 중 국방 · 군사시설, 방송통신시설, 발전시설, 장례시설 또는 **복합건축물**로서 **연면적 1,500m² 이상**이거나 **지하층 · 무창층 또는 층수가 4층 이상인 층 중 바닥면적이 300m² 이상인 층**이 있는 것은 모든 층

(4) **건축물의 옥상**에 설치된 차고 또는 주차장으로서 차고 또는 주차의 용도로 사용되는 부분의 면적이 200m² **이상**인 것

(5) (1) 및 (3)에 해당하지 않는 공장 또는 창고시설로서 「소방기본법 시행령」 [별표 2]에서 정하는 수량의 750배 이상의 특수가연물을 저장 · 취급하는 것

핵심기출

「소방시설 설치 및 관리에 관한 법률 시행령」상 옥내소화전설비를 설치하여야 하는 특정소방대상물에 해당하지 않는 것은?

20. 소방간부

① 연면적 1,000m² 이상인 판매시설
② 연면적 1,500m² 이상인 복합건축물
③ 지하가 중 길이 1,000m 이상인 터널
④ 지하층, 무창층 또는 4층 이상 층의 바닥면적이 300m² 이상인 숙박시설
⑤ 건축물 옥상에 설치된 차고로서 차고 용도로 사용되는 부분의 면적이 200m² 이상인 시설

정답 ①

요약NOTE 옥내소화전설비 설치대상 요약(참고)

특정소방대상물	구분	설치대상기준
① 특정소방대상물 전체	연면적 기준	연면적 3,000m^2 이상
	지하층 · 무창층(축사 제외) 또는 4층 이상인 층	바닥면적이 600m^2 이상인 층이 있는 것은 모든 층
② ①에 해당하지 않는 근린생활시설, 판매시설, 운수시설, 의료시설, 노유자시설, 업무시설, 숙박시설, 위락시설, 공장, 창고시설, 항공기 및 자동차 관련 시설, 교정 및 군사시설 중 국방 · 군사시설, 방송통신시설, 발전시설, 장례시설 또는 복합건축물	연면적 기준	연면적 1,500m^2 이상
	지하층 · 무창층 또는 4층 이상인 층	바닥면적이 300m^2 이상인 층이 있는 것은 모든 층
③ 지하가	터널	길이가 1,000m 이상인 터널
④ 차고, 주차장	옥상에 설치된 것	주차용도 사용부분의 바닥면적 200m^2 이상
⑤ 공장, 창고시설	① 및 ②에 해당하지 않는 것	「소방기본법 시행령」 [별표 2]에서 정하는 수량의 750배 이상의 특수가연물 저장 · 취급

* 제외대상: 위험물 저장 및 처리시설 중 가스시설, 지하구 및 방재실 등에서 스프링클러설비 또는 물분무등소화설비를 원격으로 조정할 수 있는 업무시설 중 무인변전소

▲ 위치표시등

▲ 함 내부

▲ 경종

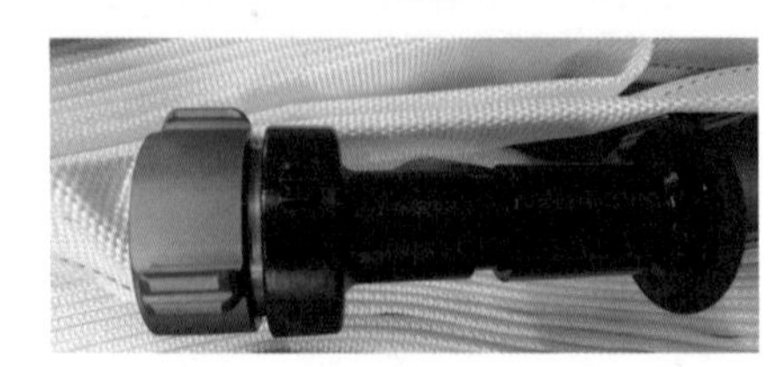

▲ 관창

▲ 소방호스

3 옥외소화전설비 B

1. 개요

(1) 정의

① 옥외소화전설비는 건물의 저층부의 초기 화재뿐만 아니라 본격 화재에도 적합한 소화설비로서 외부에 설치 · 고정된 소화설비이다.

② **자체소화와 인접건물로의 연소방지를 목적**으로도 사용된다. 옥내소화전설비에 비하여 방수압력이 높고 방수량도 많으며 소화성능이 확대되었다.

③ 주요 구성부분은 수원, 가압송수장치, 배관, 옥외소화전함, 전원장치 등이다.

(2) 수원

① **노즐 선단에서의 방수압력**: 0.25 ~ 0.7MPa

② **노즐 선단에서의 방수량**: 350L/min 이상

③ **펌프의 토출량**: 350L/min × **옥외소화전 설치개수(최대 2개)**

④ **수원의 용량(저수량)**: $7m^3$ × **옥외소화전 설치개수(최대 2개)**

2. 옥외소화전함 및 배관

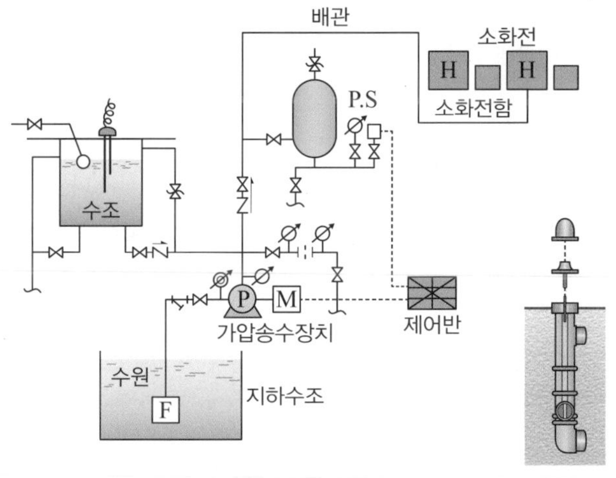

▲ 옥외소화전 계통도

(1) 배관

① 호스접결구는 특정소방대상물의 각 부분으로부터 하나의 호스접결구까지의 **수평거리가 40m 이하**가 되도록 설치하여야 한다.

② **호스는 구경 65mm**의 것으로 하여야 한다.

(2) 옥외소화전함의 호스와 노즐

① 호스의 구경은 65mm로 한다.

② 노즐의 구경은 19mm이다.

(3) 구조

① 함의 재질은 두께 1.5mm 이상의 강판 또는 두께 4mm 이상의 합성수지재이다.

② 함의 면적은 $0.5m^2$ 이상이다.

(4) 옥외소화전의 소화전함 설치기준

옥외소화전마다 그로부터 5m 이내의 장소에 소화전함을 아래 기준에 따라 설치하여야 한다.

① 옥외소화전이 10개 이하일 때는 **5m 이내마다** 소화전함을 1개 이상 설치한다.

② 옥외소화전이 11 ~ 30개일 때는 **11개 이상의** 소화전함을 각각 분산하여 설치한다.

③ 옥외소화전이 31개 이상일 때는 옥외소화전 **3개마다 1개 이상의** 소화전함을 설치한다.

3. 옥외소화전설비 설치하여야 하는 특정소방대상물 〈소방간부 출제범위〉

옥외소화전설비를 설치하여야 하는 특정소방대상물(가스시설 · 지하구 또는 지하가 중 터널을 제외)은 다음과 같다.

(1) **지상 1층 및 2층의 바닥면적의 합계**가 9,000m² **이상인 것**에 설치한다. 이 경우 동일 구내에 2 이상의 특정소방대상물이 행정안전부령으로 정하는 연소우려가 있는 구조인 경우에는 이를 하나의 특정소방대상물로 본다.

(2) 국보 또는 보물로 지정된 목조건축물에 설치한다.

(3) (1)에 해당하지 아니하는 공장 또는 창고로서 지정수량의 750배 이상의 특수가연물을 저장 · 취급하는 것에 설치한다.

요약NOTE 옥외소화전설비 설치대상

특정소방대상물	구분 .	설치대상기준
① 특정소방대상물 전체	지상 1층 및 2층	바닥면적 9,000m² 이상
② 보물 또는 국보로 지정된 목조건축물	-	-
③ 공장, 창고시설	① 및 ②에 해당하지 않는 것	「소방기본법 시행령」 [별표 2]에서 정하는 수량의 750배 이상의 특수가연물 저장 · 취급

* 제외대상: 아파트등, 위험물 저장 및 처리 시설 중 가스시설, 지하구 또는 지하가 중 터널

▲ 옥외소화전

4 스프링클러설비 A

1. 개요

(1) 정의

스프링클러설비는 화재가 발생하면 천장이나 반자에 설치된 헤드가 감열 작동하거나 자동적으로 화재를 발견함과 동시에 주변에 적상주수를 하여 효과적으로 화재를 진압할 수 있는 고정식 소화설비이다.

(2) 장점·단점

① 장점

㉠ 사람이 없는 야간에도 자동적으로 화재를 감지하여 소화 및 경보를 해 준다.
㉡ 물을 사용하므로 소화약제의 가격이 저렴하다.
㉢ 조작이 비교적 용이하다.
㉣ 초기소화에 절대적으로 우수하다.
㉤ 감지부에 의한 작동으로 수동과 자동 모두 가능하다.

② 단점

㉠ 시공비가 많이 든다.
㉡ 다른 소화설비보다 구조가 비교적 복잡하다.
㉢ 물로 인한 수손피해가 발생할 수 있다.
㉣ 동절기에 동파될 수도 있다.
㉤ 아파트의 경우에는 시공 시 층고에 영향을 줄 수 있다.

▲ 스프링클러설비 배관

▲ 스프링클러설비 배관 설치공사 전경

핵심기출

01 스프링클러설비 중 감지기와 연동하여 작동하는 것만을 모두 고른 것은?
19. 공채

ㄱ. 습식 스프링클러
ㄴ. 건식 스프링클러
ㄷ. 준비작동식 스프링클러
ㄹ. 일제살수식 스프링클러
ㅁ. 부압식 스프링클러

① ㄱ, ㄴ, ㄷ ② ㄱ, ㄹ, ㅁ
③ ㄴ, ㄷ, ㄹ ④ ㄷ, ㄹ, ㅁ

정답 ④

02 폐쇄형 스프링클러헤드를 사용하는 스프링클러설비를 〈보기〉에서 있는 대로 고른 것은?
21. 소방간부

〈보기〉
ㄱ. 일제살수식 스프링클러설비
ㄴ. 부압식 스프링클러설비
ㄷ. 준비작동식 스프링클러설비
ㄹ. 건식 스프링클러설비
ㅁ. 습식 스프링클러설비

① ㄱ
② ㄱ, ㄴ
③ ㄴ, ㄷ, ㄹ
④ ㄴ, ㄷ, ㄹ, ㅁ
⑤ ㄱ, ㄴ, ㄷ, ㄹ, ㅁ

정답 ④

03 다음 중 폐쇄형 스프링클러헤드를 사용하는 방식을 옳게 고른 것은?
18. 하반기 공채

ㄱ. 습식 ㄴ. 건식
ㄷ. 일제살수식 ㄹ. 준비작동식

① ㄱ, ㄴ, ㄷ ② ㄱ, ㄴ, ㄹ
③ ㄱ, ㄷ, ㄹ ④ ㄴ, ㄷ, ㄹ

정답 ②

2. 스프링클러설비의 종류

(1) 습식 스프링클러설비

가압송수장치에서 폐쇄형 스프링클러헤드까지 배관 내에 항상 물이 가압되어 있다가 화재로 인한 열로 **폐쇄형 스프링클러헤드**가 개방되면 배관 내에 유수가 발생하여 습식 유수검지장치가 작동하게 되는 스프링클러설비를 말한다.

(2) 건식 스프링클러설비

건식 유수검지장치 2차측에 압축공기 또는 질소 등의 기체로 충전된 배관에 **폐쇄형 스프링클러헤드**가 부착된 스프링클러설비로서, 폐쇄형 스프링클러헤드가 개방되어 배관 내의 압축공기 등이 방출되면 건식 유수검지장치 1차측의 수압에 의하여 건식 유수검지장치가 작동하게 되는 스프링클러설비를 말한다.

(3) 준비작동식 스프링클러설비

가압송수장치에서 준비작동식 유수검지장치 1차측까지 배관 내에 항상 물이 가압되어 있고 2차측에서 **폐쇄형 스프링클러헤드**까지 대기압 또는 저압으로 있다가 화재 발생 시 **감지기의 작동**으로 준비작동식 유수검지장치가 작동하여 폐쇄형 스프링클러헤드까지 소화용수가 송수되어 폐쇄형 스프링클러헤드가 열에 따라 개방되는 방식의 스프링클러설비를 말한다.

(4) 부압식 스프링클러설비

가압송수장치에서 준비작동식 유수검지장치 1차측까지 항상 정압의 물이 가압되고 2차측 **폐쇄형 스프링클러헤드**까지 소화수가 부압으로 있다가 화재 시 **감지기의 작동**에 의해 정압으로 변하여 유수가 발생하면 작동하는 스프링클러설비를 말한다.

(5) 일제살수식 스프링클러설비

가압송수장치에서 일제개방밸브 1차측까지 배관 내에 항상 물이 가압되어 있고 2차측에서 **개방형 스프링클러헤드**까지 대기압으로 있다가 화재 발생 시 자동감지장치 또는 수동식 기동장치의 작동으로 일제개방밸브가 개방되면 스프링클러헤드까지 소화용수가 송수되는 방식의 스프링클러설비를 말한다.

요약NOTE **스프링클러설비의 종류**

구분	1차측	유수검지장치	2차측	헤드	감지기 유무
습식	가압수	알람밸브 Alam valve	가압수	폐쇄형	×
건식	가압수	드라이밸브 Dry valve	압축공기	폐쇄형	×
준비작동식	가압수	프리액션밸브 Pre-action valve	대기압	폐쇄형	○
부압식	가압수	프리액션밸브 Pre-action valve	부압	폐쇄형	○
일제살수식	가압수	일제살수식밸브 Deluge valve	대기압	개방형	○

요약NOTE 스프링클러설비의 종류별 구성요소 및 설비도

구분		구성요소	설비도
폐쇄형 헤드	습식	· 알람(체크)밸브 · 리타팅챔버 · 압력스위치	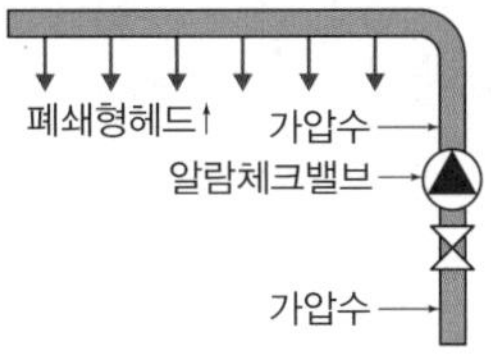 폐쇄형헤드↑ 가압수 알람체크밸브 가압수
	건식	· 드라이 파이프 밸브 · 액셀레이터 · 익져스터 · 에어컴프레셔	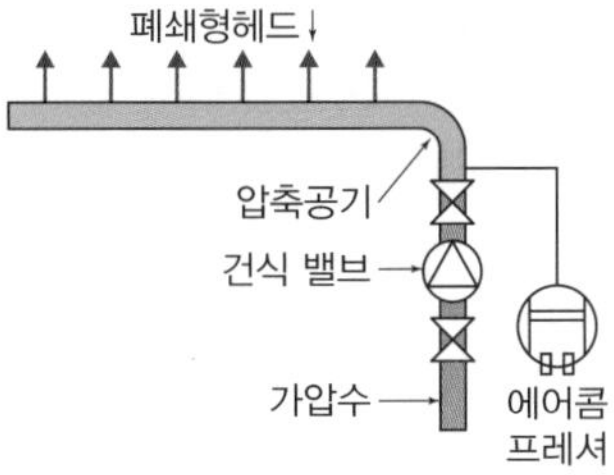 폐쇄형헤드↓ 압축공기 건식 밸브 가압수 에어콤프레셔
	준비 작동식	· 프리액션밸브 · 슈퍼비조리패널	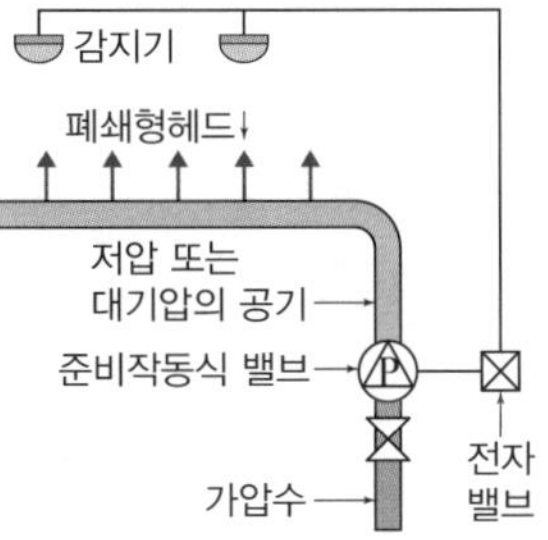 감지기 폐쇄형헤드↓ 저압 또는 대기압의 공기 준비작동식 밸브 가압수 전자밸브
	부압식	· 진공밸브 · 프리액션밸브 · 슈퍼비조리패널	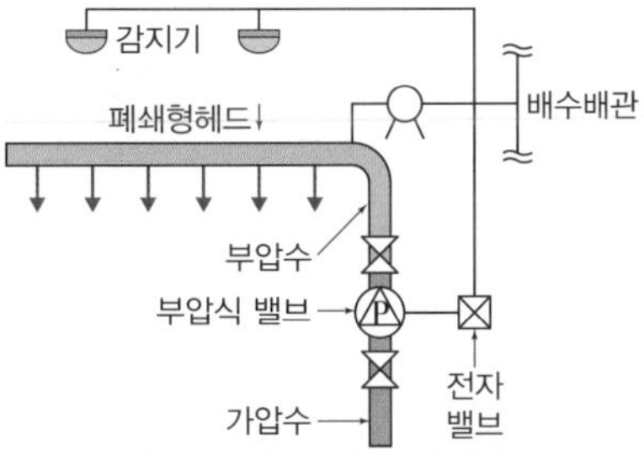 감지기 배수배관 폐쇄형헤드↓ 부압수 부압식 밸브 가압수 전자밸브
개방형 헤드	일제 살수식	· 델류지 밸브 · 슈퍼비조리패널	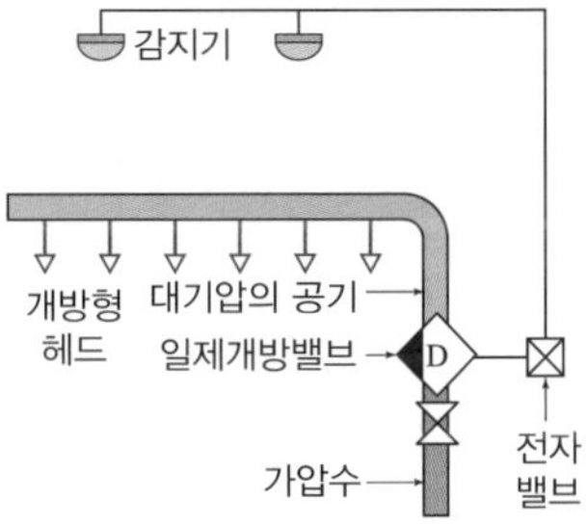 감지기 개방형 헤드 대기압의 공기 일제개방밸브 가압수 전자밸브

핵심기출

다음 내용에 해당하는 스프링클러설비 방식은?

24. 소방간부

· 가압송수장치에서 유수검지장치 1차 측까지 배관 내에 항상 물이 가압되어 있고, 2차 측에서 폐쇄형스프링클러헤드까지 대기압 또는 저압으로 있다.
· 화재발생 시 감지기의 작동으로 밸브가 개방되면 폐쇄형스프링클러헤드까지 소화수가 송수되고, 폐쇄형스프링클러헤드가 열에 의해 개방되면 방수가 된다.

① 습식
② 건식
③ 부압식
④ 준비작동식
⑤ 일제살수식

정답 ④

3. 습식 스프링클러설비

(1) 특징(장점 · 단점)

① 가장 먼저 개발된 시스템으로 신뢰성이 좋다.

② **동결의 위험**이 있으므로 시스템 적용에 주의하여야 한다.

③ **2차측 배관에 가압수**가 충만되어 있으며, 폐쇄형 헤드의 감열부가 화재로 인해 개방되면 가압수가 방출되는 시스템이다.

④ 헤드 개방 시 즉시 살수가 개시된다.

⑤ 층고가 높을 경우 헤드의 개방이 지연되어 초기화재에 신속한 대처가 이루어지지 못한다.

⑥ 다른 스프링클러설비보다 구조가 간단하고 공사비가 저렴하다.

⑦ **동결의 우려가 있는 장소에는 사용이 제한된다.**

⑧ 헤드 오동작 시에는 수손의 피해가 크다.

(2) 작동순서

화재 발생 → **폐쇄형 헤드 개방** → 2차측 배관의 가압수가 개방된 헤드로 방수 → 알람밸브의 클래퍼가 상승 → 유수검지작동 → 화재경보 발령 → **수신반의 화재표시등 점등 및 펌프의 기동** 순이다.

① 화재로 인한 열이 **헤드의 감열부**에 닿으면 감열부가 녹아 헤드가 개방된다.

② 2차측 배관의 가압수가 방수된다.

③ 알람밸브의 클래퍼를 기준으로 2차측 압력이 낮아져 클래퍼가 열려 1차측 가압수가 2차측으로 흘러나간다.

④ 이때 흘러나간 가압수 일부가 압력스위치 접점을 붙여 밸브개방 신호를 수신반에 송신하면 수신반에서는 경보를 발생하고 지구표시등이 점등된다.

⑤ 2차측 헤드에서는 계속되는 살수로 인하여 배관내부에 압력이 떨어지면 압력챔버의 압력스위치가 감압을 감지하여 펌프를 자동 기동시켜 계속해서 물을 송수하게 된다.

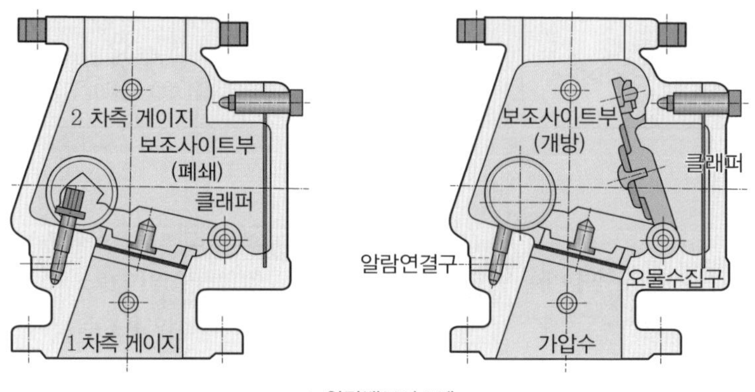

▲ 알람밸브시스템

정희's 톡talk

배수밸브(Drain valve)

1. 2차측에 설치되어 있으며, 2차측 설비를 보수할 때 2차측 급수배관의 물을 배수시키는 데 사용합니다.
2. 옥내소화전에서 사용되는 방수구의 앵글밸브와 같은 형태이며, 평상시 반드시 폐쇄되어 있어야 합니다.

1차측 개폐밸브

1차측에는 급수를 차단할 수 있는 개폐밸브가 설치되어 있습니다. 알람밸브, 배관, 헤드의 교체나 수리 시 가압수를 차단하기 위해 설치합니다.

(3) 구성요소

① 알람밸브(Alarm valve)

㉠ 알람밸브에서 알람신호를 발하기 때문에 알람경보밸브라고도 한다.

㉡ 알람밸브의 클래퍼가 체크기능을 하기 때문에 알람체크밸브라고도 한다.

㉢ 클래퍼는 알람밸브 내부에 설치된 작은 원형판으로 알람밸브에서 1차측과 2차측을 구분하는 기준이 된다.

㉣ 2차측에서 가압수가 방출되면 압력균형이 깨져 클래퍼가 열리고 압력이 같아지면 중력에 의하여 자동으로 차단되는 체크기능을 하며, 압력스위치에 의하여 2차측으로 흐르는 가압수를 감지하는 기능을 한다.

② 압력스위치(Pressure switch)

㉠ 2차측에 설치되어 있으며, 2차측의 가압수가 방출되면 클래퍼가 열리게 되고 이때 클래퍼 밑 부분의 작은 구멍을 통하여 가압수가 압력스위치에 이르게 된다.

㉡ 이때 압력스위치의 밸로우즈(Bellows)를 가압하여 접점을 이루게 한다. 이러한 유수현상을 수신기에 송신하여 경보가 울리고 밸브개방표시등이 점등되며, 가압펌프를 기동시킨다.

③ 리타딩챔버 또는 지연타이머

㉠ 실제 화재가 아닌 경우 화재신호를 발하게 되면 혼란을 야기할 수 있다. 따라서 자동경보밸브에 설치되어 경보밸브의 오동작을 방지한다.

㉡ 적은 양의 가압수가 챔버 안으로 유입되면 챔버 하단에 있는 작은 구멍(오리피스)을 통하여 외부로 배수되어 알람스위치가 접점되는 것을 방지한다.

㉢ 리타딩 챔버는 오동작 방지를 위한 안전장치로서 자동경보밸브 2차측의 수압이 누수 등의 원인으로 저하될 경우 압력스위치가 작동되는 것을 방지하는 역할을 하며 최근에는 압력 스위치에 타이머를 부착한 것이 주로 쓰인다.

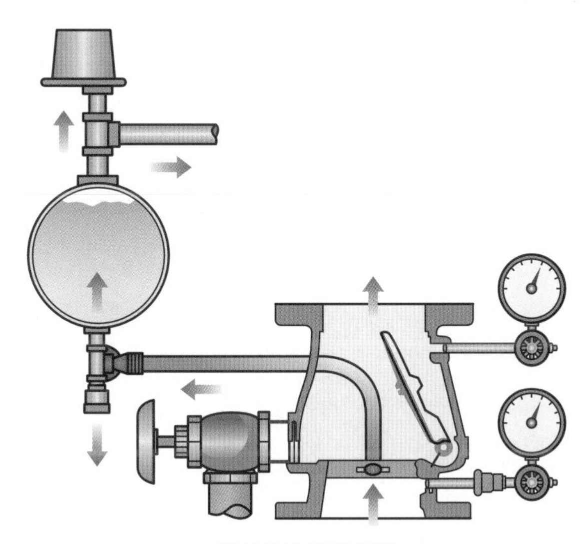

▲ 알람밸브 & 리타딩챔버

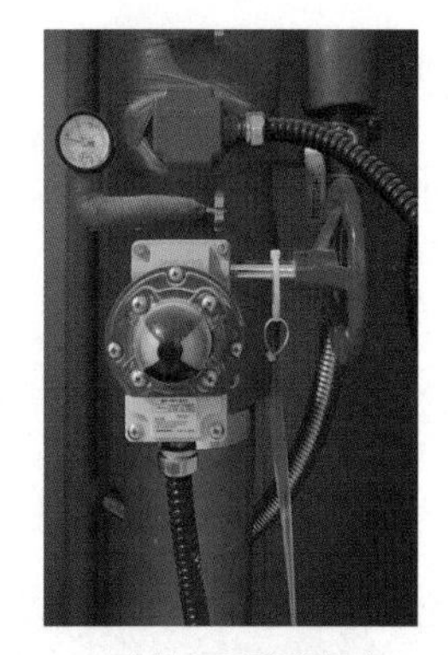

▲ 습식 S.P(알람밸브)

핵심기출

스프링클러설비의 리타딩챔버(Retarding chamber)의 기능으로 옳은 것은? 20. 공채

① 역류 방지
② 가압송수
③ 오작동 방지
④ 동파 방지

정답 ③

4. 건식 스프링클러설비

정희's 톡talk

건식 스프링클러설비는 압축공기가 전부 방출된 후에 살수가 개시되므로 살수 개시까지의 시간이 지연됩니다.

(1) 특징

① 건식 스프링클러설비는 **2차측이 압축공기**로 이루어져 있기 때문에 **동파가 우려되는 장소**에 설치하는 것이 적합하다. 옥외에서도 사용이 가능하다.

② 화재 시 스프링클러헤드가 개방된 후 압축공기가 빠져나가는 시간이 필요하기 때문에 습식 스프링클러설비에 비하여 보다 많은 스프링클러헤드가 개방될 수 있게 설계되어 있다.

③ **공기압축 및 신속한 개방을 위한 부대설비가 필요**하다.

▲ 스프링클러헤드

▲ 건식스프링클러설비 및 가지배관

(2) 작동순서

화재 발생 → **열에 의한 폐쇄형 헤드 개방** → 배관 내의 압축공기나 질소가스 방출 → 드라이밸브 작동 → 펌프 기동, 수신반에 화재표시등 점등 → 화재경보 발생 → 개방된 헤드로 방수 순이다.

① 화재 시 열에 의하여 스프링클러헤드가 개방되면 압축공기나 질소가스가 배출되면서 밸브 1차측에 있던 가압수가 방수되게 된다.

② 배관 내의 압축공기나 질소가스를 신속하게 배출시켜 주기 위한 가속장치로 **액셀러레이터** 또는 **익져스터(공기배출기)**가 설치된다.

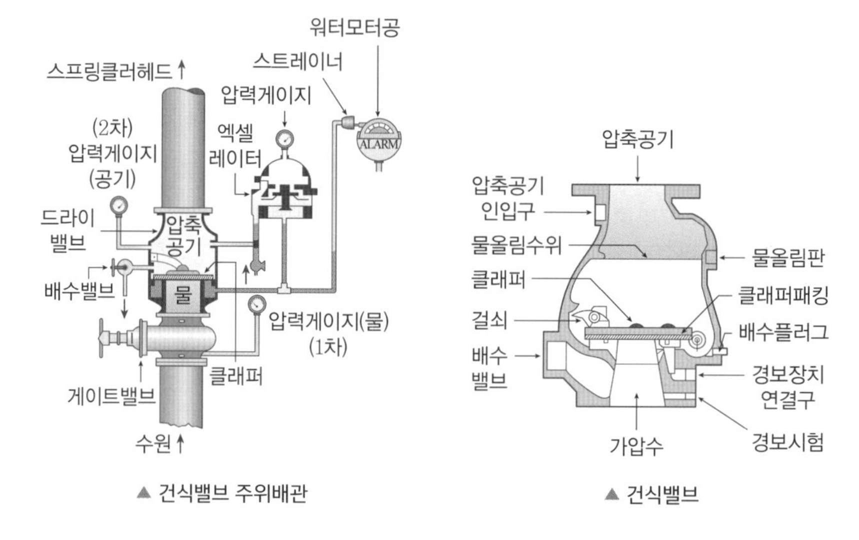

▲ 건식밸브 주위배관　　▲ 건식밸브

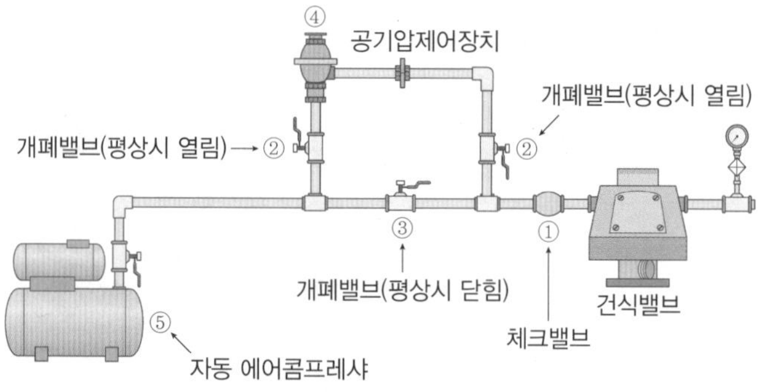

▲ 압축공기 공급장치

(3) 구성요소

① 건식밸브(Dry valve, 드라이밸브)

㉠ 건식밸브는 평상시 물이 없는 드라이파이프의 부분에 물이 분출하는 것을 억제하고 있는 밸브이다.

㉡ 건식 스프링클러설비의 유수검지장치를 말한다.

㉢ 실제 압축공기의 압력은 1차측의 가압수보다 낮다. 그럼에도 불구하고 압력균형을 유지하여 클래퍼가 열리지 않는 것은 가압수와 압축공기가 클래퍼와 접촉되는 면적이 차이가 나기 때문이다.

② 공기압축기(Auto air compressor, 자동에어콤프레셔)

㉠ 건식밸브 2차측에 연결되어 압축공기 상태를 유지시킨다.

㉡ 건식밸브 2차측에 압축공기를 채우기 위하여 콤프레셔를 설치하며, 배관에 압축공기가 누설되면 자동으로 콤프레셔가 작동하여 압축공기를 채울 수 있도록 되어 있다.

③ 액셀러레이터(Accelerator, 가속기)

㉠ 습식은 헤드가 개방되면 바로 살수가 이루어지기 때문에 반응지수가 낮은 반면, 건식설비는 압축공기를 모두 배기하고 난 뒤 소화수가 살수되어 화재 이후 초기 대응시간이 다른 설비에 비하여 길어진다는 단점이 있다.

㉡ 건식밸브의 빠른 작동과 **배관의 압축공기를 빠르게 배기시키기** 위하여 배기가속장치를 설치한다.

㉢ **액셀러레이터는** 건식밸브에 설치되어 건식밸브 2차측의 압축공기를 빠르게 배기시켜 **건식밸브의 클래퍼가 보다 빠르게 개방될** 수 있도록 한 것이다.

④ 익져스터(Exhauster, 공기배출기)

㉠ 익져스터는 배관에 설치하여 **배관의 압축공기를 빠르게 배기시키기** 위하여 설치한다.

㉡ 이 장치는 **2차측 공기가 스프링클러헤드를 통하여 화재지역에 공급되는 것을 막는 역할**도 한다.

⑤ 드라이펜던트형 헤드

㉠ 건식설비의 헤드는 습식설비의 폐쇄형 헤드를 그대로 사용할 수 있는데, 되도록 상향형 헤드를 사용하여야 한다.

㉡ **하향형 헤드**를 사용해야 하는 경우에는 **드라이펜던트형 헤드**를 설치한다(동파 방지).

㉢ 건식설비에는 배관 내에 물이 없기 때문에 하향형 헤드 설치 시 일단 작동되어 급수가 되면 하향형 헤드 내에 물이 들어가 배수를 시키더라도 물이 남아 있게 되어 동파될 우려가 있으므로 드라이펜던트형 헤드를 설치함으로써 **동파를 방지**할 수 있다.

5. 준비작동식 스프링클러설비

(1) 특징

① 방호구역 내에 설치되는 배관에 **가압수가 없는 빈 배관**으로 설치되는 것이 준비작동식 스프링클러설비이다. **동결의 우려가 있는 장소에도 사용이 가능하다.**

② 준비작동식은 프리액션밸브의 2차측(방호구역 내 배관)은 비어 있는 상태이고, 준비작동식 밸브 1차측까지 가압수가 공급되어 있어 헤드가 개방되더라도 바로 가압수의 방출이 이루어지지 않는다.

③ 헤드가 개방되기 전에 경보가 발생하므로 조기에 조치가 가능하다.

④ 평상시 헤드가 오동작되어도 수손의 우려가 없다.

⑤ 감지장치로 자동화재탐지설비를 별도로 설치하여야 한다.

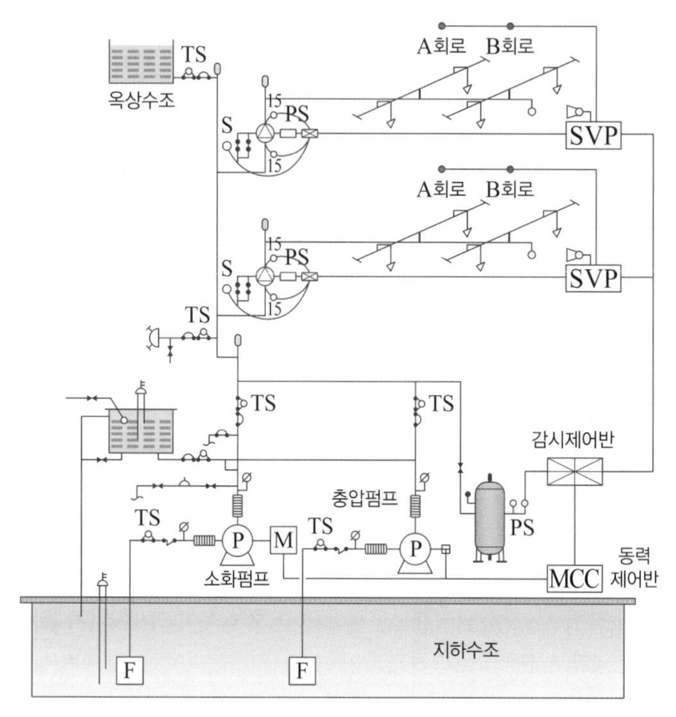

▲ 준비작동식 스프링클러설비 계통도

(2) 작동순서

화재 발생 → 감지기 A · B회로(교차회로) 작동 또는 수동조작함의 작동스위치 누름 → 프리액션(준비작동)밸브 작동 → 화재경보 발생, 수신반에 화재표시등 점등, 펌프가 작동 → 열에 의한 폐쇄형 헤드 개방 → 개방된 헤드로 물이 방수 순이다.

① **화재가 발생하면 감지기의 작동 또는 수동조작에 의하여 프리액션밸브가 작동한다.**

② 솔레노이드밸브(또는 전동밸브)가 작동하여 다이어프램이 개방되며 가압수가 2차측 배관 안으로 흘러 들어간다.

③ 밸브의 2차측으로 이동하는 물이 물의 압력으로 압력(알람)스위치를 작동시켜 화재경보가 발생한다.

④ 수신반에 화재표시등이 점등된다.

⑤ 동시에 소방펌프가 작동되어 2차측에 가압수가 공급된다.

⑥ **열에 의하여 폐쇄형 헤드가 개방되면 개방된 헤드로 물이 방수된다.**

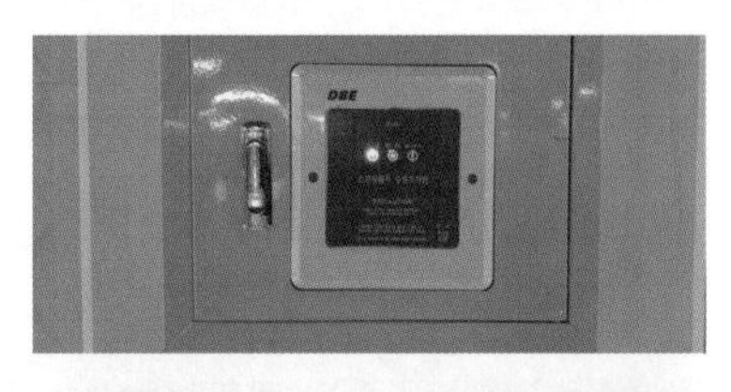

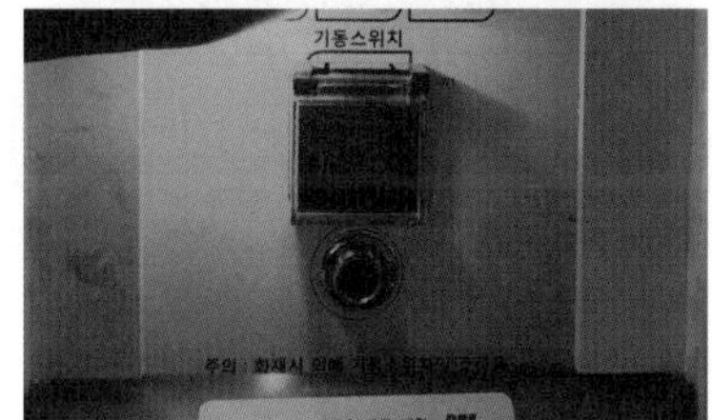

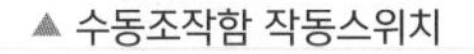

▲ 수동조작함 작동스위치

▲ 준비작동식 밸브

(3) 구성요소

① OS&Y 밸브나 버터플라이밸브

㉠ 준비작동식 밸브를 기준으로 펌프쪽에 설치된 밸브를 1차측, 헤드 쪽에 설치된 밸브를 2차측 개폐밸브라 한다.

㉡ 개폐밸브는 화재안전기준에서 개폐표시형으로 설치하도록 하고 있다.

㉢ 1차측 개폐밸브는 설비의 수리 및 교체를 위해 급수를 차단하기 위하여 설치하며, 2차측 개폐밸브는 설비의 동작시험을 위하여 설치한다.

② **압력계**: 1차측과 2차측에 압력계가 설치되어 있으며, 평상시 1차측은 가압수가 공급되어 있으므로 일정압력을 지시하고 있어야 하고, 2차측은 대기압 상태이므로 '0'을 지시하고 있어야 한다.

③ 수동기동밸브(긴급해제밸브)

㉠ 중간실의 가압수를 배수시키는 밸브를 말하며, 준비작동식에서는 긴급해제밸브라고도 불린다.

핵심기출

01 스프링클러설비의 종류별 특징에 대한 설명으로 옳은 것은? 19. 소방간부

① 일제살수식의 경우 폐쇄형 스프링클러헤드가 설치된다.

② 건식의 경우 2차측 배관에 가압수를 충전시킨다.

③ 습식과 일제살수식의 경우 감지기가 설치된다.

④ 습식의 경우 슈퍼비조리판넬(Supervisory Panel)이 설치된다.

⑤ 준비작동식의 경우 감지기와 폐쇄형 스프링클러헤드가 설치된다.

정답 ⑤

02 다음에서 설명하는 스프링클러설비의 종류로 맞는 것은? 17. 중앙통합

화재 발생 시 감지기에 의해 화재를 감지하여 유수검지장치 1차측의 물이 배관을 따라 이동한 후 2차측 폐쇄형 스프링클러헤드가 열에 따라 개방되는 방식이다.

① 습식 스프링클러설비

② 건식 스프링클러설비

③ 준비작동식 스프링클러설비

④ 일제살수식 스프링클러설비

정답 ③

㉡ 긴급해제밸브를 개방하면 준비작동식 밸브가 개방되어 2차측 헤드까지 물이 송수되는데, 이는 솔레노이드밸브의 고장으로 설비가 작동되지 않거나 수동으로 설비를 작동시킬 경우 조작하는 개폐밸브이다.

④ 교차회로 감지기

㉠ 교차회로 감지기란 방호구역에 2개회로의 감지회로를 서로 엇갈리게(X 배선방식) 설치하고 각각의 회로에 화재감지기를 설치하는 것을 말한다.

㉡ 2개회로에 설치된 감지기 중 하나의 회로에서 화재를 감지하면 화재 경보와 화재표시등만이 점등되고, 2개회로의 감지기가 동시에 감지될 경우 솔레노이드밸브 기동신호를 보낸다.

㉢ 감지기의 오동작에 의한 설비의 작동을 방지하기 위하여 감지기의 회로 구성을 교차방식으로 하는 것이다.

⑤ 슈퍼비조리 패널(Supervisory panel)

㉠ 준비작동식 밸브와 함께 설치되어 밸브와 전원의 상태를 감시하고 수동으로 직접 밸브를 개방시킬 수 있는 기능을 가지고 있다.

㉡ 밸브가 정상 상태일 때에는 상단부의 전원표시등만이 점등되고 누수 또는 클래퍼의 정상 복구 상태가 아닐 때에는 밸브주위표시등이 점등된다.

㉢ 기동스위치는 준비작동식 밸브를 수동으로 동작시키는 수동스위치의 역할로 기동스위치를 누르면 화재감지기가 동작된 것과 같이 솔레노이드밸브를 작동시켜 준비작동식 밸브를 개방시키게 된다.

⑥ 솔레노이드밸브: 화재감지기의 화재신호에 의하여 작동되며, 작동과 동시에 가압부의 충압수를 배출함으로써 클래퍼를 개방시키는 역할을 하는 밸브이다.

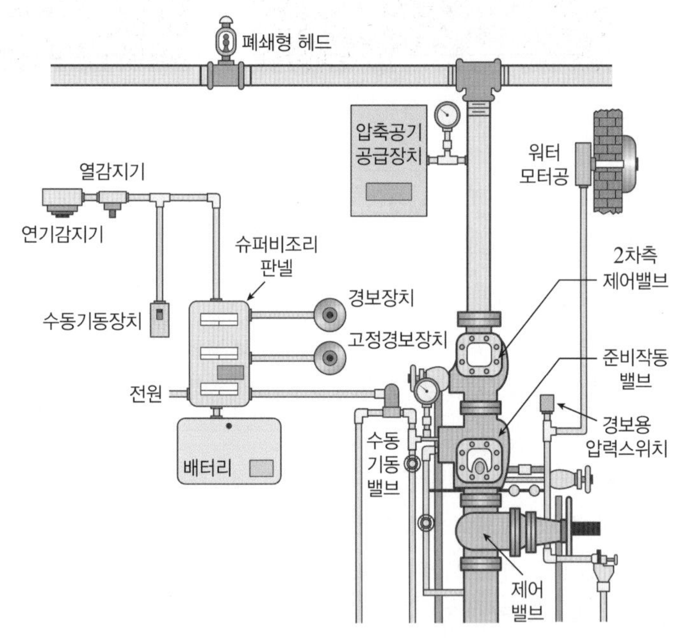

▲ 슈퍼비조리 패널 설치 상세도

6. 부압식 스프링클러설비

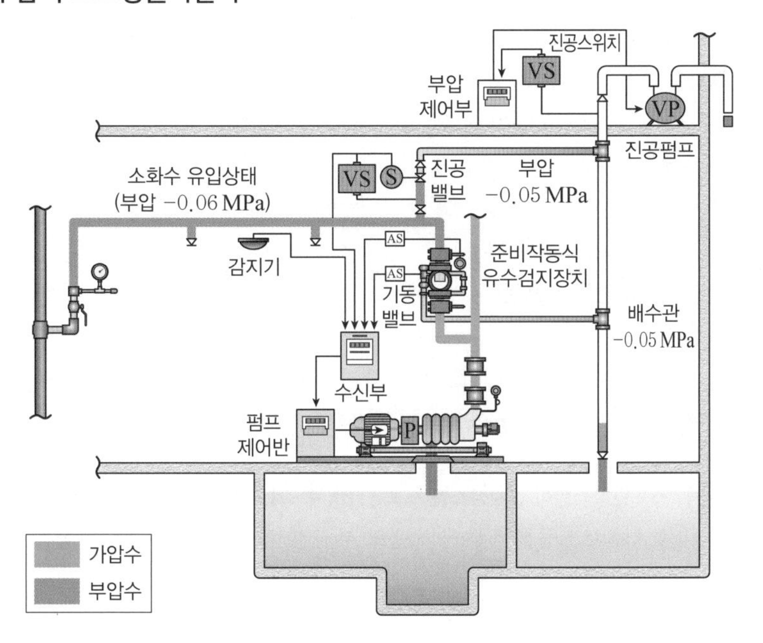

7. 일제살수식 스프링클러설비

(1) 특징

① **밸브 개방 시 즉시 살수되므로 초기 화재 시 신속하게 대처할 수 있다.**

② **층고가 높은 경우에도 적용할 수 있다.**

③ **광범위하게 살수되므로 수손에 의한 피해가 크다.**

④ 감지장치를 설치하여야 한다.

⑤ 대량의 급수체계가 요구된다.

⑥ 천장이 높아서 폐쇄형 헤드가 작동하기 곤란한 곳에 설치한다.

⑦ 무대부 또는 위험물저장소와 같은 화재가 발생하면 순간적으로 연소 확대가 우려되어 초기에 대량의 주수가 필요한 장소에 설치한다.

⑧ **개방형 스프링클러헤드를 사용한다.**

(2) 작동순서

화재 발생 → 감지기 A · B회로(교차회로) 작동 또는 수동작동스위치 → 일제개방밸브 작동 → 화재경보 발생, 수신반에 화재표시등 점등, 펌프작동 → 개방형 헤드로 방수 순이다.

① **폐쇄형 스프링클러헤드**를 사용하면 화재 시 열에 의하여 개방된 헤드에서만 살수가 이루어지는 **국소방출방식**인 반면, **일제살수식 스프링클러설비**는 살수구역 내의 모든 헤드를 개방형으로 설치하기 때문에 살수구역의 모든 헤드에서 소화수가 살수되는 **전역방출방식**이다.

② 화재안전기준에서는 일제살수식 스프링클러를 연소확대우려가 있는 개구부나 무대부에 설치하도록 되어 있고, 실제 현장에서는 특수장소의 관계인이 안전을 고려하여 준비작동식이나 습식을 설치해도 되는 방호구역임에도 불구하고 살수에 의한 소화효과가 뛰어난 일제살수식을 설치하기도 한다.

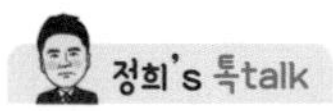

정희's 톡talk

방호구역

폐쇄형 스프링클러헤드를 사용하는 설비에 있어서 스프링클러설비의 소화범위에 포함된 영역을 말하는 것으로 보통 하나의 방호구역은 면적기준 3,000m^2 이하로 합니다.

방수구역

개방형 스프링클러헤드를 사용하는 설비에 있어서 살수범위에 포함된 영역을 말하는 것으로 헤드설치기준 50개 이하 구역을 말합니다.

8. 스프링클러설비의 화재안전기준(NFPC 103) 〈소방간부 출제범위〉

(1) 스프링클러설비의 수원

① **폐쇄형 스프링클러헤드**를 사용하는 경우에는 스프링클러설비 설치장소별 스프링클러헤드의 기준개수[스프링클러헤드의 설치개수가 가장 많은 층(아파트의 경우에는 설치개수가 가장 많은 세대)에 설치된 스프링클러헤드의 개수가 기준개수보다 작은 경우에는 그 설치개수를 말한다. 이하 같다]에 1.6m^3를 곱한 양 이상이 되도록 할 것

② **개방형 스프링클러헤드**를 사용하는 스프링클러설비의 수원은 최대 방수구역에 설치된 스프링클러헤드의 개수가 30개 이하일 경우에는 설치헤드수에 1.6m^3를 곱한 양 이상으로 하고, 30개를 초과하는 경우에는 산출된 가압송수장치의 1분당 송수량에 20을 곱한 양 이상이 되도록 할 것

참고 스프링클러설비 설치장소별 스프링클러헤드의 기준개수

스프링클러설비 설치장소			기준개수
지하층을 제외한 층수가 10층 이하인 소방대상물	공장 또는 창고(랙크식 창고 포함)	특수가연물을 저장·취급하는 것	30
		그 밖의 것	20
	근린생활시설, 판매시설 및 영업시설 또는 복합건축물	판매시설 또는 복합건축물(판매시설의 복합건축물)	30
		그 밖의 것	20
	그 밖의 것	헤드의 부착높이: 8m 이상	20
		헤드의 부착높이: 8m 미만	10
아파트			10
지하층을 제외한 층수가 11층 이상인 소방대상물(아파트 제외)·지하가 또는 지하역사			30

* 비고: 하나의 소방대상물이 2 이상의 '스프링클러헤드의 기준개수'란에 해당하는 때에는 기준개수가 많은 것을 기준으로 한다. 다만, 각 기준개수에 해당하는 수원을 별도로 설치하는 경우에는 그러하지 아니하다.

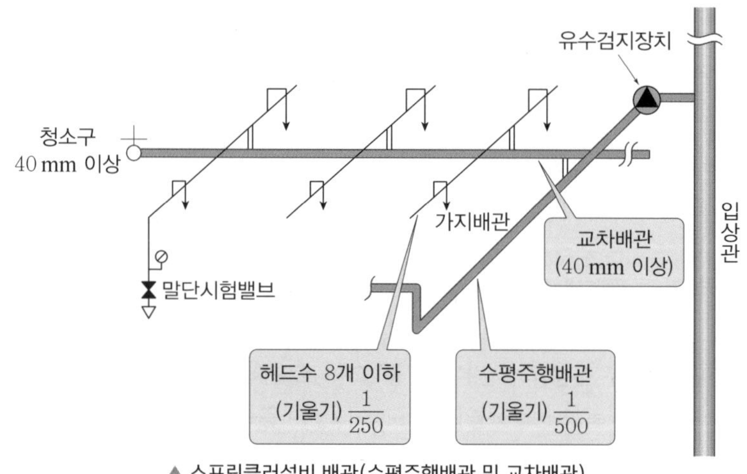

▲ 스프링클러설비 배관(수평주행배관 및 교차배관)

(2) 배관

스프링클러설비의 배관은 입상관(Riser), 수평주행배관(Feed main), 교차배관(Cross main), 가지배관(Branch line) 등으로 구성되어 있다.

① **가지배관**

㉠ 스프링클러헤드가 설치되어 있는 배관을 말한다.

㉡ 스프링클러 배관 중 가장 가느다란 배관이다.

㉢ **스프링클러 가지배관의 배열기준**

ⓐ **가지배관의 배열은 토너먼트 방식이 아니어야 한다.**

ⓑ 한쪽 가지배관에 설치하는 헤드의 개수는 **8개 이하**로 하여야 한다.

② **교차배관**

㉠ 교차배관은 가지배관과 수평으로 설치하거나 가지배관 밑에 설치하고, 그 구경은 제3항에 따르되 최소구경이 40밀리미터 이상이 되도록 할 것

㉡ 청소구는 교차배관 끝에 개폐밸브를 설치하고, 호스접결이 가능한 나사식 또는 고정배수 배관식으로 할 것

㉢ 하향식헤드를 설치하는 경우에 가지배관으로부터 헤드에 이르는 헤드접속 배관은 가지배관 상부에서 분기할 것

▲ 스프링클러설비 배관(교차배관 · 가지배관) 및 옥내소화전 배관

(3) 헤드

① 스프링클러헤드는 특정소방대상물의 천장 · 반자 · 천장과 반자 사이 · 덕트 · 선반 기타 이와 유사한 부분에 설치하여야 한다. 다만, 폭이 9m 이하인 실내에 있어서는 측벽에 설치할 수 있다.

② 랙크식 창고의 경우로서 특수가연물을 저장 또는 취급하는 것에 있어서는 랙크높이 4m 이하마다, 그 밖의 것을 취급하는 것에 있어서는 랙크높이 6m 이하마다 스프링클러헤드를 설치하여야 한다.

저장 · 취급물품	높이
특수가연물	4m 이하
기타의 것	6m 이하

③ **헤드의 수평거리**

㉠ 무대부 · 「화재의 예방 및 안전관리에 관한 법률 시행령」 별표 2의 특수가연물을 저장 또는 취급하는 장소에 있어서는 1.7미터 이하

ⓛ 랙크식 창고에 있어서는 2.5미터 이하. 다만, 특수가연물을 저장 또는 취급하는 랙크식 창고의 경우에는 1.7미터 이하

ⓒ 공동주택(아파트) 세대 내의 거실에 있어서는 3.2미터 이하(「스프링클러헤드의 형식승인 및 제품검사의 기술기준」의 유효반경의 것으로 한다)

ⓔ ㉠부터 ㉢까지 규정 외의 특정소방대상물에 있어서는 2.1미터 이하(내화구조로 된 경우에는 2.3미터 이하)

④ 무대부 또는 연소할 우려가 있는 개구부에 있어서는 **개방형 스프링클러헤드**를 설치하여야 한다.

⑤ **조기반응형 스프링클러헤드 설치대상**

㉠ 공동주택 · 노유자시설의 거실

㉡ 오피스텔 · 숙박시설의 침실, 병원의 입원실

㉢ 병원 · 의원의 입원실

⑥ **스프링클러헤드는 설치기준**

㉠ 스프링클러헤드는 살수 및 감열에 장애가 없도록 설치할 것

㉡ 연소할 우려가 있는 개구부에는 그 상하좌우에 2.5미터 간격으로(개구부의 폭이 2.5미터 이하인 경우에는 그 중앙에) 스프링클러헤드를 설치하되, 스프링클러헤드와 개구부의 내측 면으로부터 직선거리는 15센티미터 이하가 되도록 할 것

㉢ 습식스프링클러설비 및 부압식스프링클러설비 외의 설비에는 상향식스프링클러헤드를 설치할 것. 다만, 다음의 어느 하나에 해당하는 경우에는 그렇지 않다(NFTC 103).

ⓐ 드라이펜던트스프링클러헤드를 사용하는 경우

ⓑ 스프링클러헤드의 설치장소가 동파의 우려가 없는 곳인 경우

ⓒ 개방형스프링클러헤드를 사용하는 경우

㉣ 측벽형스프링클러헤드를 설치하는 경우 긴 변의 한쪽 벽에 일렬로 설치(폭이 4.5미터 이상 9미터 이하인 실에 있어서는 긴변의 양쪽에 각각 일렬로 설치하되 마주보는 스프링클러헤드가 나란히꼴이 되도록 설치)하고 3.6미터 이내마다 설치할 것

㉤ 상부에 설치된 헤드의 방출수에 따라 감열부가 영향을 받을 우려가 있는 헤드에는 방출수를 차단할 수 있는 유효한 차폐판을 설치할 것

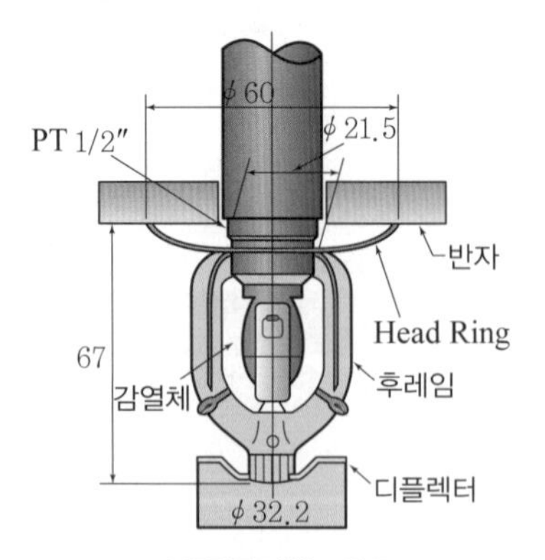

▲ 스프링클러헤드의 구조

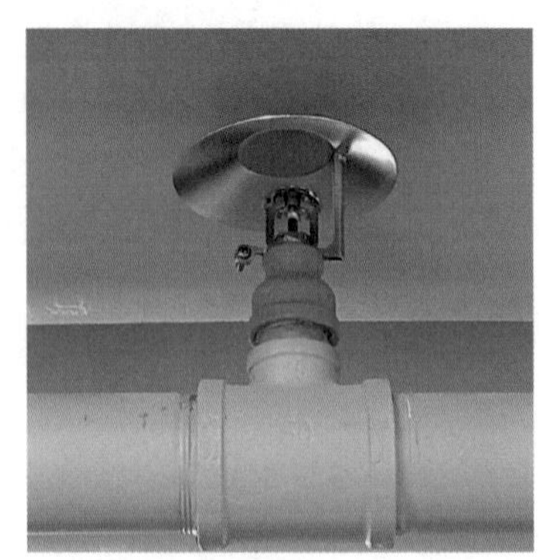

▲ 헤드

(4) 송수구의 설치기준

① 송수구는 소방차가 쉽게 접근할 수 있는 잘 보이는 장소에 설치하되 화재 층으로부터 지면으로 떨어지는 유리창 등이 송수 및 그 밖의 소화작업에 지장을 주지 아니하는 장소에 설치할 것

② 송수구로부터 스프링클러설비의 주배관에 이르는 연결배관에 개폐밸브를 설치한 때에는 그 개폐 상태를 쉽게 확인 및 조작할 수 있는 옥외 또는 기계실 등의 장소에 설치할 것

③ **구경 65mm의 쌍구형**으로 할 것

④ 송수구에는 그 가까운 곳의 보기 쉬운 곳에 송수압력범위를 표시한 표지를 할 것

⑤ 폐쇄형 스프링클러헤드를 사용하는 스프링클러설비의 송수구는 하나의 층의 바닥면적이 3,000m^2를 넘을 때마다 1개 이상(5개를 넘을 경우 5개)을 설치할 것

⑥ 지면으로부터 높이가 0.5m **이상** 1m **이하**의 위치에 설치할 것

⑦ 송수구의 가까운 부분에 자동배수밸브(또는 직경 5mm의 배수공) 및 체크밸브를 설치할 것. 이 경우 자동배수밸브는 배관 안의 물이 잘 빠질 수 있는 위치에 설치하되, 배수로 인하여 다른 물건 또는 장소에 피해를 주지 아니하여야 한다.

⑧ 송수구에는 이물질을 막기 위하여 마개를 씌워야 한다.

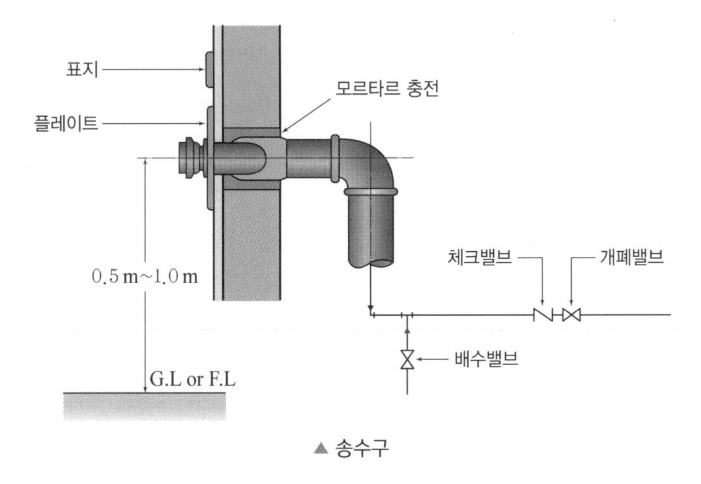

▲ 송수구

▲ 연결송수구(쌍수형)

(5) 헤드의 설치 제외대상

① 스프링클러설비를 설치해야 할 특정소방대상물에 있어서 스프링클러설비 작동 시 소화효과를 기대할 수 없는 장소이거나 2차 피해가 예상되는 장소 또는 화재 발생 위험이 적은 장소에는 스프링클러헤드를 설치하지 않을 수 있다.

② 연소할 우려가 있는 개구부에 드렌처설비를 적합하게 설치한 경우에는 해당 개구부에 한하여 스프링클러헤드를 설치하지 않을 수 있다.

핵심기출

스프링클러헤드를 설치하지 아니할 수 있는 장소에 해당하지 않는 것은? 21. 소방간부

① 고온의 노(爐)가 설치된 장소
② 영하의 냉장창고의 냉장실 또는 냉동창고의 냉동실
③ 현관 또는 로비 등으로서 바닥으로부터 높이가 20m 이상인 장소
④ 펌프실·물탱크실, 엘리베이터 권상기실
⑤ 천장·반자 중 한쪽이 불연재료로 되어 있고 천장과 반자 사이의 거리가 2m 미만인 부분

정답 ⑤

▲ 내연기관(연료)

▲ 내연기관(축전지 설비)

▲ 내연기관(발전기)

▲ 중앙통제실 전경

참고 NFTC 103 - 2.12 헤드의 설치제외 대상 장소

2.12.1 스프링클러설비를 설치해야 할 특정소방대상물에 있어서 다음의 어느 하나에 해당하는 장소에는 스프링클러헤드를 설치하지 않을 수 있다.

2.12.1.1 계단실(특별피난계단의 부속실을 포함한다) · 경사로 · 승강기의 승강로 · 비상용 승강기의 승강장 · 파이프덕트 및 덕트피트(파이프 · 덕트를 통과시키기 위한 구획된 구멍에 한한다) · 목욕실 · 수영장(관람석부분을 제외한다) · 화장실 · 직접 외기에 개방되어 있는 복도 · 기타 이와 유사한 장소

2.12.1.2 통신기기실 · 전자기기실 · 기타 이와 유사한 장소

2.12.1.3 발전실 · 변전실 · 변압기 · 기타 이와 유사한 전기설비가 설치되어 있는 장소

2.12.1.4 병원의 수술실 · 응급처치실 · 기타 이와 유사한 장소

2.12.1.5 천장과 반자 양쪽이 불연재료로 되어 있는 경우로서 그 사이의 거리 및 구조가 다음의 어느 하나에 해당하는 부분

2.12.1.5.1 천장과 반자 사이의 거리가 2m 미만인 부분

2.12.1.5.2 천장과 반자 사이의 벽이 불연재료이고 천장과 반자사이의 거리가 2m 이상으로서 그 사이에 가연물이 존재하지 않는 부분

2.12.1.6 천장 · 반자 중 한쪽이 불연재료로 되어 있고 천장과 반자사이의 거리가 1m 미만인 부분

2.12.1.7 천장 및 반자가 불연재료 외의 것으로 되어 있고 천장과 반자사이의 거리가 0.5m 미만인 부분

2.12.1.8 펌프실 · 물탱크실 엘리베이터 권상기실 그 밖의 이와 비슷한 장소

2.12.1.9 현관 또는 로비 등으로서 바닥으로부터 높이가 20m 이상인 장소

2.12.1.10 영하의 냉장창고의 냉장실 또는 냉동창고의 냉동실

2.12.1.11 고온의 노가 설치된 장소 또는 물과 격렬하게 반응하는 물품의 저장 또는 취급 장소

2.12.1.12 불연재료로 된 특정소방대상물 또는 그 부분으로서 다음의 어느 하나에 해당하는 장소

2.12.1.12.1 정수장 · 오물처리장 그 밖의 이와 비슷한 장소

2.12.1.12.2 펄프공장의 작업장 · 음료수공장의 세정 또는 충전하는 작업장 그 밖의 이와 비슷한 장소

2.12.1.12.3 불연성의 금속 · 석재 등의 가공공장으로서 가연성물질을 저장 또는 취급하지 않는 장소

2.12.1.12.4 가연성 물질이 존재하지 않는 「건축물의 에너지절약설계기준」에 따른 방풍실

2.12.1.13 실내에 설치된 테니스장 · 게이트볼장 · 정구장 또는 이와 비슷한 장소로서 실내 바닥 · 벽 · 천장이 불연재료 또는 준불연재료로 구성되어 있고 가연물이 존재하지 않는 장소로서 관람석이 없는 운동시설(지하층은 제외한다)

2.12.1.14 「건축법 시행령」 제46조 제4항에 따른 공동주택 중 아파트의 대피공간

2.12.2 2.7.7.6의 연소할 우려가 있는 개구부에 다음의 기준에 따른 드렌처설비를 설치한 경우에는 해당 개구부에 한하여 스프링클러헤드를 설치하지 않을 수 있다.

2.12.2.1 드렌처헤드는 개구부 위 측에 2.5m 이내마다 1개를 설치할 것

2.12.2.2 제어밸브(일제개방밸브 · 개폐표시형밸브 및 수동조작부를 합한 것을 말한다. 이하 같다)는 특정소방대상물 층마다에 바닥 면으로부터 0.8m 이상 1.5m 이하의 위치에 설치할 것

2.12.2.3 수원의 수량은 드렌처헤드가 가장 많이 설치된 제어밸브의 드렌처헤드의 설치개수에 1.6m^{3}를 곱하여 얻은 수치 이상이 되도록 할 것

2.12.2.4 드렌처설비는 드렌처헤드가 가장 많이 설치된 제어밸브에 설치된 드렌처헤드를 동시에 사용하는 경우에 각각의 헤드선단에 방수압력이 0.1MPa 이상, 방수량이 80L/min 이상이 되도록 할 것

2.12.2.5 수원에 연결하는 가압송수장치는 점검이 쉽고 화재 등의 재해로 인한 피해우려가 없는 장소에 설치할 것

(6) 폐쇄형 스프링클러설비의 방호구역 · 유수검지장치

① **하나의 방호구역의 바닥면적은** 3,000m²**를 초과하지 아니할 것**. 다만, 폐쇄형 스프링클러설비에 격자형 배관방식(2 이상의 수평주행배관 사이를 가지배관으로 연결하는 방식을 말함)을 채택하는 때에는 3,700m² 범위 내에서 펌프용량, 배관의 구경 등을 수리학적으로 계산한 결과 헤드의 방수압 및 방수량이 방호구역 범위 내에서 소화목적을 달성하는 데 충분하도록 해야 된다.

② 하나의 방호구역에는 1개 이상의 유수검지장치를 설치하되, 화재 발생 시 접근이 쉽고 점검하기 편리한 장소에 설치할 것

③ 하나의 방호구역은 2개 층에 미치지 아니하도록 할 것. 다만, 1개 층에 설치되는 스프링클러헤드의 수가 10개 이하인 경우와 복층형구조의 공동주택에는 3개 층 이내로 할 수 있다.

④ 유수검지장치를 실내에 설치하거나 보호용 철망 등으로 구획하여 바닥으로부터 0.8m 이상 1.5m 이하의 위치에 설치하되, 그 실 등에는 개구부가 가로 0.5m 이상 세로 1m 이상의 출입문을 설치하고 그 출입문 상단에 '유수검지장치실'이라고 표시한 표지를 설치할 것. 다만, 유수검지장치를 기계실(공조용기계실 포함) 안에 설치하는 경우에는 별도의 실 또는 보호용 철망을 설치하지 아니하고 기계실 출입문 상단에 '유수검지장치실'이라고 표시한 표지를 설치할 수 있다.

⑤ 스프링클러헤드에 공급되는 물은 유수검지장치를 지나도록 할 것. 다만, 송수구를 통하여 공급되는 물은 그러하지 아니하다.

⑥ 자연낙차에 따른 압력수가 흐르는 배관상에 설치된 유수검지장치는 화재 시 물의 흐름을 검지할 수 있는 최소한의 압력이 얻어질 수 있도록 수조의 하단으로부터 낙차를 두어 설치할 것

⑦ 조기반응형 스프링클러헤드를 설치하는 경우에는 습식 유수검지장치 또는 부압식 스프링클러설비를 설치할 것

(7) 개방형스프링클러설비의 방수구역 및 일제개방밸브

개방형스프링클러설비의 방수구역 및 일제개방밸브는 다음의 기준에 적합하여야 한다.

① 하나의 방수구역은 2개 층에 미치지 않을 것

② 방수구역마다 일제개방밸브를 설치할 것

③ **하나의 방수구역을 담당하는 헤드의 개수는** 50**개 이하로 할 것**. 다만, 2개 이상의 방수구역으로 나누는 경우에는 하나의 방수구역을 담당하는 헤드의 개수는 25개 이상으로 해야 한다.

④ 일제개방밸브의 설치위치는 「스프링클러설비의 화재안전기준」 제6조 제4호의 기준에 따르고, 표지는 '일제개방밸브실'이라고 표시할 것

9. 스프링클러헤드의 형식승인 및 제품검사의 기술기준 〈소방간부 출제범위〉

이 기준은 「소방시설 설치 및 관리에 관한 법률」 제36조 제5항에서 소방청장에게 위임한 「스프링클러헤드의 형식승인 및 제품검사의 기술기준」에 관한 사항을 규정함을 목적으로 한다.

(1) 스프링클러헤드 종류

스프링클러헤드란 화재 시의 가압된 물이 내뿜어져 분산됨으로써 소화기능을 하는 헤드를 말한다.

① **폐쇄형 스프링클러헤드**: 정상 상태에서 방수구를 막고 있는 감열체가 일정온도에서 자동적으로 파괴·용해 또는 이탈됨으로써 방수구가 개방되는 스프링클러헤드를 말한다.

② **개방형 스프링클러헤드**: 감열체 없이 방수구가 항상 열려 있는 스프링클러헤드를 말한다.

③ **건식 스프링클러헤드**: 물과 오리피스가 배관에 의하여 분리되어 동파를 방지할 수 있는 스프링클러헤드를 말한다.

④ **주거형 스프링클러헤드**: 폐쇄형헤드의 일종으로 주거지역의 화재에 적합한 감도·방수량 및 살수분포를 가지는 헤드(간이형 스프링클러헤드 포함)를 말한다.

⑤ **라지드롭형 스프링클러헤드(ELO)**: 동일조건의 수압력에서 큰 물방울을 방출하여 화염의 전파속도가 빠르고 발열량이 큰 저장창고 등에서 발생하는 대형화재를 진압할 수 있는 헤드를 말한다.

⑥ **표준반응·특수반응·조기반응**: 스프링클러헤드의 감도를 RTI값에 따라 구분한 것을 말한다.

⑦ **화재조기진압용 스프링클러헤드**: 특정 높은장소의 화재위험에 대하여 조기에 진화할 수 있도록 설계된 스프링클러헤드를 말한다.

⑧ **측벽형 스프링클러헤드**: 가압된 물이 분사될 때 축심을 중심으로 한 반원상에 균일하게 분산시키는 헤드를 말한다.

(2) 헤드의 구성요소

① **반사판**: 스프링클러헤드의 방수구에서 유출되는 물을 세분시키는 작용을 하는 것을 말한다.

② **프레임**: 스프링클러헤드의 나사 부분과 디프렉타를 연결하는 이음쇠 부분을 말한다.

③ **감열체**: 정상 상태에서는 방수구를 막고 있으나 열에 의하여 일정한 온도에 도달하면 스스로 파괴·용해되어 헤드로부터 이탈됨으로써 방수구가 열려 스프링클러헤드가 작동되도록 하는 부분을 말한다.

④ **퓨지블링크**: 감열체 중 이융성 금속으로 융착되거나 이융성 물질에 의하여 조립된 것을 말한다.

⑤ **유리벌브**: 감열체 중 유리구 안에 액체 등을 넣어 봉한 것을 말한다.

정희's 톡talk

「스프링클러설비신축배관의 성능인증 및 제품검사의 기술기준」

1. 스프링클러설비의 신축배관: 스프링클러설비의 배관 중 가지배관과 헤드를 연결하는 구부림이 용이하도록 유연성을 가진 배관
2. 헤드연결용 레듀샤: 스프링클러설비의 가지배관 등과 헤드를 연결하는 것으로 헤드 이음부 쪽으로 축소되는 배관이음쇠
3. 절연링: 전위부식을 방지하기 위해 플렉시블파이프와 배관용 너트 사이에 끼우는 전기절연물질의 링

▲ 폐쇄형 스프링클러헤드

▲ 개방형 스프링클러헤드

심화학습 반응시간

1. 반응시간지수: 기류의 온도·속도 및 작동시간에 대하여 스프링클러헤드의 반응을 예상한 지수로서 아래 식에 의하여 계산하고 $\sqrt{m \cdot s}$을 단위로 한다.
   - RTI는 반응시간지수이다.
   - 스프링클러 헤드가 개방에 필요한 열을 주위로부터 얼마나 빨리 받아들이는가를 나타내는 특성값을 말한다.
   - 스프링클러 헤드가 주위의 열기에 반응하는 데 필요한 시간을 나타내는 지수이다. 이를 헤드의 감열 민감도라 한다.

$$RTI = r\sqrt{U}$$

r: 감열체의 시간상수(sec), U: 기류속도(m/s)

2. 표시온도: 폐쇄형 스프링클러헤드에서 감열체가 작동하는 온도로서 미리 헤드에 표시한 온도를 말한다.
3. 최고주위온도: 폐쇄형 스프링클러헤드의 설치장소에 관한 기준이 되는 온도로서 다음 식에 의하여 구한 온도를 말한다. 다만, 헤드의 표시온도가 75℃ 미만인 경우의 최고주위온도는 다음 등식에 불구하고 39℃로 한다.

$$TA = 0.9TM - 27.3$$

TA: **최고주위온도**, TM: 헤드의 표시온도

4. **설계하중**: 폐쇄형 스프링클러헤드에서 방수구를 막고 있는 감열체가 정상상태에서 이탈하지 못하게 하기 위하여 헤드를 조립할 때 헤드에 가해지도록 미리 설계된 하중을 말한다.

참고 **방사특성**

스프링클러헤드의 소화특성은 화재진압(Fire Suppression)과 화재제어(Fire Control) 능력이다. RDD와 ADD는 화재진압 및 제어를 위한 방사특성에 중요한 요소이다.

1. **화재제어**(Fire Control): 스프링클러헤드에서 방출되는 물이 화재실의 열방출률을 서서히 감소시키고 주위 가연물에 미리 방수함으로써 더 이상 확대되지 않도록 화세를 제한시키며 구조물이 붕괴되지 않도록 화재실 천장의 온도를 제어하는 것을 말한다.
2. **화재진압**(Fire Suppression): 연소하고 있는 가연물질인 연료표면과 불꽃에 충분한 양의 물을 분사하여 물방울이 침투하여 화재 시 열방출률을 떨어뜨려 화세를 낮추고, 재발화를 방지하는 조치이다.
3. RDD(Required Delivered Density, **필요 진화밀도**)
   - 화재를 소화하는 데 필요한 최소 물의 양을 가연물 상단의 표면적으로 나눈 값(lpm/m^2)이다.
   - RDD는 단위면적당 스프링클러로부터 물 얼마를 방사해야 소화되는지를 결정하는 값이다.
   - RDD는 시간이 지날수록 화세가 확대되어 더 많은 주수가 요구됨에 따라 시간에 따라 증가하게 된다.
4. ADD(Actual Delivered Density, **실제 진화밀도, 침투밀도**)
   - ADD는 스프링클러의 성능을 볼 수 있는 중요한 요소이며, 스프링클러로부터 분사된 물 중에서 화염을 통과하여 연소중인 가연물 상단에 도달한 양을 가연물 상단의 표면적으로 나눈 값(lpm/m^2)으로 침투된 물의 분포밀도를 나타낸다.
   - ADD란 스프링클러헤드로부터 방출된 물이 화면에 실제 도달한 양을 뜻한다.

4-2 간이스프링클러설비 C

1. 정의

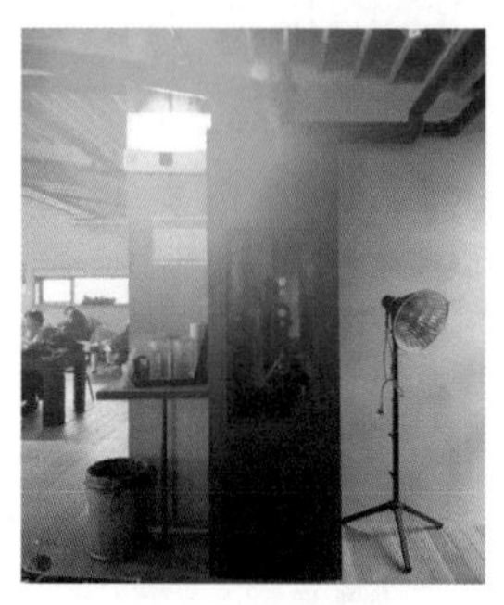
▲ 간이스프링클러설비

(1) 캐비닛형 간이스프링클러설비란 가압송수장치, 수조 및 유수검지장치 등을 집적화하여 캐비닛 형태로 구성시킨 간이 형태의 스프링클러설비를 말한다.

(2) 상수도직결형 간이스프링클러설비란 수조를 사용하지 아니하고 상수도에 직접 연결하여 항상 기준 압력 및 방수량 이상을 확보할 수 있는 설비를 말한다.

(3) 간이헤드란 폐쇄형 헤드의 일종으로 간이스프링클러설비를 설치하여야 하는 특정소방대상물의 화재에 적합한 감도·방수량 및 살수분포를 가지는 헤드를 말한다.

2. 수원

(1) 간이스프링클러설비의 수원

① 상수도직결형의 경우에는 수돗물

② 수조("캐비닛형"을 포함한다)를 사용하고자 하는 경우에는 적어도 한 개 이상의 자동급수장치를 갖추어야 하며, 두 개의 간이헤드에서 최소 10분[영 별표 4 제1호 마목 2) 가) 또는 6)과 8)에 해당하는 경우에는 5개의 간이헤드에서 최소 20분] 이상 방수할 수 있는 양 이상을 수조에 확보할 것

(2) 간이스프링클러설비의 수원을 수조로 설치하는 경우에는 소화설비의 전용수조로 해야 한다.

(3) (1)의 ②에 따른 저수량을 산정함에 있어서 다른 설비와 겸용하여 간이스프링클러설비용 수조를 설치하는 경우에는 간이스프링클러설비의 풋밸브·흡수구 또는 수직배관의 급수구와 다른 설비의 풋밸브·흡수구 또는 수직배관의 급수구와의 사이의 수량을 그 유효수량으로 한다.

(4) 간이스프링클러설비용 수조

① 점검에 편리한 곳에 설치할 것

② 동결방지조치를 하거나 동결의 우려가 없는 장소에 설치할 것

③ 수조에는 수위계, 고정식 사다리, 청소용 배수밸브(또는 배수관), 표지 및 실내조명 등 수조의 유지관리에 필요한 설비를 설치할 것

4-3 화재조기진압용 스프링클러설비 D

1. 정의

(1) 랙크식 창고의 경우는 화재하중이 매우 높은 장소로서 일반헤드는 화세가 강력하여 불길 속으로 물방울의 침투가 용이하지 않다. 이를 보완한 것이 화재조기진압용 헤드이다.

(2) 화재조기진압용 스프링클러헤드란 특정 높은 장소의 화재위험에 대하여 조기에 진화할 수 있도록 설계된 스프링클러헤드를 말한다.

(3) 화재를 초기에 진압하여야 하므로 방사지연시간이 짧은 **폐쇄형 습식설비**이다.

(4) Fast Response의 감도성능과 함께 화재 발생 초기에 강력한 화세를 침투할 수 있도록 입자가 큰 물방울(오리피스 직경 18mm)을 방사하도록 설계된 헤드를 말한다.

2. 설치장소의 구조(NFTC 103B)

화재조기진압용 스프링클러설비를 설치할 장소의 구조는 화재조기진압용 스프링클러헤드가 화재를 조기에 감지하여 개방되는데 적합하고, 선반 등의 형태는 하부로 물이 침투되는 구조로 해야 한다.

(1) **해당 층의 높이가** 13.7m **이하일** 것. 다만, 2층 이상일 경우에는 해당 층의 바닥을 내화구조로 하고 다른 부분과 방화구획할 것

(2) 천장의 기울기가 1,000분의 168을 초과하지 않아야 하고, 이를 초과하는 경우에는 반자를 지면과 수평으로 설치할 것

(3) 천장은 평평하여야 하며 철재나 목재트러스 구조인 경우, 철재나 목재의 돌출부분이 102mm를 초과하지 아니할 것

(4) 보로 사용되는 목재 · 콘크리트 및 철재 사이의 간격이 0.9m 이상 2.3m 이하일 것. 다만, 보의 간격이 2.3m 이상인 경우에는 화재조기진압용 스프링클러헤드의 동작을 원활히 하기 위하여 보로 구획된 부분의 천장 및 반자의 넓이가 $28m^2$를 초과하지 아니할 것

(5) 창고 내의 선반의 형태는 하부로 물이 침투되는 구조로 할 것

5 물분무소화설비 B

1. 개요

(1) 특징

① 스프링클러보다 높은 압력을 요구하며, 무상으로 살수가 가능하도록 설계된 특수한 수계소화설비형태이다.

② 물분무헤드란 화재 시 직선류 또는 나선류의 물을 충돌·확산시켜 미립 상태로 분무함으로써 소화하는 헤드를 말한다.

③ 높은 압력으로 방출됨으로써 미세한 물입자의 형태로 방출되어 **전기적 절연성**을 가진다.

(2) 장점·단점

① 소화효과 이외에 연소제어, 연소확대 방지 등에 효과가 있다.

② **수계 소화설비로서 B급·C급 화재에 사용할 수 있다.**

③ 수손피해가 적다.

④ 동절기 및 옥외의 경우 동파관계로 사용이 제한된다.

⑤ 배수처리가 필수적으로 필요하다.

(3) 물분무헤드의 설치 제외

① 물에 심하게 반응하는 물질 또는 물과 반응하여 위험한 물질을 생성하는 물질을 저장 또는 취급하는 장소

② 고온의 물질 및 증류범위가 넓어 끓어 넘치는 위험이 있는 물질을 저장 또는 취급하는 장소

③ 운전 시에 표면의 온도가 260℃ 이상으로 되는 등 직접 분무를 하는 경우 그 부분에 손상을 입힐 우려가 있는 기계장치 등이 있는 장소

(4) 물분무등소화설비 설치대상 특정소방대상물

① 항공기 및 자동차 관련 시설 중 항공기격납고

② **차고, 주차용 건축물 또는 철골 조립식 주차시설: 연면적 800m² 이상**인 것

③ **건축물 내부에 설치된 차고 또는 주차장:** 차고 또는 주차의 용도로 사용되는 부분의 **바닥면적이 200m² 이상**인 층

④ **기계장치에 의한 주차시설:** 20대 이상의 차량을 주차할 수 있는 것

⑤ **특정소방대상물에 설치된 전기실·발전실·변전실·축전지실·통신기기실 또는 전산실:** 바닥면적이 300m² 이상인 것

⑥ 소화수를 수집·처리하는 설비가 설치되어 있지 않은 중·저준위방사성폐기물의 저장시설. 다만, 이 경우에는 **이산화탄소소화설비, 할론소화설비 또는 할로겐화합물 및 불활성기체 소화설비**를 설치하여야 한다.

⑦ 지하가 중 예상 교통량, 경사도 등 터널의 특성을 고려하여 행정안전부령으로 정하는 터널. 다만, 이 경우에는 물분무소화설비를 설치하여야 한다.

⑧ 「문화재보호법」에 따른 지정문화재 중 소방청장이 문화재청장과 협의하여 정하는 것

2. 물분무소화설비의 화재안전기준(NFPC 104 및 NFTC 104)

(1) 펌프의 1분당 토출량

① **특수가연물을 저장·취급하는 특정소방대상물:** 바닥면적 $1m^2$에 대하여 10L를 곱한 양 이상이 되도록 할 것(최대 방수구역의 바닥면적을 기준으로 하며, $50m^2$ 이하인 경우에는 $50m^2$)

② **차고 또는 주차장:** 바닥면적 $1m^2$에 대하여 20L를 곱한 양 이상이 되도록 할 것(최대 방수구역의 바닥면적을 기준으로 하며, $50m^2$ 이하인 경우에는 $50m^2$)

③ **절연유 봉입 변압기:** 바닥면적을 제외한 표면적을 합한 면적 $1m^2$당 10L를 곱한 양 이상이 되도록 할 것

④ **케이블트레이, 케이블덕트 등:** 투영된 바닥면적 $1m^2$당 12L를 곱한 양 이상이 되도록 할 것

⑤ **컨베이어 벨트 등:** 벨트 부분의 바닥면적 $1m^2$당 10L를 곱한 양 이상이 되도록 할 것

(2) 가압송수장치

① **펌프의 양정계산:** 펌프의 양정은 다음 식에 따라 산출한 수치 이상이 되도록 할 것

$$H(m) = H_1 + H_2$$

H_1: 물분무헤드의 설계압력 환산수두(m), H_2: 배관의 마찰손실 수두(m)

② 동결방지조치를 하거나 동결의 우려가 없는 장소에 설치할 것

(3) 배수설비

물분무소화설비를 설치하는 차고 또는 주차장에는 다음의 기준에 따라 배수설비를 하여야 한다.

① 차량이 주차하는 장소의 적당한 곳에 높이 10cm 이상의 경계턱으로 배수구를 설치할 것

② 배수구에는 새어나온 기름을 모아 소화할 수 있도록 길이 40m 이하마다 집수관·소화핏트 등 기름분리장치를 설치할 것

③ 차량이 주차하는 바닥은 배수구를 향하여 100분의 2 이상의 기울기를 유지할 것

④ 배수설비는 가압송수장치의 최대송수능력의 수량을 유효하게 배수할 수 있는 크기 및 기울기로 할 것

3. 미분무소화설비의 화재안전기준(NFPC 104A) 〈소방간부 출제범위〉

(1) 개요

① 미분무소화설비란 가압된 물이 헤드 통과 후 미세한 입자로 분무됨으로써 소화성능을 가지는 설비를 말하며, 소화력을 증가시키기 위하여 강화액 등을 첨가할 수 있다.

② **미분무란 물만을 사용하여 소화하는 방식으로 최소설계압력에서 헤드로부터 방출되는 물입자 중 99%의 누적체적분포가 400㎛ 이하로 분무되고 A급·B급·C급 화재에 적응성을 가지는 것을 말한다.**

(2) 구분 및 종류

① 폐쇄형 미분무소화설비란 배관 내에 항상 물 또는 공기 등이 가압되어 있다가 화재로 인한 열로 폐쇄형 미분무헤드가 개방되면서 소화수를 방출하는 방식의 미분무소화설비를 말한다.

② 개방형 미분무소화설비란 화재감지기의 신호를 받아 가압송수장치를 동작시켜 미분무수를 방출하는 방식의 미분무소화설비를 말한다.

③ **저압 미분무소화설비**란 최고사용압력이 1.2MPa 이하인 미분무소화설비를 말한다.

④ **중압 미분무소화설비**란 사용압력이 1.2MPa을 초과하고 3.5MPa 이하인 미분무소화설비를 말한다.

⑤ **고압 미분무소화설비**란 최저사용압력이 3.5MPa을 초과하는 미분무소화설비를 말한다.

(3) 헤드

① 미분무헤드란 하나 이상의 오리피스를 가지고 미분무소화설비에 사용되는 헤드를 말한다.

② 개방형 미분무헤드란 감열체 없이 방수구가 항상 열려 있는 헤드를 말한다.

③ 폐쇄형 미분무헤드란 정상 상태에서 방수구를 막고 있는 감열체가 일정온도에서 자동적으로 파괴·용융 또는 이탈됨으로써 방수구가 개방되는 헤드를 말한다.

6 포소화설비 A

1. 개요

(1) 정의

① 포소화설비는 물만을 이용한 소화약제로는 소화효과가 적거나 오히려 화재를 확대시킬 우려가 있는 인화성 액체물질에서 발생하는 화재를 효과적으로 진압하기 위한 소화설비이다.

② 포소화설비는 종류별로 약간의 차이가 있으나, 혼합장치와 헤드를 제외한 기본적인 설비시스템과 작동원리는 일제개방형 스프링클러설비와 유사하다.

③ **포소화설비는 포소화약제에 물을 가한 수용액에 공기를 혼합하여 거품을 생성하는 소화설비이다.** 포소화약제는 주원료에 포안정제, 그 밖의 약제를 첨가한 액상의 것으로 물(바닷물 포함)과 일정한 농도로 혼합하여 공기 또는 불활성기체를 기계적으로 혼입함으로써 거품을 발생시켜 소화에 사용하는 약제를 말하고, 포수용액은 포소화약제에 물을 가한 수용액을 말한다(「포소화약제혼합장치등의 성능인증 및 제품검사의 기술기준」 제2조).

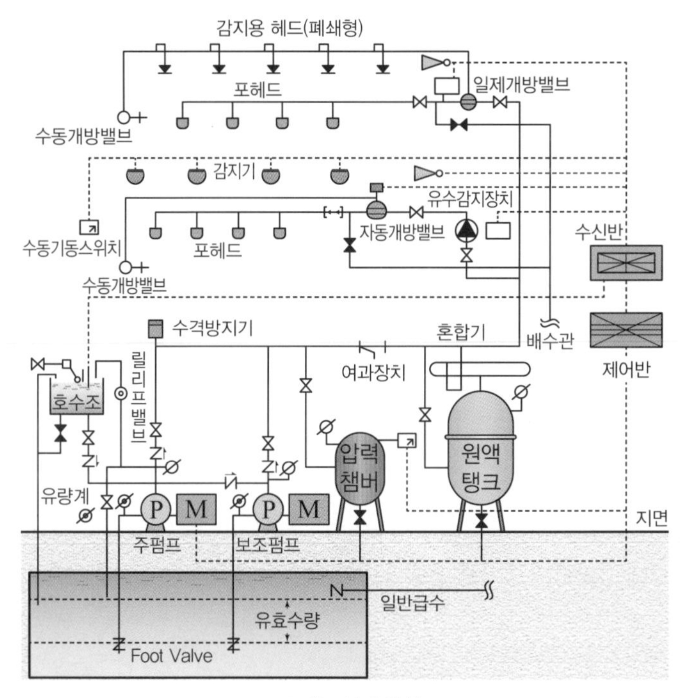

▲ 포헤드설비 방식

(2) 소화의 기본원리

① **질식소화:** 포가 유면에 방사되면 연소면을 뒤덮어 산소 공급을 차단함으로써 질식작용을 하게 된다.

② **냉각소화:** 포는 수용액 상태이므로 방호대상물에 방출되면 주위의 열을 흡수하여 연소면의 열을 낮추어 냉각소화작용을 한다.

(3) 포소화약제의 구비조건

① 소화력이 우수하여야 한다.

② 내열성과 내유동성이 우수하여야 한다.

③ 독성이 없어야 하며, 안정성이 있어야 한다.

④ 환경오염이 없어야 한다.

(4) 포소화약제의 구분

① **화학포**: 황산알미늄과 중탄산나트륨의 반응 시 포를 발생시켜 소화하는 방식이다. 소화약제의 유지 · 관리상 일반적으로 고정식 설비에서는 사용하지 않는다.

② **기계포: 단백포나 합성계면활성제포 등을 물에 혼합하여 방사 시 공기를 흡입함으로써 포를 발생시키는 것을 말한다.**

심화학습 포소화약제 비교

분류	단백포	수성막포	합성계면활성제포	불화단백포
주성분	동식물 단백질 가수분해물질 + 제1철염	안정제 + 불소계면활성제	안정제 + 계면활성제	단백포 + 불소계면활성제
소화성능	· 양친매성 · 점착성이 좋음 · 재연방지효과 우수	· 단친매성 · 내유성 · 유동성 좋음 · 소화성능 가장 우수	· 양친매성 · 점착성이 좋음 · 고팽창포 사용	· 단친매성 · 내유성 · 유동성 좋음 · SSI 방식 사용
장소	탱크, Pool fire	탱크, Pool fire, 항공기 유출화재	항공기 격납고 등	탱크, Pool fire

(5) 설비방식

① **고정식 포방출구 방식**: 고정식 포방출구 방식은 위험물 저장탱크 등에 설치하는 것으로 탱크의 구조 · 크기에 따라 일정한 수의 포방출구를 탱크 측면 또는 내부에 설치하는 방식을 말한다.

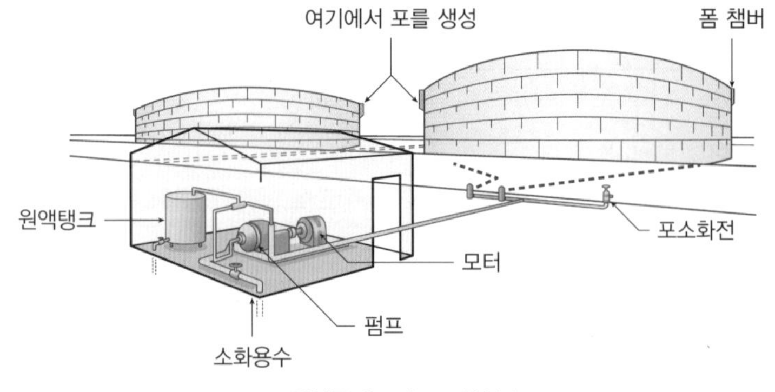

▲ 위험물 탱크의 포소화설비

② **포헤드 방식**

㉠ 포헤드를 사용하는 포소화설비를 말하며, 포워터스프링클러설비와 포헤드 설비로 구분한다.

㉡ 일반적으로 화재 시 접근이 곤란한 위험물 제조소, 취급소, 차고 등에 설치한다.

③ **이동식**

㉠ 화재 시 쉽게 접근하여 소화작업을 할 수 있는 장소에 설치한다.

㉡ 방호대상이 고정포 포방출구 방식 또는 포헤드 방식으로 충분한 소화효과를 얻을 수 없는 부분에 설치하는 방식으로 호스릴포설비와 포소화전설비로 구분한다.

④ **포모니터노즐 방식**

㉠ 위치가 고정된 노즐의 방사각도를 수동 또는 자동으로 조준하여 포를 방사하는 설비이다.

㉡ 석유화학 플랜트 등에서 사용한다.

⑤ **압축공기포소화설비**: 포수용액에 압축공기 또는 압축질소를 일정비율로 강제 주입 혼합하는 방식이다.

(6) 팽창비

① **팽창비란 최종 발생한 포 체적을 원래 포수용액 체적으로 나눈 값을 말한다.**

② 저발포는 팽창비가 20 이하인 가장 일반적인 형태의 포로서 저발포의 경우는 폼헤드 및 폼워터스프링클러헤드를 사용한다.

③ 팽창비 80 이상 1,000 미만인 포로서 **합성계면활성제포**를 사용하며, 발포장치를 사용하여 강제로 발포를 시킨다. 일반적으로 **고발포용 고정포방출구**를 사용한다.

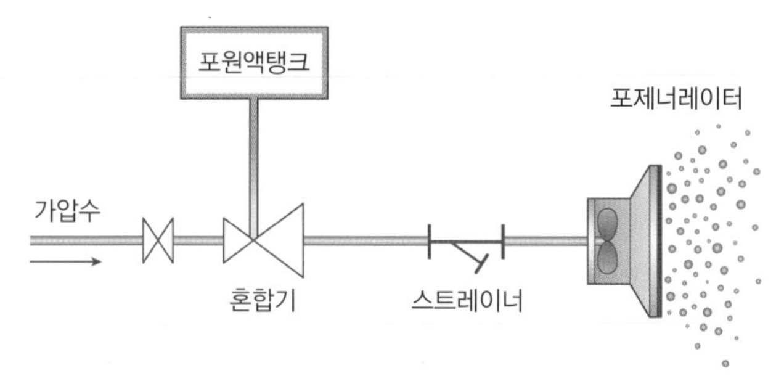

▲ 고팽창 포소화설비 시스템

고발포의 특징

1. 화재현장에 신선한 공기를 공급하면서 화재를 소화하므로 질식의 우려가 적어 지하층 · 지하가 등에 적합합니다.
2. 고팽창포로서 빠른 시간에 포가 채워지므로 넓은 장소의 급격한 소화, 소방대의 진입이 곤란한 장소 등에 효과적입니다.
3. 고발포는 수막이 적어서 유류에 대한 내성 및 바람에 대한 저항력이 약합니다.
4. 고발포의 경우 B급 화재에서는 저발포보다 소화효과가 떨어집니다.

심화학습 포제너레이터(Foam Generator)

1. 흡출식(Aspirating Type Foam Generator)
   포수용액이 발포기를 통해 분사되면서 포 스크린을 때려서 약 250배의 비율로 팽창시킨다.

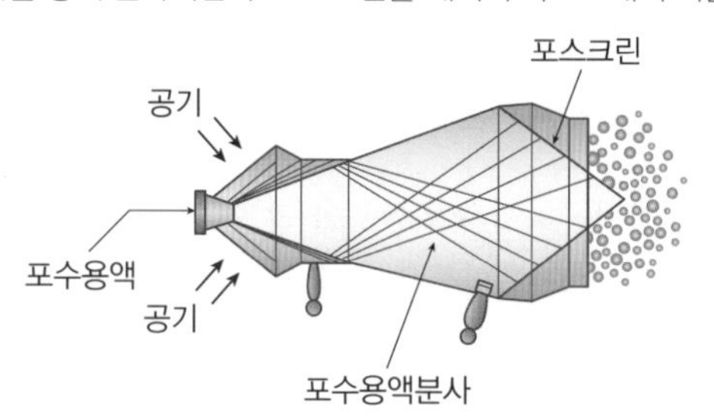

2. 송출식(Blower Type Foam Generator)
   포수용액이 노즐에서 분사될 때 송풍기를 이용하여 포 스크린을 통과하면서 500 ~ 1,000배의 비율로 팽창한다.

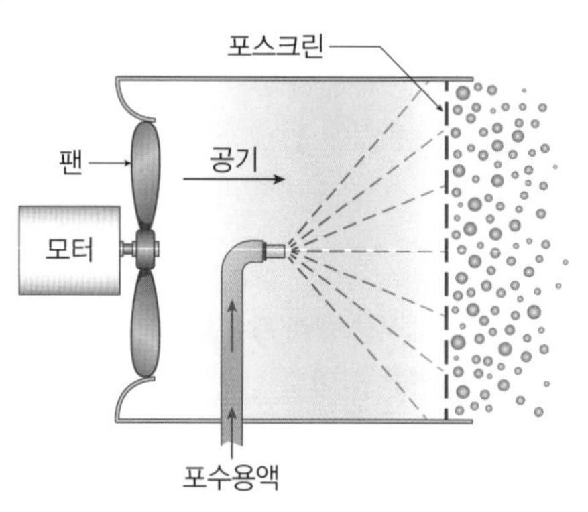

예제

합성계면활성제포소화약제 3%형을 팽창비 300으로 방출하였다. 발포된 포의 체적이 $30m^3$인 경우 포수용액의 체적과 사용된 소화약제와 물의 사용량은 얼마인가?

풀이식

$$팽창비 = \frac{발포된\ 포의\ 체적}{포수용액\ 체적}$$ (포수용액: 소화약제에 물을 가한 수용액을 말한다)

$$포수용액\ 체적 = \frac{발포된\ 포의\ 체적}{팽창비} = \frac{30,000(L)}{300} = 100(L)$$

소화약제 3%형, 포수용액 = 소화약제 + 물이므로

소화약제 = 100(L) × 0.03(%) = 3(L)

따라서 물 = 포수용액 − 소화약제량

= 100(ℓ) − 3(ℓ)

= 97(ℓ)

정답 97ℓ

2. 약제혼합장치의 종류 및 구조

(1) 라인 프로포셔너 방식(Line proportioner)

① 펌프와 발포기의 중간에 설치된 **벤추리관의 벤추리 작용**에 따라 포소화약제를 흡입 · 혼합하는 방식을 말한다.

② **소규모 또는 이동식 간이설비에 사용되는 방식**이다.

③ **벤추리 효과를 이용하여 유수 중에 포약제를 흡입시켜 지정농도의 포수용액으로 조정하여 발포기로 보내 주는 방식**이다.

④ 설치비가 저렴하고 설치가 용이하다.

⑤ 혼합기의 흡입을 할 수 있는 높이가 한정된다(약 1.8m 이하).

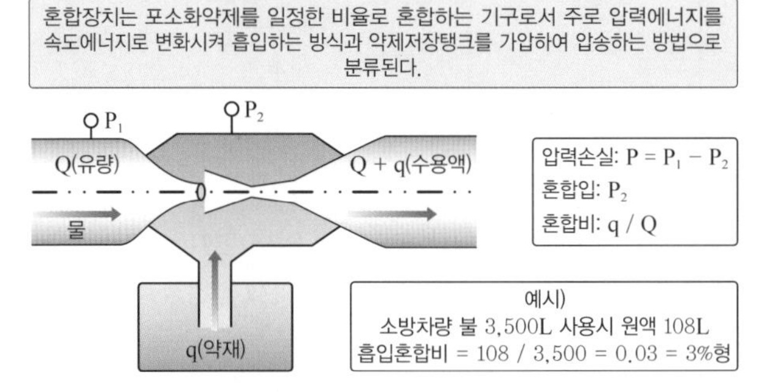

▲ 벤추리관의 벤추리 작용

(2) 펌프 프로포셔너 방식(Pump proportioner)

① 펌프의 토출관과 흡입관 사이의 배관 도중에 설치한 흡입기에 펌프에서 토출된 물의 일부를 보내고, **농도 조정밸브**에서 조정된 포소화약제의 필요량을 포소화약제 탱크에서 펌프 흡입측으로 보내어 이를 혼합하는 방식을 말한다.

② **위험물제조소등의 포소화설비에는 사용하지 않으며, 소방펌프차**에 주로 사용되고 있다.

③ 원액을 사용하기 위한 손실이 적고 보수가 용이하다.

④ 펌프의 흡입측 배관 압력이 거의 없어야 하며 압력이 있을 경우 원액의 혼합비가 차이가 나거나 원액탱크 쪽으로 물이 역류할 수 있다.

⑤ **화학소방차 등에서 주로 사용하는 방식이다.**

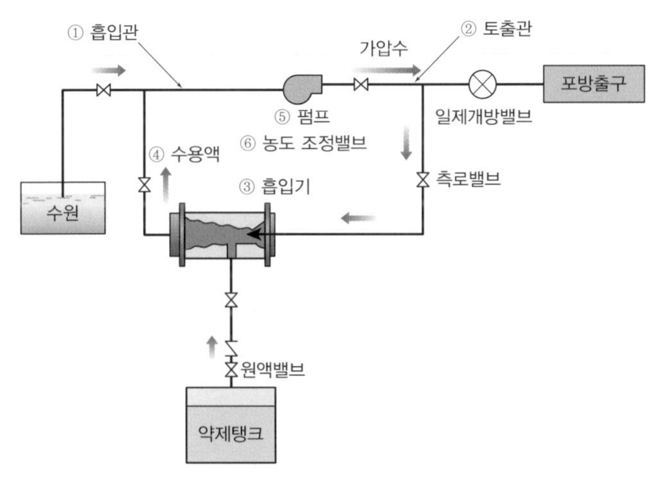

▲ 펌프 프로포셔너 방식

핵심기출

01 포소화약제의 혼합방식 중 펌프와 발포기의 중간에 설치된 벤추리(Venturi)관의 벤추리(Venturi) 작용에 의하여 포소화약제를 흡입 · 혼합하는 것은?

18. 하반기 공채

① 라인 프로포셔너(Line proportioner)
② 펌프 프로포셔너(Pump proportioner)
③ 프레져 프로포셔너(Pressure proportioner)
④ 프레져 사이드 프로포셔너(Pressure Side proportioner)

정답 ①

02 포소화설비에 관한 설명으로 옳지 않은 것은?

23. 공채

① 팽창비란 최종 발생한 포 수용액 체적을 원래 포 체적으로 나눈 값을 말한다.
② 연성계란 대기압 이상의 압력과 대기압 이하의 압력을 측정할 수 있는 계측기를 말한다.
③ 국소방출방식이란 소화약제 공급장치에 배관 및 분사헤드 등을 설치하여 직접 화점에 소화약제를 방출하는 방식을 말한다.
④ 프레셔사이드 프로포셔너방식이란 펌프의 토출관에 압입기를 설치하여 포소화약제 압입용펌프로 포 소화약제를 압입시켜 혼합하는 방식을 말한다.

정답 ①

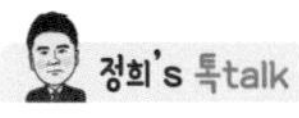

펌프 프로포셔너 방식
펌프의 토출관과 흡입관 사이에 되돌림관을 설치하고 이 되돌림관으로 들어온 물과 농도조정밸브로부터 조정되어 들어올 소화원액을 혼합기에서 혼합하여 펌프의 흡입 측으로 보내어 혼합하는 방식을 말합니다.

(3) 프레져 프로포셔너 방식(Pressure proportioner)

① 펌프와 발포기의 중간에 설치된 **벤추리관의 벤추리작용**과 **펌프가압수의 포소화약제 저장탱크에 대한 압력**에 따라 포소화약제를 흡입 · 혼합하는 방식을 말한다.

② 포소화설비에서 가장 일반적인 혼합방식으로 일명 가압혼합방식이라고 한다.

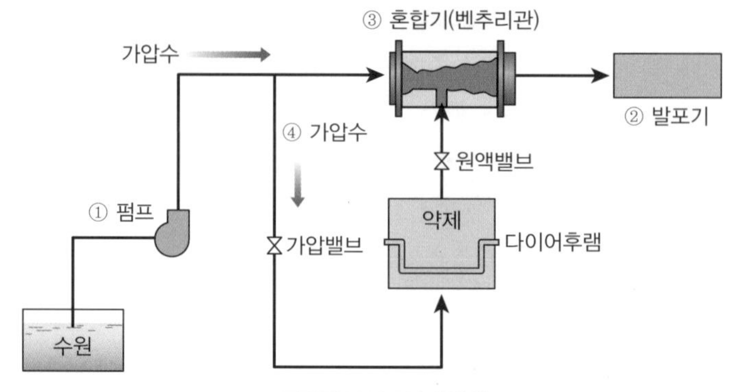

▲ 프레져 프로포셔너 방식

(4) 프레져 사이드 프로포셔너 방식(Pressure proportioner)

① **펌프의 토출관에 압입기를 설치하여 포소화약제 압입용펌프로 포소화약제를 압입시켜 혼합하는 방식**을 말한다.

② 비행기 격납고, 대규모 유류저장소, 석유화학 Plant 시설 등과 같은 대단위 고정식 포소화설비에 사용하며 압입혼합방식이라고 한다.

③ 소화용수와 약제의 혼합 우려가 없어 장기간 보존하며 사용할 수 있다.

④ 시설이 거대해지며 설치비가 비싸다.

⑤ 원액펌프의 토출압력이 급수펌프의 토출압력보다 낮으면 원액이 혼합기에 유입되지 못한다.

(5) 압축공기포 믹싱챔버방식

포수용액에 가압원으로 압축된 공기 또는 질소를 일정비율로 혼합하는 방식을 말한다. 물 · 포 소화약제 및 공기를 믹싱챔버로 강제주입시켜 챔버 내에서 포수용액을 생성한 후 포를 방사하는 방식을 말한다.

핵심 적중

01 **펌프와 발포기의 중간에 설치된 벤추리관의 벤추리작용과 펌프가압수의 포소화약제 저장탱크에 대한 압력에 따라 포소화약제를 흡입 · 혼합하는 방식은?**

① 프레져 사이드 프로포셔너(Pressure side proportioner)
② 프레져 프로포셔너(Pressure proportioner)
③ 라인 프로포셔너(Line proportioner)
④ 펌프 프로포셔너(Pump proportioner)
⑤ 압축공기포 혼합방식

정답 ②

02 **포소화설비에서 펌프의 토출관에 압입기를 설치하여 포소화약제 압입용 펌프로 포소화약제를 압입시켜 혼합하는 방식은?** 19. 상반기 공채

① 라인 프로포셔너(Line proportioner)
② 펌프 프로포셔너(Pump proportioner)
③ 프레져 프로포셔너(Pressure proportioner)
④ 프레져 사이드 프로포셔너(Pressure side proportioner)

정답 ④

요약NOTE 약제혼합장치의 종류와 특성

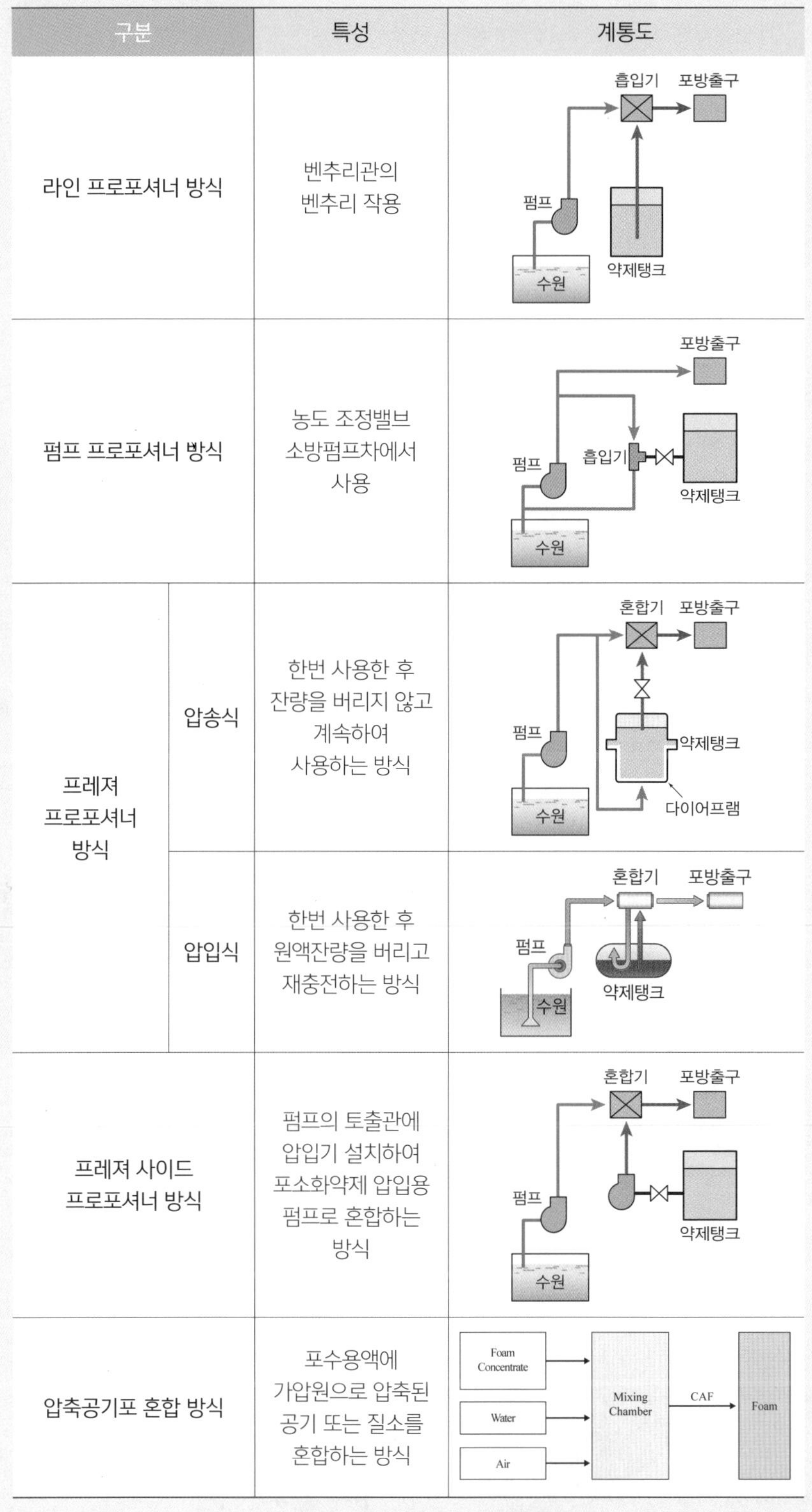

구분		특성	계통도
라인 프로포셔너 방식		벤추리관의 벤추리 작용	흡입기, 포방출구, 펌프, 약제탱크, 수원
펌프 프로포셔너 방식		농도 조정밸브 소방펌프차에서 사용	포방출구, 흡입기, 펌프, 약제탱크, 수원
프레져 프로포셔너 방식	압송식	한번 사용한 후 잔량을 버리지 않고 계속하여 사용하는 방식	혼합기, 포방출구, 펌프, 약제탱크, 다이어프램, 수원
	압입식	한번 사용한 후 원액잔량을 버리고 재충전하는 방식	혼합기, 포방출구, 펌프, 약제탱크, 수원
프레져 사이드 프로포셔너 방식		펌프의 토출관에 압입기 설치하여 포소화약제 압입용 펌프로 혼합하는 방식	혼합기, 포방출구, 펌프, 약제탱크, 수원
압축공기포 혼합 방식		포수용액에 가압원으로 압축된 공기 또는 질소를 혼합하는 방식	Foam Concentrate, Water, Air, Mixing Chamber, CAF, Foam

핵심기출

플로팅루프탱크(floating roof tank)의 측면과 굽도리판에 의하여 형성된 환상부분에 포를 방출하여 소화작용을 하도록 된 포소화설비의 고정포 방출구는? 23. 소방간부

① 특형 방출구
② I형 방출구
③ II형 방출구
④ III형(표면하 주입 방출구)
⑤ IV형(반표면하 주입 방출구)

정답 ①

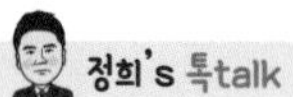

반표면하 주입방식(SSSI방식, Semi Sub-Surface Injection Method)

1. 표면하 주입방식과 같이 탱크의 밑에서 공급되지만 호스를 이용해서 탱크의 액면에서 포를 방출하도록 합니다.
2. 호스입구와 출구에 Shock pipe가 By-pass되어 있어서 화재 시 배관 내에 포가 공급되면 배관 내에 차있던 공기가 압축되어 Shock pipe를 통하여 캡을 터트려서 포압력에 의해 호스가 액체표면으로 포를 방출합니다.

3. 고정식 포방출구의 종류

(1) I형 방출구

① 콘루프탱크(Cone roof tank)에 사용된다.
② 통계단(활강로) 등을 설치한 방출구 방식이다.
③ 방출된 포가 유면상에서 신속히 전개되도록 유면 상을 덮어 소화한다.
④ 방출된 포가 위험물과 섞이지 않고 탱크의 액면 위로 흘러 들어가서 소화작용을 한다.

(2) II형 방출구

① 콘루프탱크(Cone roof tank)에 사용된다.
② 반사판(디플렉터)에 의하여 포가 탱크벽면을 따라 소화되도록 설치된다.

(3) 특형 방출구

① 고정포방출구로서 플로우팅루프탱크(Floating roof tank)에 설치한다.
② 부상식 탱크에 사용하는 방출구로서 탱크의 측면과 굽도리판에 의하여 형성된 환상부분에 포를 방출하여 소화작용을 한다.

(4) 표면하 주입방식(SSI방식, Sub-Surface Injection Method)

① 포를 탱크 밑으로 주입하여 포가 탱크 내의 유류를 통하여 표면으로 떠올라 소화하도록 한 것이다.
② 표면하 주입방식은 방사압이 높아 수용성 액체 위험물의 경우 포가 파괴되기 쉬운 관계로 사용하지 않는다.

요약NOTE 고정식 포방출구의 종류

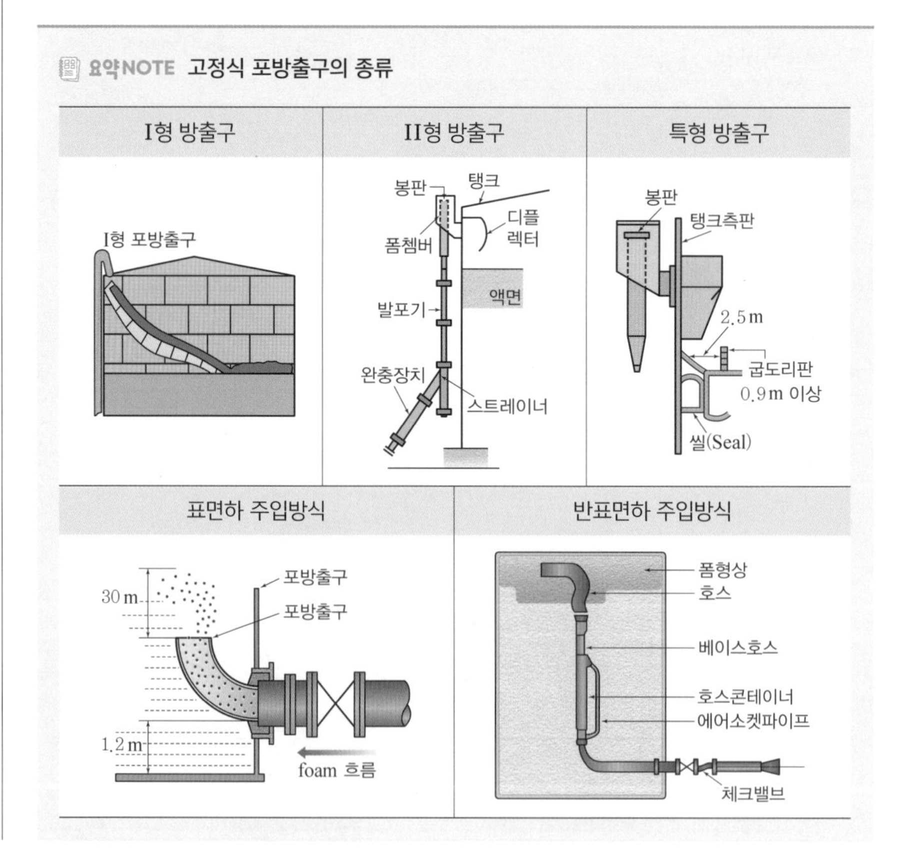

4. 포소화설비의 화재안전기준(NFSC 105 및 NFTC 105) 〈소방간부 출제범위〉

(1) 종류 및 적응성

① **특수가연물을 저장·취급하는 공장 또는 창고:** 포워터스프링클러설비·포헤드설비 또는 고정포방출설비, 압축공기포소화설비

② **차고 또는 주차장:** 포워터스프링클러설비·포헤드설비 또는 고정포방출설비, 압축공기포소화설비. 다만, 다음의 어느 하나에 해당하는 차고·주차장의 부분에는 호스릴포소화설비 또는 포소화전설비를 설치할 수 있다.

㉠ 완전 개방된 옥상주차장 또는 고가 밑의 주차장으로서 주된 벽이 없고 기둥뿐이거나 주위가 위해방지용 철주 등으로 둘러싸인 부분

㉡ 지상 1층으로서 지붕이 없는 부분

③ **항공기격납고:** 포워터스프링클러설비·포헤드설비 또는 고정포방출설비, 압축공기포소화설비. 다만, 바닥면적의 합계가 $1,000m^2$ 이상이고 항공기의 격납위치가 한정되어 있는 경우에는 그 한정된 장소 외의 부분에 대하여는 호스릴포소화설비를 설치할 수 있다.

④ **발전기실, 엔진펌프실, 변압기, 전기케이블실, 유압설비:** 바닥면적의 합계가 $300m^2$ 미만의 장소에는 고정식 압축공기포소화설비를 설치할 수 있다.

(2) 가압송수장치

① **펌프방식**

$$H = h_1 + h_2 + h_3 + h_4$$

H: 펌프의 양정(m)
h_1: 방출구의 설계압력 환산수두 또는 노즐 선단의 방사압력 환산수두(m)
h_2: 배관의 마찰손실수두(m)
h_3: 낙차(m)
h_4: 소방용 호스의 마찰손실수두(m)

② **고가수조방식:** 고가수조의 자연낙차압력(수조의 하단으로부터 최고층에 설치된 포헤드까지의 수직거리를 말한다)은 다음의 식에 의하여 산출한 수치 이상이 되도록 한다.

$$H = h_1 + h_2 + h_3$$

H: 필요한 낙차(m)
h_1: 방출구의 설계압력 환산수두 또는 노즐 선단의 방사압력 환산수두(m)
h_2: 배관의 마찰손실수두(m)
h_3: 호스의 마찰손실수두(m)

③ **압력수조방식:** 압력수조의 압력은 다음의 식에 의하여 산출한 수치 이상으로 한다.

$$P = P_1 + P_2 + P_3 + P_4$$

P: 필요한 압력(MPa)
p_1: 방출구의 설계압력 환산수두 또는 노즐 선단의 방사압력(MPa)
p_2: 배관의 마찰손실수두압(MPa)
p_3: 낙차의 환산수두압(MPa)
p_4: 호스의 마찰손실수두압(MPa)

④ **가압수조방식**

㉠ 가압수조의 압력은 방수량 및 방수압이 20분 이상 유지되도록 할 것
㉡ 가압수조 및 가압원은 「건축법 시행령」에 따른 방화구획된 장소에 설치할 것
㉢ 소방청장이 정하여 고시한 「가압수조식 가압송수장치의 성능인증 및 제품검사의 기술기준」에 적합한 것으로 설치할 것

(3) 포헤드 및 고정포방출구

① **포헤드 및 고정포방출구:** 포의 팽창비율에 따라 다음의 기준에 의한 것으로 한다.

팽창비율에 따른 포의 종류	포방출구의 종류
팽창비가 20 이하인 것(저발포)	포헤드, 압축공기포헤드
팽창비가 80 이상 1,000 미만인 것(고발포)	고발포용 고정포방출구

② **포헤드 설치기준**

㉠ 포워터 스프링클러헤드는 소방대상물의 천장 또는 반자에 설치하며, 바닥면적 $8m^2$마다 1개 이상으로 하여 당해 방호대상물의 화재를 유효하게 소화할 수 있도록 하여야 한다.
㉡ 포헤드는 소방대상물의 천장 또는 반자에 설치하되 바닥면적 $9m^2$마다 1개 이상으로 하여 당해 방호대상물의 화재를 유효하게 소화할 수 있도록 하여야 한다.
㉢ 포헤드는 소방대상물별로 그에 사용되는 포소화약제에 따라 1분당 방사량이 다음 표에 따른 양 이상이 되는 것으로 하여야 한다.

소방대상물	포소화약제 종류	바닥면적 $1m^2$당 방사량
차고·주차장 및 항공기 격납고	단백포소화약제	6.5L 이상
	합성계면활성제포소화약제	8.0L 이상
	수성막포소화약제	3.7L 이상
특수가연물 저장·취급 소방대상물	단백포소화약제	6.5L 이상
	합성계면활성제포소화약제	6.5L 이상
	수성막포소화약제	6.5L 이상

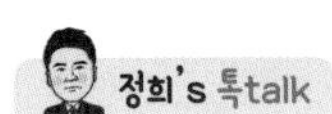

「포소화약제혼합장치등의 성능인증 및 제품검사의 기술기준」

1. **포소화약제:** 주원료에 포 안정제, 그 밖의 약제를 첨가한 액상의 것으로 물(바닷물 포함. 이하 같음)과 일정한 농도로 혼합하여 공기 또는 불활성기체를 기계적으로 혼입함으로써 거품을 발생시켜 소화에 사용하는 약제로서 소화약제의 형식승인 및 제품검사의 기술기준에 적합한 것
2. **포수용액:** 포소화약제에 물을 가한 수용액
3. **사용농도:** 신청자가 제시하는 포소화약제의 vol% 농도
4. **압축공기포:** 포수용액에 압축공기 또는 질소가 혼합된 것
5. **공급공기량:** 압축공기포혼합장치에 공급된 압축공기 또는 질소의 양을 대기압 상태에서 단위시간당 공기 또는 질소의 체적으로 표시한 것
6. **공칭공기량:** 공급공기량의 최댓값을 열역학적 표준 상태(25℃, 1기압)에서의 값으로 환산하여 표시한 것
7. **공기포비:** 포수용액과 가압공기를 혼합한 경우의 비율(포수용액의 양에 대한 공급공기량을 배수로 표시한 것)
8. **습식포:** 공기포비가 10배 이하의 압축공기포
9. **건식포:** 공기포비가 10배를 초과하는 압축공기포

7 이산화탄소소화설비 C

1. 개요

(1) 특징

① 화학적으로 안정된 소화약제이므로 약제의 변질이 없다.

② 방사 시 산소의 농도 저하로 소방대상물 내에 사람이 있을 경우에는 질식시킬 우려가 있다.

③ 이산화탄소(CO_2)소화설비는 스프링클러설비나 포소화설비 등 물에 의한 피해가 예상되는 장소나 전기화재, 유류화재 등에 사용된다.

④ 소화 후에도 잔유물이 남지 않는 것이 특징이다.

(2) 장점 · 단점

① 가스 상태이어서 화재심부까지 침투가 용이하다.

② 약제 수명이 반영구적이며 가격이 저렴하고 피연소물에 피해가 적다.

③ 비전도성이므로 전기화재에 유효하다.

④ **인체에 질식 및 동상의 우려가 있다.**

⑤ 설비가 고압이므로 특별한 주위가 요구된다.

⑥ 방사 시 소음이 매우 심하고 시야를 가리게 된다.

(3) 분류

① **소화약제 방출방식**

㉠ **전역방출방식**: 고정식 이산화탄소 공급장치에 배관 및 분사헤드를 고정 설치하여 **밀폐 방호구역 내**에 이산화탄소를 방출하는 설비를 말한다.

㉡ **국소방출방식**: 고정식 이산화탄소 공급장치에 배관 및 분사헤드를 설치하여 **직접 화점**에 이산화탄소를 방출하는 설비로 화재발생 부분에만 집중적으로 소화약제를 방출하도록 설치하는 방식을 말한다.

㉢ **호스릴방식**: 분사헤드가 배관에 고정되어 있지 않고 소화약제 저장용기에 호스를 연결하여 사람이 직접 화점에 소화약제를 방출하는 이동식 소화설비를 말한다.

② **기동방식의 분류**

㉠ **기계식**: 약제 저장용기밸브를 수동으로 직접 개방하거나 와이어로프 등을 이용하여 개방하는 방식으로 쉽게 조작하여 저장용기를 개방할 수 있는 구조이다.

㉡ **전기식**: 용기밸브로 전자개방밸브(솔레노이드밸브)를 장치하고 전기적으로 **솔레노이드밸브**를 작동하여 밸브를 개방하는 방식이며 약제 저장용기 7병 이상을 동시에 개방하는 설비에 있어서는 2병 이상의 약제 저장용기에 전자개방밸브를 부착하여야 한다.

㉢ **가스압력식: 가장 많이 사용하는 방식이다. 액체 이산화탄소가 충전된 기동용기를 별도로 설치하고 화재 시 이 용기를 개방하여 분출된 가스압력 에너지로 약제 저장용기의 밸브를 개방한다.**

핵심 적중

이산화탄소소화약제에 관한 설명으로 옳지 않은 것은?

① 피연소물에 오손이 적고 증거보존이 용이하여서 통신시설에 이용이 가능하다.
② 피복소화효과가 강해 제5류 위험물인 히드라진유도체에 효과가 있다.
③ 방사 시 침투성이 있고, 심부화재에 주로 사용된다.
④ 자체압력으로 방사가 가능하고 가격이 저렴해서 약제로 많이 사용된다.

정답 ②

정희's 톡talk

소화효과

1. **질식소화**: 연소의 3요소 중 공기에 21% 정도 포함되어 있는 산소를 15% 이하로 저하시켜 질식소화합니다.
2. **냉각소화**: 임계온도에서 드라이아이스가 나오므로 냉각소화효과가 있습니다.
3. **피복소화**: 공기보다 1.52배 무거우므로 피복효과가 있습니다.

핵심 기출

이산화탄소소화설비에 대한 일반적인 설명으로 옳지 않은 것은? 22. 공채

① 기동용기의 가스는 압력스위치 및 자동폐쇄장치를 작동시키는 역할을 한다.
② 저장용기는 직사광선 및 빗물이 침투할 우려가 없는 곳에 설치한다.
③ 전역방출방식에서 환기장치는 이산화탄소가 방사되기 전에 정지되어야 한다.
④ 전역방출방식에서는 음향경보장치와 방출표시등이 필요하다.

정답 ①

2. 소화약제의 저장용기 등

(1) 저장용기 설치장소

① 방호구역 외의 장소에 설치(방호구역 내에 설치할 경우에는 피난 및 조작이 용이하도록 피난구 부근에 설치)

② 온도가 40℃ 이하이고, 온도변화가 적은 곳에 설치

③ 직사광선 및 빗물이 침투할 우려가 없는 곳에 설치

④ 방화문으로 구획된 실에 설치

⑤ 용기의 설치장소에는 해당 용기가 설치된 곳임을 표시하는 표지

⑥ 용기간의 간격은 점검에 지장이 없도록 3cm 이상의 간격을 유지

⑦ 저장용기와 집합관을 연결하는 연결배관에는 체크밸브를 설치할 것(저장용기가 하나의 방호구역만을 담당하는 경우 예외)

(2) 이산화탄소소화약제의 저장용기의 설치기준

① 저장용기의 충전비는 고압식은 1.5 이상 1.9 이하, 저압식은 1.1 이상 1.4 이하로 설치

② 저압식 저장용기에는 내압시험압력의 0.64배부터 0.8배의 압력에서 작동하는 안전밸브와 내압시험압력의 0.8배부터 내압시험압력에서 작동하는 봉판을 설치

③ 저압식 저장용기에는 액면계 및 압력계와 2.3MPa 이상 1.9MPa 이하의 압력에서 작동하는 압력경보장치를 설치

④ 저압식 저장용기에는 용기내부의 온도가 섭씨 영하 18℃ 이하에서 2.1MPa의 압력을 유지할 수 있는 자동냉동장치를 설치

⑤ 저장용기는 고압식은 25MPa 이상, 저압식은 3.5MPa 이상의 내압시험압력에 합격한 것으로 설치

3. 분사헤드 설치 제외 등

(1) 분사헤드 설치 제외 장소

① 방재실 · 제어실 등 사람이 상시 근무하는 장소

② 니트로셀룰로스 · 셀룰로이드제품 등 자기연소성 물질을 저장 · 취급하는 장소

③ 나트륨 · 칼륨 · 칼슘 등 활성금속물질을 저장 · 취급하는 장소

④ 전시장 등의 관람을 위하여 다수인이 출입 · 통행하는 통로 및 전시실 등

(2) 자동폐쇄장치

전역방출방식의 이산화탄소소화설비를 설치한 특정소방대상물 또는 그 부분에 대하여는 다음의 기준에 따라 자동폐쇄장치를 설치하여야 한다.

① 환기장치를 설치한 것은 이산화탄소가 방사되기 전에 해당 환기장치가 정지할 수 있도록 할 것

② 개구부가 있거나 천장으로부터 1m 이상의 아래 부분 또는 바닥으로부터 해당 층의 높이의 3분의 2 이내의 부분에 통기구가 있어 이산화탄소의 유출에 따라 소화효과를 감소시킬 우려가 있는 것은 이산화탄소가 방사되기 전에 해당 개구부 및 통기구를 폐쇄할 수 있도록 할 것

③ 자동폐쇄장치는 방호구역 또는 방호대상물이 있는 구획의 밖에서 복구할 수 있는 구조로 하고, 그 위치를 표시하는 표지를 할 것

4. 기동장치

(1) 수동식 기동장치(수동조작함)

① 전역방출방식은 방호구역마다, 국소방출방식은 방호대상물마다 설치할 것

② 해당 방호구역의 출입구 부근 등 조작을 하는 자가 쉽게 피난할 수 있는 장소에 설치할 것

③ 기동장치의 조작부는 바닥으로부터 0.8m 이상 1.5m 이하의 위치에 설치하고, 보호판 등에 따른 보호장치를 설치할 것

④ 기동장치 인근의 보기 쉬운 곳에 "이산화탄소소화설비 수동식 기동장치"라는 표지를 할 것

⑤ 전기를 사용하는 기동장치에는 전원표시등을 설치할 것

⑥ 기동장치의 방출용스위치는 음향경보장치와 연동하여 조작될 수 있는 것으로 할 것

(2) 자동식 기동장치

자동식 기동장치는 자동화재탐지설비의 감지기의 작동과 연동하는 것으로 설치하고, 자동식 기동장치에는 수동으로도 기동할 수 있는 구조로 하여야 한다.

① **전기식 기동장치:** 7병 이상의 저장용기를 동시에 개방하는 설비는 2병 이상의 저장용기에 전자 개방밸브를 부착하여 설치할 것

② **가스압력식 기동장치**

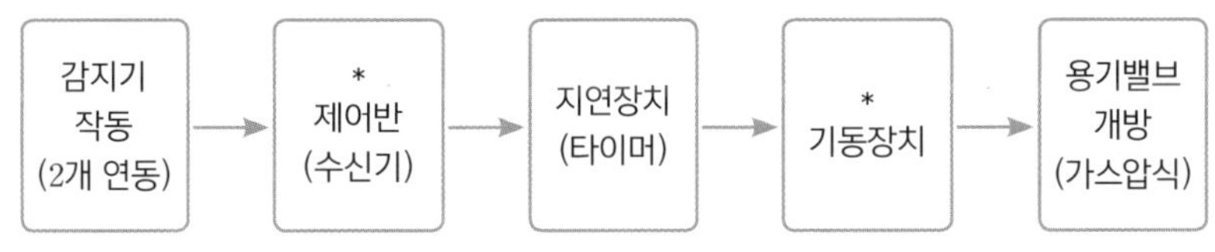

* 부분은 수동기동이 가능하도록 할 것

㉠ 기동용가스용기 및 해당 용기에 사용하는 밸브는 25MPa 이상의 압력에 견딜 수 있는 것으로 할 것

㉡ 기동용가스용기에는 내압시험압력의 0.8배부터 내압시험압력 이하에서 작동하는 안전장치를 설치할 것

㉢ 기동용가스용기의 용적은 5L 이상으로 하고, 해당 용기에 저장하는 질소 등의 비활성기체는 6.0MPa 이상(21℃기준)의 압력으로 충전할 것

㉣ 기동용가스용기에는 충전 여부를 확인할 수 있는 압력게이지를 설치할 것

③ **기계식 기동장치:** 저장용기를 쉽게 개방할 수 있는 구조로 할 것

✎ 핵심 기출

스프링클러설비 종류별 주요 구성품의 연결이 옳은 것만을 〈보기〉에서 있는 대로 고른 것은? 22. 소방간부

〈보기〉

ㄱ. 습식 스프링클러설비: 알람밸브, 개방형 헤드
ㄴ. 건식 스프링클러설비: 익조스터(Exhauster), 공기 압축기
ㄷ. 준비작동식 스프링클러설비: 선택밸브, SVP(Supervisory Panel)
ㄹ. 일제살수식 스프링클러설비: 일제개방밸브, 개방형 헤드

① ㄱ, ㄷ ② ㄴ, ㄹ
③ ㄱ, ㄴ, ㄷ ④ ㄴ, ㄷ, ㄹ
⑤ ㄱ, ㄴ, ㄷ, ㄹ

정답 ②

5. 선택밸브

(1) 정의

"선택밸브"란 둘 이상의 방호구역 또는 방호대상물이 있어 소화수 또는 소화약제를 해당하는 방호구역 또는 방호대상물에 선택적으로 방출되도록 제어하는 밸브를 말한다.

(2) 하나의 특정소방대상물 또는 그 부분에 2 이상의 방호구역 또는 방호대상물이 있어 소화약제 저장용기를 공용하는 경우에는 다음의 기준에 따라 선택밸브를 설치해야 한다.

① 방호구역 또는 방호대상물마다 설치할 것

② 각 선택밸브에는 해당 방호구역 또는 방호대상물을 표시할 것

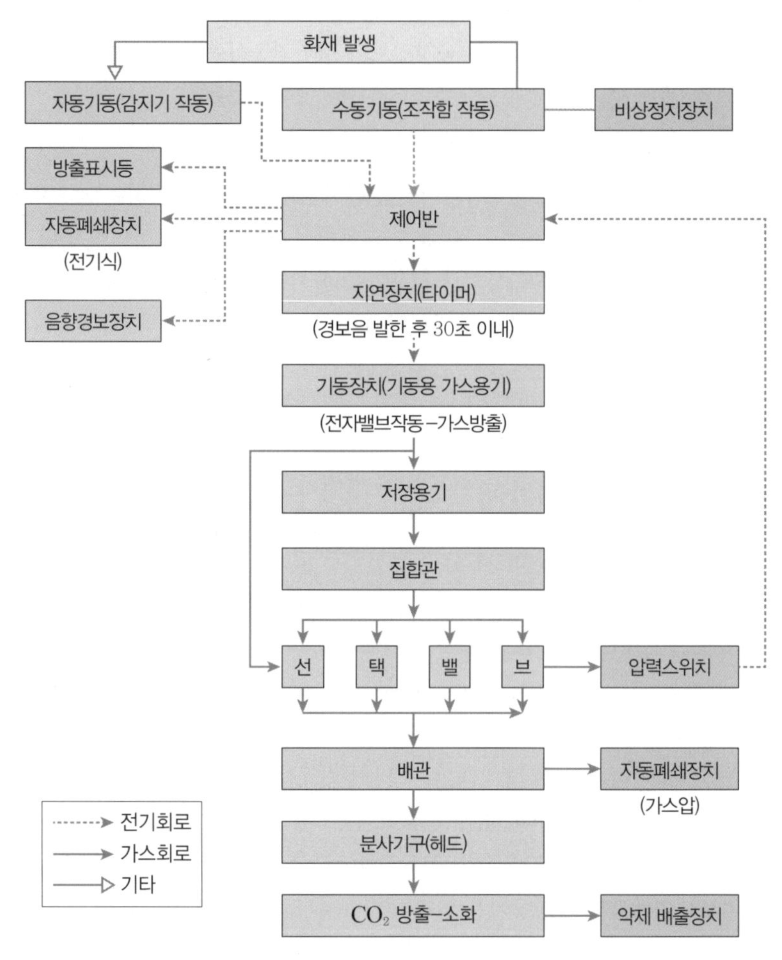

▲ 이산화탄소 소화설비 작동체계

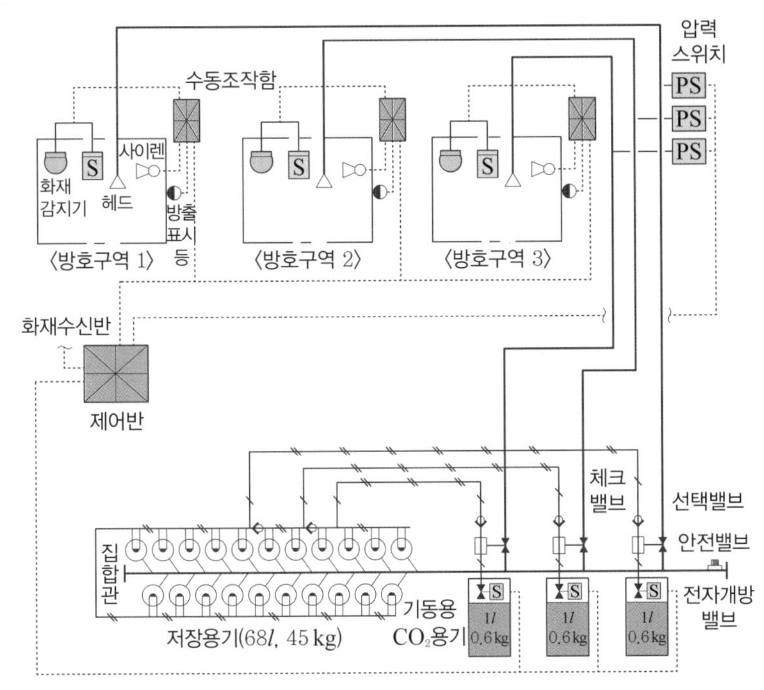

▲ 이산화탄소 계통도

6. 소화약제량 산정

(1) 설계농도 및 소화농도

① "설계농도"란 방호대상물 또는 방호구역의 소화약제 저장량을 산출하기 위한 농도로서 소화농도에 안전율을 고려하여 설정한 농도를 말한다.

② "소화농도"란 규정된 실험 조건의 화재를 소화하는데 필요한 소화약제의 농도(형식승인대상의 소화약제는 형식승인된 소화농도)를 말한다.

③ 표면화재❶는 질식소화를 주체로 하며 방사시간 내 소화되는 것이 원칙이나, 심부화재❷는 질식소화효과 외에 냉각소화효과를 필요로 하기 때문에 표면화재보다 고농도로 장시간 동안 설계농도를 유지하여야 한다.

④ CO_2약제는 표면화재와 심부화재로 구분하여 약제량 및 방사시간을 달리 적용하고 있다.

(2) 방사 후 CO_2의 농도

$$\text{방사 후 } CO_2\text{의 농도 } C(\%) = \frac{21 - O_2}{21} \times 100$$

C: CO_2의 농도(%), O_2: CO_2 방사 후 실내의 산소농도(%)

(3) 소화약제량 저장방식

① 고압식: 20℃에서 6MPa의 압력으로 CO_2를 액상으로 저장하는 방식으로서 외부온도에 따라 내부압력이 변화하고 밸브개방 시 기화되면서 방사된다.

② 저압식: -18℃에서 2.1MPa의 압력으로 CO_2를 액상으로 저장하는 방식으로서 언제나 -18℃를 유지하여야 하므로 단열조치 및 냉동기가 필요하며 약제용기는 대형용기 1개를 사용한다.

용어사전

❶ 표면화재: 가연성 물질의 표면에서 연소하는 화재를 말한다.

❷ 심부화재: 목재 또는 섬유류와 같은 고체 가연물에서 발생하는 화재형태로서 가연물 내부에서 연소하는 화재를 말한다.

8 할론소화설비 D

1. 개요

(1) 정의

① 할론소화약제란 지방족 포화탄화수소의 분자 중에 존재하는 수소원자들 중 하나 이상의 할로겐족원소 F(불소), Cl(염소), Br(브롬), 요오드(I)와 치환되어 생성된 물질 중 현실적으로 소화약제로 사용될 수 있는 것을 총칭하는 것을 말한다.

② 할론소화약제는 상온과 상압에서 기체로 존재하며, 소화원리는 냉각작용 · 질식작용 · 희석작용 · 억제소화❶작용이 있다.

(2) 특징

① 저농도로서 소화가 가능하므로 질식 등의 우려가 없다.

② 금속에 대한 부식성이 적다.

③ 부도체이므로 전기화재(C급 화재)에도 매우 효과적이다.

④ 화재조사가 용이하다.

⑤ 소방대상물에 대한 오염이 적다.

⑥ 5 ~ 10% 낮은 설계농도로 소화가 가능하다. 저농도로서 소화가 가능하므로 질식 등의 우려가 없다.

⑦ 사용압력은 이산화탄소보다 낮고, 이산화탄소설비에 비하여 완전 밀폐할 필요가 없다.

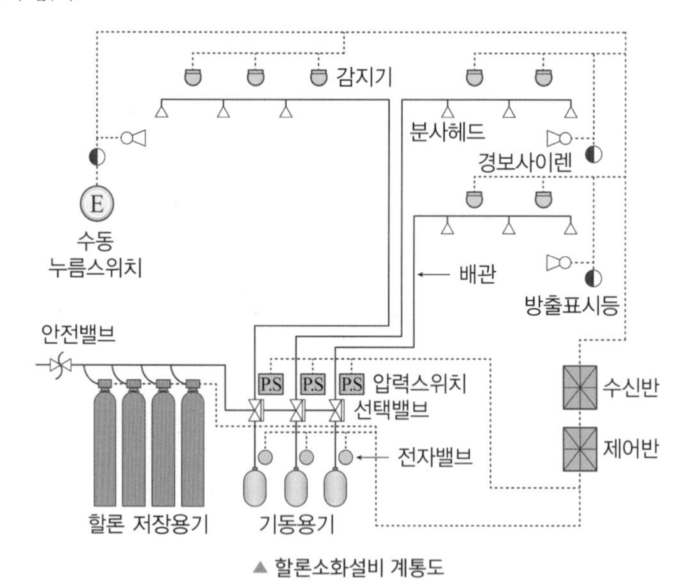

▲ 할론소화설비 계통도

핵심 적중

할론소화약제에 대한 설명으로 옳지 않은 것은?

① B급 화재와 C급 화재에 적절한 소화약제이다.
② 부촉매소화작용이 있어서 가연물질의 연쇄반응을 차단시킨다.
③ 산소보다 무거워 가연물질에 공급되는 산소를 차단하는 질식작용을 한다.
④ 발화점 이하로 냉각시키는 냉각작용은 일어나지 않는다.

정답 ④

용어사전

❶ 억제소화: 연쇄물질(Chain carrier)을 억제하여 연쇄반응을 차단함으로써 소화하는 것을 말한다. 즉, 이는 일종의 부촉매(Negative catalyst)역할을 하는 것으로서 할로겐화합물 소화약제의 경우는 전적으로 화학적 소화방법의 하나인 억제소화에 의해 소화하는 것이다.

2. 할론소화설비의 구성

(1) 저장용기 가압용 가스용기

① 축압식 저장용기의 압력

약제	할론 1301	할론 1211
저압식	2.5MPa	1.1MPa
고압식	4.2MPa	2.5MPa

② 저장용기의 충전비

약제	할론 1301	할론 1211	할론 2402	
충전비	0.9~1.6 이하	0.7~1.4 이하	가압식	0.51~0.67 미만
			축압식	0.67~2.75 미만

③ 가압용 가스용기

㉠ 충전가스는 질소를 사용한다.

㉡ 충전압력은 2.5MPa 또는 4.2MPa이 되도록 하여야 한다.

㉢ 가압식 저장용기에는 2.0MPa 이하의 압력조정장치를 설치하여야 한다.

심화학습 가압식 저장방식

별도의 가압용기 부설
- 할론 2402에만 적용
- 할론 2402는 상온에서 액상 (자체 증기압에 의하여 방사불가)
- 21℃에서 25kg/cm² 내지 42kg/cm²

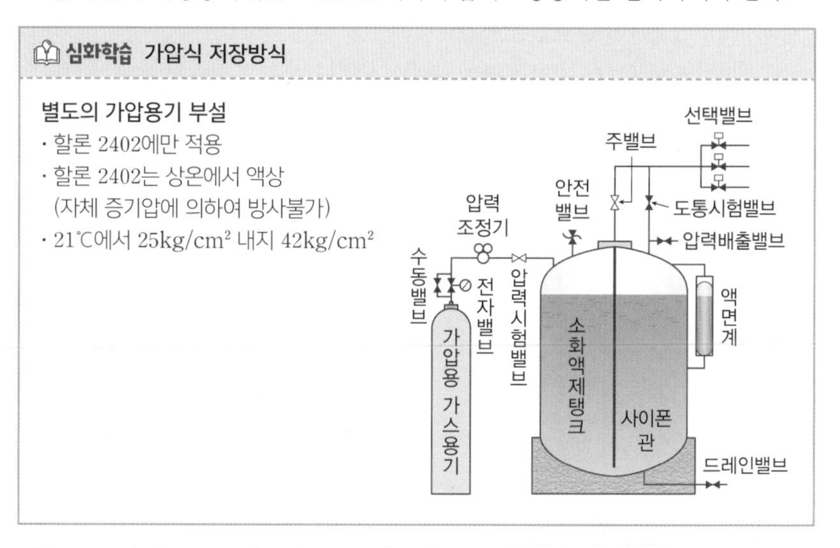

(2) 저장용기

① 방호구역 외의 장소에 설치(방호구역 내에 설치할 경우에는 피난 및 조작이 용이하도록 피난구 부근에 설치)

② 온도가 40℃ 이하이고 온도 변화가 적은 곳에 설치

③ 직사광선 및 빗물이 침투할 우려가 없는 곳에 설치

④ 방화문으로 구획된 실에 설치

⑤ 용기의 설치장소에는 해당 용기가 설치된 곳임을 표시하는 표지

⑥ 용기간의 간격은 점검에 지장이 없도록 3cm 이상의 간격을 유지하여 설치

⑦ 저장용기와 집합관을 연결하는 연결배관에는 체크밸브를 설치(저장용기가 하나의 방호구역만을 담당하는 경우 예외)

핵심 적중

화재안전기준(NFSC)에 의한 기동용수압 개폐장치를 필요로 하지 않는 소방시설은 무엇인가?

① 옥내소화전설비
② 옥외소화전설비
③ 스프링클러소화설비
④ 할론소화설비

정답 ④

9 할로겐화합물 및 불활성기체 소화설비 D

1. 개요

(1) 정의

① **할로겐화합물 소화약제**란 불소, 염소, 브롬 또는 요오드 중 하나 이상의 원소를 포함하고 있는 유기화합물을 기본성분으로 하는 소화약제를 말한다.

② **불활성기체 소화약제**란 헬륨, 네온, 아르곤 또는 질소가스 중 하나 이상의 원소를 기본성분으로 하는 소화약제를 말한다.

(2) 장점 · 단점

① 장점

㉠ 오존파괴지수와 지구온난화지수가 할론과 이산화탄소에 비하여 낮다.

㉡ 화학적으로 안정되어 부패의 우려가 없다.

㉢ 소화 후 피연소물에 피해를 주지 않는다.

㉣ 소화 후 지방성 부산물이 발생하지 않는다.

② 단점

㉠ 수입에 의존하므로 고가이다.

㉡ 가스계이므로 점검과 유지관리가 어렵다.

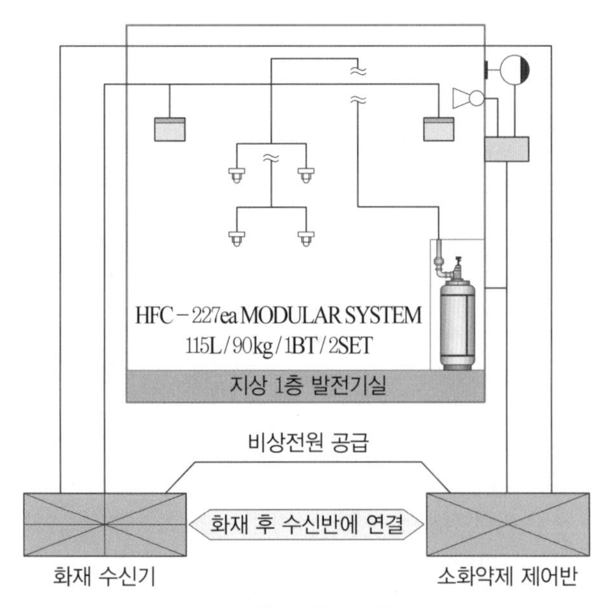

▲ 모듈러형 소화설비 계통도

▲ 저장용기

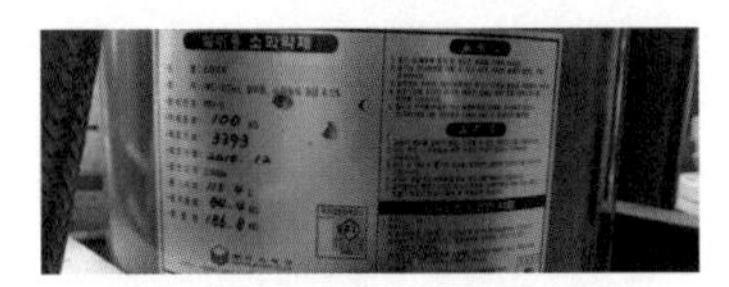
▲ 저장용기 명판

▲ 헤드

▲ 전기실 전경

2. 종류

(1) IG-541(Inergen)

① 불활성가스의 혼합물이다(질소 52%, 아르곤 40%, 탄산가스 8%).

② ODP = 0, GWP = 0, ALT = 무시할 수 있는 정도이다.

③ NOAEL 43%, LOAEL 52%이다.

④ 탄산가스농도가 낮기 때문에 사람이 거주하는 곳에 사용할 수 있으나 화재 시 질식사를 피하기 위하여 사람들을 30초 이내에 대피시켜야 한다.

⑤ 설비비가 고가이며, 저장공간이 많이 소요되고 고압배관이 사용된다.

⑥ 설계농도 37.5%이다.

⑦ NFPA, SNAP program 채택 및 UL, FM에서 인증된 제품이다.

(2) HCFC-124(FE-241)

① ODP = 0.022, GWP = 440, ALT = 7년이다.

② NOAEL 1.0%, LOAEL 2.5%이다.

③ 소화농도 7%, 설계농도 8.4%이다.

④ 설계농도가 NOAEL보다 훨씬 높으므로 사람이 있는 곳에는 사용할 수 없다.

3. 할로겐화합물 및 불활성기체 소화약제의 저장

(1) 설치 제외 장소

① 사람이 상주하는 곳으로 최대허용설계농도를 초과하는 장소에는 제외된다.

② 제3류 위험물 및 제5류 위험물을 사용하는 장소에 설치하여서는 아니 된다.

(2) 저장용기 설치장소

① 방호구역 외의 장소에 설치(방호구역 내에 설치할 경우에는 피난 및 조작이 용이하도록 피난구 부근에 설치)

② 온도가 55℃ 이하이고 온도의 변화가 작은 곳에 설치할 것

핵심기출

할로겐화합물 및 불활성기체 소화약제 중 IG-541에 대한 설명으로 옳지 않은 것은?

18. 상반기 공채

① 사람의 호흡에 문제가 없으므로 사람이 있는 곳에서도 사용할 수 있다.
② 할론이나 분말소화제와 같이 화학적 소화 특성을 지니고 있다.
③ 오존층파괴지수(ODP)가 0이다.
④ IG-541은 질소 52%, 아르곤 40%, 이산화탄소 8%로 이루어진 혼합소화약제이다.

정답 ②

③ 직사광선 및 빗물이 침투할 우려가 없는 곳에 설치할 것

④ 저장용기를 방호구역 외에 설치한 경우에는 방화문으로 구획된 실에 설치

⑤ 용기의 설치장소에는 해당 용기가 설치된 곳임을 표시하는 표지

⑥ 용기 간의 간격은 점검에 지장이 없도록 3cm 이상의 간격을 유지

⑦ 저장용기와 집합관을 연결하는 연결배관에는 체크밸브를 설치(저장용기가 하나의 방호구역만을 담당하는 경우 예외)

(3) 저장용기의 설치기준

① 저장용기의 충전밀도 및 충전압력은 NFSC 107A 별표 1 참조

② 저장용기는 약제명 · 저장용기의 자체중량과 총중량 · 충전일시 · 충전압력 및 약제의 체적을 표시할 것

③ 집합관에 접속되는 저장용기는 동일한 내용적을 가진 것으로 충전량 및 충전압력이 같도록 할 것

④ 저장용기에 충전량 및 충전압력을 확인할 수 있는 장치를 하는 경우에는 해당 소화약제에 적합한 구조로 할 것

⑤ 저장용기의 약제량 손실이 5%를 초과하거나 압력손실이 10%를 초과할 경우에는 재충전하거나 저장용기를 교체할 것(불활성기체 소화약제 저장용기의 경우에는 압력손실이 5%를 초과할 경우 재충전하거나 저장용기를 교체)

4. 구성

(1) 기동장치

① 수동식 기동장치

㉠ 방호구역마다 설치하여야 한다.

㉡ 기동장치 조작부는 바닥으로부터 0.8 ~ 1.5m 이하의 위치에 설치한다.

㉢ 5kg 이하의 힘을 가하여 작동할 수 있는 구조로 설치한다.

② **자동식 기동장치:** 교차회로를 이용하여 감지기와 연동하여 작동하는 방식이다.

(2) 배관

① 배관은 전용으로 하며 배관 및 배관부속과 밸브류는 방출내압에 견딜 수 있어야 한다.

② 압력배관용 탄소강관 또는 동등 이상의 강도를 가진 아연도금 등에 따라 방식처리된 것을 사용하고 동관을 사용하는 경우에는 배관의 이음이 없는 동 및 동합금관을 사용하여야 한다.

③ 배관과 배관, 배관과 밸브류 접속은 접합 등의 방법을 사용하여서는 아니 된다.

(3) 분사헤드

① 분사헤드의 설치 높이의 경우 방호구역의 바닥으로부터 최소 0.2m 이상 최대 3.7m 이하로 하여야 한다.

② 분사헤드의 개수의 경우 당해 방호구역에 청정소화약제가 10초(불활성가스 청정소화약제는 1분) 이내에 방호구역의 각 부분에 최소설계농도의 95% 이상 약제량을 방출할 수 있는 개수를 설치한다.

③ 분사헤드의 오리피스 면적은 분사헤드가 연결되는 배관구경면적의 70%를 초과하지 않는다.

10 분말소화설비 D

1. 개요

(1) 정의

① 분말소화설비는 연소확대 위험이 크거나 열과 연기가 충만하여 소화기구로는 소화할 수 없는 방호대상물에 설치한다. 기동은 수동과 자동에 의한 작동이 가능하며 불연성가스의 압력을 이용하여 소화분말을 배관으로 압송시켜 분사헤드 또는 노즐을 통해 방호구역에 분말소화약제를 방출시키는 설비이다.

② 분말소화설비는 유류화재나 전기화재에 소화능력을 발휘하며, 분말소화약제의 종류에는 제1종, 제2종, 제3종, 제4종 분말소화약제가 있다.

③ 분말소화설비는 약제저장용기, 정압작동장치, 압력조정기, 클리닝장치, 선택밸브, 분사헤드, 감지장치 등으로 구성되어 있다.

(2) 장점 · 단점

① 장점

㉠ 인체에 해가 없고, 약제수명이 반영구적이다.

㉡ 전기절연성이 우수하다.

㉢ 동결 우려가 없다.

② 단점

㉠ 소화 후 잔유물이 남는다.

㉡ 고압이 필요하다.

㉢ 설치가 복잡하다.

2. 분말소화설비의 종류

(1) 전역방출방식

방호대상물이 내화구조 또는 불연재료로 된 벽, 기둥, 반자로 구획되어 있고 자동폐쇄장치의 개구부가 설치된 구획 안에 헤드를 설치하여 소화제를 방출하는 방식이다.

(2) 국소방출방식

방호대상물이 불연재료로 되어 있지 아니하거나 또는 구획되어 있는 경우에도 전역방출방식으로는 소화가 곤란하거나 한정된 소규모의 방호대상물의 연소면을 직접 소화제로 덮어 소화할 수 있도록 헤드를 배치한 방식이다.

(3) 호스릴식

전역방출방식 · 국소방출방식과 같이 사전에 배관을 고정 · 설치하는 것이 아니고 화재의 경우 호스를 연장하여 사람이 조작할 수 있도록 이동이 가능한 방식이다.

3. 분말소화설비의 구성

(1) 분말소화설비는 용기유닛, 정압작동장치(약제와 기동용 가스를 혼합하여 일정한 압력이 되도록 유지), 선택밸브, 수동기동장치, 자동화재감지장치, 경보장치, 제어장치, 배관분사헤드 등으로 구성되어 있다.

(2) 화재감지기에 의하여 화재를 감지하게 되면 경보벨이 울림과 동시에 제어반에 전류가 흘러 기동장치가 작동하고 가압가스 용기밸브와 선택밸브를 개방한다.

(3) 가압가스는 분말용기로 들어가 분말을 교란시키고 소정의 내압으로 되면 정압작동장치가 동작 분말용기의 주밸브를 개방시켜 소화분말이 배관을 통하여 헤드 또는 노즐로부터 방사한다.

(4) 가압용 가스용기

① 분말소화약제의 가스용기는 분말소화약제의 저장용기에 접속하여 설치하여야 한다.

② 가압용 가스용기가 3병 이상 설치되고, 전자개방밸브로 가압용 가스용기를 개방하는 경우에는 2개 이상의 용기에 전자개방밸브를 부착한다.

③ 분말소화약제의 가압용 가스용기에는 2.5MPa 이하의 압력에서 조정이 가능한 압력조정기를 설치하여야 한다.

정희's 톡talk

분말소화설비의 토너먼트(균등) 방식

분말소화설비의 배관은 방사압력과 방사량을 균일하게 방사하기 위하여 토너먼트 방식의 배관을 설치합니다.

(5) 배관

① **배관은 토너먼트 방식으로 분기하여야 한다.**

② 수계소화설비에 토너먼트 방식은 분기하면 마찰이 증가하여 사용할 수 없지만, 분말소화설비에서 고체는 직진성을 가지고 있어 토너먼트 방식을 사용한다.

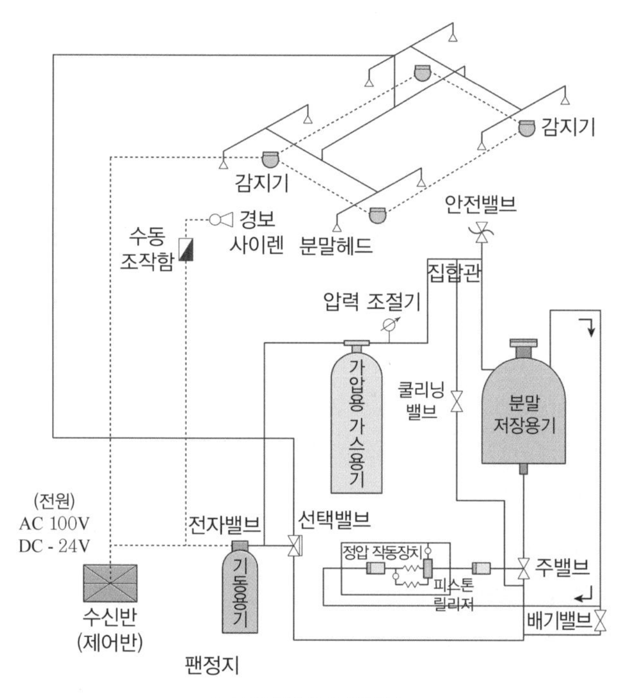

▲ 분말소화설비 계통도

CHAPTER 3 경보설비

1 비상경보설비 및 단독경보형감지기 D

1. 개요

(1) 정의

① 비상경보설비는 비상벨설비와 자동식사이렌설비가 있다. 사람이 화재를 발견하면 건물 내에 있는 사람에게 알리는 설비로 **수동으로 작동**된다.

② **비상벨설비**란 화재발생 상황을 **경종**으로 경보하는 설비를 말한다.

③ **자동식사이렌설비**란 화재발생 상황을 **사이렌**으로 경보하는 설비를 말한다.

④ 단독경보형감지기란 화재발생 상황을 단독으로 감지하여 자체에 내장된 음향장치로 경보하는 감지기를 말한다.

⑤ 발신기란 화재발생 신호를 수신기에 수동으로 발신하는 장치를 말한다.

⑥ 수신기란 발신기에서 발하는 화재신호를 직접 수신하여 화재의 발생을 표시 및 경보하여 주는 장치를 말한다.

(2) 신호처리방식

화재신호 및 상태신호 등("화재신호 등")을 송수신하는 방식이다.

① 유선식은 화재신호 등을 배선으로 송 · 수신하는 방식이다.

② 무선식은 화재신호 등을 전파에 의해 송 · 수신하는 방식이다.

③ 유 · 무선식은 유선식과 무선식을 겸용으로 사용하는 방식이다.

(3) 비상경보설비 작동원리

① 비상벨설비와 자동식사이렌설비는 전원설비로 자동화재탐지설비의 수신기를 이용하는 방식과 비상경보용 축전지설비를 이용하는 방식이 있다.

② 경보장치로 벨을 사용하면 비상벨설비, 사이렌을 이용하면 자동식사이렌 설비가 된다.

③ 사람이 화재를 발견하여 발신기 버튼을 누르면 수신기에 신호가 전달되고 수신기는 경종(사이렌)을 작동시킨다. 또한 수신기에는 화재표시등과 지구표시등이 점등된다. **지구표시등은 작동한 발신기를 알려주는 역할을 한다.**

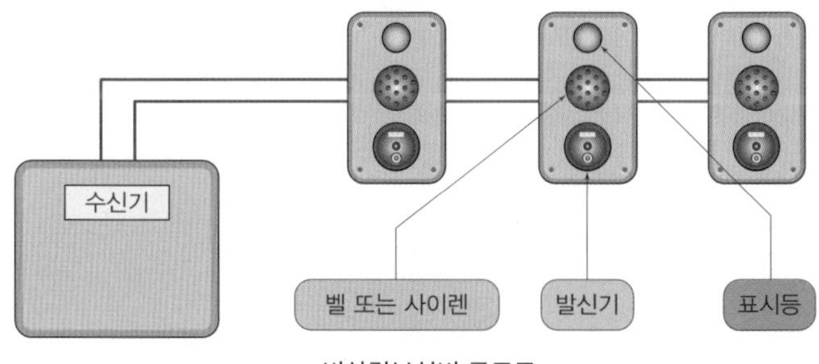

▲ 비상경보설비 구조도

소방시설 5 해커스소방 김정희 소방학개론 기본서

2. 비상경보설비의 설치

(1) 비상벨설비 또는 자동식사이렌설비의 설치기준

① 비상벨설비 또는 자동식사이렌설비는 부식성 가스 또는 습기 등으로 인하여 부식의 우려가 없는 장소에 설치해야 한다.

② 지구음향장치는 특정소방대상물의 층마다 설치하되, 해당 특정소방대상물의 각 부분으로부터 하나의 음향장치까지의 수평거리가 25m 이하가 되도록 하고, 해당층의 각 부분에 유효하게 경보를 발할 수 있도록 설치하여야 한다. 다만, 「비상방송설비의 화재안전기술기준(NFTC 202)」에 적합한 방송설비를 비상벨설비 또는 자동식사이렌설비와 연동하여 작동하도록 설치한 경우에는 지구음향장치를 설치하지 않을 수 있다.

③ 음향장치는 정격전압의 80% 전압에서 음향을 발할 수 있도록 하여야 한다. 다만, 건전지를 주전원으로 사용하는 음향장치는 그러하지 아니하다.

④ 음향장치의 음량은 부착된 음향장치의 중심으로부터 1m 떨어진 위치에서 90dB 이상이 되는 것으로 하여야 한다.

(3) 발신기의 설치기준

① 조작이 쉬운 장소에 설치하고, 조작스위치는 바닥으로부터 0.8m **이상** 1.5m **이하의 높이**에 설치할 것

② 특정소방대상물의 층마다 설치하되, 해당 특정소방대상물의 각 부분으로부터 하나의 발신기까지의 **수평거리가** 25m **이하**가 되도록 할 것. 다만, 복도 또는 별도로 구획된 실로서 보행거리가 40m 이상일 경우에는 추가로 설치하여야 한다.

③ 발신기의 위치표시등은 함의 상부에 설치하되, 그 불빛은 부착면으로부터 15° 이상의 범위 안에서 부착지점으로부터 10m 이내의 어느 곳에서도 쉽게 식별할 수 있는 적색등으로 할 것

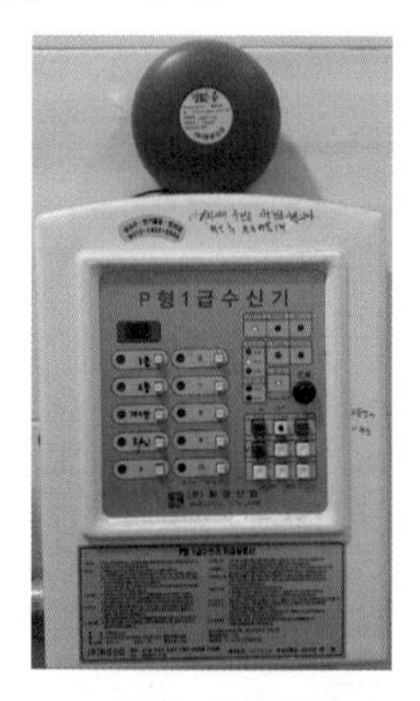

▲ P형 1급 수신기

▲ 발신기

2 자동화재탐지설비 A

1. 개요

(1) 정의

① 화재 발생 초기단계에서 감지기에 의하여 열 또는 연기를 자동으로 감지하거나 발신기의 조작으로 수동으로 관계인에게 벨, 사이렌 등의 음향 및 시각경보기로 화재를 알리는 설비를 말한다.

② 화재발생을 자동적으로 감지하여 당해 소방대상물의 화재발생을 소방대상물의 관계자에게 통보할 수 있는 설비로서 감지기, 발신기(M형 발신기 제외), 수신기(M형 수신기 제외), 경종 또는 중계기 등으로 구성된다.

(2) 관련용어

① 경계구역: 특정소방대상물 중 화재신호를 발신하고 그 신호를 수신 및 유효하게 제어할 수 있는 구역을 말한다.

② 수신기: 감지기나 발신기에서 발하는 화재신호를 직접 수신하거나 중계기를 통하여 수신하여 화재의 발생을 표시 및 경보하여 주는 장치를 말한다.

③ 중계기: 감지기·발신기 또는 전기적인 접점 등의 작동에 따른 신호를 받아 이를 수신기의 제어반에 전송하는 장치를 말한다.

④ 감지기: 화재 시 발생하는 열, 연기, 불꽃 또는 연소생성물을 자동적으로 감지하여 수신기에 발신하는 장치를 말한다.

⑤ 발신기: 화재발생 신호를 수신기에 수동으로 발신하는 장치를 말한다.

⑥ 시각경보장치: 자동화재탐지설비에서 발하는 화재신호를 시각경보기에 전달하여 청각장애인에게 점멸형태의 시각경보를 하는 것을 말한다.

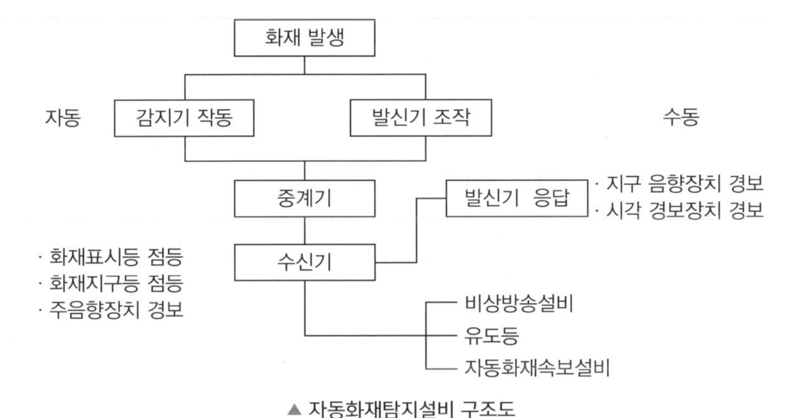

▲ 자동화재탐지설비 구조도

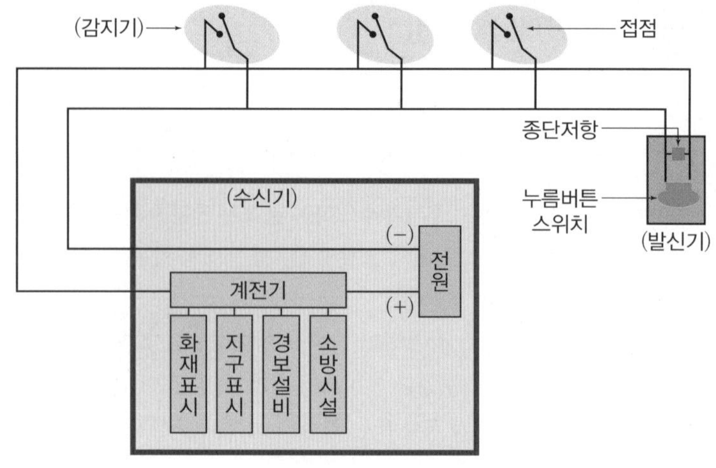

▲ 자동화재탐지설비의 회로도

2. 자동화재탐지설비의 경계구역

(1) 개념

① 경계구역은 특정소방대상물 중 화재신호를 발신하고 그 신호를 수신 및 유효하게 제어할 수 있는 구역을 말한다.

② 자동화재탐지설비는 화재발생뿐만 아니라 화재가 건물의 어느 지점에서 발생하였는지도 알려주는 설비이다.

(2) 경계구역 기준

① 화재발생지점은 수신기에서 지구표시등을 점등시키거나 LCD표시창에 문자로 표시해 주는데, 이 지구표시등 또는 문자 하나가 담당하는 구역을 경계구역이라 할 수 있다.

② 자동화재탐지설비의 경계구역은 다음의 기준에 따라 설정해야 한다. 다만, 감지기의 형식승인 시 감지거리, 감지면적 등에 대한 성능을 별도로 인정받은 경우에는 그 성능인정범위를 경계구역으로 할 수 있다.

예제

특정소방대상물이 지상 10층, 지하 3층, 층별 바닥면적 550m², 층간 높이 3m, 계단 1개, 엘리베이터 1개인 경우 최소 경계구역 수는?

해설

- 수평적 경계구역: 각 층마다 1개씩, 총 13개
- 수직적 경계구역: 엘리베이터권상기실 1개, 계단(지하 3층이므로) 2개(지상층 높이 30m이므로 1개, 지하층 높이 9m이므로 1개)

정답 16개

③ 수평적 경계구역

㉠ 하나의 경계구역이 2개 이상의 건축물에 미치지 아니하도록 할 것

㉡ 하나의 경계구역이 2개 이상의 층에 미치지 아니하도록 할 것. 다만, 500m^2 **이하**의 범위 안에서는 2개의 층을 하나의 경계구역으로 할 수 있다.

㉢ 하나의 경계구역의 면적은 600m^2 **이하**로 하고 한 변의 길이는 50m **이하**로 할 것. 다만, 해당 특정소방대상물의 주된 출입구에서 그 내부 전체가 보이는 것에 있어서는 **한 변의 길이가** 50m**의 범위 내에서** 1,000m^2 **이하**로 할 수 있다.

㉣ 외기에 면하여 상시 개방된 부분이 있는 차고 · 주차장 · 창고 등에 있어서는 외기에 면하는 각 부분으로부터 5m 미만의 범위 안에 있는 부분은 경계구역의 면적에 산입하지 않는다.

④ 수직적 경계구역

㉠ 계단* · 경사로(에스컬레이터경사로 포함) · 엘리베이터 승강로(권상기실이 있는 경우에는 권상기실) · 린넨슈트 · 파이프 피트 및 덕트 기타 이와 유사한 부분에 대하여는 별도로 경계구역을 설정하되, 하나의 경계구역은 높이 45m **이하(계단 및 경사로에 한함)**로 한다.

㉡ **지하층의 계단 및 경사로(지하층의 층수가 1층일 경우는 제외)는 별도로 하나의 경계구역**으로 하여야 한다.

예제

층수가 지하 5층, 지상 22층이고 각 층의 층고가 3m인 건물에 지하 5층부터 지상 22층까지 통하는 계단과 파이프덕트가 설치되어 있을 때 계단과 파이프덕트는 몇 개의 수직적 경계구역으로 산정하여야 하는가?

해설

1. 계단
   - 지하층이 5층이므로 지상과 지하를 구분하여 경계구역을 산정한다.
   - 계단 및 지상층의 높이는 66m, 지하층의 높이는 15m이므로 지하층은 1개, 지상층은 2개, 총 3개가 된다.
2. 파이프덕트는 지상층과 지하층의 구분 없이 그리고 높이에 상관없이 하나의 경계구역으로 할 수 있으므로 1개이다.

정답 4개

핵심기출

자동화재탐지설비의 경계구역 설정에 대한 기준이다. ( ) 안에 들어갈 내용으로 옳은 것은? 20. 소방간부

하나의 경계구역의 면적은 (ㄱ)m^2 이하로 하고 한 변의 길이는 (ㄴ)m 이하로 할 것. 다만, 해당 특정소방대상물의 주된 출입구에서 그 내부 전체가 보이는 것에 있어서는 한 변의 길이가 (ㄷ)m의 범위 내에서 (ㄹ)m^2 이하로 할 수 있다.

	ㄱ	ㄴ	ㄷ	ㄹ
①	500	50	60	800
②	500	60	50	1,000
③	600	50	50	800
④	600	50	50	1,000
⑤	600	60	60	1,000

정답 ④

정희's 톡talk

수직적 경계구역 중 계단*

직통계단 외의 것에 있어서는 떨어져 있는 상하계단의 수평거리가 5m 이하로서 서로 간에 구획되지 아니한 것에 한합니다.

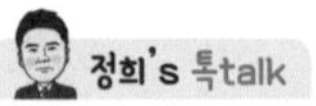

경계구역(상시 개방된 부분)

1. 외기에 면하여 상시 개방된 부분이 있는 차고·주차장·창고 등에 있어서는 외기에 면하는 각 부분으로부터 5m 미만의 범위 안에 있는 부분은 경계구역의 면적에 산입하지 않습니다.
2. 스프링클러설비·물분무등소화설비 또는 제연설비의 화재감지장치로서 화재감지기를 설치한 경우의 경계구역은 해당 소화설비의 방사구역 또는 제연구역과 동일하게 설정할 수 있습니다.

▲ 시각경보기

▲ 발신기

▲ 감지기

요약NOTE 경계구역

1. 수평적 경계구역

구분	원칙	예외사항
층별	층마다	2개 층이 $500m^2$ 이하일 때: 하나의 경계구역
면적	$600m^2$ 이하	주된 출입구에서 건물내부 전체가 보일 때: 한 변의 길이 50m 범위 내에서 $1,000m^2$ 이하 가능
한 변의 길이	50m 이하	-

2. 수직적 경계구역

구분	계단·경사로	E/V승강로·린넨슈트·파이프 피트·덕트
높이	45m 이하	제한 없음
지하층	지상층과 별도로 구분 (지하 1층만 있는 경우는 제외)	제한 없음

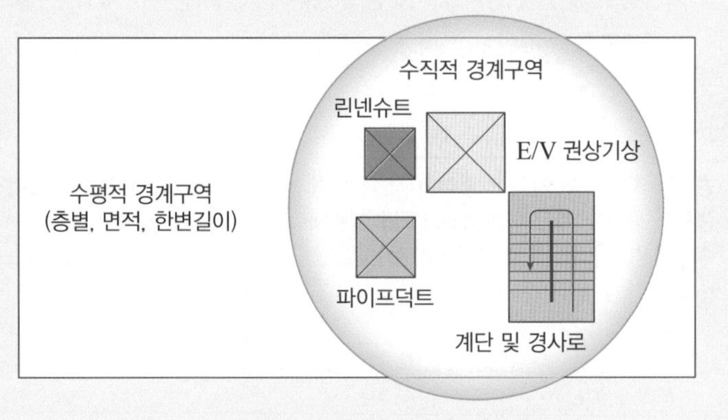

▲ 수평적·수직적 경계구역 구분

3. 감지기

(1) 정의

감지기란 화재 시에 발생하는 열, 불꽃 또는 연소생성물(연기)로 인하여 화재발생을 자동적으로 감지하여 그 자체에 부착된 음향장치로 경보를 발하거나 이를 수신기에 발신하는 것을 말한다. 이 경우 감지기를 부착할 때에 전용기판을 필요로 하는 것에 있어서는 그 기판을 포함한다.

(2) 관련용어

① **열감지기**: 화재에 의하여 발생되는 열을 감지하여 화재신호를 발신하는 감지기를 말한다.

② **연기감지기**: 화재에 의하여 발생되는 연기를 감지하여 화재신호를 발신하는 감지기를 말한다.

③ **불꽃감지기**: 화재에 의하여 발생되는 불꽃(적외선 및 자외선 포함)을 감지하여 화재신호를 발신하는 감지기를 말한다.

④ **복합형감지기**: 화재 시 발생하는 열, 연기, 불꽃을 자동적으로 감지하는 기능 중 두 가지 이상의 성능(동일 생성물이나 다른 연소생성물의 감지 기능)을 가진 것으로서 두 가지 이상의 성능이 함께 작동할 때 화재신호를 발신하거나 또는 두 개 이상의 화재신호를 각각 발신하는 감지기를 말한다.

(3) 감지기의 기능

감지기는 물리·화학적 변화량을 검출하는 감지기능, 화재를 판별하는 판단기능, 화재신호를 수신기로 송출하는 발신기능이 있다.

① 감지기능

㉠ 감지기는 화재 시에는 열, 연기, 불꽃의 물리·화학적 변화가 발생하는데 이들 중에서 하나 또는 두 개를 감지한다.

㉡ 감지하는 대상에 따라 열을 감지하는 열감지기, 연기를 감지하는 연기감지기, 불꽃을 감지하는 불꽃감지기, 열과 연기를 동시에 감지하는 열연기복합형감지기로 구분된다.

② 판단기능

㉠ 감지기는 화재로 인한 물리·화학적 변화량이 일정량 이상 일정시간 이상 지속되면 이것을 화재라고 판단하는 기능을 말한다.

㉡ 감지기가 화재라고 판단하는 기준이 되는 물리·화학적 변화량은 감지기의 형식승인 및 제품검사의 기술기준에 정하고 있는데 이를 감도라고 한다.

㉢ 감도는 특종, 1종, 2종, 3종으로 구분되며 특종으로 갈수록 작은 변화량에 반응한다.

③ 발신기능

㉠ 감지기가 수신기에 보내는 기능을 말한다.

㉡ 신호방식에는 접점신호방식[1]과 통신신호방식[2]이 있다.

용어사전

❶ **접점신호방식**: 수신기로부터 감지기에 연결된 전선에 접점을 구성하여 전류가 흐르면 화재이고, 전류가 흐르지 않으면 화재가 아닌 것으로 신호를 보내는 방식이다.

❷ **통신신호방식**: 감지기와 수신기에 통신장치를 내장하여 통신신호를 주고받는 방식이다. 그러나 통신장치를 내장한 감지기는 경제적 부담이 되는 단점이 있다.

핵심 적중

01 차동식 분포형 감지기의 종류에 해당하지 않는 것은? 23. 공채

① 공기관식 ② 열전대식
③ 열반도체식 ④ 광전식

정답 ④

02 열감지기의 종류가 아닌 것은? 18. 하반기 공채

① 보상식 ② 정온식
③ 광전식 ④ 차동식

정답 ③

03 차동식 스포트형과 정온식 스포트형 감지기의 성능을 겸한 것으로서 둘 중 어느 한 기능이 작동되면 화재 신호를 발하는 감지기는? 19. 소방간부

① 다신호식
② 아날로그식
③ 광전식 스포트형
④ 보상식 스포트형
⑤ 이온화식 스포트형

정답 ④

04 차동식 스포트형 감지기와 정온식 스포트형 감지기의 성능을 겸한 것으로서 차동식 스포트형 감지기의 성능 또는 정온식 스포트형 감지기의 성능 중 어느 한 기능이 작동되면 작동신호를 발하는 감지기를 무엇이라고 하는가?

① 보상식 감지기
② 열복합형 감지기
③ 연기복합형 감지기
④ 불꽃감지기

정답 ①

05 차동식 스포트형과 정온식 스포트형 감지기의 성능을 겸한 것으로서 둘 중 어느 한 기능이 작동되면 화재신호를 발하는 감지기는? 19. 소방간부

① 다신호식
② 아날로그식
③ 광전식 스포트형
④ 보상식 스포트형
⑤ 이온화식 스포트형

정답 ④

06 다음 중 연기감지기의 종류로 옳은 것은? 17. 하반기 공채

① 광전식 분포형 감지기
② 보상식 분포형 감지기
③ 차동식 분포형 감지기
④ 정온식 분포형 감지기

정답 ①

(4) 감지기의 구분

① 열감지기

㉠ **차동식 스포트형:** **주위온도가 일정 상승율 이상**이 되는 경우에 작동하는 것으로서 **일국소**에서의 열 **효과**에 의하여 작동되는 것을 말한다.

㉡ **차동식 분포형:** **주위온도가 일정 상승율 이상**이 되는 경우에 작동하는 것으로서 **넓은 범위 내**에서의 **열 효과의 누적**에 의하여 작동되는 것을 말한다.

㉢ **정온식 감지선형:** 일국소의 주위온도가 일정한 온도 이상이 되는 경우에 작동하는 것으로서 외관이 전선으로 되어 있는 것을 말한다.

㉣ **정온식 스포트형:** 일국소의 주위온도가 일정한 온도 이상이 되는 경우에 작동하는 것으로서 외관이 전선으로 되어 있지 아니한 것을 말한다.

㉤ **보상식 스포트형:** **차동식 스포트형과 정온식 스포트형 성능을 겸한** 것으로서 차동식 스포트형의 성능 또는 정온식 스포트형의 성능 중 **어느 한 기능이 작동되면 작동신호를 발하는** 것을 말한다.

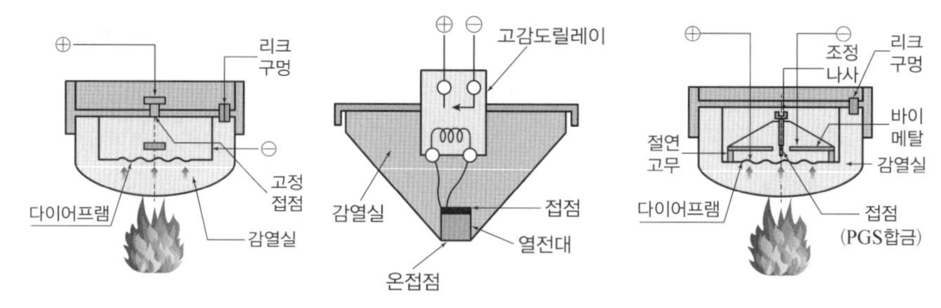

▲ 차동식 스포트형 감지기 구조 ▲ 열전대식 감지기 구조 ▲ 보상식 감지기 구조

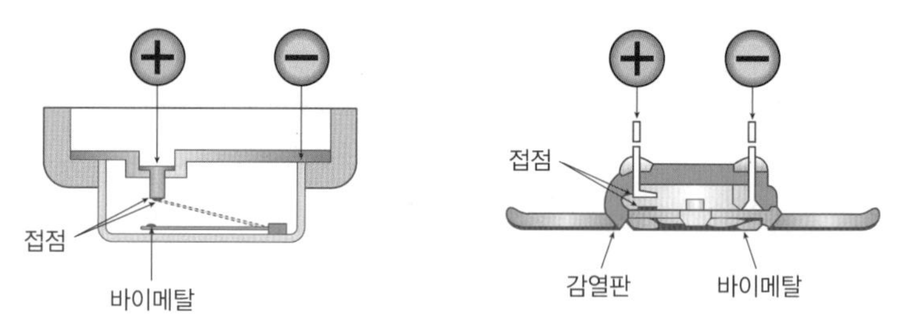

▲ 바이메탈의 활곡을 이용한 정온식감지기 ▲ 바이메탈의 반전을 이용한 정온식 감지기

② 연기감지기

㉠ **이온화식 스포트형:** 주위공기가 일정한 농도의 연기를 포함하게 되는 경우 작동하는 것으로, **일국소의 연기에 의해 이온전류가 변화하여 작동하는 것**을 말한다.

㉡ **광전식 스포트형:** 주위공기가 일정한 농도의 연기를 포함하게 되는 경우 작동하는 것으로, **일국소의 연기에 의해 광전소자에 접하는 광량의 변화로 작동하**는 것을 말한다.

㉢ **광전식 분리형:** 발광부와 수광부로 구성된 구조로 **발광부와 수광부 사이의 공간에 일정한 농도의 연기를 포함하게 되는 경우에 작동하는** 것을 말한다.

㉣ **공기흡입형**: 감지기 내부에 장착된 공기흡입장치로 감지하고자 하는 위치의 공기를 흡입하고 흡입된 공기에 일정한 농도의 연기가 포함된 경우 작동하는 것을 말한다.

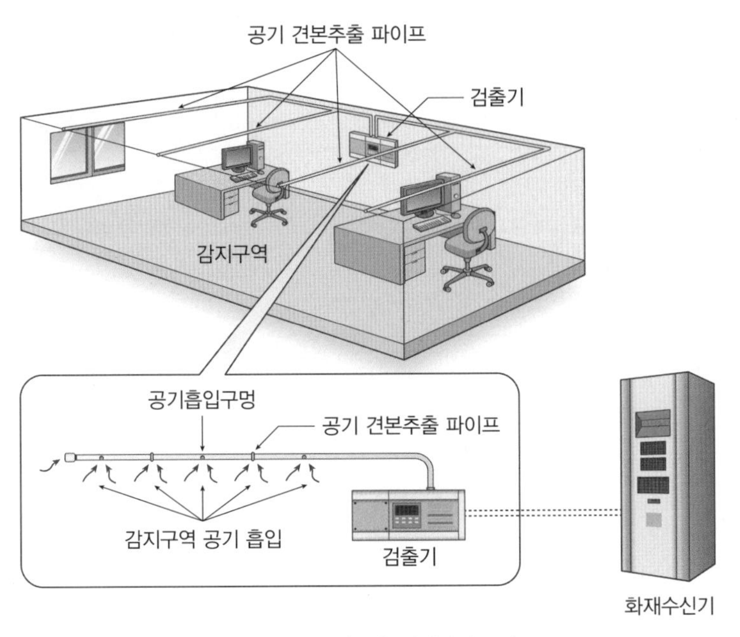

▲ 광전식 공기흡입형 감지기의 구성

③ 불꽃감지기

㉠ **불꽃 자외선식**: 불꽃에서 방사되는 자외선의 변화가 일정량 이상 되었을 때 작동하는 것으로서 일국소의 자외선에 의하여 수광소자의 수광량 변화에 의해 작동하는 것을 말한다.

㉡ **불꽃 적외선식**: 불꽃에서 방사되는 적외선의 변화가 일정량 이상 되었을 때 작동하는 것으로서 일국소의 적외선에 의하여 수광소자의 수광량 변화에 의해 작동하는 것을 말한다.

㉢ **불꽃 자외선·적외선겸용식**: 불꽃에서 방사되는 불꽃의 변화가 일정량 이상 되었을 때 작동하는 것으로서 자외선 또는 적외선에 의한 수광소자의 수광량 변화에 의하여 1개의 화재신호를 발신하는 것을 말한다.

㉣ **불꽃 영상분석식**: 불꽃의 실시간 영상이미지를 자동 분석하여 화재신호를 발신하는 것을 말한다.

④ 복합형감지기

㉠ **열복합형**: 차동식 스포트형 감지기와 정온식 스포트형 감지기의 성능이 있는 것으로서 두 가지 성능의 감지기능이 함께 작동될 때 화재신호를 발신하거나 또는 두 개의 화재신호를 각각 발신하는 것을 말한다.

㉡ **연복합형**: 이온화식 스포트형 감지기와 광전식 스포트형 감지기의 성능이 있는 것으로서 두 가지 성능의 감지기능이 함께 작동될 때 화재신호를 발신하거나 또는 두 개의 화재신호를 각각 발신하는 것을 말한다.

핵심기출

주위 온도가 일정 상승률 이상 되는 경우에 작동하는 감지기로서 넓은 범위 내에서 열효과 누적에 의해 작동하는 것은?

24. 공채·경채

① 차동식 분포형 감지기
② 차동식 스포트형 감지기
③ 정온식 스포트형 감지기
④ 정온식 감지선형 감지기

정답 ①

핵심적중

01 자동화재탐지설비의 감지기에 대한 설명 중 옳은 것은?

① 열감지기는 정온식, 차동식, 광전식이 있다.
② 이온화식감지기는 연기감지기이다.
③ 실온이 일정온도 이상으로 상승하였을 때 작동하는 것으로 보일러실, 주방에 주로 사용되는 것은 차동식감지기이다.
④ 정온식감지기와 차동식감지기를 결합한 형태가 광전식감지기이다.

정답 ②

02 자동화재탐지설비 감지기의 종류에 대한 설명이다. ( ) 안에 들어갈 내용으로 옳은 것은? 21. 소방간부

주위온도가 일정 상승률 이상이 되는 경우에 작동하는 것으로서 일국소의 열효과에 의하여 작동하는 것을 (ㄱ) 감지기라 하고, 일국소의 주위온도가 일정한 온도 이상이 되는 경우에 작동하는 것으로서 외관이 전선으로 되어 있지 아니한 것을 (ㄴ) 감지기라 한다. 이들 두 감지기의 성능을 겸한 것으로서 두 성능 중 어느 하나가 작동되면 화재신호를 발하는 것을 (ㄷ)감지기라고 한다.

	ㄱ	ㄴ	ㄷ
①	정온식 스포트형	차동식 스포트형	보상식 스포트형
②	정온식 분포형	차동식 분포형	열복합식
③	차동식 스포트형	정온식 스포트형	보상식 스포트형
④	차동식 분포형	정온식 분포형	열복합식
⑤	차동식 감지선형	정온식 감지선형	열연복합식

정답 ③

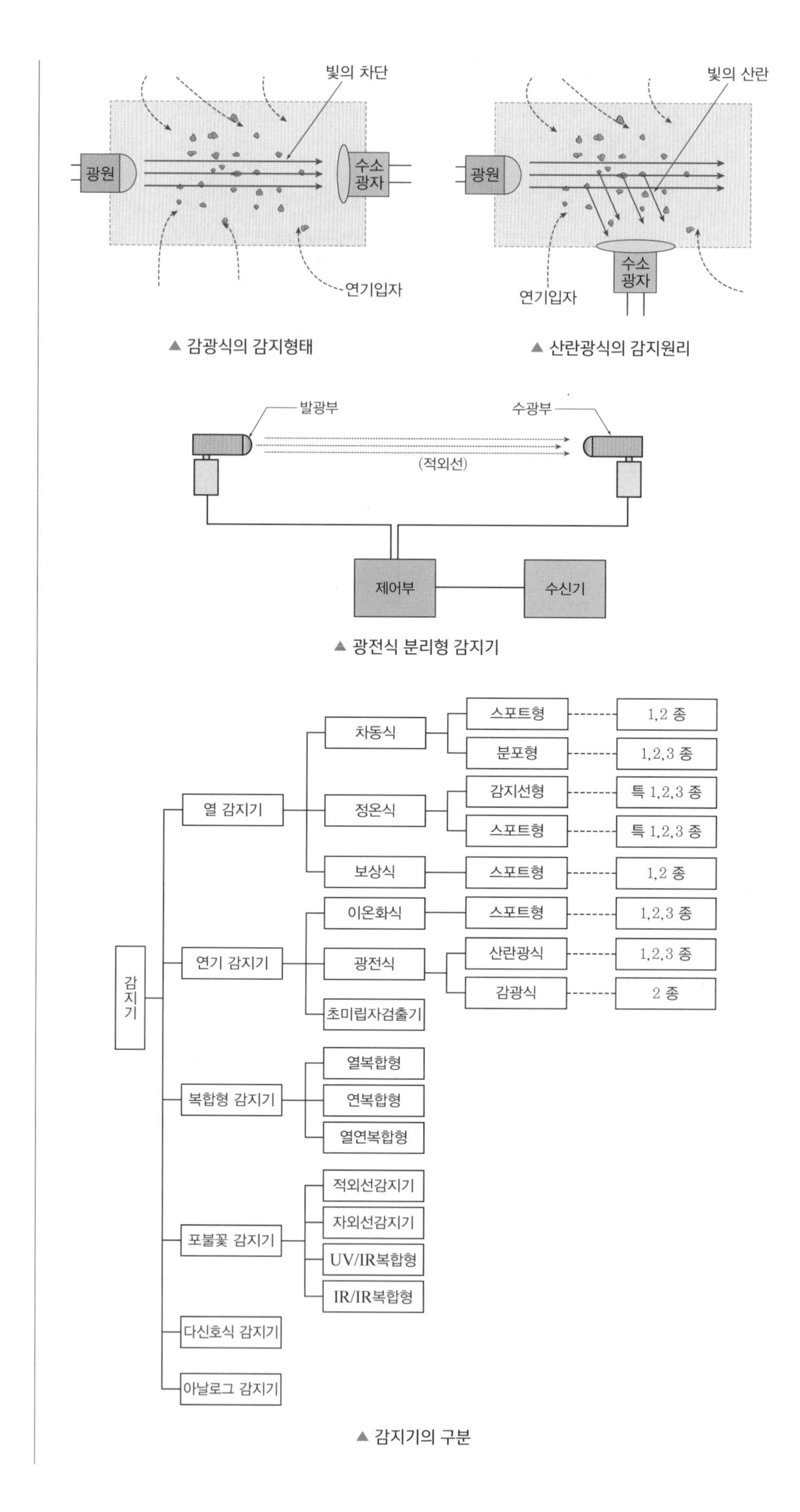

▲ 감광식의 감지형태

▲ 산란광식의 감지원리

▲ 광전식 분리형 감지기

▲ 감지기의 구분

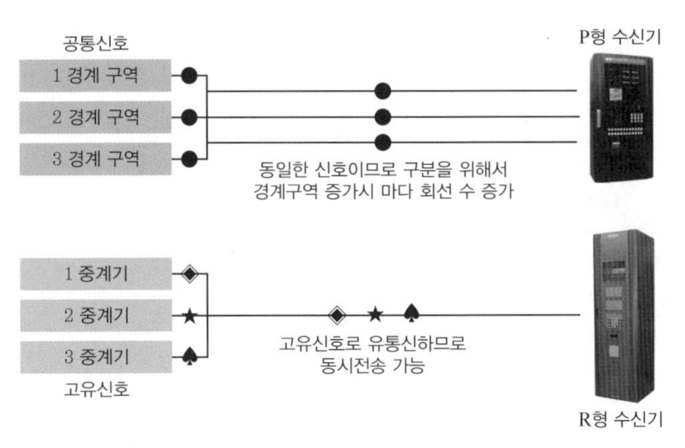

▲ 공통신호와 고유신호의 구분

(5) 감지기의 설치기준 〈소방간부 출제범위〉

① 자동화재탐지설비의 감지기는 부착높이에 따라 다음 표에 따른 감지기를 설치하여야 한다.

부착높이	감지기의 종류
4m 미만	· 차동식(스포트형, 분포형) · 보상식 스포트형 · 정온식(스포트형, 감지선형) · 이온화식 또는 광전식(스포트형, 분리형, 공기흡입형) · 열복합형 · 연기복합형 · 열연기복합형 · 불꽃감지기
4m 이상 8m 미만	· 차동식(스포트형, 분포형) · 보상식 스포트형 · 정온식(스포트형, 감지선형) 특종 또는 1종 · 이온화식 1종 또는 2종 · 광전식(스포트형, 분리형, 공기흡입형) 1종 또는 2종 · 열복합형 · 연기복합형 · 열연기복합형 · 불꽃감지기
8m 이상 15m 미만	· 차동식 분포형 · 이온화식 1종 또는 2종 · 광전식(스포트형, 분리형, 공기흡입형) 1종 또는 2종 · 연기복합형 · 불꽃감지기
15m 이상 20m 미만	· 이온화식 1종 · 광전식(스포트형, 분리형, 공기흡입형) 1종 · 연기복합형 · 불꽃감지기
20m 이상	· 불꽃감지기 · 광전식(분리형, 공기흡입형) 중 아날로그방식

비고
1) 감지기별 부착높이 등에 대하여 별도로 형식승인 받은 경우에는 그 성능 인정범위 내에서 사용할 수 있다.
2) 부착높이 20m 이상에 설치되는 광전식 중 아날로그방식의 감지기는 공치감지농도 하한값이 감광율 5%/m 미만인 것으로 한다.

핵심기출

자동화재탐지설비에서 부착 높이에 따른 감지기로 옳은 것만을 〈보기〉에서 있는 대로 고른 것은? 23. 소방간부

〈보기〉
ㄱ. 부착 높이 4m 미만: 광전식 스포트형 감지기
ㄴ. 부착 높이 4m 이상 8m 미만: 정온식 감지선형 1종 감지기
ㄷ. 부착 높이 8m 이상 15m 미만: 차동식 스포트형 감지기
ㄹ. 부착 높이 15m 이상 20m 미만: 보상식 스포트형 감지기

① ㄱ, ㄴ
② ㄱ, ㄷ
③ ㄴ, ㄹ
④ ㄱ, ㄷ, ㄹ
⑤ ㄴ, ㄷ, ㄹ

정답 ①

② **예외사항**: 지하층 · 무창층 등으로서 환기가 잘되지 아니하거나 실내면적이 $40m^2$ 미만인 장소, 감지기의 부착면과 실내바닥과의 거리가 2.3m 이하인 곳으로서 일시적으로 발생한 열 · 연기 또는 먼지 등으로 인하여 화재신호를 발신할 우려가 있는 장소(수신기를 설치한 장소 제외)에는 다음에서 정한 감지기중 적응성 있는 감지기를 설치하여야 한다.

㉠ 불꽃감지기

㉡ 정온식감지선형감지기

㉢ 분포형감지기

㉣ 복합형감지기

㉤ 광전식분리형감지기

㉥ 아날로그방식의 감지기

㉦ 다신호방식의 감지기

㉧ 축적방식의 감지기

③ 계단 · 경사로 · 복도 · 엘리베이터 승강로 또는 이와 유사한 장소 및 특정소방대상물의 취침 · 숙박 · 입원 등 이와 유사한 용도로 사용되는 거실에는 연기감지기를 설치해야 한다.

(6) **연기감지기 설치장소**(NFTC 203)

교차회로방식에 따른 감지기가 설치된 장소 또는 (5)의 ②에 따른 감지기가 설치된 장소에는 그러하지 아니하다.

① 계단 · 경사로 및 에스컬레이터 경사로

② 복도(30m 미만의 것 제외)

③ 엘리베이터 승강로(권상기실이 있는 경우에는 권상기실) · 린넨슈트 · 파이프 피트 및 덕트 기타 이와 유사한 장소

④ 천장 또는 반자의 높이가 15m 이상 20m 미만의 장소

⑤ **다음의 어느 하나에 해당하는 특정소방대상물의 취침 · 숙박 · 입원 등 이와 유사한 용도로 사용되는 거실**

㉠ 공동주택 · 오피스텔 · 숙박시설 · 노유자시설 · 수련시설

㉡ 교육연구시설 중 합숙소

㉢ 의료시설, 근린생활시설 중 입원실이 있는 의원 · 조산원

㉣ 교정 및 군사시설

㉤ 근린생활시설 중 고시원

(7) 감지기 설치 제외 장소(NFTC 203)

① 천장 또는 반자의 높이가 20m 이상인 장소

② 헛간 등 외부와 기류가 통하는 장소로서 감지기에 따라 화재발생을 유효하게 감지할 수 없는 장소

③ 부식성 가스가 체류하고 있는 장소

④ 고온도 및 저온도로서 감지기의 기능이 정지되기 쉽거나 감지기의 유지관리가 어려운 장소

⑤ 목욕실 · 욕조나 샤워시설이 있는 화장실 · 기타 이와 유사한 장소

⑥ 파이프덕트 등 그 밖의 이와 비슷한 것으로서 2개 층마다 방화구획된 것이나 **수평단면적이 5m² 이하인 것**

⑦ 먼지 · 가루 또는 수증기가 다량으로 체류하는 장소 또는 주방 등 평시에 연기가 발생하는 장소(연기감지기에 한함)

⑧ 프레스공장 · 주조공장 등 화재발생의 위험이 적은 장소로서 감지기의 유지관리가 어려운 장소

4. 발신기

(1) 정의

① 발신기란 화재발생 신호를 수신기에 수동으로 발신하는 장치를 말한다.

② 발신기는 화재를 발견했을 시 수신기 또는 중계기에 수동으로 화재 발생 신호를 발하는 것으로 사람이 직접 발신하는 것으로서 신뢰성이 높다.

(2) 발신기의 종류

① **P형 발신기**

㉠ **P형 1급 발신기**: 전화 연락 장치와 응답램프가 있는 P형 발신기

㉡ **P형 2급 발신기**: 전화 연락 장치와 응답램프가 없는 P형 발신기

② **T형 발신기**: 송화기형으로 되어 있으며 송수화기를 들면 화재신호 발신과 동시에 통화가 가능한 발신기이다. 수동으로 공통의 신호를 수신기로 발신하게 된다.

③ **M형 발신기**: **M형 발신기는 공용 발신기로서 누름단추를 눌렀을 때 발신기 고유의 신호가 소방관서에 설치된 M형 수신기에 전달되는 것이다.**

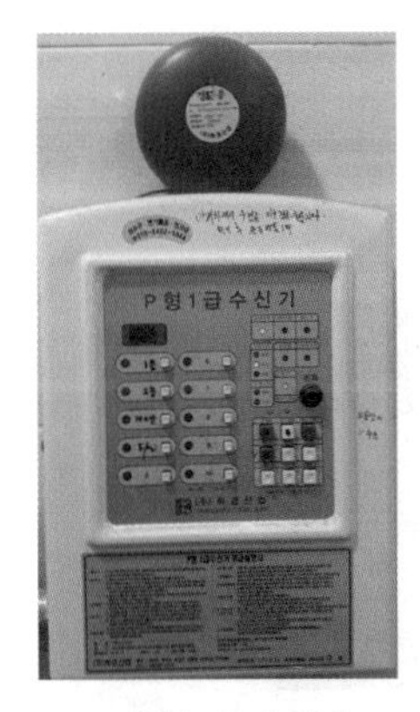

▲ P형 1급 수신기

▲ P형 1급 복합식 수신기

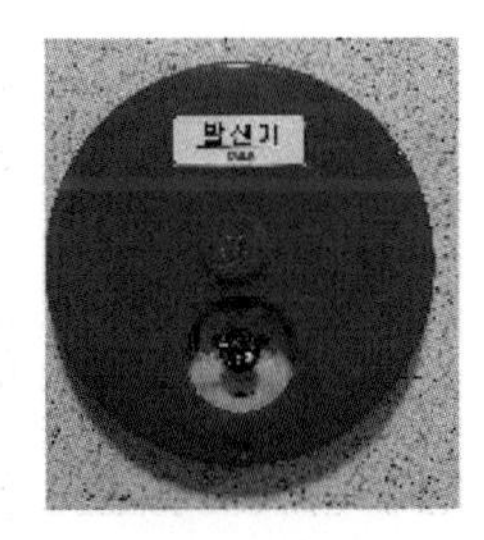

▲ 발신기

5. 수신기

(1) 정의

수신기란 감지기나 발신기에서 발하는 화재신호를 직접 수신하거나 중계기를 통해 수신하여 화재의 발생을 표시 및 경보하여 주는 장치를 말한다.

(2) 수신기의 종류

① **P형 수신기**: 감지기 또는 P형 발신기에서 보낸 신호를 받으면 화재등과 지구등이 점등되며 동시에 수신기 측 주경종과 해당 지구경종이 경보를 발하는 시스템이다.

㉠ **P형 1급 수신기**: P형 1급 수신기는 회로수의 제한이 없다.

㉡ **P형 2급 수신기**: P형 2급 수신기는 회로수가 5회로 이하이다.

② **R형 수신기**: 감지기 및 발신기로부터의 신호를 중계기를 통하여 관계자에게 통보하는 수신기로서 증·개축이 많거나 횟수가 많은 대규모 건물이나 다수의 동이 있는 건축물에 적합하지만 가격이 비싸다는 단점이 있다.

㉠ 통신전선이 적게 들어 경제적이다.

㉡ 통신선로의 길이를 길게 할 수 있다.

㉢ 신호의 전달이 명확하다.

㉣ 신호전달방식이 **다중신호 방식**이다(P형은 개별신호방식).

㉤ **고유의 신호**를 전달하는 중계기가 설치되어 있다(P형은 공통신호방식).

㉥ 회로의 이상, 고장, 단락 등을 판단하는 자기진단 기능이 있다.

③ **M형 수신기: 소방서에 설치하며, 화재 발생 시 M형 발신기로 발해진 신호를 소방서에서 받는 설비이다.**

④ **축적형 수신기**: 비화재보를 방지하기 위한 설비로서 화재신호가 계속될 때 작동하는 수신기이다.

6. 중계기

(1) 정의

중계기란 감지기·발신기 또는 전기적 접점 등의 작동에 따른 신호를 받아 이를 수신기의 제어반에 전송하는 장치를 말한다.

(2) 중계기의 종류

① R형 중계기는 R형 수신기에 사용하는 중계기를 말한다.

② P형 중계기는 연기감지기 및 가스누설 감지기 등의 특수 감지기에 사용하는 중계기이다.

▲ 중계기

핵심 적중

01 자동화재탐지설비의 수신기와 발신기에 대한 설명으로 옳지 않은 것은?

① P형 1급 수신기는 회로수의 제한이 없다.
② M형 수신기는 소방서에 설치하며, 화재 발생 시 M형 발신기로 발해진 신호를 소방서에서 받는 설비이다.
③ P형 2급 발신기는 누름버튼은 있지만 전화연락장치와 응답램프가 없다.
④ R형 수신기는 신호의 전달이 명확하지만 증설이나 이설이 용이하지 않다.

정답 ④

02 R형 수신기의 특징으로 옳지 않은 것은?

① 신호 전달이 명확하다.
② 선로수가 적게 든다.
③ 신호전달방식이 개별신호방식이다.
④ 대형건축물에 많이 사용된다.

정답 ③

03 자동화재탐지설비의 수신기의 설치기준으로 가장 옳지 않은 것은?

① 수위실 등 상시 사람이 근무하는 장소에 설치한다.
② 수신기의 조작스위치는 높이가 0.8~1.5m 이하인 장소에 설치한다.
③ 수신기가 설치된 장소에는 경계구역 일람도를 비치한다.
④ 하나의 경계구역은 2개 이상의 표시등 또는 문자로 표시한다.

정답 ④

04 소방시설 중 경보설비에 관한 설명으로 옳지 않은 것은? 24. 공채·경채

① 시각경보기는 청각장애인에게 점멸 형태로 시각경보를 하는 장치이다.
② R형 수신기는 감지기 또는 발신기에서 1:1 접점방식으로 전송된 신호를 수신한다.
③ 비상방송설비는 수신기에 화재신호가 도달하면 방송으로 화재 사실을 알리는 설비이다.
④ 이온화식 감지기와 광전식 감지기는 연기를 감지하여 화재신호를 발하는 장치이다.

정답 ②

3 자동화재속보설비 D

1. 정의

(1) 자동화재속보설비란 자동화재탐지설비로부터 화재신호를 받아 통신망을 통하여 음성 등의 방법으로 소방서에 자동적으로 화재발생과 위치를 신속하게 통보하여 주는 설비이다.

(2) 화재가 발생하였을 시 수동 또는 자동으로 화재발생을 소방서에 통보하기 위한 설비를 말한다.

(3) 자동화재속보설비는 소방관서로 연락하는 설비로서 다른 경보설비와는 차이가 있다.

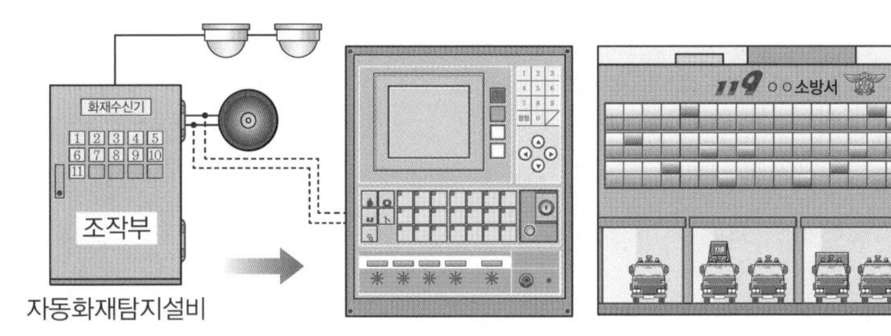

▲ 자동화재속보설비 구성도

2. 관련용어

(1) 속보기

화재신호를 통신망을 통하여 음성 등의 방법으로 소방관서에 통보하는 장치를 말한다.

(2) 통신망

유선이나 무선 또는 유무선 겸용 방식을 구성하여 음성 또는 데이터 등을 전송할 수 있는 집합체를 말한다.

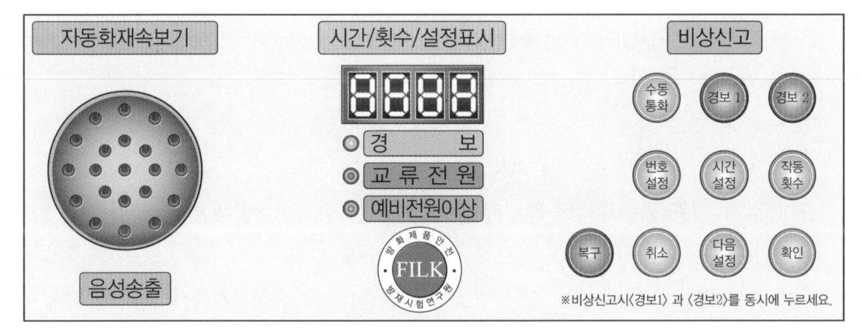

▲ 자동화재속보기의 표시등 및 스위치

핵심기출

자동화재탐지설비 수신기의 화재신호와 연동으로 작동하여 관계인에게 화재발생을 경보함과 동시에 소방관서에 자동적으로 통신망을 통한 당해 화재발생 및 당해 소방대상물의 위치 등을 음성으로 통보하여 주는 것은?

22. 소방간부

① 통합감시시설
② 비상경보설비
③ 비상방송설비
④ 자동화재속보설비
⑤ 단독경보형 감지기

정답 ④

4 비상방송설비 C

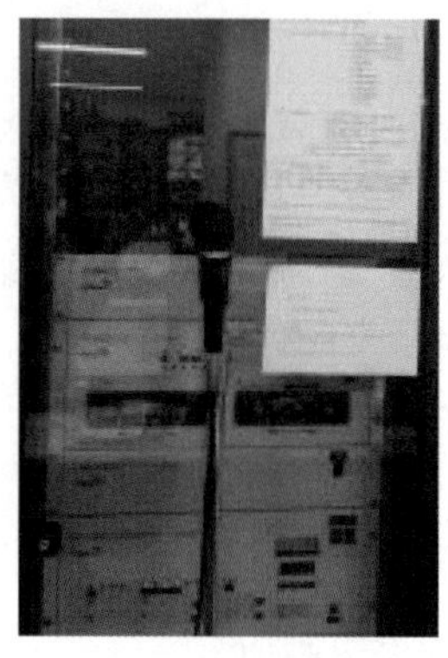
▲ 비상방송설비

1. 개요

(1) 정의

① 비상방송설비는 화재발생 상황을 자동 또는 수동으로 음성이나 비상경보의 방송을 확성기를 통해 알려 주는 설비이다.

② 관계인에 의해 수동으로도 기동이 되며, 자동화재탐지설비에 의하여 감지된 화재를 자동으로 신속하게 관계인에게 알려 주어 피난을 도와주는 설비이다.

(2) 관련용어

① **확성기**: 소리를 크게 하여 멀리까지 전달될 수 있도록 하는 장치로써 일명 스피커를 말한다.

② **음량조절기**: 가변저항을 이용하여 전류를 변화시켜 음량을 크게 하거나 작게 조절할 수 있는 장치를 말한다.

③ **증폭기**: 전압전류의 진폭을 늘려 감도를 좋게 하고 미약한 음성전류를 커다란 음성전류로 변화시켜 소리를 크게 하는 장치를 말한다.

2. 설치기준

(1) **음향장치 설치 기준**(NFPC 202 및 NFTC 202)

비상방송설비는 다음의 기준에 따라 설치해야 한다. 이 경우 엘리베이터 내부에는 별도의 음향장치를 설치할 수 있다.

① 확성기의 음성입력은 3W(실내에 설치하는 것에 있어서는 1W) 이상일 것

② 확성기는 각 층마다 설치하되, 그 층의 각 부분으로부터 하나의 확성기까지의 수평거리가 25m 이하가 되도록 하고, 해당 층의 각 부분에 유효하게 경보를 발할 수 있도록 설치할 것

③ 음량조정기를 설치하는 경우 음량조정기의 배선은 3선식으로 할 것

④ 조작부의 조작스위치는 바닥으로부터 0.8m 이상 1.5m 이하의 높이에 설치할 것

⑤ 조작부는 기동장치의 작동과 연동하여 해당 기동장치가 작동한 층 또는 구역을 표시할 수 있는 것으로 할 것

⑥ 증폭기 및 조작부는 수위실 등 상시 사람이 근무하는 장소로서 점검이 편리하고 방화상 유효한 곳에 설치할 것

⑦ **층수가 11층(공동주택의 경우에는 16층) 이상의 특정소방대상물**: 발화층에 따라 경보하는 층을 달리하여 경보를 발할 수 있도록 한다.

㉠ **2층 이상**의 층에서 발화한 때에는 **발화층** 및 **그 직상 4개층**에 경보를 발할 것

㉡ **1층**에서 발화한 때에는 **발화층** · **그 직상 4개층** 및 **지하층**에 경보를 발할 것

㉢ **지하층**에서 발화한 때에는 **발화층** · **그 직상층** 및 **기타의 지하층**에 경보를 발할 것

⑧ 다른 방송설비와 공용하는 것에 있어서는 화재 시 비상경보 외의 방송을 차단할 수 있는 구조로 할 것
⑨ 다른 전기회로에 따라 유도장애가 생기지 않도록 할 것
⑩ 하나의 특정소방대상물에 2 이상의 조작부가 설치되어 있는 때에는 각각의 조작부가 있는 장소 상호 간에 동시 통화가 가능한 설비를 설치하고, 어느 조작부에서도 해당 특정소방대상물의 전 구역에 방송을 할 수 있도록 할 것
⑪ 기동장치에 따른 화재신호를 수신한 후 필요한 음량으로 화재발생상황 및 피난에 유효한 방송이 자동으로 개시될 때까지의 소요시간은 10초 이내로 할 것
⑫ 음향장치는 다음의 기준에 따른 구조 및 성능의 것으로 해야 한다.
㉠ 정격전압의 80 % 전압에서 음향을 발할 수 있는 것을 할 것
㉡ 자동화재탐지설비의 작동과 연동하여 작동할 수 있는 것으로 할 것

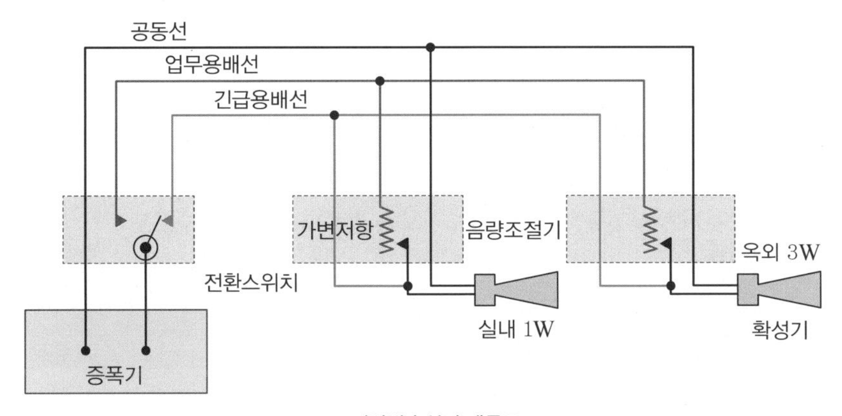

▲ 비상방송설비 계통도

화재층	우선경보방식
	층수가 11F 이상(공동주택 16F 이상)
2층 이상	발화층 및 그 직상 4개층
1층	발화층, 그 직상 4개층 및 지하층
지하층	발화층, 그 직상층 및 기타의 지하층

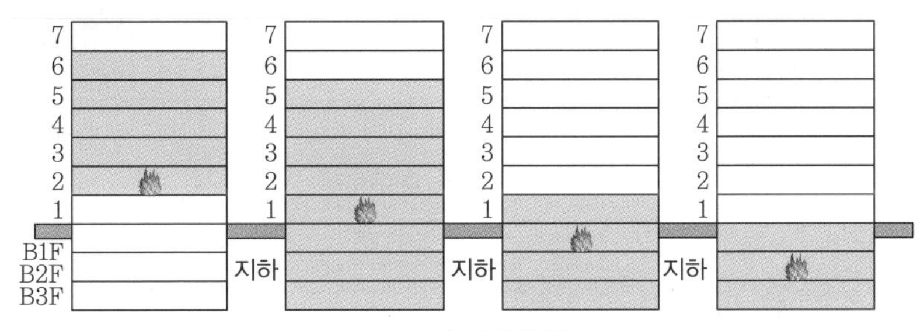

▲ 우선경보방식

정희's 톡talk

국내 화재경보방식

국내 화재경보방식은 일제경보방식과 우선경보방식이 있습니다. 일제경보방식은 건축물 화재 시 발화층 구분 없이 건축물 전체에 경보하는 방식이며, 우선경보방식은 화재가 발생한 층 위주로 경보를 작동시켜 우선 대피하도록 하는 방식입니다. 일제경보방식 적용 대상은 기존 5층 미만으로서 연면적 3,000m² 미만 건축물에서 10층(공동주택의 경우에는 15층) 이하의 건축물까지로 확대되었습니다.

우선경보방식 개정안

층수가 11층 이상(공동주택 16층 이상)이면 우선경보방식을 적용하고, 11층 미만(공동주택 15층)이면 전층경보방식(일제경보방식)을 적용합니다.

핵심기출

〈보기〉에 제시된 건축물 1층에서 발화한 경우, 직상발화 우선경보방식으로 발하여야 하는 해당 층을 모두 나타낸 것은?

20. 소방간부

〈보기〉
지하 3층, 지상 35층, 연면적 10,000m²

① 1층, 2층
② 1층, 2층, 지하층 전체
③ 1층, 2층, 3층, 4층, 5층
④ 1층, 2층, 3층, 4층, 5층, 지하층 전체
⑤ 건물 전체 층

정답 ④

(2) 배선의 설치기준

① 화재로 인하여 하나의 층의 확성기 또는 배선이 단락 또는 단선되어도 다른 층의 화재통보에 지장이 없도록 하여야 한다.

② 전원회로의 배선은 **내화배선**으로 하고, 그 밖의 배선은 **내화배선 또는 내열배선**으로 하여야 한다.

5 누전경보기 D

1. 개요

(1) 정의

① 누전경보기란 내화구조가 아닌 건축물로서 벽, 바닥 또는 천장의 전부나 일부를 불연재료 또는 준불연재료가 아닌 재료에 철망을 넣어 만든 건물의 전기설비로부터 누설전류[1]를 탐지하여 경보를 발하며 변류기와 수신부로 구성된 것을 말한다.

② 누전경보기는 600V 이하인 경계전로의 누설전류를 검출하여 당해 특정소방대상물의 관계자에게 경보를 발하는 설비이다.

용어사전

[1] 누설전류: 전기기기에서 전선 이외로 흐르는 전류를 의미한다.

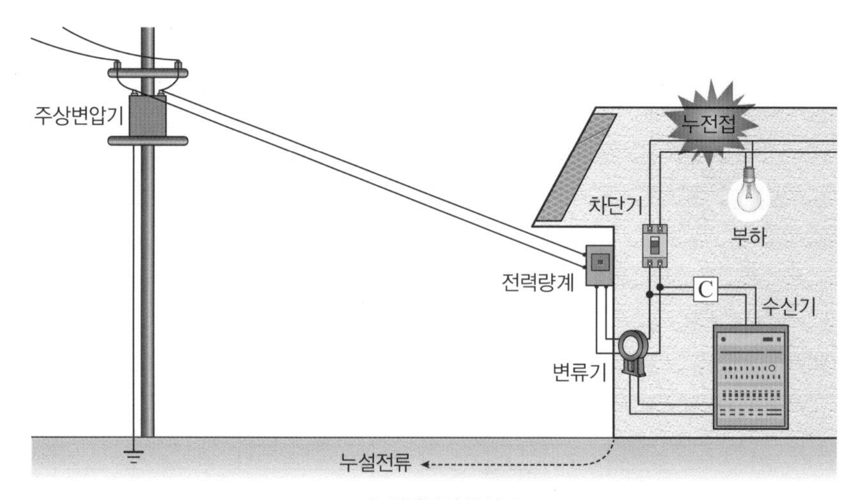

▲ 누전경보기 구성도

(2) 구성

① **수신부**: 변류기로부터 검출된 신호를 수신하여 누전의 발생을 해당 특정소방대상물의 관계인에게 경보하여 주는 것을 말한다.

② **변류기**: 경계전로의 누설전류를 자동적으로 검출하여 이를 누전경보기의 수신부에 송신하는 것을 말한다.

2. 누전경보기의 설치

(1) 설치대상

누전경보기는 **계약전류용량**이 100A를 **초과하는 특정소방대상물**(내화구조가 아닌 건축물로서 벽·바닥 또는 반자의 전부나 일부를 불연재료 또는 준불연재료가 아닌 재료에 철망을 넣어 만든 것만 해당)에 설치하여야 한다. 다만, 위험물 저장 및 처리시설 중 가스시설, 지하가 중 터널 또는 지하구의 경우에는 그러하지 아니하다.

(2) 설치방법

① 경계전로의 정격전류❷가 60A를 초과하는 전로에 있어서는 1급 누전경보기를, 60A 이하의 전로에 있어서는 1급 또는 2급 누전경보기를 설치할 것

② 변류기는 특정소방대상물의 형태, 인입선의 시설방법 등에 따라 옥외 인입선의 제1지점의 부하측 또는 제2종 접지선측의 점검이 쉬운 위치에 설치할 것. 다만, 인입선의 형태 또는 특정소방대상물의 구조상 부득이한 경우에는 인입구에 근접한 옥내에 설치할 수 있다.

③ 변류기를 옥외의 전로에 설치하는 경우에는 옥외형으로 설치할 것

용어사전

❷ 정격전류: 전기기기에서 정격출력을 정할 때 제조업자가 지정한 전류를 의미한다.

6 가스누설경보기 D

1. 정의

(1) 가스누설경보기는 가연성 가스가 누설되는 것을 탐지하여 이를 경보하여 가스누출로 인한 피해를 방지하기 위한 설비이다.

(2) 소방대상물에서 가연성 가스(불완전연소에 의한 가스)가 누출되었을 시 사고가 일어나기 전에 이를 탐지하여 소방대상물 관계자에게 경보를 발하여서 가스폭발이나 가스화재를 방지하거나 유독가스로 인한 중독사고를 예방하기 위한 설비가 가스누설경보기이다.

2. 관련용어

(1) 가연성 가스 경보기

보일러 등 가스연소기에서 액화석유가스(LPG), 액화천연가스(LNG) 등의 가연성 가스가 새는 것을 탐지하여 관계자나 이용자에게 경보하여 주는 것을 말한다. 다만, 탐지소자 외의 방법에 의하여 가스가 새는 것을 탐지하는 것, 점검용으로 만들어진 휴대용탐지기 또는 연동기기에 의하여 경보를 발하는 것은 제외한다.

(2) 일산화탄소 경보기

일산화탄소가 새는 것을 탐지하여 관계자나 이용자에게 경보하여 주는 것을 말한다. 다만, 탐지소자 외의 방법에 의하여 가스가 새는 것을 탐지하는 것, 점검용으로 만들어진 휴대용탐지기 또는 연동기기에 의하여 경보를 발하는 것은 제외한다.

(3) 탐지부

가스누설경보기(경보기) 중 가스누설을 탐지하여 중계기 또는 수신부에 가스누설의 신호를 발신하는 부분 또는 가스누설을 탐지하여 수신부 등에 가스누설의 신호를 발신하는 부분을 말한다.

(4) 수신부

경보기 중 탐지부에서 발해진 가스누설신호를 직접 또는 중계기를 통하여 수신하고 이를 관계자에게 음향으로서 경보하여 주는 것을 말한다.

(5) 분리형

탐지부와 수신부가 분리되어 있는 형태의 경보기를 말한다.

(6) 단독형

탐지부와 수신부가 일체로 되어 있는 형태의 경보기를 말한다.

(7) 가스연소기

가스레인지 또는 가스보일러 등 가연성 가스를 이용하여 불꽃을 발생하는 장치를 말한다.

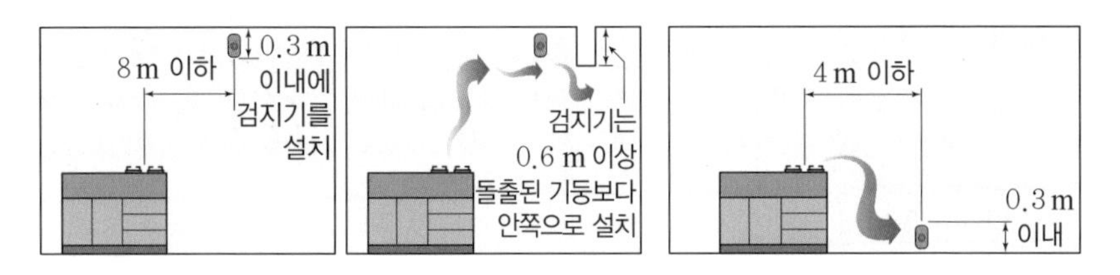

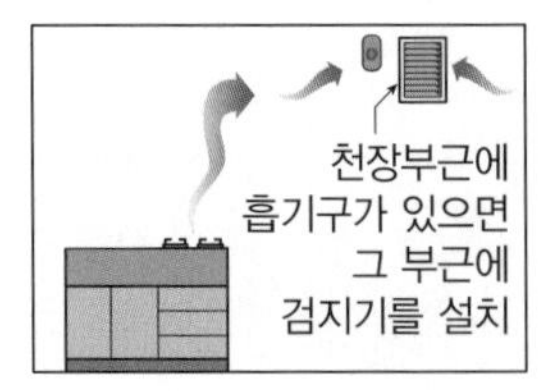

(a) 가벼운 가스(LNG)

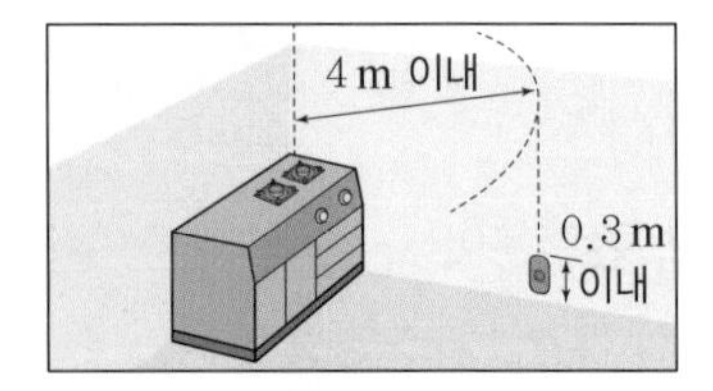

(b) 무거운 가스(프로판·부탄)

▲ 가스검지기 설치 위치 예시도

CHAPTER 4 피난구조설비

1 개설 B

1. 정의

피난구조설비는 화재가 발생할 경우 피난하기 위하여 사용하는 기구 또는 설비를 말한다.

2. 구분

(1) 피난기구
① 피난사다리
② 구조대
③ 완강기
④ 간이완강기
⑤ **소방청장이 정하여 고시하는 화재안전기준으로 정하는 것:** 미끄럼대 · 피난교 · 피난용트랩 · 간이완강기 · 공기안전매트 · 다수인 피난장비 · 승강식피난기 등을 말한다.

(2) 인명구조기구
① 방열복, 방화복(안전모, 보호장갑 및 안전화 포함)
② 공기호흡기
③ 인공소생기

(3) 유도등
① 피난유도선
② 피난구유도등
③ 통로유도등
④ 객석유도등
⑤ 유도표지

(4) 비상조명등 및 휴대용비상조명등

▲ 인명구조기구

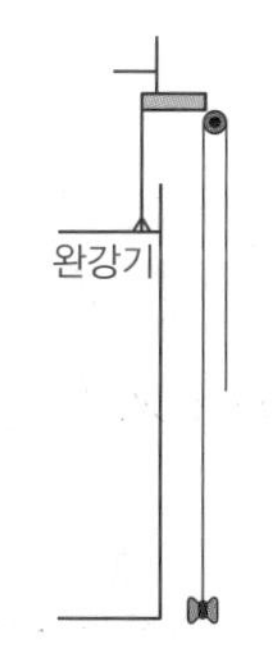

▲ 완강기

핵심기출

피난구조설비에 대한 설명으로 옳지 않은 것은? 21. 공채

① 인공소생기란 호흡 부전 상태인 사람에게 인공호흡을 시켜 환자를 보호하거나 구급하는 기구이다.
② 피난구유도등이란 피난구 또는 피난경로로 사용되는 출입구를 표시하여 피난을 유도하는 등을 말한다.
③ 복도통로유도등이란 피난통로가 되는 복도에 설치하는 통로유도등으로서 피난구의 방향을 명시하는 것을 말한다.
④ 구조대란 사용자의 몸무게에 의하여 자동으로 하강하고 내려서면 스스로 상승하여 연속적으로 사용할 수 있는 무동력 피난기구를 말한다.

정답 ④

2 피난기구 C

1. 정의

(1) 피난사다리

피난사다리는 화재 시 긴급대피를 위하여 사용하는 사다리를 말한다.

(2) 구조대

포지 등을 사용하여 자루형태로 만든 것으로서 화재 시 사용자가 내려옴으로써 대피할 수 있는 것이어야 한다.

(3) 완강기

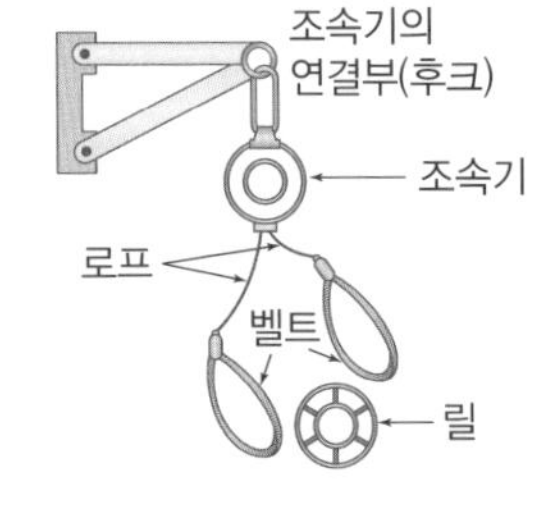

▲ 완강기의 구조

사용자의 몸무게에 따라 자동적으로 내려올 수 있는 기구 중 사용자가 교대하여 **연속적으로** 사용할 수 있는 것을 말한다.

① 사용자의 몸무게에 따라 자동적으로 내려올 수 있는 기구이다.
② 사용자가 교대하여 연속적으로 사용할 수 있는 기구이다.
③ 구성요소는 조속기, 후크, 벨트, 로프, 릴 등이다.
④ 안전하강속도 16 ~ 150cm/s를 조절하는 능력이 있어야 한다.
⑤ 평상시 청소를 하지 않아도 작동할 수 있어야 한다.

(4) 간이완강기

사용자의 몸무게에 따라 자동적으로 내려올 수 있는 기구 중 사용자가 **연속적으로 사용할 수 없는** 것을 말한다.

(5) 공기안전매트

화재 발생시 사람이 건축물 내에서 외부로 긴급히 뛰어내릴 때 충격을 흡수하여 안전하게 지상에 도달할 수 있도록 포지에 공기 등을 주입하는 구조로 되어 있는 것을 말한다.

(6) 다수인피난장비

화재 시 2인 이상의 피난자가 동시에 해당층에서 지상 또는 피난층으로 하강하는 피난기구를 말한다.

(7) 승강식 피난기

사용자의 몸무게에 의하여 자동으로 하강하고 내려서면 스스로 상승하여 연속적으로 사용할 수 있는 **무동력 승강식 피난기**를 말한다.

(8) 하향식 피난구용 내림식 사다리

하향식 피난구 해치에 격납하여 보관하고 사용 시에는 사다리 등이 소방대상물과 접촉되지 아니하는 내림식 사다리를 말한다.

▲ 하향식 피난구용 내림식 사다리

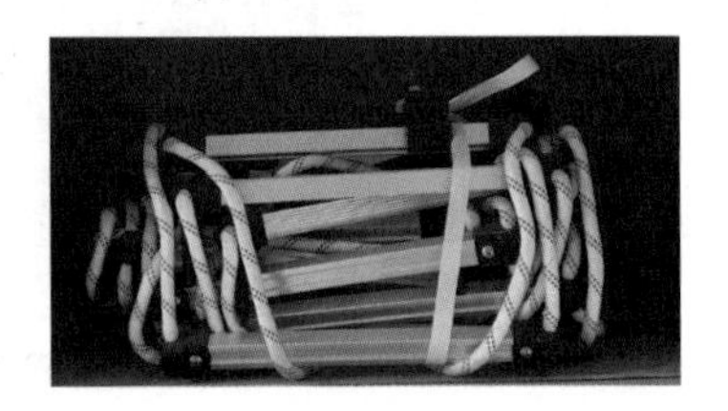
▲ 피난 사다리

2. 소방대상물의 설치장소별 피난기구의 적응성(NFTC 301)(참고)

간이완강기의 적응성은 숙박시설 3층 이상에 있는 객실에, 공기안전매트의 적응성은 공동주택(「공동주택관리법 시행령」에 해당하는 공동주택)에 한한다.

설치장소별 구분 \ 층별	지하층	1층	2층	3층	4층 이상 10층 이하
노유자시설	피난용트랩	· 미끄럼대 · 구조대 · 피난교 · 다수인 피난장비 · 승강식피난기	· 미끄럼대 · 구조대 · 피난교 · 다수인 피난장비 · 승강식피난기	· 미끄럼대 · 구조대 · 피난교 · 다수인 피난장비 · 승강식피난기	· 피난교 · 다수인 피난장비 · 승강식피난기
의료시설·근린생활시설 중 입원실이 있는 의원·접골원·조산원	피난용트랩	-	-	· 미끄럼대 · 구조대 · 피난교 · 피난용트랩 · 다수인 피난장비 · 승강식피난기	· 구조대 · 피난교 · 피난용트랩 · 다수인 피난장비 · 승강식피난기
「다중이용업소의 안전관리에 관한 특별법 시행령」 제2조에 따른 다중이용업소로서 영업장의 위치가 4층 이하인 다중이용업소	-	-	· 미끄럼대 · 피난사다리 · 구조대 · 완강기 · 다수인 피난장비 · 승강식피난기	· 미끄럼대 · 피난사다리 · 구조대 · 완강기 · 다수인 피난장비 · 승강식피난기	· 미끄럼대 · 피난사다리 · 구조대 · 완강기 · 다수인 피난장비 · 승강식피난기
그 밖의 것	· 피난사다리 · 피난용트랩	-	-	· 미끄럼대 · 피난사다리 · 구조대 · 완강기 · 피난교 · 피난용트랩 · 간이완강기 · 공기안전매트 · 다수인 피난장비 · 승강식피난기	· 피난사다리 · 구조대 · 완강기 · 피난교 · 간이완강기 · 공기안전매트 · 다수인 피난장비 · 승강식피난기

3. 피난기구 설치대상

(1) 피난기구는 특정소방대상물의 모든 층에 화재안전기준에 적합한 것으로 설치하여야 한다.

(2) 다만, 피난층, 지상 1층, 지상 2층(노유자시설 중 피난층이 아닌 지상 1층과 피난층이 아닌 지상 2층은 제외) 및 층수가 11층 이상인 층과 위험물 저장 및 처리시설 중 가스시설, 지하가 중 터널 또는 지하구의 경우에는 그러하지 아니하다.

4. 적응성 및 설치개수

(1) 피난기구는 특정소방대상물의 설치장소별로 그에 적응하는 종류의 것으로 설치해야 한다.

(2) 피난기구는 다음의 기준에 따른 개수 이상을 설치해야 한다.

① 층마다 설치하되, 특정소방대상물의 종류에 따라 그 층의 용도 및 바닥면적을 고려하여 한 개 이상 설치하며, 영 별표 2 제1호 가목의 아파트등에 있어서는 각 세대마다 한 개 이상 설치할 것

② ①에 따라 설치한 피난기구 외에 **숙박시설(휴양콘도미니엄을 제외한다)의 경우에는 추가로 객실마다 완강기 또는 둘 이상의 간이완강기를 설치할 것**

③ ①에 따라 설치한 피난기구 외에 공동주택(「공동주택관리법」 제2조 제1항 제2호 가목부터 라목까지 중 어느 하나에 해당하는 공동주택에 한한다)의 경우에는 하나의 관리주체가 관리하는 공동주택 구역마다 공기안전매트 한 개 이상을 추가로 설치할 것

④ ①에 따라 설치한 피난기구 외에 4층 이상의 층에 설치된 노유자시설 중 장애인 관련 시설로서 주된 사용자 중 스스로 피난이 불가한 자가 있는 경우에는 층마다 구조대를 1개 이상 추가로 설치할 것

(3) 피난기구는 다음의 기준에 따라 설치해야 한다.

① 피난기구는 계단 · 피난구 기타 피난시설로부터 적당한 거리에 있는 안전한 구조로 된 피난 또는 소화 활동상 유효한 개구부(가로 0.5미터 이상, 세로 1미터 이상의 것을 말한다.)에 고정하여 설치하거나 필요한 때에 신속하고 유효하게 설치할 수 있는 상태에 둘 것

② **피난기구를 설치하는 개구부는 서로 동일직선상이 아닌 위치에 있을 것**

③ 피난기구는 특정소방대상물의 기둥 · 바닥 및 보 등 구조상 견고한 부분에 볼트조임 · 매입 및 용접 등의 방법으로 견고하게 부착할 것

④ **4층 이상의 층**에 피난사다리(하향식 피난구용 내림식사다리는 제외한다)를 설치하는 경우에는 **금속성 고정사다리**를 설치하고, 당해 고정사다리에는 쉽게 피난할 수 있는 구조의 노대를 설치할 것

⑤ **완강기**는 강하 시 로프가 건축물 또는 구조물 등과 접촉하여 손상되지 않도록 하고, 로프의 길이는 부착위치에서 지면 또는 기타 피난상 유효한 착지 면까지의 길이로 할 것

⑥ 미끄럼대는 안전한 강하속도를 유지하도록 하고, 전락방지를 위한 안전조치를 할 것

⑦ 구조대의 길이는 피난 상 지장이 없고 안정한 강하속도를 유지할 수 있는 길이로 할 것

⑧ **다수인 피난장비는 다음에 적합하게 설치할 것**

㉠ 피난에 용이하고 안전하게 하강할 수 있는 장소에 적재 하중을 충분히 견딜 수 있도록 「건축물의 구조기준 등에 관한 규칙」 제3조에서 정하는 구조안전의 확인을 받아 견고하게 설치할 것

핵심기출

피난기구의 화재안전성능기준(NFPC 301)에서 피난기구의 설치기준으로 옳지 않은 것은?

23. 소방간부

① 피난기구를 설치하는 개구부는 서로 동일직선상이 아닌 위치에 있을 것
② 구조대의 길이는 피난 상 지장이 없고 안정한 강하속도를 유지할 수 있는 길이로 할 것
③ 다수인 피난장비는 사용시에 보관실 외측문이 먼저 열리고 탑승기가 외측으로 자동으로 전개될 것
④ 피난기구는 특정소방대상물의 기둥 · 바닥 및 보 등 구조상 견고한 부분에 볼트조임 · 매입 및 용접 등의 방법으로 견고하게 부착할 것
⑤ 4층 이상의 층에 하향식 피난구용 내림식사다리를 설치하는 경우에는 금속성 고정사다리를 설치하고, 당해 고정사다리에는 쉽게 피난할 수 있는 구조의 노대를 설치할 것

정답 ⑤

ⓛ 다수인피난장비 보관실(이하 "보관실"이라 한다)은 건물 외측보다 돌출되지 아니하고, 빗물 · 먼지 등으로부터 장비를 보호할 수 있는 구조일 것

ⓒ 사용 시에 보관실 외측 문이 먼저 열리고 탑승기가 외측으로 자동으로 전개될 것

ⓔ 하강 시에 탑승기가 건물 외벽이나 돌출물에 충돌하지 않도록 설치할 것

ⓜ 상 · 하층에 설치할 경우에는 탑승기의 하강경로가 중첩되지 않도록 할 것

ⓑ 하강 시에는 안전하고 일정한 속도를 유지하도록 하고 전복, 흔들림, 경로이탈 방지를 위한 안전조치를 할 것

ⓢ 보관실의 문에는 오작동 방지조치를 하고, 문 개방 시에는 당해 소방대상물에 설치된 경보설비와 연동하여 유효한 경보음을 발하도록 할 것

ⓞ 피난층에는 해당 층에 설치된 피난기구가 착지에 지장이 없도록 충분한 공간을 확보할 것

ⓙ 한국소방산업기술원 또는 법 제46조 제1항에 따라 성능시험기관으로 지정받은 기관에서 그 성능을 검증받은 것으로 설치할 것

⑨ **승강식 피난기 및 하향식 피난구용 내림식사다리는 다음에 적합하게 설치할 것**

ⓖ 승강식 피난기 및 하향식 피난구용 내림식사다리는 설치경로가 설치층에서 피난층까지 연계될 수 있는 구조로 설치할 것

ⓛ 대피실의 면적은 2제곱미터(2세대 이상일 경우에는 3제곱미터) 이상으로 하고, 「건축법 시행령」 제46조 제4항의 규정에 적합하여야 하며 하강구(개구부) 규격은 직경 60센티미터 이상일 것

ⓒ 하강구 내측에는 기구의 연결 금속구 등이 없어야 하며 전개된 피난기구는 하강구 수평투영면적 공간 내의 범위를 침범하지 않는 구조이어야 할 것

ⓔ 대피실의 출입문은 60분+ 방화문 또는 60분 방화문으로 설치하고, 피난방향에서 식별할 수 있는 위치에 "대피실" 표지판을 부착할 것

ⓜ 착지점과 하강구는 상호 수평거리 15센티미터 이상의 간격을 둘 것

ⓑ 대피실 내에는 비상조명등을 설치 할 것

ⓢ 대피실에는 층의 위치표시와 피난기구 사용설명서 및 주의사항 표지판을 부착 할 것

ⓞ 대피실 출입문이 개방되거나, 피난기구 작동 시 해당층 및 직하층 거실에 설치된 표시등 및 경보장치가 작동되고, 감시 제어반에서는 피난기구의 작동을 확인 할 수 있어야 할 것

ⓙ 사용 시 기울거나 흔들리지 않도록 설치할 것

ⓒ 승강식 피난기는 한국소방산업기술원 또는 법 제46조 제1항에 따라 성능시험기관으로 지정받은 기관에서 그 성능을 검증받은 것으로 설치할 것

(4) 피난기구를 설치한 장소에는 가까운 곳의 보기 쉬운 곳에 피난기구의 위치를 표시하는 발광식 또는 축광식표지와 그 사용방법을 표시한 표지(외국어 및 그림 병기)를 부착해야 한다.

3 인명구조기구 B

1. 정의

(1) 방열복

고온의 복사열에 가까이 접근하여 소방활동을 수행할 수 있는 내열피복을 말한다.

(2) 공기호흡기

소화 활동 시에 화재로 인하여 발생하는 각종 유독가스 중에서 일정시간 사용할 수 있도록 제조된 압축공기식 개인호흡장비(보조마스크를 포함)를 말한다.

(3) 인공소생기

호흡 부전 상태인 사람에게 인공호흡을 시켜 환자를 보호하거나 구급하는 기구를 말한다.

(4) 방화복

화재진압 등의 소방활동을 수행할 수 있는 피복을 말한다.

2. 인명구조기구의 설치

(1) 인명구조기구를 설치하여야 하는 특정소방대상물

① 방열복 또는 방화복(안전모, 보호장갑 및 안전화 포함), 인공소생기 및 공기호흡기를 각 2개 이상 비치해야 하는 특정소방대상물: 지하층을 포함하는 층수가 7층 이상인 관광호텔

② 방열복 또는 방화복(안전모, 보호장갑 및 안전화 포함) 및 공기호흡기를 각 2개 이상 비치해야 하는 특정소방대상물: 지하층을 포함하는 층수가 5층 이상인 병원

③ 공기호흡기를 설치하여야 하는 특정소방대상물 〈소방간부 출제범위〉

㉠ 수용인원 100명 이상인 문화 및 집회시설 중 영화상영관

㉡ 판매시설 중 대규모점포

㉢ 운수시설 중 지하역사

㉣ 지하가 중 지하상가

㉤ 이산화탄소소화설비(호스릴이산화탄소소화설비 제외)를 설치하여야 하는 특정소방대상물

④ 물분무등소화설비 중 이산화탄소소화설비를 설치하는 특정소방대상물에는 이산화탄소소화설비가 설치된 장소의 출입구 외부 인근에 1개 이상의 공기호흡기를 비치할 것

(2) 특정소방대상물의 용도 및 장소별로 설치하여야 할 인명구조기구, 「인명구조기구의 화재안전기술기준(NFTC 302)」

특정소방대상물	인명구조기구의 종류	설치수량
지하층을 포함하는 층수가 7층 이상인 관광호텔 및 5층 이상인 병원	· 방열복 또는 방화복(안전모, 보호장갑 및 안전화 포함) · 공기호흡기 · 인공소생기	· 각 2개 이상 비치할 것 · 다만, 병원의 경우에는 인공소생기를 설치하지 않을 수 있음
· 문화 및 집회시설 중 수용인원 100명 이상의 영화상영관 · 판매시설 중 대규모 점포 · 운수시설 중 지하역사 · 지하가 중 지하상가	공기호흡기	· 층마다 2개 이상 비치할 것 · 다만, 각 층마다 갖추어 두어야 할 공기호흡기 중 일부를 직원이 상주하는 인근 사무실에 갖추어 둘 수 있음
물분무등소화설비 중 이산화탄소소화설비를 설치하여야 하는 특정소방대상물	공기호흡기	이산화탄소소화설비가 설치된 장소의 출입구 외부 인근에 1대 이상 비치할 것

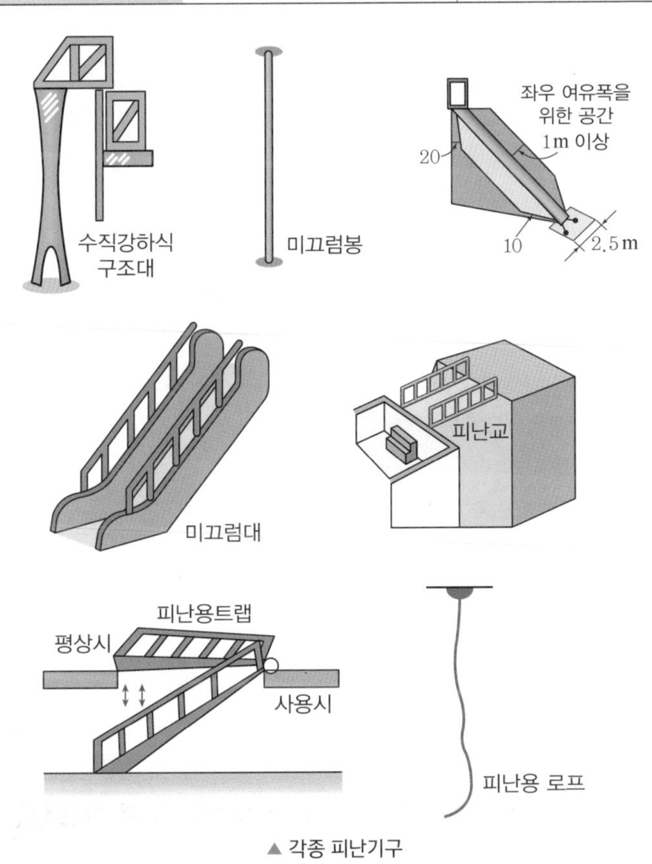

▲ 각종 피난기구

4 유도등 B

1. 정의

(1) 유도등 · 유도표지 · 피난유도선

① **유도등**: 화재 시 피난을 유도하기 위한 등으로서 정상상태에서는 상용전원에 따라 켜지고 상용전원이 정전되는 경우에는 비상전원으로 자동전환되어 켜지는 등을 말한다.

② **유도표지**: 피난구유도표지와 통로유도표지로 구분된다.

㉠ **피난구유도표지**: 피난구 또는 피난경로로 사용되는 출입구를 표시하여 피난을 유도하는 표지를 말한다.

㉡ **통로유도표지**: 피난통로가 되는 복도, 계단등에 설치하는 것으로서 피난구의 방향을 표시하는 유도표지를 말한다.

③ **피난유도선**: 햇빛이나 전등불에 따라 축광(축광방식)하거나 전류에 따라 빛을 발하는(광원점등방식) 유도체로서 어두운 상태에서 피난을 유도할 수 있도록 띠 형태로 설치되는 피난유도시설을 말한다.

④ **입체형**: 유도등 표시면을 2면 이상으로 하고 각 면마다 피난유도표시가 있는 것을 말한다.

⑤ **3선식 배선**: 평상시에는 유도등을 소등 상태로 유도등의 비상전원을 충전하고, 화재 등 비상시 점등 신호를 받아 유도등을 자동으로 점등되도록 하는 방식의 배선을 말한다.

(2) 유도등의 종류

① **피난구유도등**: 피난구 또는 피난경로로 사용되는 출입구를 표시하여 피난을 유도하는 등을 말한다.

② **통로유도등**: 피난통로를 안내하기 위한 유도등으로 **복도통로유도등, 거실통로유도등, 계단통로유도등**을 말한다.

㉠ **거실통로유도등**: 거주, 집무, 작업, 집회, 오락 그 밖에 이와 유사한 목적을 위하여 계속적으로 사용하는 거실, 주차장 등 개방된 통로에 설치하는 유도등으로 피난의 방향을 명시하는 것을 말한다.

㉡ **복도통로유도등**: 피난통로가 되는 복도에 설치하는 통로유도등으로서 피난구의 방향을 명시하는 것을 말한다.

㉢ **계단통로유도등**: 피난통로가 되는 계단이나 경사로에 설치하는 통로유도등으로 바닥면 및 디딤 바닥면을 비추는 것을 말한다.

③ **객석유도등**: 객석의 통로, 바닥 또는 벽에 설치하는 유도등을 말한다.

▲ 피난구유도등

▲ 계단통로유도등

핵심 적중

01 피난구유도등의 표시면으로 옳은 것은?
① 녹색바탕에 백색문자
② 백색바탕에 녹색문자
③ 적색바탕에 백색문자
④ 백색바탕에 적색문자

정답 ①

02 다음 중 통로유도등의 종류로 옳지 않은 것은?
① 거실통로유도등
② 객석통로유도등
③ 복도통로유도등
④ 계단통로유도등

정답 ②

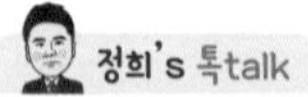

표시면의 색상 정리
1. 피난구유도등: 녹색바탕에 안쪽에 백색문자
2. 통로유도등: 백색바탕에 안쪽에 녹색문자
3. 객석유도등: 백색바탕에 안쪽에 녹색문자

2. 설치대상

(1) 피난구유도등, 통로유도등 및 유도표지는 특정소방대상물에 설치한다. 다만, 다음의 어느 하나에 해당하는 경우는 제외한다.

① 지하가 중 터널

② 동물 및 식물 관련 시설 중 축사로서 가축을 직접 가두어 사육하는 부분

(2) 객석유도등

① 유흥주점영업시설

② 문화 및 집회시설

③ 종교시설

④ 운동시설

(3) **특정소방대상물의 용도별로 설치하여야 할 유도등과 유도표지[「유도등 및 유도표지의 화재안전기술기준(NFSC 303)」]**

설치장소	유도등 및 유도표지의 종류
① 공연장·집회장(종교집회장 포함)·관람장·운동시설	·대형피난구유도등 ·통로유도등 ·객석유도등
② 유흥주점영업시설(유흥주점영업 중 손님이 춤을 출 수 있는 무대가 설치된 카바레, 나이트클럽 또는 그 밖에 이와 비슷한 영업시설만 해당한다)	
③ 위락시설·판매시설·운수시설·관광숙박업·의료시설·장례식장·방송통신시설·전시장·지하상가·지하철역사	·대형피난구유도등 ·통로유도등
④ 숙박시설(관광숙박업 외의 것을 말함)·오피스텔	·중형피난구유도등 ·통로유도등
⑤ ①부터 ③까지의 외의 건축물로서 지하층·무창층 또는 층수가 11층 이상인 특정소방대상물	
⑥ ①부터 ⑤까지 외의 건축물로서 근린생활시설·노유자시설·업무시설·발전시설·종교시설(집회장 용도로 사용하는 부분 제외)·교육연구시설·수련시설·공장·창고시설·교정 및 군사시설(국방·군사시설 제외)·기숙사·자동차정비공장·운전학원 및 정비학원·다중이용업소·복합건축물·아파트	·소형피난구유도등 ·통로유도등
⑦ 그 밖의 것	·피난구유도등 ·통로유도표지

비고

- 소방서장은 특정소방대상물의 위치·구조 및 설비의 상황을 판단하여 대형피난구유도등을 설치하여야 할 장소에 중형피난구유도등 또는 소형피난구유도등을, 중형피난구유도등을 설치하여야 할 장소에 소형피난구유도등을 설치하게 할 수 있다.
- 복합건축물과 아파트의 경우 주택의 세대 내에는 유도등을 설치하지 아니할 수 있다.

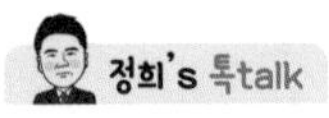

유도등 및 유도표지의 설치 높이

1. 피난구유도등: 1.5m 이상
2. 거실통로유도등: 1.5m 이상(단, 기둥 설치 시: 1.5m 이하)
3. 복도통로유도등: 1m 이하
4. 계단통로유도등: 1m 이하
5. 객석유도등: 객석의 통로, 바닥 또는 벽
6. 피난구유도표지: 출입구 상단
7. 통로유도표지: 1m 이하

3. 설치기준

(1) 피난구유도등

① **피난구유도등 설치장소**

㉠ 옥내로부터 직접 지상으로 통하는 출입구 및 그 부속실의 출입구

㉡ 직통계단 · 직통계단의 계단실 및 그 부속실의 출입구

㉢ ㉠과 ㉡에 따른 출입구에 이르는 복도 또는 통로로 통하는 출입구

㉣ 안전구획된 거실로 통하는 출입구

② 피난구유도등은 피난구의 바닥으로부터 **높이 1.5m 이상**으로서 출입구에 인접하도록 설치하여야 한다.

(2) 거실통로유도등 설치기준

① 거실의 통로에 설치할 것. 다만, 거실의 통로가 벽체 등으로 구획된 경우에는 복도통로유도등을 설치하여야 한다.

② **구부러진 모퉁이 및 보행거리 20m마다 설치할 것**

③ 바닥으로부터 **높이 1.5m 이상**의 위치에 설치할 것. 다만, 거실통로에 기둥이 설치된 경우에는 기둥부분의 바닥으로부터 높이 1.5m 이하의 위치에 설치할 수 있다.

(3) 복도통로유도등 설치기준

① 복도에 설치할 것

② **구부러진 모퉁이 및 보행거리 20m마다 설치할 것**

③ 바닥으로부터 **높이 1m 이하**의 위치에 설치할 것. 다만, 지하층 또는 무창층의 용도가 도매시장 · 소매시장 · 여객자동차터미널 · 지하역사 또는 지하상가인 경우에는 복도 · 통로 중앙부분의 바닥에 설치하여야 한다.

④ 바닥에 설치하는 통로유도등은 하중에 따라 파괴되지 아니하는 강도의 것으로 할 것

(4) 계단통로유도등 설치기준

① 각 층의 경사로 참 또는 계단참마다(1개 층에 경사로 참 또는 계단참이 2 이상 있는 경우에는 2개의 계단참마다) 설치할 것

② 바닥으로부터 **높이 1m 이하**의 위치에 설치할 것

(5) 객석유도등

① 객석유도등은 객석의 **통로, 바닥 또는 벽**에 설치하여야 한다.

② **설치개수 산정**

$$\text{설치개수(개)} = \frac{\text{객석통로의 직선부분의 길이(m)}}{4} - 1$$

③ 객석 내의 통로가 옥외 또는 이와 유사한 부분에 있는 경우에는 해당 통로 전체에 미칠 수 있는 수의 유도등을 설치하여야 한다.

(6) 유도표지 설치기준

① 계단에 설치하는 것을 제외하고는 각 층마다 복도 및 통로의 각 부분으로부터 하나의 유도표지까지의 보행거리가 15m 이하가 되는 곳과 구부러진 모퉁이의 벽에 설치할 것

② 피난구유도표지는 출입구 상단에 설치하고, 통로유도표지는 바닥으로부터 높이 1m 이하의 위치에 설치할 것

③ 주위에는 이와 유사한 등화 · 광고물 · 게시물 등을 설치하지 아니할 것

④ 유도표지는 부착판 등을 사용하여 쉽게 떨어지지 아니하도록 설치할 것

⑤ 축광방식의 유도표지는 외광 또는 조명장치에 의하여 상시 조명이 제공되거나 비상조명등에 의한 조명이 제공되도록 설치할 것

(7) 축광방식 피난유도선 설치기준

① 구획된 각 실로부터 주출입구 또는 비상구까지 설치할 것

② 바닥으로부터 **높이 50cm 이하**의 위치 또는 바닥 면에 설치할 것

③ 피난유도 표시부는 50cm **이내의 간격**으로 연속되도록 설치할 것

④ 부착대에 의하여 견고하게 설치할 것

⑤ 외광 또는 조명장치에 의하여 상시 조명이 제공되거나 비상조명등에 의한 조명이 제공되도록 설치할 것

(8) 광원점등방식 피난유도선 설치기준

① 구획된 각 실로부터 주출입구 또는 비상구까지 설치할 것

② 피난유도 표시부는 바닥으로부터 **높이 1m 이하**의 위치 또는 바닥 면에 설치할 것

③ 피난유도 표시부는 50cm **이내의 간격**으로 연속되도록 설치하되 실내장식물 등으로 설치가 곤란할 경우 1m **이내**로 설치할 것

④ 수신기로부터의 화재신호 및 수동조작에 의하여 광원이 점등되도록 설치할 것

⑤ 비상전원이 상시 충전상태를 유지하도록 설치할 것

⑥ 바닥에 설치되는 피난유도선 표시부는 매립하는 방식을 사용할 것

⑦ 피난유도 제어부는 조작 및 관리가 용이하도록 바닥으로부터 0.8m **이상** 1.5m **이하의 높이**에 설치할 것

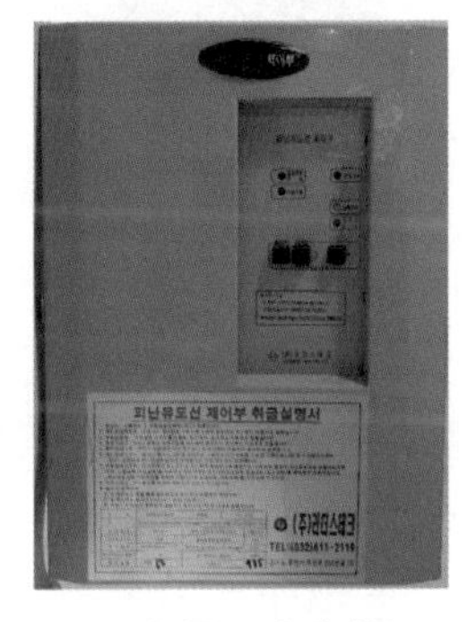

▲ 피난유도선 제어부

▲ 통로유도 표지(광원점등방식)

▲ 광원점등방식 피난유도선

5 비상조명등과 휴대용비상조명등 D

1. 정의

(1) 비상조명등

① 화재발생 등에 따른 정전 시에 안전하고 원활한 피난활동을 할 수 있도록 거실 및 피난통로 등에 설치되어 자동 점등되는 조명등을 말한다.

② 비상조명등은 화재발생 등에 의한 정전 시에 안전하고 원활한 피난활동을 할 수 있도록 거실 및 피난통로 등에 설치하는 조명등으로서 **비상전원용 축전지가 내장되어 상용전원이 정전되는 경우에는 비상전원으로 자동전환되어 점등되는 조명등**을 말하며 정상상태에서는 상용전원에 의하여 점등되는 것을 포함한다(「비상조명등의 형식승인 및 제품검사의 기술기준」 제2조).

(2) 휴대용비상조명등

화재발생 등으로 정전 시 안전하고 원활한 피난을 위하여 피난자가 휴대할 수 있는 조명등을 말한다.

2. 설치대상 특정소방대상물 〈소방간부 출제범위〉

(1) 비상조명등을 설치하여야 하는 특정소방대상물

창고시설 중 창고 및 하역장, 위험물 저장 및 처리 시설 중 가스시설은 제외한다.

① 지하층을 포함하는 층수가 5층 이상인 건축물로서 연면적 3천m^2 이상인 것

② ①에 해당하지 않는 특정소방대상물로서 그 지하층 또는 무창층의 바닥면적이 450m^2 이상인 경우에는 그 지하층 또는 무창층

③ 지하가 중 터널로서 그 길이가 500m 이상인 것

(2) 휴대용비상조명등을 설치하여야 하는 특정소방대상물

① 숙박시설

② 수용인원 100명 이상의 영화상영관, 판매시설 중 대규모점포, 철도 및 도시철도 시설 중 지하역사, 지하가 중 지하상가

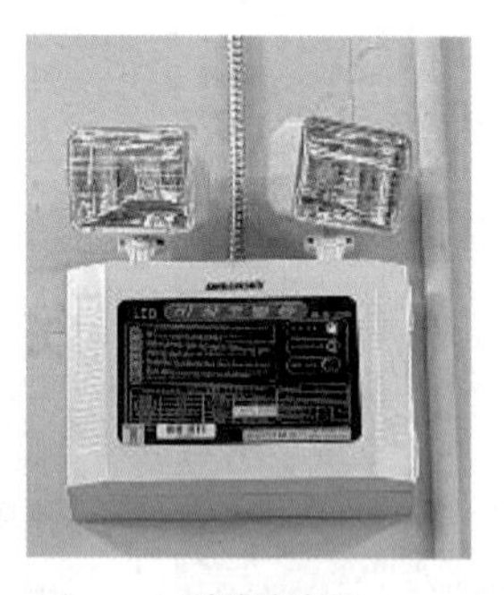

▲ 비상조명등

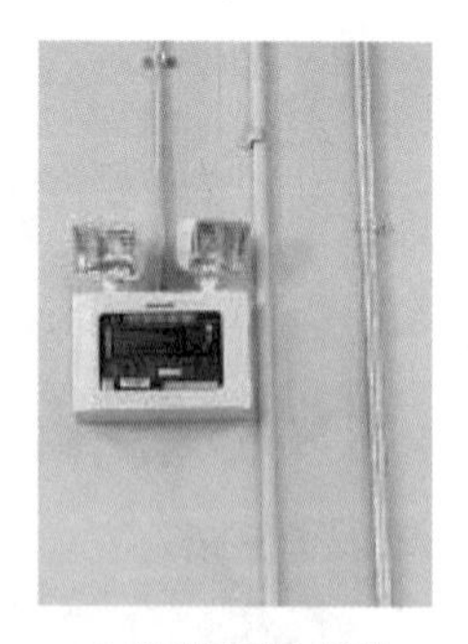

▲ 비상조명등 설치

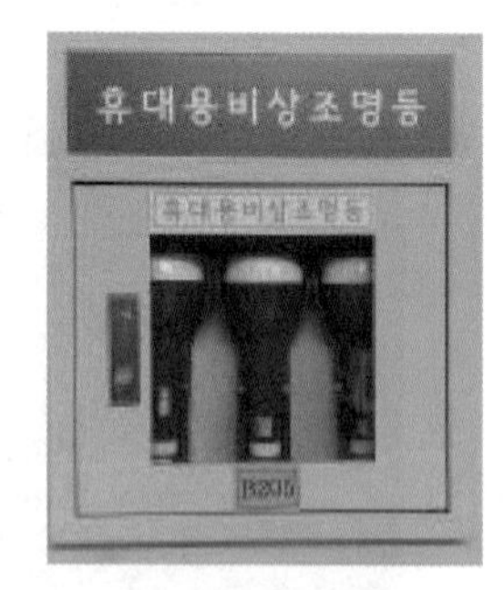

▲ 휴대용비상조명등

3. 설치기준

(1) 비상조명등의 설치기준

① 특정소방대상물의 각 거실과 그로부터 지상에 이르는 **복도·계단 및 그 밖의 통로**에 설치할 것

② 조도는 비상조명등이 설치된 장소의 각 부분의 **바닥에서 1lx 이상**

③ 예비전원을 내장하는 비상조명등에는 평상시 점등 여부를 확인할 수 있는 점검스위치를 설치하고 해당 조명등을 유효하게 작동시킬 수 있는 용량의 축전지와 예비전원 충전장치를 내장할 것

④ 예비전원을 내장하지 아니하는 비상조명등의 비상전원은 자가발전설비, 축전지설비 또는 전기저장장치를 설치기준에 따라 설치하여야 한다.

⑤ ③과 ④에 따른 비상전원은 비상조명등을 20분 이상 유효하게 작동시킬 수 있는 용량으로 할 것. 다만, 다음의 특정소방대상물의 경우에는 그 부분에서 피난층에 이르는 부분의 비상조명등을 60분 이상 유효하게 작동시킬 수 있는 용량으로 하여야 한다.

㉠ 지하층을 제외한 층수가 11층 이상의 층

㉡ 지하층 또는 무창층으로서 용도가 도매시장·소매시장·여객자동차터미널·지하역사 또는 지하상가

(2) 휴대용비상조명등의 설치기준

① **설치장소**

㉠ **숙박시설** 또는 **다중이용업소**에는 객실 또는 영업장안의 구획된 실마다 잘 보이는 곳에 **1개 이상** 설치

㉡ 「유통산업발전법」 제2조 제3호에 따른 **대규모점포**와 **영화상영관**에는 **보행거리 50m 이내마다 3개 이상** 설치

㉢ **지하상가 및 지하역사**에는 **보행거리 25m 이내마다 3개 이상** 설치

② 설치높이는 **바닥으로부터 0.8m 이상 1.5m 이하의 높이**에 설치할 것

③ 어둠 속에서 위치를 확인할 수 있도록 할 것

④ 사용 시 자동으로 점등되는 구조일 것

⑤ 외함은 난연성능이 있을 것

⑥ 건전지는 방전방지조치하고, 충전식 배터리는 상시 충전되도록 할 것

⑦ **건전지 및 충전식 배터리의 용량**: 20분 이상

4. 설치 제외 장소

(1) 비상조명등 설치 제외 장소

① 거실의 각 부분으로부터 하나의 출입구에 이르는 보행거리가 15m 이내인 부분

② 의원·경기장·공동주택·의료시설·학교의 거실

(2) 휴대용비상조명등 설치 제외 장소

지상 1층 또는 피난층으로서 복도·통로 또는 창문 등의 개구부를 통하여 피난이 용이한 경우 또는 숙박시설로서 복도에 비상조명등을 설치한 경우에는 휴대용비상조명등을 설치하지 아니할 수 있다.

CHAPTER 5 소화용수설비

1 상수도소화용수설비 D

1. 개요

화재를 진압하는 데 필요한 물을 공급하거나 저장하는 설비로 상수도소화용수설비와 소화주조, 저수조 및 그 밖의 소화용수설비로 구분된다.

2. 상수도소화용수설비의 설치 〈소방간부 출제범위〉

(1) 상수도소화용수설비를 설치하여야 하는 특정소방대상물

상수도소화용수설비를 설치하여야 하는 특정소방대상물의 대지 경계선으로부터 180m 이내에 구경 75mm 이상인 상수도용 배수관이 설치되지 아니한 지역에 있어서는 소화수조 또는 저수조를 설치하여야 한다.

① 연면적 5,000m^2 이상인 것. 다만, 가스시설 · 지하구 또는 지하가 중 터널의 경우에는 그러하지 아니하다.

② 가스시설로서 지상에 노출된 탱크의 저장용량의 합계가 100t 이상인 것이어야 한다.

(2) 설치기준

① 호칭지름❶ 75mm 이상의 수도배관에 호칭지름 100mm 이상의 소화전을 접속하여야 한다.

② 소화전은 소방자동차 등의 진입이 쉬운 도로변 또는 공지에 설치하여야 한다.

③ 소화전은 소방대상물의 수평투영면의 각 부분으로부터 140m 이하가 되도록 설치하여야 한다.

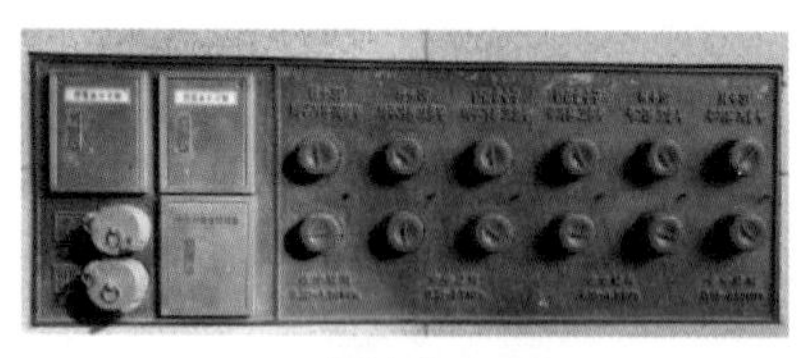

▲ 연결송수관설비

▲ 채수구

핵심기출

다음 소방시설에 대한 설명으로 옳지 않은 것만 고른 것은? 18. 상반기 공채

ㄱ. 소화활동설비에는 연소방지설비, 비상콘센트설비, 무선통신보조설비, 비상방송설비 등이 포함된다.
ㄴ. 소화용수설비에는 상수도 소화용수설비, 소화수조, 저수조, 정화조 등이 포함된다.
ㄷ. 피난구조설비 중 피난기구에는 피난사다리, 완강기, 구조대 등이 포함된다.
ㄹ. 소화설비는 소화기구, 자동소화장치, 옥내소화전설비, 옥외소화전설비 등이 포함된다.

① ㄱ ② ㄱ, ㄴ
③ ㄱ, ㄴ, ㄷ ④ ㄱ, ㄴ, ㄷ, ㄹ

정답 ②

용어사전

❶ 호칭지름
1. 치수를 대표하는 지름으로 관에서는 안지름의 기준 치수이고 나사에서는 수나사의 바깥지름 기준 치수에 해당하는 값이다.
2. 일반적으로 표기하는 배관의 직경을 말한다.

2 소화수조 · 저수조, 그 밖의 소화용수설비 D

1. 정의

(1) 소화수조 또는 저수조

수조를 설치하고 여기에 소화에 필요한 물을 항시 채워 두는 것을 말한다.

(2) 채수구

소방차의 소방호스와 접결되는 흡입구를 말한다.

(3) 흡수관투입구

소방차의 흡수관이 투입될 수 있도록 소화수조 또는 저수조에 설치된 원형 또는 사각형의 투입구를 말한다.

(4) 소화수조(저수조)설비

대규모의 부지 위에 축조된 건축물 · 고층건축물 등과 같이 많은 양의 소화용수를 필요로 하는 소방대상물의 인근에 설치하여 소방대상물의 화재 발생 시 소화약제로 사용되는 물을 유효적절하게 사용할 수 있도록 소화수조 · 저수조 등에 저장하여 두는 설비이다.

(5) 소화용수설비의 소화수조 또는 저수조는 당해 소방대상물에 따라 지하에 설치하는 지하수조와 건축물의 옥상 또는 옥탑에 설치하는 지상수조로 구분된다.

2. 소화수조 등의 설치

(1) 설치장소

소화수조, 저수조의 채수구 또는 흡수관투입구는 소방차가 2m 이내의 지점까지 접근할 수 있는 위치에 설치하여야 한다.

(2) 소화수조 또는 저수조의 흡수관투입구 및 채수구의 설치기준

① 소화수조 또는 저수조를 지하에 설치하는 경우 소화용수설비의 흡수관투입구는 한 변이 0.6m 이상이거나 직경이 0.6m 이상인 것으로 하고, 소화약제인 물의 소요수량이 $80m^3$ 미만인 것에 있어서는 1개 이상, $80m^3$ 이상인 것에 있어서는 2개 이상을 설치하여야 한다. 흡수관 투입구에는 '흡수관 투입구'라고 표시한 표지를 하여야 한다.

② 소화용수설비에 설치하는 채수구에는 소방용 호스 또는 소방용 흡수관에 사용하는 구경 65mm 이상의 나사식 금속결합구를 설치하여야 한다.

③ 채수구는 지면으로부터 높이가 0.5m 이상 1.0m 이하의 위치에 설치하고, '채수구'라고 표시한 표지를 하여야 한다.

(3) 소화수조의 설치 면제

소화수조설비를 설치하여야 할 소방대상물에 있어 상시 흐르는 물인 유수(流水)의 양이 $0.8m^3/min$ 이상인 유수를 사용할 수 있는 경우에는 소화수조의 설치를 면제할 수 있다.

정희's 톡talk

수원의 양

소화수조 또는 저수조의 저수량은 소방대상물의 연면적을 다음 표에 의한 기준면적으로 나누어 얻은 수에 $20m^3$를 곱하여 얻은 양 이상으로 하여야 합니다.

소방대상물의 구분	면적
지상 1층 및 2층의 바닥 면적의 합계가 $15,000m^2$ 이상인 소방대상물	$7,500m^2$
그 밖의 소방대상물	$12,500m^2$

▲ 소방대상물별 기준면적

CHAPTER 6 소화활동설비

1 제연설비 B

> ✎ 핵심 기출
>
> 건물 화재 시 연기는 인명손실과 피난활동, 소방대의 활동에 가장 장애가 되는 요소이다. 이 연기제어방법으로 가장 옳지 않은 것은?
>
> 17. 하반기 공채
>
> ① 연소 ② 희석
> ③ 배기 ④ 차단
>
> 정답 ①

1. 개요

(1) 제연설비의 개념

① 「화재안전기준(NFPC 501)」은 거실제연설비의 기준으로 화재실에서 연기와 열기를 직접 배출하고, 배출시킨 만큼 외기를 유입(급기)하여 피난안전성 및 소화활동의 안전성을 확보하는 것이다.

② 제연설비는 화재로 인한 연기의 확대 시 건물 내 피난자의 안전한 피난과 소화활동공간을 마련할 수 있는 청결층을 확보하고자 인위적으로 연기제어조건을 계획하고 적용하는 설비를 말한다.

③ **제연설비에는 배연과 방연이 있다.** 배연은 연기를 건축물에 설치된 개구부나 기계적 동력에 의하여 신속히 옥외로 배출시키는 것이며, 방연은 연기를 건축물의 다른 장소로 이동되지 않도록 하고, 동시에 연기가 침입하는 것을 방지하는 것을 말한다.

(2) 정의

① **제연구역**: 제연경계(제연설비의 일부인 천장을 포함)에 의하여 구획된 건물 내의 공간을 말한다.

② **예상제연구역**: 화재 발생 시 연기의 제어가 요구되는 제연구역을 말한다.

③ **제연경계의 폭**: 제연경계의 천장 또는 반자로부터 그 수직하단까지의 거리를 말한다.

④ **수직거리**: 제연경계의 바닥으로부터 그 수직하단까지의 거리를 말한다.

⑤ **공동예상제연구역**: 2개 이상의 예상제연구역을 말한다.

⑥ **유입풍도**: 예상제연구역으로 공기를 유입하도록 하는 풍도를 말한다.

⑦ **배출풍도**: 예상제연구역의 공기를 외부로 배출하도록 하는 풍도를 말한다.

2. 제연방식

(1) 제연 전용 시스템

① **동일실 급·배기 방식**: 소규모 장소에 적용한다.

㉠ 하나의 제연구역에 급기와 배기가 동시에 이루어지는 방식이다. 보통 아래 부분에서 급기되고 천장이나 반자 부분에서 배기되도록 한다.

㉡ 화재 시 급기의 공급이 화점부근이 될 경우 연소를 촉진할 우려가 있고, 급·배기가 동일실에서 행해지므로 실내의 기류가 난기류가 되어 Clear layer와 Smoke layer의 형성을 방해할 우려가 있다. 따라서 배기구와 급기구는 5m를 이격한다.

② **인접구역 상호제연 방식**: 대규모 장소 및 통로에 적용한다.

㉠ **거실 급배기 방식**: 통로가 없는 개방된 넓은 공간(백화점 등)에서 화재실은 연기를 배출하고, 인접실은 피난경로이므로 연기의 침투를 방지하기 위하여 급기하는 방식이다.

㉡ **거실배기 통로급기 방식**: 구획된 실이 통로에 면해 있는 경우(호텔)에 화재실에서 연기를 배출하고 복도 또는 통로에서 급기하는 방식으로서 거실의 하부에 급기가 유입되도록 Grill을 설치한다.

(2) 공조 겸용 시스템

제연설비 설치대상에 공기조화설비가 설치되어 있다면 겸용이 가능하나, 평상시에는 공기조화설비의 기능을 하고 화재 시에는 제연설비의 기능으로 전환되는 방식이다.

① 공조와 제연설비를 겸용하나 평상시에는 급기송풍기만 작동하여 A구역과 B구역에 공기를 공급하는 방식이며, 이때 배풍기는 구동하지 않고, MD3를 제외한 나머지 모터댐퍼는 모두 개방된 상태이다.

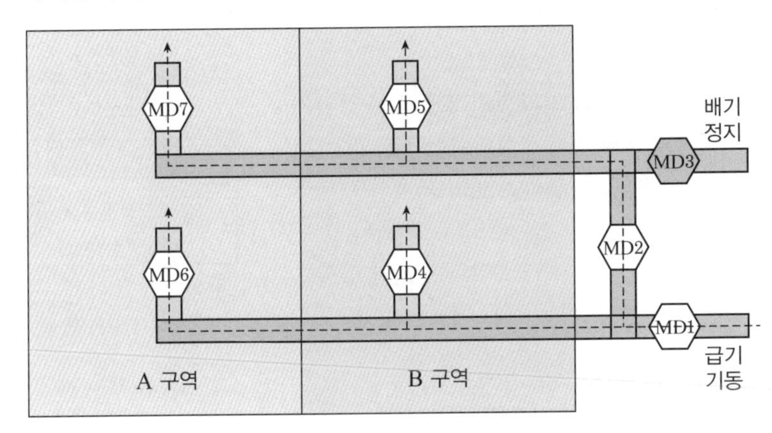

▲ 평상시 공기조화설비 기능

② A구역에 화재 시 제연설비로 전환되어 급·배풍기가 작동되며, MD1과 MD6가 개방되어 급기하고, MD3와 MD7이 개방되어 배기한다. 나머지 MD는 모두 폐쇄되어야 한다.

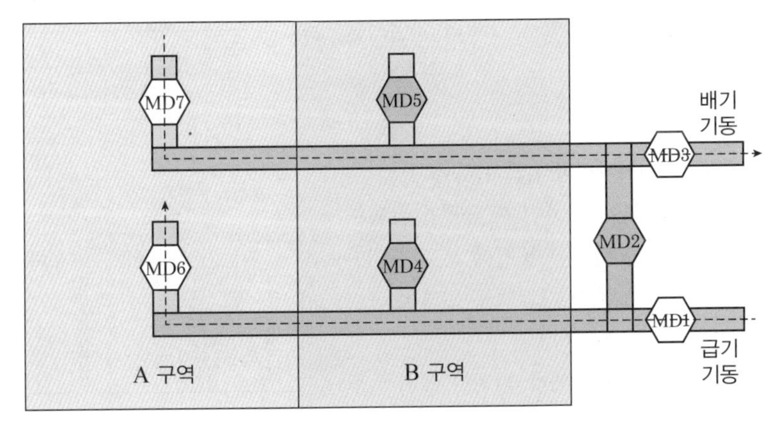

▲ 화재 시 제연설비로 전환

3. 제연방식의 구분

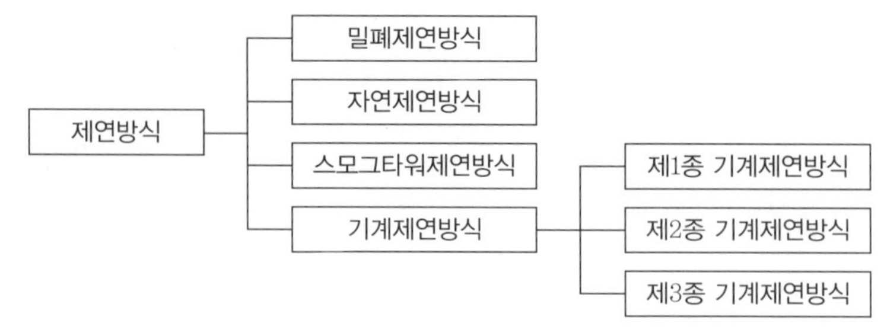

▲ 제연방식의 구분

(1) 밀폐제연방식

① 밀폐도가 높은 벽이나 문으로써 화재를 밀폐하여 연기의 유출 및 신선한 공기의 유입을 억제하여 **방연하는 방식**이다.

② 벽이나 문 등으로 화재실을 밀폐하여 연기 및 공기를 억제하는 방식이고 구획을 작게 할 수 있는 건물에 적합하며 제연의 기본이 되는 방식이다.

③ 기계제연을 행할 경우라도 화재실의 밀폐는 기본적인 전제조건이다.

(2) 자연제연방식

① 화재 시 발생한 열의 부력 또는 외부 풍력에 의해 실내의 상부에 설치된 개구부 또는 전용의 배연구를 통하여 연기를 옥외로 배출하는 방식이다.

② 이 방식은 전원이나 복잡한 장치가 불필요하며, 평상시의 환기에도 겸용할 수 있다.

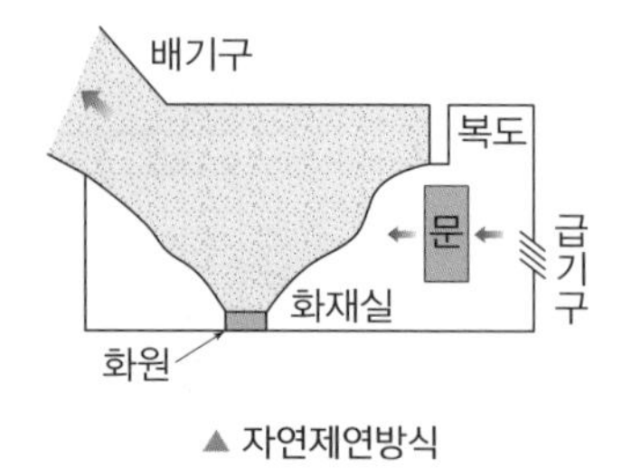

▲ 자연제연방식

(3) 스모크타워제연방식

① 소방대상물에 **배연전용의 샤프트**를 이용하는 방식이다.

② **건물 실내와 실외의 온도차, 화재에 의한 부력 및 루프모니터를 이용하여 배연하는 방식으로 고층빌딩에 적합하다.**

③ 설비가 간단하며, 샤프트의 내열성을 고려하면 고온의 연기도 배연할 수 있다.

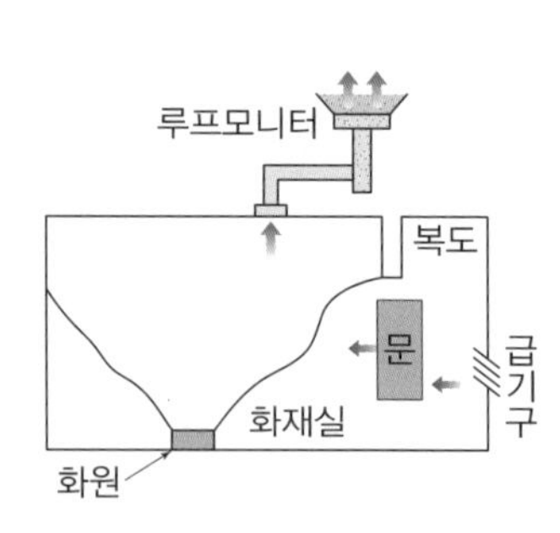

▲ 스모크타워제연방식

(4) 기계제연방식

① **제1종 기계제연방식(급기 및 배기)**

㉠ 화재실에 대하여 기계제연에 의한 배출을 행하는 동시에 복도나 계단실을 통하여 기계력을 통하여 급기를 하는 방식이다.

㉡ 급기량을 배기량보다 작게 하여 부압으로 유지한다.

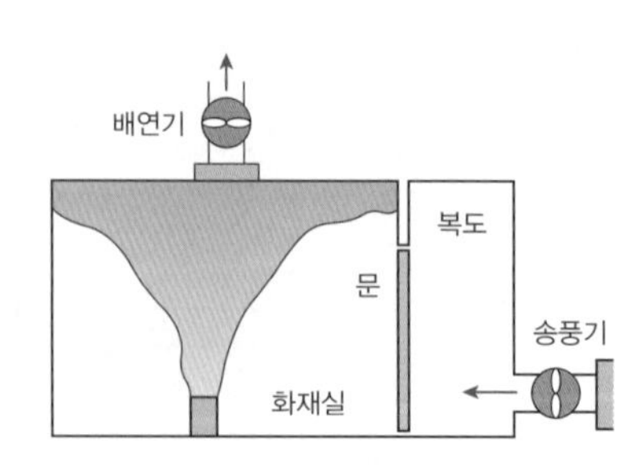

▲ 제1종 기계제연방식

㉢ 급기와 배기 모두 기계력에 의존하기 때문에 장치가 복잡하고 풍량의 밸런스에 주의하여야 한다.

② **제2종 기계제연방식(급기만)**

㉠ 복도, 계단실 등 중요한 부분에 신선한 공기를 송풍기에 의하여 급기하고 그 부분의 정압을 화재실보다 높게 하여 연기의 침입을 방지하는 방식으로 가압방연방식이다.

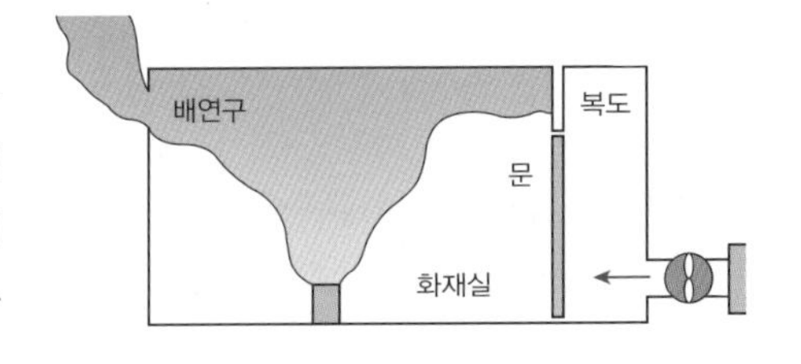

▲ 제2종 기계제연방식

㉡ 배출구가 없는 상태에서 가압하면 화재실의 화재가 더욱더 커질 우려가 있으며, 열 및 연기가 복도로 역류할 우려가 있다.

㉢ 국내에서는 특별피난계단의 계단실 및 부속실, 비상용승강기에 적용한다.

③ **제3종 기계제연방식(배기만)**

㉠ 화재로 인하여 발생한 연기를 배연기를 통하여 옥외로 배출하는 방식이다.

㉡ 방연수직벽 등을 위하여 연기유동을 방지하고 흡인효과를 증대시키기 위하여 요즘 가장 많이 사용하는 방식이다.

㉢ 화재가 진행하여 연기의 양이 많아지면 흡입을 다할 수 없는 상황이 발생할 수 있다.

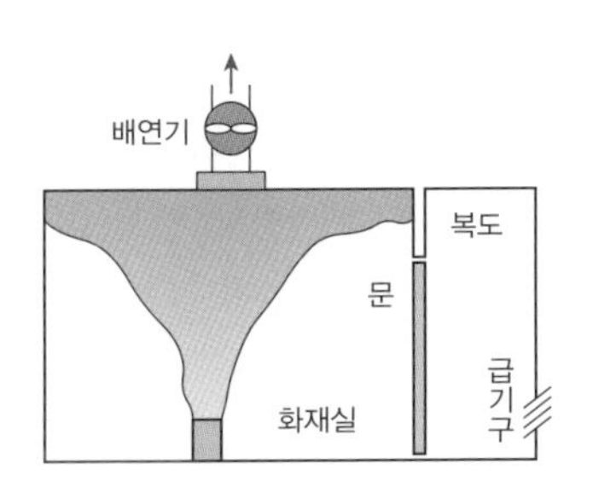

▲ 제3종 기계제연방식

4. 제연구역

(1) 제연구역 구획방법

① 하나의 제연구역의 면적은 1,000m² **이내로 할 것**

② 거실과 통로(복도를 포함한다. 이하 같다)는 상호 제연구획할 것

③ **통로상의 제연구역은 보행중심선의 길이가 60m를 초과하지 아니할 것**

④ 하나의 제연구역은 직경 60m 원내에 들어갈 수 있을 것

⑤ 하나의 제연구역은 2개 이상 층에 미치지 아니하도록 할 것. 다만, 층의 구분이 불분명한 부분은 그 부분을 다른 부분과 별도로 제연구획하여야 한다.

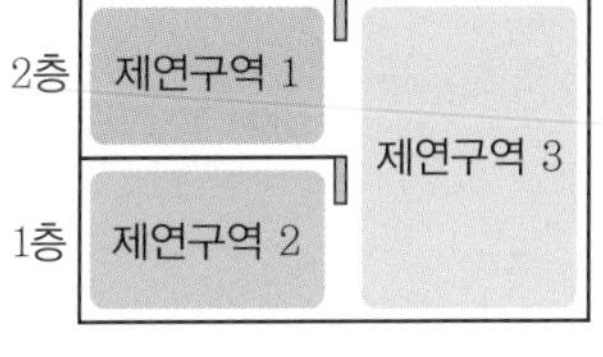

▲ 제연구역 설정

(2) 제연구역의 구획기준

제연구역의 구획은 보 · 제연경계벽(제연경계) 및 벽(화재 시 자동으로 구획되는 가동벽 · 셔터 · 방화문)을 포함하되, 다음의 기준에 적합하여야 한다.

① 재질은 내화재료, 불연재료 또는 제연경계벽으로 성능을 인정받은 것으로서 화재 시 쉽게 변형 · 파괴되지 아니하고 연기가 누설되지 않는 기밀성 있는 재료로 할 것

② **제연경계는 제연경계의 폭이** 0.6m **이상이고, 수직거리는** 2m **이내이어야 한다.** 다만, 구조상 불가피한 경우는 2m를 초과할 수 있다.

③ 제연경계벽은 배연 시 기류에 따라 그 하단이 쉽게 흔들리지 아니하여야 하며, 또한 가동식의 경우에는 급속히 하강하여 인명에 위해를 주지 아니하는 구조일 것

2 연결송수관설비 C

1. 개요

(1) 정의

① 고층건축물, 지하건축물, 복합건축물 등에 설치해 소화활동을 원활하게 하기 위하여 설치하는 소화활동설비이다.

② 건축물의 3층부터 설치한 방수구에 소방용 호스와 방사형 노즐을 연결형으로 설치한다.

③ 방수구가 가장 많이 설치된 층을 기준으로 하여 3개층마다 방수기구함을 설치하여야 한다.

④ 방수구마다 보행거리는 5m 이내로 설치한다.

(2) 연결송수관설비의 종류

① **습식배관방식**: 주로 고층건축물에 설치하는 방식으로 배관에 항상 물이 있도록 하는 방식이다.

② **건식배관방식**: 주로 10층 이하의 건축물에 설치하는 방식으로 배관에 물이 충전되어 있지 않은 연결송수관설비로서 수원을 공급받아 건축물 화재를 소화하여야 한다.

2. 연결송수관을 설치하여야 하는 특정소방대상물(위험물 저장 및 처리 시설 중 가스시설 또는 지하구는 제외) 〈소방간부 출제범위〉

(1) **층수가 5층 이상으로서 연면적 6,000m^2 이상인 것**

(2) (1)에 해당하지 않는 특정소방대상물로서 **지하층을 포함하는 층수가 7층 이상인 것**

(3) (1) 및 (2)에 해당하지 않는 특정소방대상물로서 지하층의 층수가 3층 이상이고 지하층의 바닥면적의 합계가 1,000m^2 이상인 것

(4) 지하가 중 터널로서 길이가 1,000m 이상인 것

▲ 연결송수관설비 송수구

▲ 연결송수관설비

3. 연결송수관 송수구 설치기준 〈소방간부 출제범위〉

(1) 소방차가 쉽게 접근할 수 있고 잘 보이는 장소에 설치할 것

(2) 지면으로부터 높이가 0.5m **이상** 1m **이하**의 위치에 설치할 것

(3) 송수구는 화재층으로부터 지면으로 떨어지는 유리창 등이 송수 및 그 밖의 소화작업에 지장을 주지 아니하는 장소에 설치할 것

(4) 송수구로부터 연결송수관설비의 주배관에 이르는 연결배관에 개폐밸브를 설치한 때에는 그 개폐상태를 쉽게 확인 및 조작할 수 있는 옥외 또는 기계실 등의 장소에 설치할 것. 이 경우 개폐밸브에는 그 밸브의 개폐상태를 감시제어반에서 확인할 수 있도록 급수개폐밸브 작동표시 스위치를 다음의 기준에 따라 설치하여야 한다.

① 급수개폐밸브가 잠길 경우 탬퍼 스위치의 동작으로 인하여 감시제어반 또는 수신기에 표시되어야 하며 경보음을 발할 것

② 탬퍼 스위치는 감시제어반 또는 수신기에서 동작의 유무확인과 동작시험, 도통시험을 할 수 있을 것

③ 탬퍼스위치에 사용되는 전기배선은 내화전선 또는 내열전선으로 설치할 것

(5) 구경 65mm의 **쌍구형**으로 할 것

(6) 송수구에는 그 가까운 곳의 보기 쉬운 곳에 송수압력범위를 표시한 표지를 할 것

(7) 송수구는 연결송수관의 수직배관마다 1개 이상을 설치할 것. 다만, 하나의 건축물에 설치된 각 수직배관이 중간에 개폐밸브가 설치되지 아니한 배관으로 상호 연결되어 있는 경우에는 건축물마다 1개씩 설치할 수 있다.

(8) 송수구의 부근에는 자동배수밸브 및 체크밸브를 다음의 기준에 따라 설치할 것. 이 경우 자동배수밸브는 배관안의 물이 잘 빠질 수 있는 위치에 설치하되, 배수로 인하여 다른 물건이나 장소에 피해를 주지 아니하여야 한다.

① 습식의 경우에는 송수구 · 자동배수밸브 · 체크밸브의 순으로 설치할 것

② 건식의 경우에는 송수구 · 자동배수밸브 · 체크밸브 · 자동배수밸브의 순으로 설치할 것

(9) 송수구에는 가까운 곳의 보기 쉬운 곳에 '연결송수관설비 송수구'라고 표시한 표지를 설치할 것

(10) 송수구에는 이물질을 막기 위한 마개를 씌울 것

▲ 연결송수관설비 외부전경

▲ 연결송수관설비 내부전경

▲ 송수구

3 연결살수설비 D

1. 개요

연결살수설비는 판매시설 및 지하가 또는 건축물 지하층의 연면적이 150m² 이상인 곳에 설치하는 시설로, 물을 공급받아 본격적인 소화를 위하여 설치하는 소화활동설비이다.

2. 연결살수설비를 설치하여야 하는 특정소방대상물(지하구 제외) 〈소방간부 출제범위〉

(1) 판매시설, 운수시설, 창고시설 중 물류터미널로서 해당 용도로 사용되는 부분의 바닥면적의 합계가 1,000m² 이상인 것

(2) 지하층(피난층으로 주된 출입구가 도로와 접한 경우는 제외)으로서 바닥면적의 합계가 150m² 이상인 것. 다만, 「주택법 시행령」 제21조 제4항에 따른 국민주택규모 이하인 아파트 등의 지하층(대피시설로 사용하는 것만 해당)과 교육연구시설 중 학교의 지하층의 경우에는 700m² 이상인 것으로 한다.

(3) 가스시설 중 지상에 노출된 탱크의 용량이 30톤 이상인 탱크시설

(4) (1) 및 (2)의 특정소방대상물에 부속된 연결통로

3. 연결살수설비의 헤드 〈소방간부 출제범위〉

▲ 연결살수설비 송수구

(1) 연결살수설비의 헤드는 연결살수설비전용헤드 또는 스프링클러헤드로 설치하여야 한다.

(2) 건축물에 설치하는 연결살수설비의 헤드의 설치기준

① 천장 또는 반자의 실내에 면하는 부분에 설치할 것

② 천장 또는 반자의 각 부분으로부터 하나의 살수헤드까지의 수평거리가 연결살수설비전용헤드의 경우는 3.7m 이하, 스프링클러헤드의 경우는 2.3m 이하로 할 것. 다만, 살수헤드의 부착면과 바닥과의 높이가 2.1m 이하인 부분은 살수헤드의 살수분포에 따른 거리로 할 수 있다.

(3) 가연성 가스의 저장·취급시설에 설치하는 연결살수설비의 헤드의 설치기준(지하에 설치된 가연성 가스의 저장·취급시설로서 지상에 노출된 부분이 없는 경우 제외)

① 연결살수설비 전용의 개방형헤드를 설치할 것

② 가스저장탱크·가스홀더 및 가스발생기의 주위에 설치하되, 헤드 상호 간의 거리는 3.7m 이하로 할 것

③ 헤드의 살수범위는 가스저장탱크·가스홀더 및 가스발생기의 몸체의 중간 윗부분의 모든 부분이 포함되도록 하여야 하고 살수된 물이 흘러내리면서 살수범위에 포함되지 아니한 부분에도 모두 적셔질 수 있도록 할 것

4 연소방지설비 D

1. 개요

연소방지설비는 전력케이블, 통신케이블, 도시가스관, 냉난방 배관 등이 설치되는 지하구에 설치하여 화재 시 피해를 줄이기 위한 설비이다.

2. 연소방지설비를 설치하여야 하는 특정소방대상물 〈소방간부 출제범위〉

연소방지설비는 지하구(전력 또는 통신사업용인 것만 해당)에 설치하여야 한다.

▲ 연소방지설비 송수구 전경

▲ 연소방지설비 송수구(전력구)

3. 연소방지설비의 배관

(1) 연소방지설비 전용배관의 구경은 연결살수설비 전용배관과 같다.

헤드의 수	1개	2개	3개	4 ~ 5개	6 ~ 10개
배관 구경	32mm	40mm	50mm	65mm	80mm

(2) 수평주행 배관의 구경은 100mm 이상의 것으로 하고, 배관은 헤드를 향하여 상향으로 1/1,000 이상의 기울기로 설치하여야 한다.

(3) 배관은 동결 우려가 없도록 하여야 하며, 배관용 탄소강강관 또는 이와 동등 이상의 것으로 하고, 전용으로 한다.

4. 연소방지설비의 방수헤드

(1) 방수헤드는 천장 및 벽면에 설치하여야 한다.

(2) 방수헤드 간의 수평거리는 연소방지설비 전용헤드는 2.0m 이하, 스프링클러헤드의 경우에는 1.5m 이하로 한다.

(3) 살수구역은 지하구의 길이 방향으로 350m 이하마다 1개 이상 설치하고, 하나의 살수구역의 길이는 3m 이상으로 한다.

5	비상콘센트설비	D

1. 개요

고층건축물이나 지하가 등의 대규모 건축물에서 화재 시 소방활동 등을 원활하게 할 수 있도록 설치되는 설비이다.

2. 설치대상(위험물 저장 및 처리 시설 중 가스시설 또는 지하구는 제외)

〈소방간부 출제범위〉

(1) 층수가 11층 이상인 특정소방대상물의 경우에는 11층 이상의 층

(2) 지하층의 층수가 3층 이상이고 지하층의 바닥면적의 합계가 1,000m^2 이상인 것은 지하층의 모든 층

(3) 지하가 중 터널로서 길이가 500m 이상인 것

▲ 비상콘센트설비(외부)

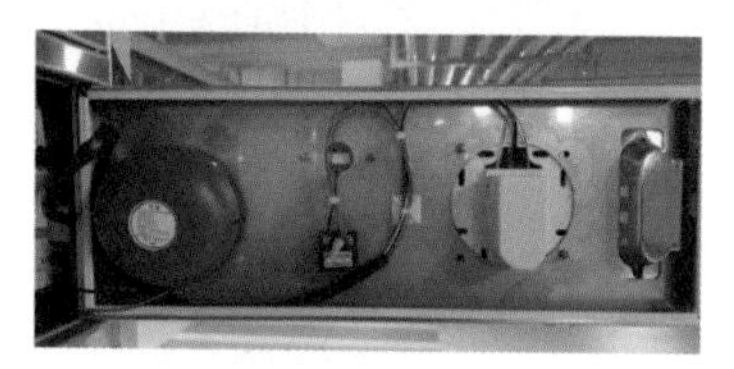

▲ 비상콘센트설비(내부)

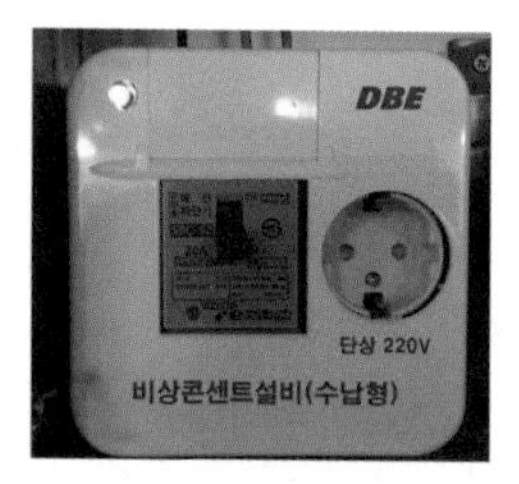

▲ 비상콘센트설비(수납형)

3. 전원 및 콘센트 등

(1) 비상콘센트설비 전원 설치 기준

① 상용전원회로의 배선은 전용배선으로 하고, 상용전원의 상시공급에 지장이 없도록 할 것

② 지하층을 제외한 층수가 7층 이상으로서 연면적이 2,000제곱미터 이상이거나 지하층의 바닥면적의 합계가 3,000제곱미터 이상인 특정소방대상물의 비상콘센트설비에는 자가발전설비, 비상전원수전설비, 축전지설비 또는 전기저장장치를 비상전원으로 설치할 것

③ ②에 따른 비상전원 중 자가발전설비, 축전지설비 또는 전기저장장치는 다음 각 목의 기준에 따라 설치하고, 비상전원수전설비는 「소방시설용 비상전원수전설비의 화재안전성능기준(NFPC 602)」에 따라 설치할 것

㉠ 점검에 편리하고 화재 및 침수 등의 재해로 인한 피해를 받을 우려가 없는 곳에 설치할 것

㉡ 비상콘센트설비를 유효하게 20분 이상 작동시킬 수 있는 용량으로 할 것

㉢ 상용전원으로부터 전력의 공급이 중단된 때에는 자동으로 비상전원으로부터 전력을 공급받을 수 있도록 할 것

㉣ 비상전원의 설치장소는 다른 장소와 방화구획 할 것
㉤ 비상전원을 실내에 설치하는 때에는 그 실내에 비상조명등을 설치할 것

(2) 비상콘센트설비의 전원회로 설치 기준

① 비상콘센트설비의 전원회로는 단상교류 220볼트인 것으로서, 그 공급용량은 1.5킬로볼트암페어 이상인 것으로 할 것
② 전원회로는 각 층에 둘 이상이 되도록 설치할 것
③ 전원회로는 주배전반에서 전용회로로 할 것
④ 전원으로부터 각 층의 비상콘센트에 분기되는 경우에는 분기배선용 차단기를 보호함안에 설치할 것
⑤ 콘센트마다 배선용 차단기(KS C 8321)를 설치해야 하며, 충전부가 노출되지 않도록 할 것
⑥ 개폐기에는 "비상콘센트"라고 표시한 표지를 할 것
⑦ 비상콘센트용의 풀박스 등은 방청도장을 한 것으로서, 두께 1.6밀리미터 이상의 철판으로 할 것
⑧ 하나의 전용회로에 설치하는 비상콘센트는 10개 이하로 할 것. 이 경우 전선의 용량은 각 비상콘센트(비상콘센트가 3개 이상인 경우에는 3개)의 공급용량을 합한 용량 이상의 것으로 해야 한다.

핵심 기출

다음은 비상콘센트설비의 전원회로 기준에 관한 것이다. ( ) 안에 들어갈 내용으로 옳은 것은? 23. 소방간부

> 비상콘센트설비의 전원회로는 (㉠)교류 (㉡)볼트인 것으로서, 그 공급용량은 (㉢) 킬로볼트암페어 이상인 것으로 할 것

	㉠	㉡	㉢
①	단상	24	1.5
②	단상	220	1.5
③	단상	380	3.0
④	3상	220	3.0
⑤	3상	380	3.0

정답 ②

6 무선통신보조설비 D

1. 개요

소방 활동 시 통신을 원활하기 위한 소방활동설비이다.

2. 설치대상(위험물 저장 및 처리 시설 중 가스시설은 제외) 〈소방간부 출제범위〉

(1) 지하가(터널은 제외)로서 연면적 1,000m² 이상인 것
(2) 지하층의 바닥면적의 합계가 3,000m² 이상인 것 또는 지하층의 층수가 3층 이상이고 지하층의 바닥면적의 합계가 1,000m² 이상인 것은 지하층의 모든 층
(3) 지하가 중 터널로서 길이가 500m 이상인 것
(4) 「국토의 계획 및 이용에 관한 법률」 제2조 제9호에 따른 공동구
(5) 층수가 30층 이상인 것으로서 16층 이상 부분의 모든 층

MEMO

김정희 |

약력
고려대학교 공학석사
고려대학교 공학박사 과정
미국 워싱턴 주립대학 MIS과정 수료
현 | 해커스소방 소방학개론, 소방관계법규 강의
현 | 충청소방학교 강의
현 | 한국화재소방학회 건축도시방재분과 위원
현 | 한국화재소방학회 정회원
현 | 대한건축학회 정회원
전 | 국제대학교, 호서대학교, 목원대학교 강의
전 | 에듀윌, 에듀피디, 아모르이그잼, 윌비스 강의
전 | 국가공무원학원, 종로소방학원, 대전제일고시학원 강의

저서
해커스소방 김정희 소방학개론 기본서
해커스소방 김정희 소방관계법규 기본서
해커스소방 김정희 소방관계법규 3단 비교 빈칸노트
해커스소방 김정희 소방학개론 핵심정리+OX문제
해커스소방 김정희 소방관계법규 핵심정리+OX문제
해커스소방 김정희 소방학개론 단원별 기출문제집
해커스소방 김정희 소방관계법규 단원별 기출문제집
해커스소방 김정희 소방학개론 단원별 실전문제집
해커스소방 김정희 소방관계법규 단원별 실전문제집
해커스소방 김정희 소방학개론 실전동형모의고사
해커스소방 김정희 소방관계법규 실전동형모의고사

2025 대비 최신개정판

해커스소방 김정희 소방학개론

기본서 | 1권

개정 4판 1쇄 발행 2024년 5월 22일

지은이	김정희 편저
펴낸곳	해커스패스
펴낸이	해커스소방 출판팀
주소	서울특별시 강남구 강남대로 428 해커스소방
고객센터	1588-4055
교재 관련 문의	gosi@hackerspass.com 해커스소방 사이트(fire.Hackers.com) 교재 Q&A 게시판
학원 강의 및 동영상강의	fire.Hackers.com
ISBN	1권: 979-11-7244-090-9 (14350) 세트: 979-11-7244-089-3 (14350)
Serial Number	04-01-01